Félicité

DU MÊME AUTEUR

Un viol sans importance, roman, Sillery, Septentrion, 1998

La Souris et le Rat, roman, Gatineau, Vents d'Ouest, 2004

Un pays pour un autre, roman, Sillery, Septentrion, 2005

L'été de 1939, avant l'orage, roman, Montréal, Hurtubise HMH, 2006

La Rose et l'Irlande, roman, Montréal, Hurtubise HMH, 2007

Les Portes de Québec, tome 1, *Faubourg Saint-Roch*, roman, Montréal, Hurtubise HMH, 2007, format compact, 2011

Les Portes de Québec, tome 2, *La Belle Époque*, roman, Montréal, Hurtubise HMH, 2008, format compact, 2011

Les Portes de Québec, tome 3, *Le prix du sang*, roman, Montréal, Hurtubise HMH, 2008, format compact, 2011

Les Portes de Québec, tome 4, *La mort bleue*, roman, Montréal, Hurtubise, 2009, format compact, 2011

Haute-Ville, Basse-Ville, roman, Montréal, Hurtubise, 2009 (réédition de *Un viol sans importance*)

Les Folles Années, tome 1, *Les héritiers*, roman, Montréal, Hurtubise, 2010

Les Folles Années, tome 2, *Mathieu et l'affaire Aurore*, roman, Montréal, Hurtubise, 2010

Les Folles Années, tome 3, *Thalie et les âmes d'élite*, roman, Montréal, Hurtubise, 2011

Les Folles Années, tome 4, *Eugénie et l'enfant retrouvé*, roman, Montréal, Hurtubise, 2011

Félicité, tome 1, *Le pasteur et la brebis*, roman, Montréal, Hurtubise, 2011

Félicité, tome 2, *La grande ville*, roman, Montréal, Hurtubise, 2012

Jean-Pierre Charland

Félicité

tome 3

Le salaire du péché

Roman historique

Hurtubise

Catalogage avant publication de Bibliothèque et Archives nationales du Québec et Bibliothèque et Archives Canada

Charland, Jean-Pierre, 1954-

    Félicité : roman historique

    Sommaire : t. 3. Le salaire du péché.

    ISBN 978-2-89647-982-5 (v. 3)

    I. Titre. II. Titre : Le salaire du péché.

PS8555.H415F44 2011   C843'.54   C2011-941248-9
PS9555.H415F44 2011

Les Éditions Hurtubise bénéficient du soutien financier des institutions suivantes pour leurs activités d'édition :

- Conseil des Arts du Canada ;
- Gouvernement du Canada par l'entremise du Fonds du livre du Canada (FLC) ;
- Société de développement des entreprises culturelles du Québec (SODEC) ;
- Gouvernement du Québec par l'entremise du programme de crédit d'impôt pour l'édition de livres.

Graphisme de la couverture : René St-Amand
Illustration de la couverture : Marc Lalumière
Maquette intérieure et mise en pages : Andréa Joseph [pagexpress@videotron.ca]

Copyright © 2012 Éditions Hurtubise inc.

ISBN 978-2-89647-982-5 (version imprimée)
ISBN 978-2-89647-984-9 (version PDF)
ISBN 978-2-89647-983-2 (version ePub)

Dépôt légal : 4ᵉ trimestre 2012
Bibliothèque et Archives nationales du Québec
Bibliothèque et Archives Canada

Diffusion-distribution au Canada :
Distribution HMH
1815, avenue De Lorimier
Montréal (Québec) H2K 3W6
www.distributionhmh.com

Diffusion-distribution en France :
Librairie du Québec / DNM
30, rue Gay-Lussac
75005 Paris FRANCE
www.librairieduquebec.fr

Imprimé au Canada
www.editionshurtubise.com

Liste des personnages principaux

Abel, Jules : Pharmacien, après son stage il travaille dans l'officine de Robert Gray. Son père et sa mère se prénomment respectivement Léonie et Absalon, sa sœur et son frère, Fidélia et Didace.

Chambon, Hélidia : Employée d'une filature, elle habite la pension de la ruelle Berri.

Dallet, Crépin : Préposé à la tenue des livres chez le manufacturier de savon Barsalou, il loge à la pension de la ruelle Berri et affiche une religiosité exacerbée.

Demers, Charles : Mécanicien à la McDonald Tobacco, il habite la pension de la ruelle Berri.

Drolet, Phébée : Jeune couturière, elle se lie d'amitié avec Félicité Drousson dès l'arrivée de celle-ci à Montréal.

Drousson, Félicité : Ancienne institutrice formée au couvent des sœurs de Sainte-Anne, à Saint-Jacques-de-l'Achigan. Par souci de discrétion, lors de son séjour à Montréal elle se présente sous le nom de Dubois. Elle travaille à la Dominion Cotton.

Drousson, Marcile : Mère de Félicité. Veuve, elle travaille comme ménagère au presbytère de Saint-Jacques.

Duplessis, Octave : Libraire d'origine française, son commerce est situé dans le quartier Hochelaga.

Lévesque, Guildor : Apprenti à la McDonald Tobacco, il loge à la pension de la ruelle Berri.

Martin, Adrien : Conseiller municipal de Montréal, propriétaire de logements ouvriers.

Marly, Janvière : Propriétaire avec son époux des *Confections Marly*, boutique de la rue Sainte-Catherine. Elle emploie Phébée depuis deux ans. Son mari se prénomme Gaston, son fils, Janvier.

Muir, John : Ébéniste employé aux ateliers du Canadien Pacifique, il habite la pension de la ruelle Berri.

Paquin, Vénérance : Tenancière de la pension de la ruelle Berri, sise à l'arrière de la rue du même nom. Elle a trois enfants : Fernande (8 ans), Casimir (9 ans) et Madore (10 ans). Son mari se prénomme Oscar.

Rouillard, Firmin : Contremaître à la Dominion Cotton.

Savard, Antoine : Vicaire à l'église Saint-Jacques à Montréal et conseiller spirituel de Phébée.

Personnages historiques

Barsalou, Joseph (1822-1897): Marchand et homme d'affaires, il œuvre dans plusieurs domaines d'activité, dont la fabrication de savon. Ses fils, Hector et Érasme, l'assistent dans ses tâches.

Beaugrand, Honoré (1848-1906): Militaire, journaliste et propriétaire de plusieurs journaux dont *La Patrie*, il fut maire de Montréal de 1885 à 1887.

Bourget, Ignace (1799-1885): Second évêque de Montréal (1840-1876).

Fabre, Charles-Édouard (1827-1896): Troisième évêque de Montréal (1876-1896).

Gray, Henry Robert (1838-1908): Pharmacien et homme politique, il est responsable du comité d'hygiène pendant l'épidémie de 1885. Il a inspiré le personnage de Robert Gray.

Lartigue, Jean-Jacques (1777-1840): Évêque auxiliaire, puis premier évêque de Montréal.

Paradis, Hercule (1828-?): Chef de police de la ville de Montréal au moment des émeutes de 1885.

Chapitre 1

Un peu penaude, Phébée se tenait devant le comptoir de la boutique de vêtements *Les Confections Marly*. Elle demanda, hésitante :

— Vous êtes certaine que je peux partir tout de suite, madame ? Je me sens comme une déserteuse.

Sous la poitrine opulente de Janvière Marly, qu'un corset renforcé de solides baleines enserrait, battait un cœur sensible et volontiers romantique.

— Vas-y, répondit-elle avec le sourire. Je sais encore comment gérer mon commerce sans aide. Puis après six heures, on ne voit plus personne.

— Alors encore merci, madame. À demain matin.

L'autre lui adressa un salut de la main tout en se penchant sur ses factures.

Après des mois de fréquentation assidue, Jules Abel s'était lancé dans une aventure militaire à l'autre bout du continent. Depuis, la jeune femme se mourait d'inquiétude pour lui, pour elle, pour leur couple. Ce départ avant la fin de sa journée de travail tenait à son besoin d'être rassurée. Elle s'engagea vers l'ouest dans la rue Sainte-Catherine, jusqu'à l'officine de Robert Gray. Le tintement d'une clochette signala le mouvement de la porte. L'homme se trouvait bien là, occupé à servir un client.

— Dans le journal, insistait le vieux monsieur, c'est écrit que c'est bon contre la variole.

— Vous savez, il ne faut pas croire tout ce qu'on lit. Ces textes-là, ça ressemble à de véritables articles, mais il s'agit de réclames plus souvent qu'autrement.

— Il y avait même le nom d'un médecin !

Aux yeux de ce badaud, les docteurs « Jones » ou « Smith » représentaient une garantie de fiabilité presque aussi grande qu'une parole d'évangile.

— Ce produit ne vous fera aucun mal, c'est déjà bien, expliqua le professionnel. Alors si vous tenez absolument à me donner votre argent…

Même ces mots ne découragèrent pas le client qui, un instant plus tard, sortait avec une panacée devant le prémunir contre les abcès à l'estomac et la variole, entre autres maux.

— Je suis heureux de vous revoir, mademoiselle…

Le pharmacien s'avançait la main tendue, un sourire aux lèvres. L'absence d'autres clients dans le commerce autorisait une certaine familiarité.

— Drolet… Phébée Drolet.

— Oh ! On ne peut oublier votre prénom, chère demoiselle, mais ce serait présomptueux de ma part de l'utiliser.

La jeune visiteuse battit des cils alors que son sourire laissa voir l'alignement parfait de ses dents, semblable à des rangées de perles. N'importe qui se serait détourné de son travail pour lui faire la conversation.

— Venez donc vous asseoir et dites-moi ce qui vous amène ici. Ce n'est pas la maladie, j'espère.

Deux chaises se trouvaient dans un coin. Dans une officine comme la sienne, certains clients avaient bien du mal à attendre debout qu'on leur prépare un remède. La couturière fit comme on le lui disait, son hôte déplaça l'autre siège pour se mettre en face d'elle.

— Si l'inquiétude et l'ennui sont des maladies, confia-t-elle, je ne m'en remettrai pas.

Malgré son air avenant, une ombre marquait le joli visage, une angoisse sourde, tenace, qu'une personne rompue au contact avec les malades savait détecter.

— Ce coureur des plaines vous manque, suggéra-t-il.

— Terriblement. Il doit vous écrire, parfois…

L'autre ne dissimula pas son amusement devant une pareille assertion.

— S'il a le temps d'écrire, ce ne sera pas à son patron, croyez-moi. Il ne vous donne pas de nouvelles ?

— Au début, je recevais des lettres… ou plutôt des bouts de papier griffonnés à la hâte.

— Vous savez, les miliciens doivent coucher dans des tentes et manger avec leur écuelle sur les genoux. Ce ne sont pas des conditions idéales pour la correspondance.

Ces mots ne lui disaient rien qui vaille quant à la sécurité de son fiancé. Jules lui faisait l'impression d'avoir besoin d'un bon lit la nuit et de trois repas par jour servis à une table. La vie d'aventurier cadrait mal avec son tempérament. Ce genre d'existence le rendrait malade.

— Depuis deux semaines, je n'ai rien reçu, glissa-t-elle dans un souffle.

— Si son régiment est stationné loin d'une voie ferrée, le service postal doit être inexistant.

— La bataille de Batoche s'est déroulée il y a des semaines. Tout le monde devrait être de retour, maintenant.

Les forces rebelles, dirigées par Louis Riel, avaient été dispersées le 12 mai précédent. Dans l'esprit de Phébée, ce conflit était donc terminé.

— Vous avez raison, cet affrontement a donné la victoire aux troupes du gouvernement. Toutefois, les régiments doivent demeurer là-bas encore un peu, afin que les désordres ne reprennent pas le dessus. Infliger une défaite aux Métis ne posait pas de difficulté, mais les problèmes ayant causé cette révolte ne sont pas réglés, vous savez. Le désespoir peut les pousser à reprendre les armes.

Justement, elle ne savait pas. Les soubresauts politiques ou les difficultés économiques sévissant dans ces territoires lointains ne la concernaient pas plus que les événements survenus en Chine. Toute son attention se portait sur les conditions si précaires de sa propre existence : ce seul combat lui suffisait amplement.

— S'il est en bonne santé, rien ne l'empêche de m'envoyer un mot… trois mots plutôt. Je me contenterais de lire un « Je vais bien ».

Le pharmacien hocha la tête, compréhensif. Si lui-même s'était trouvé dans le Nord-Ouest, cette beauté aurait assurément reçu de ses nouvelles tous les jours. Elle s'inquiétait avec raison de ce silence.

— Je n'ai pas reçu de lettres de votre fiancé, mais des amis d'Ottawa me tiennent un peu au courant de ce qui se passe là-bas. Les hommes du 65e Régiment ne se sont pas battus contre les Métis.

Ce fait tenait à un motif très simple : au gouvernement, on craignait que des Canadiens français refusent de faire leur devoir devant un ennemi parlant la même langue et pratiquant la même religion qu'eux.

— Dans ce cas, murmura Phébée, Jules et tous ses compagnons devraient être là.

La situation devenait de plus en plus embrouillée à ses yeux. Venue pour se faire réconforter, son vis-à-vis ajoutait à son tourment.

— Les Indiens aussi se sont révoltés. Les Fusiliers Mont-Royal leur font la chasse, pour arrêter les meneurs et conduire les autres dans des réserves.

Les journaux évoquaient régulièrement des bandes d'Amérindiens en maraude. À l'approche des forces gouvernementales, ils s'évanouissaient dans la prairie.

— Mais les Sauvages, quand ils font des prisonniers…

Les pages les plus sinistres du manuel scolaire de la petite école racontant l'histoire du Canada lui revenaient en mémoire. Y étaient décrites les horribles mises à mort des pères Brébeuf, Lallemand ou Jogue, avec force détails. Au plus noir de la nuit, elle voyait un petit milicien soumis au supplice.

— Ne pensez pas à des choses semblables, ma chère. Il s'agit de petites bandes de gens affamés, mal armés. Ils ne peuvent rien contre une force nombreuse et bien entraînée.

Son assurance un peu factice ne convainquit pas son interlocutrice.

— Ils ont tué beaucoup de gens, même des prêtres.

Bien sûr, cela ne lui avait pas échappé. Parmi leurs victimes on comptait des colons et deux prêtres. Les curés relayaient cette information lors de leur prêche dominical, du haut de la chaire, pour l'édification des fidèles. Gray fit semblant de n'avoir rien entendu.

— Ce retard dans les lettres tient simplement au fait que le régiment pourchasse ces malheureux dans les plaines. Dès qu'ils atteindront une ville, vous les recevrez, ces trois petits mots, et même plusieurs autres. Ne vous rongez pas les sangs. Songez plutôt à la cérémonie du mariage. Jules m'a dit qu'il n'entendait pas laisser traîner les choses.

Au gré de la conversation, Gray constatait une réelle angoisse chez la visiteuse. Tout de même, l'allusion à cette intimité lui mit le rose aux joues. Elle précisa dans un souffle :

— Il a parlé de quelques semaines après son retour.

— Alors vous voyez, vous avez un bon motif de sourire.

L'homme s'était penché un peu pour lui effleurer l'avant-bras du bout des doigts. Le geste paraissait si paternel qu'elle ne s'en formalisa pas.

Toute à son appréhension, la couturière se montrait maintenant moins encline aux longues marches digestives. Assise sur le bord du lit, elle contemplait la cour arrière, poussant les profonds soupirs d'un cœur en peine.

Profitant des dernières minutes de la lumière du jour, près d'elle, Félicité, pliée en deux, utilisant le siège de leur unique chaise comme table, écrivait à sa mère. Au cours des derniers mois, elle s'était efforcée de donner des nouvelles toutes les deux semaines, Marcile faisait de même.

Les missives demeuraient très courtes, son existence entre un travail harassant et des conditions de vie médiocres ne méritait guère de longues envolées.

Chère maman,
Je vais bien, je suis toujours à la Dominion Cotton.

Pouvait-elle décrire encore le caractère aliénant de tâches si répétitives ? À la place, elle évoqua le contremaître plutôt gentil et ses quelques collègues les plus avenantes.

Comme la ménagère du curé Merlot parcourait les journaux reçus par son employeur, impossible de passer la maladie sous silence :

Je prie souvent pour la pauvre Marie Robichaud. La picote rouge l'a tuée en trois jours. C'est la forme la plus violente de la maladie. Quelle tristesse, cette maladie. Heureusement, personne d'autre n'a été atteint dans la maison. Je suppose que bientôt, ce sera un autre mauvais souvenir.

— Tu lui parles de moi ? voulut savoir son amie.

— Comme tu es la meilleure chose qui me soit arrivée dans cette ville, et que maman paraît t'aimer à distance, tu as toujours droit au dernier paragraphe.

Voyant sa compagne comme sa sœur d'adoption, la blonde pouvait-elle considérer cette femme inconnue comme étant un peu sa mère ? L'interrogation ajouta à sa morosité.

Phébée n'a pas reçu de nouvelles de son amoureux depuis longtemps. Elle, habituellement si gaie, est pourtant minée par l'inquiétude ces temps-ci. Elle paraît absolument certaine qu'un dénouement déchirant viendra mettre fin à son histoire d'amour, comme si elle ne pouvait croire à sa chance. J'ai bien du mal à l'encourager, car moi aussi je trouve ce silence menaçant. Des idées si sombres peuvent-elles provoquer le malheur ?

La pénombre l'obligea à abréger ses souhaits de bonne santé à sa mère et au vieil abbé Merlot. Une fois le nécessaire d'écriture de nouveau rangé dans le coffre, Félicité se prépara pour la nuit.

Le dimanche 7 juin 1885, la chorale de l'église Saint-Jacques paraissait déterminée à faire monter ses voix jusqu'au ciel, sinon jusqu'à Dieu. Elle entendait souligner dignement la fête du Très-Saint-Sacrement. Félicité se tenait debout à l'arrière, la tête penchée, recueillie, les deux mains jointes à la hauteur de la taille. Pourtant, sous ce calme de surface, dans sa tête des souvenirs pénibles se bousculaient.

Un an plus tôt, le jour de cette même solennité, désignée aussi du nom de Fête-Dieu, elle fuyait Saint-Eugène, honteuse, sa vie détruite à jamais. C'était le jeudi 12 juin 1884. Les paysans de sa petite paroisse d'adoption avaient cessé le travail pour participer à la cérémonie animée par Philomire Sasseville. En conséquence, toute la population avait assisté à sa déroute.

Après ces nombreux mois écoulés, qu'en était-il de sa situation ? Son travail à la manufacture, on pouvait l'en priver subitement. Il en allait de même de son logis. Ce serait vraisemblablement le cas lors du mariage de Phébée : elle ne pourrait assumer seule le loyer, trop au-dessus de ses moyens. Fréquenter une paroisse cossue, entendre l'une des meilleures chorales de la ville, admirer un décor somptueux, tout cela rendait sa position plus inconfortable encore. Contempler tout ce dont la vie la privait ajoutait à sa misère.

Lors du prône, sous de riches habits sacerdotaux, le curé regagna la chaire. Après le «Mes très chers frères, mes très chères sœurs» habituel, il enchaîna :

— Cet après-midi se tiendra une magnifique procession, destinée à témoigner de notre foi. Marcher derrière le corps du Christ incarné dans l'hostie, c'est Le reconnaître comme notre Maître, et nous reconnaître comme Ses sujets. Promener le corps du Christ dans les rues de notre ville, c'est affirmer Sa préséance sur celle de tous les autres pouvoirs…

Ce sermon ressemblait à un programme politique, et en vérité c'en était un. Il s'agissait d'établir partout la primauté du seul vrai Dieu et de son Église. En même temps, c'était réaffirmer celle de Ses représentants sur terre. Les pasteurs guidaient le troupeau pour établir sur les rives du Saint-Laurent une société vraiment chrétienne.

— Vas-tu participer à la procession ? murmura Félicité à l'oreille de son amie.

— Nous n'avons rien de mieux à faire, n'est-ce pas ?

Le ton de Phébée trahissait toute sa tristesse. Depuis le départ de Jules Abel, les dimanches paraissaient interminables, autant pour la fiancée abandonnée que pour son chaperon.

L'officiant parla encore longtemps de la fête du Très-Saint-Sacrement puis, selon la tradition, conclut son prêche en abordant une question profane :

— Les autorités civiles de notre ville ont sollicité le soutien de Sa grandeur, monseigneur Fabre, dans la lutte menée contre l'épidémie de variole. C'est à la demande de ce dernier que je vous rappelle l'importance de vous faire vacciner, de même que vos enfants. Aucun moyen, après la prière bien sûr, n'est plus efficace que le vaccin pour se protéger de la contagion.

Une rumeur peu sympathique à cette exhortation parcourut l'assemblée. En précisant que l'initiative ne venait pas de lui, le prêtre souhaitait-il s'en désolidariser ? Peut-être partageait-il le scepticisme de ses ouailles.

Peu après, durant la communion, Phébée se dirigea vers la sainte table parmi les premières. Depuis la rebuffade du carnaval survenue des mois plus tôt, la jeune femme tenait à afficher une religiosité exemplaire. Sa fréquentation coutumière du confessionnal permettait la même assiduité à l'eucharistie. Dans le temple, elle avait repéré de nombreuses clientes des *Confections Marly*. Celles-là pourraient témoigner de sa bonne moralité. Toutes ces précautions suffiraient-elles à ramener Jules ? Un doute, tenace, la rongeait

Félicité, de son côté, ne désirait attirer l'attention ni par la négligence de ses devoirs religieux, ni par un engagement excessif.

Début juin, la température se révélait agréablement chaude, sans être oppressante. Les vêtements des hommes et des femmes renouaient avec les teintes plus pâles, pastel dans le cas des secondes, et les chapeaux de paille. Les conversations des paroissiens portaient tout naturellement sur les combats dans le Nord-Ouest. Personne ne doutait de la victoire finale des troupes du général Frederick Middleton, mais le coût en vies humaines s'avérerait peut-être bien lourd. De nombreuses familles regroupées sur le parvis de l'église comptaient un fils membre des Fusiliers Mont-Royal.

Par automatisme, chaque dimanche Phébée cherchait Jules des yeux parmi les personnes assemblées devant le temple, puis baissait immanquablement la tête. Ce jour-là, un peu poussées par les paroissiens se regroupant pour discuter, les deux amies se retrouvèrent sur le trottoir. L'occasion était trop belle, Crépin Dallet vint se planter à proximité.

— Mesdemoiselles, peut-être voudrez-vous marcher avec moi dans la procession, cet après-midi.

À quelques pas, Hélidia montrait le même visage blessé depuis des semaines. Elle voyait le petit homme vêtu de noir s'approcher de la blonde avec une régularité déprimante, être rejeté, puis revenir vers elle pour proposer une activité religieuse.

— Monsieur Dallet, commença Phébée, vous me décevez beaucoup.

Un certain entrain revenait dans la voix de la couturière, comme si ridiculiser le commis aux livres la ramenait des semaines en arrière, avant le départ du fiancé. Son interlocuteur montra sa surprise.

— À la Fête-Dieu, les hommes et les femmes marchent en groupes séparés, précisa Félicité avec le ton d'une institutrice s'adressant à un élève à l'esprit obtus.

— Le contraire serait bien scandaleux, renchérit la blonde. Cette célébration permet au Christ de parcourir son domaine, toute pensée profane devrait disparaître.

— Et vous, vous voulez en faire une promenade ordinaire, une occasion pour conter fleurette à des jeunes femmes.

Avec le temps, elles en étaient arrivées à unir leurs efforts pour repousser ses avances. La stratégie ne suffisait même pas à le décourager.

— Mes intentions sont honnêtes, je vous assure, protesta-t-il. Pour les personnes du sexe faible, une présence masculine éloigne les importuns.

Ne voyait-il pas qu'il était le pire d'entre eux?

— Nous serons escortées par les curés de huit paroisses au moins, dit la blonde, sans compter tous les étudiants en théologie.

— En plus, les membres des ordres religieux, des hommes et des femmes, seront là.

Se rappelant ses apprentissages du couvent, l'ancienne institutrice évoqua les noms de douze congrégations religieuses sans sourciller. Crépin commença à s'éloigner à reculons. La blonde ajouta encore:

— En plus, vous voilà prêt à trahir la confrérie du Sacré-Cœur.

— Car c'est bien avec vos confrères que vous devriez défiler aujourd'hui, non, avec une pièce de tissu rouge épinglée à votre boutonnière?

Cette fois, les voix moqueuses le mirent en fuite. La dérision avait fini par avoir raison de lui.

Dans le palmarès des grands spectacles offerts par la ville, les manifestations religieuses figuraient en bonne place, les autres étant trop chers pour leurs ressources. Après avoir avalé une brioche qui devait les soutenir jusqu'au souper, vêtues de leurs meilleures robes et coiffées de chapeaux de paille agrémentés d'un ruban bleu, les deux jeunes femmes rejoignirent les abords de l'église Notre-Dame.

La foule débordait sur la place d'Armes. Jamais rassasiée de la magnificence des lieux, Félicité contemplait les grands édifices bancaires et les places d'affaires tout autour. Ces bâtiments aux façades de pierres ornées de sculptures s'élevaient sur plusieurs étages. Tous les jours de la semaine, des Anglais protestants travaillaient dans les environs. C'était leur domaine.

Le château fort des Canadiens français, le siège d'un autre pouvoir, se dressait tout près, de l'autre côté de la rue. La très grande église, longtemps reconnue comme la plus vaste d'Amérique, dominait tout, ses portes immenses placées un peu en retrait, sous un porche. De chaque côté se dressait une tour carrée.

— C'est grandiose, dit Félicité. Si tu voyais l'église là d'où je viens… Elle n'a rien de comparable. Ici Bourgeau a réalisé tout l'intérieur, comme à l'église Saint-Jacques, d'ailleurs.

— Tu finiras par me servir de guide dans la ville de Montréal.

— Dans ce cas précis, ma science me vient de Crépin. Quand je ne me sauve pas assez vite, il aime bien m'informer des splendeurs de la religion catholique. Il a l'âme missionnaire.

— Regarde-le plastronner au milieu de ses collègues. Il paraît si fier de sa sainteté. Je suis certaine qu'un de ces jours il va s'essayer à marcher sur les eaux.

Des yeux, Phébée désignait un groupe d'hommes étalant triomphalement les couleurs de la confrérie du Sacré-Cœur. L'un portait une grande bannière du plus beau rouge, décorée d'un cœur couronné d'épines, d'autres arboraient une écharpe de même teinte en travers de la poitrine. Crépin, sans doute rendu moins loin sur le chemin du paradis, se contentait d'une pièce de tissu épinglée sur le revers de sa veste.

— Je suppose que notre charmant voisin t'a appris beaucoup de choses passionnantes, se moqua un peu la blonde.

— Il ne se lasse jamais. Quand nous attendons notre tour pour les bécosses, il a le temps de faire mon éducation. Tiens, regarde la tour, là. Elle s'appelle La Persévérance.

Du doigt, elle montrait le clocher à droite.

— Dedans, il y a un bourdon nommé Jean-Baptiste. Il pèse plus de dix tonnes. De l'autre côté, c'est La Tempérance. On y trouve un carillon d'une dizaine de cloches.

— Quand je pense qu'il y a un an tout juste, je te sauvais des griffes de mauvais garçons. Maintenant, tu es une vraie Montréalaise.

Félicité n'était pas absolument certaine de cela. De grandes foules comme aujourd'hui l'inquiétaient toujours un peu, puis elle se sentait gauche quand des hommes, même des femmes, la suivaient des yeux ou la saluaient d'un mouvement de la tête. Toutefois, la maîtresse d'école en elle s'effaçait, sans qu'elle puisse définir sa nouvelle identité.

Près du parvis, devant les trois portes grandes ouvertes de la basilique, on commençait à s'agiter. À leur costume, la jeune femme reconnut des escadrons de religieuses de Sainte-Anne et de la Congrégation Notre-Dame. Elles guidaient un groupe de deux cents petites filles, toutes de la paroisse Saint-Pierre. Vêtues de robes blanches, les plus jeunes avaient six ans à peine. Certaines portaient de petites couronnes de fleurs sur leurs cheveux et d'autres, des bouquets dans les bras. Celles-là devaient avoir fait leur première communion peu de temps auparavant.

Venait ensuite tout un régiment de couventines, faciles à reconnaître avec leur uniforme scolaire.

— Tu devais ressembler exactement à cette fillette, dit Phébée en pointant une élève aux cheveux châtains, l'air un peu timide, les yeux modestement baissés.

Quand la couturière évoquait ainsi le passé studieux de son amie, sa voix trahissait à la fois l'ironie et une pointe de jalousie.

— Elle pourrait être ma jumelle, avec cinq ou six ans de différence.

Certaines de ces jeunes filles portaient un large ruban bleu ciel en bandoulière, l'insigne des enfants de Marie. Elles prenaient la résolution de suivre toujours l'exemple de la Vierge dans leur vie de tous les jours. Deux grandes tenaient les bannières des pensionnats d'où venait cet essaim de candidates à la sainteté.

Tout de suite après suivait un grand nombre d'écoliers, sans doute plus de deux cents aussi. Les plus jeunes marchaient devant et les plus âgés, des jeunes gens parfois bâtis comme des adultes, venaient ensuite, certains portant des banderoles aux couleurs de leurs établissements scolaires. L'Église catholique signifiait aux habitants de cette ville, en grande partie protestante, que ses forces vives se multipliaient sans cesse, au point d'espérer un jour prendre toute la place.

À un signal donné depuis le parvis, toutes ces voix enfantines entonnèrent un premier cantique dans un ensemble bien imparfait :

— *Lauda Sion Salvatorem, Lauda ducem et pastorem…*

Quand les fanfares des diverses gardes paroissiales intervinrent à grands renforts de cuivres, le résultat confina au tintamarre, mais personne, tout le long du trajet, ne douterait de l'exaltation religieuse de tous ces gens. Il s'agissait de montrer sa foi, et non ses qualités musicales. Aux élèves succédèrent diverses associations pieuses, dont les confréries du Sacré-Cœur de toute la ville. Puis ce fut au tour des regroupements féminins.

Les troupes de choc venaient ensuite. Les religieuses paradèrent bientôt. Elles chantaient une bonne octave au-dessus des hommes. Puis ce furent les servants de messe vêtus de l'aube et du surplis. Certains, accoutrés de rouge, gardaient fière allure. Les frères de diverses congrégations présents dans la procession comptaient pour une bonne partie du personnel masculin des écoles catholiques de la ville. Les étudiants du Grand Séminaire s'avéraient assez nombreux pour convaincre chacun que l'Église ne manquerait jamais de prêtres, tandis que les curés et les vicaires de diverses paroisses formaient des rangs compacts. Comme pour les protéger de tous les assauts, des zouaves pontificaux en pantalons bouffants, un calot sur la tête, allaient d'un pas martial. Certains parmi eux s'étaient sans doute rendus en Europe dans les années 1860 afin de défendre les territoires sur lesquels le pape régnait en maître absolu.

Le clou de la procession était bien sûr le Saint-Sacrement, porté dans un ostensoir rutilant. Monseigneur Charles-Édouard Fabre, évêque du diocèse de Montréal, tenait l'objet sacré à la hauteur de la poitrine. Au-dessus du saint homme, pour le préserver du soleil, d'autres tenaient un dais brodé d'or.

— Aucune élégante de Montréal ne porte une robe aussi richement décorée, murmura Phébée. Je me demande qui lui a confectionné ça.

L'ecclésiastique offrait aux regards une chasuble brodée elle aussi de fils d'or. L'ensemble, le prélat, le dais et l'ostensoir, brillait sous le soleil.

— Sans doute les membres d'une congrégation de sœurs cloîtrées, répondit Félicité. Certaines sont très habiles.

— J'espère seulement qu'elles ne se mettront pas en tête de coudre des robes de mariée. Je n'ai pas besoin de compétitrices supplémentaires.

Derrière monseigneur Fabre, les femmes rassemblées sur la place d'Armes s'engagèrent sur la chaussée. Les hommes viendraient ensuite. Il s'agissait là de simples fidèles, celles et ceux dont l'engagement n'allait pas plus loin que la fréquentation assidue des sacrements. La procession comptait finalement quelques milliers de personnes et s'allongeait sur des centaines de verges. Les fillettes devaient approcher de leur destination quand les derniers hommes se joignirent au cortège.

Sur les trottoirs de la rue Notre-Dame, une foule compacte assistait au spectacle. De nombreux protestants observaient, curieux, les mœurs étranges de leurs voisins catholiques. Plusieurs bâtiments arboraient des décorations et des gens apposaient des portraits du Christ ou de la Vierge à leurs fenêtres.

— *Tantum ergo Sacramentum Veneremur cernui…*

L'ancienne institutrice chantait d'une voix juste, quoique très faible pour ne pas attirer l'attention sur elle.

— Tous ces cantiques, tu les as aussi appris au couvent? voulut savoir son amie.

— Nous étions juste à côté de l'église, nous assistions à toutes les cérémonies. Aucune d'entre nous n'ignorait les paroles de ces chants.

Pendant des années, Félicité y avait mis tout son cœur, certaine de se rapprocher ainsi de son Créateur. Maintenant, si elle retrouvait les paroles et les attitudes de son enfance pieuse, cela tenait à un automatisme. Le rituel familier s'était imprégné en elle mais l'exaltation de la foi s'était évanouie. Cela n'allait toutefois pas jusqu'au scepticisme.

Dans la rue Dorchester se dressait la grande église Saint-Patrick, destinée aux fidèles d'origine irlandaise. Les membres du grand cortège se massèrent devant le temple. Un grand autel surélevé, décoré de fleurs, de rameaux de sapin, de cèdre ou de pin, et de longues banderoles vertes dont la couleur rappelait l'Irlande, servait de reposoir. Monseigneur Fabre s'en approcha, son ostensoir dans les mains. Il le déposa dans une niche de verdure et de roses, posa un genou par terre en guise de respect. Puis il prononça d'une voix assurée les mots de l'oraison, tout de suite imité par des milliers de bons catholiques.

— *Deus, qui nobissub sacramento mirabili, passionistuæ…*

Félicité se rendit sans mal jusqu'au *sæcula sæculorum*, Phébée agita doucement les lèvres pour paraître se joindre à la prière, sans émettre un son. L'usage du latin repoussait de nombreuses personnes au rang de spectateurs.

Puis le prélat commença, tourné vers les fidèles:

— Béni soit Dieu, béni soit son Saint Nom…

Quelques cantiques furent repris par les milliers de voix discordantes, accompagnées par une dizaine de fanfares. Le peuple de Dieu avait exprimé sa foi au vu et au su de tous les autres habitants de la ville.

— Tu souhaites faire le trajet dans l'autre sens ? demanda la couturière alors que les sœurs de la Congrégation alignaient à nouveau les fillettes vêtues de blanc.

— Seulement si tu y tiens. De toute façon, la majorité des gens réunis ici ne pourra pas entrer dans l'église Notre-Dame pour la suite de la cérémonie.

— Tout à l'heure, tu m'accompagneras ?

— Je ne nous vois pas entrer à deux dans le bureau du curé…

Le visage de son interlocutrice s'assombrit un peu. Tout de suite Félicité continua :

— Je resterai dans l'église, le temps d'une petite prière pour lui. Tu prendras tout ton temps avec le vicaire.

Se tenant par le bras, les deux amies se dirigèrent vers la rue Sainte-Catherine afin de contempler dans les vitrines tout ce qu'elles ne pouvaient se payer. Cet autre pèlerinage gagnait en popularité chez les habitants des villes.

Les lieux lui paraissaient si somptueux. Le temple, le presbytère et le couvent Saint-Jacques formaient un grand ensemble de pierres grises témoignant éloquemment de l'importance de la religion et de l'Église dans la vie des citoyens. Une domestique portant la défroque d'une religieuse l'avait conduite dans une petite pièce modestement meublée. Un grand Christ de bronze cloué sur une croix noire la contemplait d'un côté, une Vierge à la mine sévère de l'autre.

Cette représentation de la mère céleste n'apportait aucun réconfort à Phébée. Une culpabilité insidieuse se glissait plutôt dans son âme. Un bref instant, elle eut envie de prendre la fuite. Un bruit dans le couloir l'en empêcha.

— Ah! Mademoiselle Drolet, je suis bien heureux de vous revoir. Je vous découvre fidèle à nos rendez-vous dominicaux.

La voix trahissait la surprise de l'ecclésiastique, et un peu d'ironie.

— J'ai tellement besoin de vos bons conseils…

En lui tendant la main, la couturière ressentit le malaise habituel: la paume masculine se révélait chaude, un peu moite. Plutôt que de s'asseoir derrière la petite table, le prêtre déplaça une chaise pour se mettre juste en face de la visiteuse.

— Tout de même, votre ferveur s'exprime depuis peu.

Le reproche implicite mit du rouge aux joues de la paroissienne.

— Je n'habite pas dans Saint-Jacques depuis si longtemps, j'allais dans ma paroisse…

L'autre hocha la tête, un air entendu sur le visage. L'arrivée de la couturière dans les parages datait d'un bon deux ans. Tout de suite, Crépin Dallet avait doublé le nombre de ses visites pour confesser le trouble où le mettait cette beauté. À son tour, le vicaire mesurait combien le démon de la luxure se faisait tentateur, incarné dans une semblable enveloppe charnelle.

— Puis je tiens tellement à me présenter en bonne chrétienne devant l'autel, le jour où je me marierai.

— Voilà une préoccupation édifiante.

Le ton contenait-il une certaine moquerie? Tout de suite Phébée se reprocha de l'avoir pensé: ce prêtre s'avérait si généreux de son temps. Pendant une quarantaine de minutes, la conversation porta sur les qualités essentielles à une bonne mère et à une bonne épouse. Ces pieux conseils sur ces sujets venaient d'un célibataire coupé de sa famille depuis l'âge de douze ans, époque où il partit au séminaire. Pourtant l'incongruité de la situation lui échappait.

— Je suis si inquiète, monsieur l'abbé, se plaignit-elle à la fin.

Depuis un moment, en portant les yeux vers la porte de façon répétée, son interlocuteur lui signifiait la fin de leur entretien. La visiteuse faisait mine de ne pas comprendre. Elle continua plutôt :

— Il risque de se faire tuer, là-bas. Moi, je ne saurais vivre sans lui.

— Tous ces jeunes hommes mettent beaucoup de courage à faire leur devoir, c'est certain. Nous leur devons notre admiration.

Plutôt que de la calmer, la répartie ajouta à ses appréhensions. Après une hésitation, elle enchaîna :

— Toute la journée, au travail, je prie pour lui. Quand je ne dors pas la nuit, c'est la même chose. Je demande au petit Jésus et à la Vierge de le protéger. Je dois bien dire trois rosaires tous les jours.

— Vous savez, faire ainsi l'étalage de sa piété témoigne d'une certaine vanité.

Les yeux du prêtre la détaillèrent de la tête aux pieds. Celle-là ne devait pas seulement s'enorgueillir de sa ferveur religieuse. Dieu lui fournissait des motifs autrement plus graves.

— Ce n'est pas ça, argumenta-t-elle, je vous assure. Je me demandais…

Un silence embarrassé suivit.

— Vous vous demandiez ?…

— Le petit catéchisme donne le nombre d'actes pieux nécessaires pour obtenir une diminution du temps au purgatoire. Savez-vous ce que je devrais faire pour que le petit Jésus me ramène Jules en bonne santé ?

— Ça ne fonctionne pas comme ça !

Un peu plus, et le vicaire la semonçait pour sa perception marchande de la religion. Pourtant, l'Église produisait bien une liste de prix pour retrancher une durée précise aux souffrances des âmes des fidèles défunts : tant de messes pour cent jours, tant de communions quotidiennes consécutives pour deux cents, et ainsi de suite.

— Alors dites moi comment. Je ferai tout pour qu'il revienne en bonne santé.

Le vicaire demeura songeur, puis commença :

— Vous devez vous soumettre à la volonté de Dieu.

— Je veux qu'il revienne…

— Vous soumettre à Sa volonté, respecter Ses commandements comme ceux de l'Église, prier. Ce sont les seuls moyens de vous mériter Sa divine protection.

— Je fais tout cela déjà !

La voix contenait une pointe de désespoir.

— Continuez, et mettez toute votre confiance en lui.

Cette fois, le vicaire quitta son siège. Phébée s'empressa de se mettre à genoux :

— Pouvez-vous me bénir, monsieur le curé ?

« Celle-là doit en avoir lourd sur la conscience, pour se transformer ainsi en modèle de vertu », songea l'ecclésiastique. Sa main traça une vague croix dans l'espace, il murmura quelques mots latins. La paroissienne quitta aussitôt les lieux.

Pendant de longues minutes, la blonde demeura agenouillée près du chœur, les mains jointes, la tête inclinée. Félicité la contemplait à la dérobée, étonnée de découvrir une nouvelle facette de son amie après tous ces mois de cohabitation. Cette piété tenait à son angoisse, bien sûr. Pour Jules, mais surtout pour elle-même. Ce parfait prétendant, comme elle craignait de le perdre ! En même temps, toutes ses chances de bonheur s'envoleraient.

Phébée quitta enfin le prie-Dieu pour marcher vers la porte du temple, la châtaine lui emboîta le pas. Une fois sur le parvis de l'église, la couturière commença :

— Tu es si gentille de m'attendre ainsi.

— Depuis plus d'un an, nous passons tout notre temps ensemble. Après avoir été le témoin de tes fréquentations, me voilà le chaperon de tes dévotions.

« Et ça prendra fin bientôt », se dit Félicité avec tristesse. Puis tout de suite elle se reprocha son égoïsme. Le retour de Jules la forcerait à renouer avec la solitude, mais il permettrait enfin à son amie de connaître le bonheur. Seule cette pensée devait entrer dans son cœur.

— Puis prier un peu ne me fait pas de mal, continua-t-elle ave un sourire forcé.

— Voyons, je ne connais aucune fille plus sage que toi.

Ces quelques mots les mirent mal à l'aise toutes les deux.

Le souvenir de sa faute écrasait la châtaine. Chaque allusion à ses bonnes mœurs ramenait Sasseville à son esprit. Sans cesse, elle se représentait le scénario de leurs rencontres, de la première à la dernière, le jour de la Fête-Dieu. Même à sa meilleure amie, impossible de se confier. Aucun péché ne pouvait être plus horrible que le sien.

Quant à Phébée, le ciel pouvait-il vraiment faire d'elle l'épouse d'un gentil vendeur de remèdes ? Dormir toutes les nuits dans un lit douillet, profiter trois fois par jour d'un bon repas sur la table, s'asseoir dans son propre banc tous les dimanches : ça ressemblerait au paradis. Pour une femme comme elle, l'entrée devait en être bien étroite.

Dans la cuisine de Vénérance, le regard de Crépin Dallet se fixa sur le nouveau venu.

— Non, répondit Guildor Lévesque, un peu mal à l'aise face à la question muette. Aujourd'hui, je devais…

— Ne dis rien de plus, intervint John Muir. Tu n'as pas à rendre compte de tes activités à ce curé sans soutane.

L'ébéniste regardait l'apprenti mécanicien assis à sa gauche, un garçon de dix-sept ans. Depuis un mois, il occupait la chambre laissée vacante par le décès de Marie Robichaud.

— Il ne s'agit pas de rendre des comptes, protesta le commis aux livres. Entre voisins, nous pouvons bien échanger un peu.

— Comment ça se fait que toutes tes conversations tournent autour de la mauvaise pratique religieuse des autres, ou de la perfection de la tienne ? demanda Charles Demers en se servant de pommes de terre.

Ce locataire était responsable de la venue de ce garçon, employé lui aussi à la McDonald Tobacco, dans la pension. Après quelques semaines à Montréal, ce dernier avait fui un logis encore pire que celui de la ruelle Berri. Les quatre hommes occupaient le banc placé du côté du mur et les chaises aux extrémités de la table. Soir après soir, personne ne changeait de place. Les trois jeunes femmes prenaient place sur l'autre banc.

— On y est allées toutes les deux, glissa Phébée à son tour. Je n'avais jamais vu autant de prêtres réunis en un seul endroit.

— C'était tellement édifiant, renchérit Crépin. Le personnel de toutes les paroisses catholiques est venu, je pense.

John lui jeta un regard sévère, pour le dissuader de continuer. Dans cette pièce, les conversations sur la religion ravivaient toujours les tensions.

— Le but était de montrer toute notre force, souligna tout de même le commis aux livres. On n'arrive pas à ce résultat en organisant douze petites parades paroissiales.

— L'effet d'une douzaine de fanfares devenait assez étourdissant, commenta la couturière. Elles ne commençaient pas toutes les cantiques en même temps et ne suivaient pas toujours le rythme.

— Vous connaissez la musique, mademoiselle Drolet ?

Le nouveau venu s'adressait toujours poliment aux dames de la maison. De son admiration béate pour la blonde, on pouvait conclure qu'il pensait voir là une apparition. Bernadette Soubirous ne devait pas avoir les yeux plus écarquillés devant la Vierge Marie.

— Non, je n'y connais rien, mais je ne suis pas sourde. Mon amie, d'ailleurs, a un joli brin de voix.

Un peu moqueuse, elle se tourna à demi vers sa voisine immédiate.

— Au milieu de tout ce monde, tu ne m'as certainement pas entendue, se défendit Félicité.

— Oh si ! Je t'entendais très bien. En plus, tu connais tous ces chants. Tu n'aimerais pas faire partie de la chorale ?

— Si dans ma paroisse le maître chantre ne me trouvait pas assez bonne, alors imagine ici, avec tous ces notables.

En réalité, la timidité plus que le manque de talent l'empê-chait de tenter une démarche de ce genre. Tôt ou tard, une maladresse trahirait sa véritable identité. Vivre entre la manu-facture et la ruelle Berri l'aidait à protéger son anonymat.

— Nous pourrions organiser une soirée musicale, tenta Crépin.

— C'est ça, ricana Charles. Vénérance va nous prêter des cuillères, on va taper du pied et les filles vont chanter.

Tout en plongeant les mains dans la cuvette remplie de vaisselle sale, la logeuse grommela :

— J'loue des chambres, pas des salles de musique. Vous irez faire vos soirées dehors.

— Ça, c'est une bonne idée, répondit Phébée plus iro-nique encore. Nous allons former un chœur autour de la bécosse.

La proposition suscita l'hilarité. Toute allusion aux sanitaires mettait la logeuse hors d'elle. Depuis la visite du président du comité d'hygiène de la Ville, lors du décès de Marie, elle craignait qu'on ne la force à payer pour de nouvelles installations. Elle posa bruyamment sa bouilloire de fonte sur la surface de son gros poêle à charbon. C'était un rappel à l'ordre, mieux valait revenir aux commentaires à propos de la procession du Saint-Sacrement, ou encore s'attarder sur la semaine de travail à venir.

Vers neuf heures, les locataires commencèrent leur visite au fond de la cour. Les deux amies furent les premières, puis elles montèrent tout de suite à l'étage. En passant devant la porte de leur ancienne chambre, Félicité demanda :

— Tu penses à elle, parfois ?

— À Marie ? J'essaie de l'éviter. Autrement j'en ai pour des heures à me sentir triste et inquiète. Mais à cause de cette odeur de soufre qu'on a fait brûler, le souvenir revient sans cesse. On dirait qu'elle s'est infiltrée dans les murs, le plancher…

La blonde s'occupait d'enlever le cadenas de la porte. Hélidia arriva à son tour dans le corridor.

— Bonne nuit, lui dit Félicité en entrant chez elle.

L'autre la regarda, agita les lèvres sans émettre un son, puis disparut dans sa chambre.

— C'est tout à ton honneur, de la saluer ainsi soir et matin.

— Pas du tout, c'est normal.

— Elle a toujours les sourcils froncés, les traits crispés, comme si elle souffrait d'un mal de ventre.

La blonde tirait le rideau. Même après le coucher du soleil, la clarté à l'extérieur leur permettait encore d'y voir assez bien. Aucune des deux ne regrettait la pièce obscure.

— Elle n'a aucun ami, plaida Félicité. Ça doit être tellement triste.

Depuis le décès de leur voisine, l'ancienne institutrice ressentait encore plus de compassion pour les victimes, les laissés-pour-compte.

— Tu ne penses pas que si elle regardait les gens au lieu d'avoir toujours les yeux au sol, si elle souriait, si elle saluait ses voisins, d'autres personnes que Crépin s'intéresseraient à elle ?

L'ouvrière secoua la tête, tout en commençant à déboutonner le devant de sa robe. Les choses étaient trop simples pour une beauté comme Phébée. Elle comprenait mal la gêne, la maladresse d'une personne au physique ingrat. Tout le monde accueillait la magnifique blonde avec un plaisir évident. Pour le commun des mortels, il n'en allait pas ainsi.

— Crépin ne s'intéresse pas à elle, remarqua Félicité.

— Là tu as raison, consentit l'autre. Il se tourne vers elle quand toi ou moi essayons de l'éloigner de nous, comme ce matin.

Bien vite, elles se retrouvèrent au lit, côte à côte, les yeux ouverts.

— Tout de même, murmura l'ancienne institutrice, nous avons eu une chance inouïe.

— Tu veux dire d'obtenir cette chambre ?

— De ne pas attraper la maladie de Marie. Nous avons mangé avec elle tous les jours précédents.

Sa compagne se tourna sur le côté pour voir son profil.

— Tu crois que c'était… dangereux ?

— La transmission s'effectue au contact des gens infectés. Le ciel penchait en notre faveur.

Phébée garda un long silence, puis demanda avec un peu de crainte dans la voix :

— Et maintenant, tu penses que nous sommes à l'abri ?

— Nous pouvons toujours l'attraper, mais ce sera de quelqu'un d'autre. Pour Marie, ça fait trop longtemps.

Pareil constat n'apaisait qu'à moitié la jolie blonde.

Chapitre 2

Après un an, le travail à la manufacture de textile gardait toute sa monotonie éreintante. Vêtue d'une robe à peine portable, Félicité courait d'un métier à l'autre pour changer des bobines et nouer des fils. Au moins une fois par semaine, un mauvais fonctionnement ou un bris nécessitait l'intervention de Mainville. Les circonstances ne prêtaient guère à la conversation. Toutefois les quelques mots échangés permettaient de conclure que la vie conjugale ne lui apportait pas les plaisirs attendus. Avec un enfant déjà en route, la venue toute probable de nombreux autres, les responsabilités du mécanicien devenaient plus lourdes. « Au moins, la vie m'épargnera ça », pensait l'ouvrière sans grande conviction.

Alors que ses yeux et ses mains veillaient, l'esprit de Félicité vagabondait toute la journée. Le plus souvent elle ressassait ses dernières lectures, essayant d'inventer d'autres scénarios. Si ce genre d'évasion n'allégeait guère son immense ennui, elle essayait de s'en satisfaire. L'idée de passer toute sa vie dans un endroit pareil la déprimait, mais elle devait se contenter de ce sort.

À midi, le contremaître Rouillard leva un bras pour annoncer la pause, les travailleuses s'empressèrent de dégager les embrayages des moulins. En moins de trente secondes, le vacarme se tut à demi. À la fin, seuls les arbres de transmission tournant à vide continuèrent de se faire entendre.

— Tout va bien à la maison ? commença Rachel.

Ce jour-là comme tous les autres, les ouvrières retrouvaient leur place habituelle, par terre, le dos appuyé au mur. Vague à souhait, la question recelait sa part de sous-entendus et exigeait une réponse précise.

— Rien de nouveau, dit Félicité avec lassitude en se laissant choir à ses côtés.

Son interlocutrice restait un peu sur sa faim. La triste histoire de Marie Robichaud avait fait son chemin jusqu'à la Dominion Cotton. Pendant quelques jours, les autres avaient gardé leurs distances avec Félicité, par peur de la contagion. Puis la multiplication des cas avait, curieusement, arrangé les choses. Maintenant, toutes avaient été en contact plus ou moins direct avec une personne malade. Il devenait inutile de s'éviter les unes les autres.

— De ton côté, les enfants se portent bien ?

— Y sont des centaines à la salle d'asile, tu sais. On sait jamais quand y en aura un qui tombera malade.

— Il y a eu des cas ?

— Oui. Quand des gamins arrivent le matin avec quelques boutons sur le visage, les religieuses les renvoient, mais ils n'ont nulle part où aller. Je suppose qu'une journée passée dans la rue empoisonne autant de personnes que si on les laissait entrer là-bas.

L'ancienne institutrice hochait la tête. Matin et soir, elle croisait des variolés sur son chemin. Même s'ils affichaient des pustules au visage, ils vaquaient à leurs affaires. Les efforts des autorités pour imposer la quarantaine demeuraient vains. Ces gens devaient gagner leur vie. Mourir de faim ne valait guère mieux que mourir de la picote.

— Celle-là a de la chance, murmura Rachel dans l'oreille de sa collègue.

Elle désignait des yeux une ouvrière âgée d'une trentaine d'années. La pauvre montrait un visage grêlé, les marques indélébiles de la maladie.

— Tu vois, elle s'en est tirée la première fois. Les conséquences ne sont pas si terribles.

Félicité acquiesça de la tête, préférant garder ses doutes pour elle. L'ouvrière était restée gravement marquée aux joues, au point de rendre problématique la quête du bon parti. Toujours célibataire à son âge, il en serait vraisemblablement ainsi toute sa vie. Mince consolation : l'immunisation contre la variole dont elle bénéficiait maintenant.

— Tu sais quand elle a eu ça ? demanda-t-elle.

— Il y a dix ou onze ans. Depuis, la maladie était restée silencieuse. On pensait tous que c'était fini. Comme si ce genre de malheur pouvait quitter la vie des pauvres !

Le constat trahissait un fatalisme certain. Il y avait pénurie de bonheurs, grands et petits, dans la vie de ces femmes, par contre les calamités se suivaient avec une déprimante régularité. Leur silence devint une invitation pour les autres.

— Le beau temps est revenu, la petite, lança d'une voix forte, un peu railleuse, une ouvrière assise en tailleur une vingtaine de pas plus loin. T'as repris les promenades du dimanche ?

— Ça vaut mieux que de rester dans ma chambre, dit Félicité, réticente.

— Aucun beau gars a réussi à t'amadouer ?

La tête fit un mouvement de droite à gauche. Le sujet de son célibat revenait dans ces conversations de façon régulière.

— J'me demande comment tu fais pour les effaroucher comme ça, la taquina une autre. Finir vieille fille avec une tête comme la mienne, c'est normal, mais dans ton cas…

— Elle attend la prochaine visite du prince de Galles, se moqua une troisième. Rien de trop beau pour elle.

La remarque suscita une brève hilarité, puis le petit groupe s'en prit à une autre victime.

— C'est pas bien méchant, dit Rachel pour chasser la tristesse du visage de son amie.

— Je le sais bien. C'est étrange, tout de même, que toutes ces femmes seules se passionnent pour ma vie amoureuse.

— Elles sont jalouses. Moi aussi, j'donnerais beaucoup pour me retrouver sans enfant, avec une face et un corps comme les tiens.

Recommencer leur vie ! Toutes en rêvaient, avec la conviction que cette fois, elles sauraient éviter les coups du sort les ayant conduites dans cette manufacture.

— C'est vrai ? continua-t-elle encore. T'as personne dans ta vie ?

— Je ne dois pas être intéressante pour un homme, et eux ne m'intéressent pas beaucoup non plus.

La châtaine n'arrivait pas à donner le change. Personne ne voudrait d'elle, maintenant. Quant à son propre intérêt pour la gent masculine, comment y donner libre cours ? Son père le premier, en mourant si jeune, tous les hommes présents dans sa vie l'avaient trahie ou abusée : Sasseville, Grondin. Morose, elle biffait Samuel de sa liste, tout comme John, l'ami indéfectible, et même Guildor au regard si volontiers admiratif.

Rachel n'eut aucun mal à suivre le cours de ses pensées :

— Dis pas ça. T'as eu une mauvaise expérience, j'suppose. Faut que t'en reviennes, sinon toute ta vie, ce sera ça.

De la main, la femme désigna les collègues et les métiers à tisser. Dans ce petit univers, bien des ouvrières avaient été serrées dans un coin par un contremaître ou une autre personne exerçant une certaine autorité sur elles. Rachel pouvait sans mal imaginer un scénario de ce genre pour sa jeune collègue.

Félicité fut heureuse de voir Victoria approcher, un bout de papier à la main. Son arrivée lui donnait l'occasion de penser à autre chose.

— Tu m'as écrit un mot ? dit l'institutrice, retrouvant son sourire, en tendant la main.

La petite fille demeurait toujours aussi grise et maigre. Elle avait un peu grandi. Bientôt, on lui confierait des métiers à tisser, et une autre enfant viendrait ramper sous les machines pour nouer des bouts de fil.

La châtaine déplia le bout de papier offert pour lire : « Demoulin son brisé ». La jeune femme pensa l'entretenir éventuellement des pluriels.

— C'est très bien, tu fais encore des progrès. Je vais te répondre ce soir.

La gamine lui adressa un sourire timide et hocha la tête pour exprimer son plaisir. Depuis les deux derniers mois, elles entretenaient cet échange. La semaine précédente, la phrase la plus complexe de l'apprentie avait pris cette forme : « Se matin jaivu un titcha danru ». L'exercice lui avait valu une réponse de deux paragraphes, rédigés d'une grande écriture ronde, facilement lisible.

— Tu fais toujours tes devoirs ? fit une voix masculine à quelques pas.

Victoria se tourna à demi, dit oui de la tête. Avec ce nouveau contremaître, elle avait perdu l'habitude de fuir. Sous le règne de Rouillard, le petit réduit servait à remiser des balais, et à rien d'autre. Si les plus jeunes ne craignaient plus le cachot ou les coups, la discipline demeurait inflexible. Malgré ses vociférations, ou plutôt à cause d'elles, jamais Germaine n'avait retrouvé son emploi.

— C'est bien, ça, continua l'homme avec un sourire. Quand on sait écrire, on est jamais totalement séparé de ceux qu'on aime.

Félicité apprécia la remarque. Cela décrivait bien son rapport avec sa mère. Elle la répéterait à Phébée, pour qui tracer des lettres se révélait un exercice difficile.

— Mesdames, continua le contremaître à l'intention des ouvrières, je viens d'entendre une bien triste nouvelle. Notre évêque est mort hier soir.

41

Toutes les conversations s'interrompirent. Même les travailleuses les plus volontiers irrévérencieuses prirent une mine désolée.

— … Monseigneur Fabre ? demanda l'ancienne institutrice.

Elle l'avait aperçu la veille, dans les rues de la ville. Blanchi par l'âge, le prélat ne paraissait toutefois pas prêt de finir ses jours.

— Non, pas lui. Monseigneur Bourget.

— Y devait pas être jeune, celui-là, fit une voix.

— Quatre-vingt-six ans, précisa Rouillard. Il est né dans l'autre siècle.

L'information impressionna à juste titre. Peu de gens atteignaient un âge aussi avancé. Pareille longévité ne pouvait que témoigner d'une attention particulière de la divine Providence à son endroit.

— On reprend dans cinq minutes. À soir, on arrête une heure plus tôt. Vous pourrez aller voir passer le cortège. Il sera exposé au vieil Hôtel-Dieu, puis à l'église Notre-Dame.

Toutes apprécieraient le petit congé, sans nécessairement avoir l'intention de l'utiliser à cette fin. Le gérant de la manufacture, Anglais et protestant, soignait ainsi ses relations avec son personnel.

Parfois, Phébée s'étonnait des réactions de sa meilleure amie. Quand elle lui demanda de l'accompagner pour contempler l'immense cortège funèbre, l'autre se montra d'abord réticente.

— Nous verrons juste passer une voiture fermée, dit-elle en faisant la moue.

— Mais Sa grandeur sera à l'intérieur.

La jeune ouvrière, revenue à la maison plus tôt que d'habitude, avait enlevé ses vêtements de travail pour mettre sa robe bleue. Celle-ci en serait bientôt à deux ans d'un usage intensif. Sa compagne s'était engagée à lui en confectionner une autre. Pour ce faire, l'une voulait une cotonnade robuste, de couleur unie, alors que l'autre proposait un matériel plus fin, susceptible de mouler un peu le corps – bien sûr dans les limites étroites de la décence –, et agrémenté de motifs.

— Nous risquons de nous passer de souper.

— Tu ne sais pas ? Vénérance a accepté de retarder le repas d'une heure pour nous permettre d'y aller.

Félicité pensa alors à Crépin Dallet : sa seule présence devant le cortège funèbre devenait une raison supplémentaire d'occuper plutôt ce temps à relire l'un de ses romans aux pages détachées, qu'il fallait nouer avec un ruban pour ne pas les perdre.

— Te voilà rendue bien religieuse, remarqua Félicité en quittant l'unique chaise.

— Je ne te l'avais pas dit ? J'ai un fiancé en train de combattre dans le Nord-Ouest. J'aimerais qu'il revienne.

Un peu d'impatience teintait la voix. Se surprendre de sa piété actuelle, n'était-ce pas implicitement remettre en cause celle des années précédentes ?

— L'armée a écrasé Louis Riel à Batoche, remarqua l'autre. Jules ne risque pas grand-chose, maintenant.

La précision ajoutait à l'anxiété de la couturière. Pourquoi donc ne revenait-il pas, si la guerre était finie ? À la fin, l'ancienne institutrice décida d'accompagner son amie pour lui faire plaisir. Elle descendit sans plus protester. Comme prévu, le commis aux livres se tenait près de la porte, flanqué d'Hélidia. Son visage offrait toute la douleur requise pour souligner la perte de celui qui avait dirigé l'Église montréalaise pendant trente-six ans.

— Mesdemoiselles, nous vous attendions pour partir, déclara-t-il.

La fileuse, debout à ses côtés, se serait certainement passée de cette délicate attention. Elle se tenait toujours aux premières loges pour voir Crépin se pétrifier d'admiration devant Phébée. Seul le désintérêt si évident de cette dernière l'incitait à s'entêter.

— Voyons, ce n'était pas la peine, opposa Phébée. Nous allons dans la rue d'à côté.

— Il n'est pas convenable que des jeunes femmes marchent seules, surtout le soir venu.

Il devait être sept heures trente. La logeuse acceptait d'attendre encore quatre-vingt-dix minutes avant de servir le repas. Non seulement il serait trop cuit, mais il aurait amplement le temps de refroidir.

— Monsieur Dallet, commença la blonde, curieusement, je me sens moins en sécurité quand vous êtes là.

L'autre demeura interdit. En prenant son amie par le bras, Phébée sortit précipitamment pour s'engager dans la ruelle Berri. Le duo chercha à s'éloigner du commis d'un pas vif. Celui-ci forçait la cadence pour les suivre, avec Hélidia derrière lui. Ils formaient à eux quatre une curieuse procession.

Au coin des rues Dorchester et Saint-Denis, une foule déjà dense se massait sur les trottoirs. Tous ces bons catholiques ne s'écarteraient pas pour faire de la place, même à une aussi jolie personne. La couturière fit un tour sur elle-même, puis proposa :

— Regarde, nous pouvons monter sur ce perron. Viens.

— Mais nous ne connaissons pas ces gens.

— Que veux-tu qu'ils disent à deux belles filles comme nous ?

« Simplement "Allez-vous-en" », se dit Félicité. C'était sans compter sur le sourire et les battements de cils de son amie.

— Monsieur, commença-t-elle à l'intention de l'occupant de la galerie, j'ai demandé à monseigneur Bourget d'intercéder en faveur de mon fiancé, qui se trouve dans le Nord-Ouest présentement. Si je vois la voiture funèbre, je suis certaine que ma prière sera plus efficace.

Le gros homme l'examina des pieds à la tête.

— Nous sommes toutes petites, insista Phébée. Nous ne prendrons pas beaucoup de place.

À la fin, le riverain donna son assentiment d'une voix bourrue. De toute façon, les intruses ne l'encombreraient pas bien longtemps. Le cortège apparaissait déjà à la hauteur de la rue Sainte-Catherine. Tout d'abord, une demi-douzaine de voitures découvertes transportaient des ecclésiastiques. Ils devaient être allés au Sault-au-Récollet, tout au nord de l'île, sur la rivière des Prairies. Le saint homme s'était retiré là après avoir abandonné le siège épiscopal à son successeur. Ces religieux l'accompagnaient maintenant sur le chemin du retour.

Venaient ensuite une cinquantaine de zouaves marchant au pas dans leur uniforme gris et bleu. Monseigneur Ignace Bourget avait été à l'origine du mouvement destiné à défendre les prérogatives du Saint-Siège sur le territoire romain. En conséquence, des centaines de jeunes Canadiens s'étaient embarqués pour l'Europe. Depuis, ils posaient comme des catholiques d'élite.

Puis vint le clou de la procession, un étrange corbillard, lui aussi découvert. Le spectacle offert aux badauds se révéla plus étrange encore, grotesque, même : un cercueil ouvert, un cadavre embaumé en position assise et revêtu de riches habits sacerdotaux. C'était une silhouette grise, décharnée par l'âge et une agonie cruelle.

Quand la voiture passa sous ses yeux, Félicité eut du mal à réprimer un haut-le-cœur. Pourtant, la foule sur les trottoirs récitait des *Je vous salue, Marie* sans s'interrompre. Les plus enthousiastes criaient « Saint-Ignace, priez pour nous ». Dans leurs pensées, toutes ces bonnes âmes le voyaient déjà trôner au panthéon des bienheureux aux côtés du père céleste. Sur son avant-bras, l'ancienne institutrice sentit les doigts de son amie se crisper. Elle aussi semblait un peu révulsée par la scène sinistre.

Venaient ensuite des dizaines de voitures. Des journaux évalueraient leur nombre à cent, d'autres sources l'estimeraient quatre fois plus élevé. Puis une multitude de croyants suivaient le cortège à pied. La procession rappelait les anciens pèlerinages vers les lieux saints. Phébée se tourna vers leur hôte pour dire :

— Je vous remercie, monsieur. Ma prière sera peut-être exaucée grâce à vous.

L'autre répondit d'un sourire embarrassé. Sur le chemin du retour, les amies aperçurent Crépin et Hélidia une dizaine de verges devant elles.

— Nous avons pu éviter sa présence pendant tout ce temps, prononça Félicité. C'est un miracle à imputer à monseigneur Bourget.

— Ne crains rien, il aura au moins toute une heure encore pour nous ennuyer.

S'il en allait autrement, cela aussi tiendrait du miracle. Toutefois le ciel ne les répétait pas à cette cadence.

À l'heure de la fermeture, le jeudi 11 juin, Janvière Marly répéta :

— Tu comprends, je ne peux pas ouvrir demain ni après-demain. Dans Saint-Jacques et dans Saint-Louis, tout le beau monde s'imagine candidat à la sainteté ces temps-ci.

— Tout de même, en cette saison, quelqu'un voudra certainement des gants, une voilette, un chapeau. La clochette retentit sans cesse, ces derniers jours.

— Je sais bien. Cependant pour une qui m'achètera un chapeau aujourd'hui, il y en aura dix qui me traiteront de païenne devant l'église dimanche prochain.

La marchande ne se trompait pas. Chez les Canadiens français, les commerçants et les professionnels devaient négliger leurs affaires pour se présenter comme des bons chrétiens en période de deuil.

— Puis tu tireras certainement profit de ce petit congé.

Du congé, sans doute, pensa Phébée, mais les deux journées sans salaire pèseraient néanmoins sur ses ressources. Toutefois, protester ne servirait à rien. En mettant le pied sur le trottoir, monseigneur Bourget, en photo bien sûr, placé dans la vitrine, semblait lui présenter un sourire moqueur. Réprimer son envie de lui tirer la langue fut difficile.

Si les patrons protestants pouvaient donner une heure de congé à leurs employées, l'accommodement n'allait pas jusqu'à renoncer à la production d'une journée. Le lendemain, Félicité prit le chemin de la manufacture, comme d'habitude. Son amie retourna au lit après le déjeuner, pour ne ressortir que vers midi.

Marcher jusqu'à l'église Notre-Dame tenait de la promenade, pour une jeune femme vive comme Phébée. Une messe de *requiem* devait se tenir à trois heures. Auparavant, comme les jours précédents, un flot ininterrompu de croyants défilait pour voir les dépouilles des deux évêques, placées dans le transept. Oui, maintenant ils étaient deux. Le prédécesseur de monseigneur Bourget se nommait Jean-Jacques Lartigue. Décédé en 1840, on avait exhumé ses restes pour les présenter à la ferveur populaire.

Phébée se plaça dans la longue file débordant sur la place d'Armes. Des dizaines de zouaves assuraient le bon ordre et la célérité des dévotions. Une heure plus tard, la couturière se tenait dans la nef lourdement décorée de voiles noirs et violets. L'encens brûlé formait des nuages gris près de la voûte. Susceptible d'élever l'âme et de disposer à la prière, l'odeur devait surtout masquer les relents écœurants des deux cadavres.

Très lente, la progression lui permit tout de même d'atteindre les cercueils avant que les zouaves ne décident de vider les lieux pour permettre la tenue de la cérémonie. Devant elle, une dame âgée, percluse de rhumatismes, tendit une main tremblante pour toucher les vêtements flamboyants de Bourget. Puis elle posa sa paume sur le front dégarni. Un visiteur sur deux peut-être répétait ces gestes, laissant et récoltant des germes, en dépit de l'épidémie qui menaçait la ville.

Chacun bénéficiait de dix, tout au plus de quinze secondes d'intimité avec les disparus. Phébée sortit discrètement deux morceaux de papier de son gant gauche, en glissa un sous les plis du vêtement en faisant mine de toucher la chasuble d'or. Ses doigts effleurèrent encore la joue, puis elle marcha vers le deuxième cercueil. Le spectacle lui tordit l'estomac. Le vêtement opulent recouvrait un squelette. Des bouts de chair séchée tenaient encore les os des mains ensemble. Elle nicha le second petit papier sous le cadavre.

Puis son attention s'attarda à la tête. Parler d'un visage aurait été exagéré. Les lèvres n'existaient plus, des mâchoires édentées s'offraient à sa vue. « Mon corps ressemblera à ça, pensa-t-elle. Peu importe que je sois belle aujourd'hui, je deviendrai aussi comme ça. Puis mon âme l'est peut-être déjà. »

Malgré son dédain, elle se força à toucher le crâne recouvert d'une mince pellicule parcheminée, juste sous le début de la mitre, maintenant bien trop grande. Puis elle accéléra le pas jusqu'à la sortie. Bientôt, tout le temple résonnerait des chants d'un chœur de sept cents voix. Les journaux catholiques évoqueraient la présence de mille quatre cents ecclésiastiques ; au total, quinze mille âmes exaltées, en comptant la foule restée sur la place d'Armes.

— Bonne Sainte Vierge, faites que ça fonctionne, répéta la blonde tout le long du chemin de retour, comme une incantation.

Sur les deux morceaux de papier, elle avait dessiné un cœur et une croix traversés par les mots «Jules et Phébée». Le doute la rongeait sans cesse.

La journée du 13 juin s'ouvrit sous de mauvais auspices. Si on l'avait questionné, Dallet aurait prétendu que la chose allait de soi, le jour des funérailles de monseigneur Bourget. Tout devait marcher de travers au moment où le père de l'Église catholique montréalaise se trouvait sur les planches.

Un premier événement désagréable survint d'abord quand Félicité descendit pour profiter la première des latrines. Elle entendit une voix plaintive prononcer :

— Non, maman, je veux pas y aller.

Fernande, du haut de ses huit ans célébrés une semaine plus tôt, entendait imposer sa volonté.

— Fais pas le bébé et habille-toi.

Tout de même, songea l'ancienne institutrice, on pouvait avoir atteint l'âge de raison et faire encore l'enfant.

— Non, des filles de la classe l'ont eu. Hier, elles avaient le bras gros comme ça.

Elle devait désigner un diamètre imposant, car Vénérance perdit un peu de son assurance avant de dire :

— Tes frères acceptent de l'avoir, eux autres.

— Tant pis pour eux. Tu vas les voir revenir en pleurnichant, j'te dis.

— Dis pas des choses comme ça. Prédire du mal pour les autres, ça porte malheur. Tu veux pas attirer le mauvais sort sur eux, toujours ?

Félicité, immobile au bas de l'escalier, hésita à continuer son chemin, gênée de son indiscrétion accidentelle.

— Laisse donc la petite tranquille, plaida le père Paquin. Si ça se passe bien pour ses frères, elle acceptera de faire comme eux.

En un an, la locataire entendait pour la première fois l'homme se mêler du soin de ses enfants. Comme il partait tôt et rentrait tard tous les jours, on pouvait en arriver à oublier tout à fait son existence.

— Hein, c'est vrai, ma belle Nande, que tu vas y aller si ça se passe bien ?

Non seulement il intervenait, mais son affection un peu bourrue paraissait sincère.

— ... Oui papa, après. Peut-être.

Cet engagement si peu enthousiaste laissait présager une scène plus tard. La mère contempla sa princesse. Toutes les corvées, elle les acceptait afin d'offrir le meilleur à cette enfant et à ses frères. Puis toutes les ménagères croisées au marché pestaient contre cette procédure étrange, dégoûtante même – mettre un morceau de vache dans les gens. Sa capitulation s'exprima d'une remarque bourrue destinée à son mari :

— Se rendre là une aut' fois... On voit bien que c'est pas toi qui les fais, ces courses dans les rues. Après ça, on se demande pourquoi je dois prendre le tonique du docteur Harris.

La mixture « patentée » devait rendre les Canadiennes françaises aussi fortes que les femmes de l'*Évangile*. À tout le moins, c'est ce que clamait la publicité des journaux. L'accalmie dans la discussion familiale des Paquin permit à Félicité d'aller discrètement vers la cuisine, puis de sortir dans la cour arrière.

À son retour dans la maison, les trois cuvettes destinées aux ablutions du matin et du soir étaient occupées. Guildor Lévesque, qui venait juste de se couvrir les joues de mousse à raser, s'écarta un peu en disant :

— Mademoiselle Dubois, si vous voulez, je vous cède la place.

Il devait avoir été élevé dans une famille de garçons, car s'adresser à une jeune femme le faisait irrémédiablement rougir, et il ne savait que faire de ses grandes mains.

— Je vous en prie, continuez. Je peux bien attendre mon tour.

Elle se plaça en retrait, soucieuse de ne pas avoir sous les yeux les trois hommes aux manches de chemise retroussées au-dessus des coudes, occupés à se débarbouiller les mains et le visage. Le nouveau venu procéda avec célérité. En sortant de la petite pièce, il dit tout bas :

— C'est libre, maintenant, mademoiselle.

Félicité trouva la cuvette de porcelaine débarrassée des poils de barbe et presque complètement des résidus de savon. L'eau usée avait été vidée dans un baquet posé à même le sol. Elle versa une partie du contenu du broc et commença par se frotter les mains avec un gros pain de savon Impérial.

— Iras-tu aux funérailles de l'évêque ? demanda John Muir dans un murmure.

— Je ne peux pas vraiment me passer d'une journée de salaire.

— Cette journée, Dieu vous la rendra au centuple, l'interrompit Crépin depuis l'embrasure de la porte. Moi, je ne raterais pas cet événement pour tout l'or du monde.

Le commis aux livres en parlait un peu comme d'une visite du cirque Barnum. Lui ne se réfugiait pas dans le couloir par délicatesse, si une femme en était à sa toilette. La voir un peu penchée vers l'avant, les cheveux relevés d'une main afin de laver avec soin l'arrière et l'intérieur de l'oreille, l'intéressait au point d'exiger toujours un passage rapide au confessionnal.

— Tout l'or du monde, ricana Félicité, remboursé au centuple ! À vos yeux, la charité est bien une vertu théologale, monsieur Dallet ?

— Comme pour tous les autres catholiques, riposta l'autre.

— Laissons tous les autres en dehors de ça et réglons l'affaire entre nous. Si je ne me vois pas imposer d'amende, aujourd'hui, je ferai cinquante cents. Multiplié par cent, ça donne bien cinquante dollars, n'est-ce pas ?

L'autre garda le silence, les sourcils en accent circonflexe.

— Voyons, monsieur Dallet, vous tenez les livres de la savonnerie Barsalou. Vous pouvez certainement confirmer le résultat de cette multiplication.

— Oui, ça donne cinquante dollars.

John et Charles avaient tourné la tête pour suivre l'échange, curieux de voir où leur voisine voulait en venir.

— Alors vous allez me faire la charité de me donner cette somme, et je passerai toute la journée en prière devant les cercueils de nos deux évêques. Dieu vous rendra votre argent. Au centuple.

Les deux témoins échangèrent un regard, en réprimant un sourire.

— Voyons, vous ne pouvez être sérieuse…

— Au contraire, je suis très sérieuse. En me donnant cette somme, vous vous sanctifierez. Vous le savez, mieux vaut sauver une âme qu'accumuler une fortune dans son bas de laine. Puis vous ne risquez rien, Dieu vous le rendra au centuple. Cent fois cinquante, ça donne bien cinq mille dollars ? Je ne suis pas certaine, au couvent les exercices de calcul ne portaient jamais sur des sommes si astronomiques…

— Vous entendez à rire, mademoiselle.

— Crépin, là tu te défiles, s'en mêla Charles. Félicité est très sérieuse. Regarde-la.

Le petit comptable serra les mâchoires, refoula les jurons lui montant aux lèvres.

— Je suis déçue, monsieur Dallet, conclut la travailleuse. Vous êtes un homme de peu de foi, ou alors un très mauvais comptable.

— Mademoiselle, je ne vous permets pas…

— Soit vous ne croyez pas que Dieu vous rendra cette somme au centuple, soit vous ne savez même pas que récolter cent fois votre mise représenterait la meilleure affaire de votre vie.

Un court instant, elle braqua ses yeux dans les siens.

— Qu'est-ce qui se passe ici ? demanda Phébée en se plantant devant la porte. Si vous passez la matinée à vous regarder comme des chiens de faïence à la place de vous laver, vous perdrez tous vos emplois, aujourd'hui.

John Muir esquissa un sourire narquois en disant :

— Félicité était en train de forcer Crépin à nous révéler son âme. Tu sais, nous n'avons rien vu de bien joli.

Le commis crut le moment opportun pour retourner à sa chambre et constater qu'il n'avait rien oublié. La jeune ouvrière regagna sa place à table un peu songeuse. Décidément, son expérience avec Sasseville modifiait en profondeur son rapport à la religion. Ou les douzaines d'heures quotidiennes passées devant des moulins à tisser la laissaient aigrie…

— Tu sais que je te trouve très attachante depuis que tu ouvres la bouche, chuchota John Muir à l'oreille de la femme assise à sa droite.

Il marqua une pause juste assez longue pour voir Félicité se troubler un peu, puis ajouta :

— J'aimerais t'adopter comme petite sœur. Tiens, toi et Phébée feriez d'adorables jumelles.

— Des sœurs de lits différents, je suppose, ricana la couturière.

— Ça, je ne pense pas. Si l'on excepte la couleur des cheveux, vous vous ressemblez beaucoup.

Félicité afficha une certaine surprise. Comparée à son amie, elle se trouvait bien falote. De la part d'un autre, elle aurait pu croire à une moquerie. Dans la bouche de l'ébéniste, ces mots pesaient de tout leur poids. Un peu d'orgueil et une petite dose de timidité lui rosirent les joues. Toutefois, elle ne put s'attarder sur le sujet. Dallet arrivait, esquissant un sourire voulant dire : «Vous pouvez vous moquer, mais moi je sais que j'ai raison.» Malgré la certitude de sa supériorité, il avala son gruau figé et un peu froid, tout comme son thé d'ailleurs. Être passé à sa chambre lui valait ce petit inconvénient.

Ne voulant poursuivre une joute verbale susceptible d'ajouter à la tension existante, l'ébéniste changea tout à fait de sujet.

— Madame Paquin, ce matin je n'ai pu m'empêcher d'entendre la voix d'une personne bien déterminée…

— Ah! Ça se produira plus. Pis je vas demander à Fernande de vous faire des excuses.

Félicité se fit la remarque que, dans cet échange, la fillette n'était pas celle qui parlait le plus fort des deux.

— Mais non, ne vous inquiétez pas de ça, les petits différends agrémentent la vie de famille.

Ses yeux narquois se posèrent sur Crépin, puis revinrent sur la logeuse.

— Il était question de vaccination, n'est-ce pas ?

— … Oui. La petite veut absolument pas en entendre parler. Selon elle, des filles de l'école étaient toutes enflées, après ça.

— J'ai aussi lu des choses à ce sujet.

Tout le monde prêtait attention à la conversation, les frayeurs d'avril tout à coup ravivées.

— Depuis la mort de la petite Robichaud, je m'inquiète, vous comprenez, ajouta la mégère. Partir si vite…

— Je comprends très bien. Moi-même, si j'avais des enfants, je me demanderais quelle décision prendre.

La même discussion devait avoir lieu dans de nombreuses cuisines et dans les salles à manger des plus nantis.

— Cette vaccination, vous savez c'est quoi ? risqua Vénérance.

Parfaire ses connaissances sur ce sujet compliqué valait bien de retarder un peu l'exécution des tâches ménagères. De toute façon, les enfants n'allaient pas à l'école le samedi.

— J'ai lu quelques articles dans les journaux, dit son interlocuteur, en particulier dans le *Daily Star*. Il semble qu'une même personne n'attrape jamais la variole deux fois.

— J'ai entendu ça aussi, approuva la logeuse.

— Alors vacciner, c'est donner la maladie aujourd'hui afin de protéger une personne pour le futur.

— On donne la maladie pour empêcher de l'attraper ensuite ? fit Charles.

Ce genre de logique échappait totalement au mécanicien.

— Les gens ont juste une petite blessure sur le bras. Deux jours après, ça ne paraît plus.

— Pour la donner à quelqu'un, s'enquit Phébée d'une voix hésitante, comment fait-on ?

— En avril, tu as vu les plaies remplies de pus sur le visage de Marie. Il y a cent ans, les gens se frottaient la peau avec ça, ou avec les croûtes qui se forment ensuite.

Maintenant sans appétit, la jolie couturière repoussa un peu son assiette.

— Ça ne fonctionnait pas toujours. Les médecins ont commencé à procéder différemment. En utilisant une petite lame, ils prenaient un peu de pus sur un malade, puis faisaient une entaille sur le bras de leur client pour le contaminer. Dans la plupart des cas, la personne s'en tirait avec une petite fièvre et quelques boutons. Parfois, elle était atteinte d'une infection grave et mourait.

— Mon doux Seigneur Jésus ! glapit Vénérance en joignant les mains.

Déjà, elle voyait les petites croix blanches de ses enfants alignées dans un cimetière.

— Les médecins font vraiment des choses comme ça ? demanda Guildor Lévesque.

— Ils ont procédé de cette façon pendant cent ans, et ça marchait, la plupart du temps.

Ce matin-là, personne ne terminerait sa portion de gruau. Le thé les rasérénerait peut-être un peu.

— Maintenant, ils ne donnent plus du... pus ? le questionna Phébée après un silence inquiet.

— Non. En Angleterre, les gens observaient que les fermières n'avaient jamais la maladie, car elles attrapaient une infection très légère, fréquente chez les vaches, sans doute au moment de la traite. Ce *cowpox*, la variole de la vache, protège les humains du *smallpox*. Alors on prend les germes dans le corps d'une vache pour les mettre dans le corps des gens, encore en faisant une petite coupure de la peau.

— Et ça marche ? Après, les gens sont pas malades ? demanda Charles.

Le mécanicien comprenait très bien tout ce qui pouvait fonctionner à l'aide de pistons, de cylindres ou de rouages. Faire passer la maladie d'un animal à une personne dépassait son entendement.

— À tout coup, à ce qu'il paraît.

— Voilà une prétention sacrilège, le coupa Crépin.

Lui aussi lisait les articles sur l'épidémie dans les journaux. *Le Monde* ou *L'Étendard* en présentaient toutefois une version bien différente.

— Dieu seul donne la maladie et la santé. Que des médecins prétendent offrir l'immunité en insérant un peu de chair de vache sous la peau est non seulement sacrilège, mais stupide. Quand quelqu'un meurt de la variole, c'est une punition de Dieu.

— Vous voulez dire que Marie s'est retrouvée avec ce visage affreux, puis est morte, parce que Dieu voulait la punir d'un quelconque péché ?

Félicité présentait une mine dégoûtée devant un pareil sous-entendu. Ce malotru lui faisait pousser des griffes, décidément.

— Tout ce qui arrive vient du Tout-Puissant, le meilleur comme le pire. Et Lui seul peut sonder les âmes et connaître nos fautes.

La jeune femme quitta son banc précipitamment, au point de menacer l'équilibre de ses autres occupants, puis elle quitta la pièce sans un mot.

— C'est drôle, dit Charles à son tour, v'là que la graisse de machine m'attire plus que certaines personnes. Tu viens, le jeune ?

Guildor lui emboîta le pas pour se diriger vers la sortie. Les autres firent de même sans formuler une parole. À la fin, seul à table, Crépin Dallet porta sa tasse de thé à ses lèvres, un air satisfait sur le visage. Cette fois, personne n'avait osé mettre en doute ses paroles.

La logeuse entreprit d'enlever les assiettes tout en se désolant du gaspillage de son gruau, pour les vider et les mettre dans sa grande cuvette de zinc.

— D'après vous, monsieur Dallet, commença la grosse femme, les p'tits je devrais les faire vacciner, ou pas ?

— Ça, chacun de nous doit en décider en son âme et conscience. Moi, je n'ai fait que répéter les enseignements de notre sainte mère l'Église.

Ces réponses qui n'en n'étaient pas vraiment excédaient Vénérance.

— Mais vous, vous vous ferez pas vacciner ?

De ses yeux plissés, elle le jaugeait.

— Je mets ma confiance dans le Créateur.

Après cette dérobade, le petit homme se leva en formulant un « Excusez-moi, mais je dois y aller ». Ses yeux désignaient la cour arrière. L'homme jouait de prudence. Poursuivre la conversation l'aurait exposé à un interrogatoire plus serré de la part de sa logeuse. Plus que les autres, elle détestait voir sa foi remise en question.

En le voyant pénétrer dans les bécosses depuis sa fenêtre, elle maugréa :

— Si le plancher pouvait défoncer sous ton poids pour te jeter au fond…

Puis, ses trois enfants vinrent occuper les places laissées libres par les pensionnaires. Si la fillette demeurait terrorisée à l'idée du vaccin, ses frères se montraient un peu bravaches pour afficher leurs qualités masculines.

— Ça va, Fernande, tu resteras icitte aujourd'hui, j'irai avec les garçons chez le docteur.

Tout de suite l'inquiétude changea de camp. L'une affichait un sourire victorieux, ses frères, une mine préoccupée. La matrone répartissait les risques, en quelque sorte. Qui, des fils ou de la fille, profiterait le plus de cette stratégie ?

Tous les jours, côtoyer ces mécréants rendait Crépin de plus en plus irascible. Il demeurait dans la ruelle Berri à cause du loyer modique, qui lui permettait de se constituer un petit pécule. Surtout aussi, deux jeunes femmes aiguillonnaient son désir. Curieusement, Phébée se faisait meilleure chrétienne depuis le départ de son fiancé, et l'autre tenait des discours carrément hérétiques.

«Elle doit être jalouse du mariage prochain de son amie, se dit-il. Pensez donc, marier un universitaire! Bien sûr, si ce mariage a lieu...»

Penser à un mauvais dénouement pour cette idylle lui ramena le sourire. Le passé de cette fille ne devait pas être bien net. Sa beauté lui venait du diable, puisqu'elle lui inspirait des désirs coupables. Arrivé à la place d'Armes, il fit un effort pour redevenir chagrin, afin d'offrir une mine de circonstance.

L'église Notre-Dame ne comptait plus aucune place assise. À l'arrière et dans les allées latérales, chaque pouce carré du plancher était occupé. Seule l'allée centrale, gardée par un gros ruban de velours violet et une rangée de zouaves placés épaule contre épaule, restait dégagée. Les notables distribués de chaque côté de celle-ci pouvaient se saluer discrètement d'un mouvement de la tête. Le maire Beaugrand, le premier ministre de la province John Jones Ross, le lieutenant politique canadien-français de John Macdonald, Joseph-Adolphe Chapleau, tous les députés et les échevins de la Ville étaient là.

À l'avant, tout près de la balustrade, on voyait les deux cercueils côte à côte. Bourget et Lartigue dormiraient ensemble pour l'éternité.

«Le ciel, ça doit ressembler à ça», soupira Crépin.

La magnificence des lieux, le décor surchargé, la musique émouvante à en déchirer l'âme, les soutanes noires, violettes ou rouges, les chasubles des officiants alourdies de fil d'or, tout cela lui montait à la tête. À la fin de la cérémonie, le commis aux livres regarda les employés des pompes funèbres placer les cercueils dans les corbillards. Les corps reposeraient sous un pilier de la cathédrale Marie-Reine-du-Monde, toujours en construction.

Chapitre 3

Pour les locataires de la ruelle Berri, le souper du samedi soir soulignait toujours la fin d'une semaine de travail harassante et, pour la dernière écoulée, pleine d'émotions vives. Assis avec ses voisins de la pension, Charles ne pouvait dissimuler sa surprise :

— Comme ça, Crépin, c'est vrai. Les Barsalou t'ont permis de t'absenter du travail pour aller assister à des funérailles dans un chantier de construction.

— Les funérailles ont eu lieu à l'église Notre-Dame, pas sur le chantier de Marie-Reine-du-Monde. Seule la mise en terre s'est faite sur le site de la future cathédrale.

— N'empêche. T'étais en congé, comme pour la mort de parents proches.

— Les fils du propriétaire sont de bons catholiques. Perdre notre ancien pasteur, c'est comme perdre son père.

Le mécanicien secoua la tête. Si jamais le vieux monsieur Macdonald lui faisait l'aumône d'une journée de congé, il ne la gaspillerait pas de cette manière.

— Tu as pu prier tout ton saoul ? s'informa John.

— Dans une pareille ambiance, impossible de faire autrement. J'ai demandé l'intercession de monseigneur Bourget pour conserver ma santé…

Le souvenir du petit accrochage du matin le porta à jeter un œil vers Félicité. Celle-ci mastiquait avec application, perdue dans ses pensées. L'attaque vint plutôt de Phébée :

— Mais ce n'est pas un saint, ni même un bienheureux.

La couturière doutait que sa demande d'intercession auprès des deux prélats serve bien sa cause.

— Ça viendra. Notre bon pasteur siège déjà en bonne place parmi les saints.

Crépin semblait se représenter le paradis comme une assemblée délibérante. «Floris me prenait pour une sainte tombée sur terre», se rappela l'ancienne maîtresse d'école. Comme cette naïveté enfantine lui paraissait charmante, et la religiosité affichée par ce vieux garçon factice, opportuniste.

— D'ailleurs, il a déjà fait des miracles, continua le parangon de vertu.

— Des miracles? ne put-elle s'empêcher de répéter.

— *Le Monde* rapportait ce matin qu'une jeune aveugle de douze ans a touché sa joue. Sur-le-champ, elle a retrouvé la vue.

Fausse ou pas, l'anecdote rasséréna un peu Phébée.

Les cadavres avaient été placés suffisamment longtemps en chapelle ardente pour que des milliers de croyants posent les doigts sur son vêtement ou sur sa chair refroidie. Ils quémandaient une intervention du ciel. À recevoir des bénédictions de l'au-delà à ce rythme, toutes les maladies contagieuses auraient dû être vaincues.

— Les miracles doivent être validés par une sorte de tribunal, n'est-ce pas? opposa encore Félicité.

— Si les écrivains du *Monde* affirment la véracité de cette histoire, je la crois. Il s'agit de l'organe de l'évêché.

La jeune femme ne voulut rien répliquer. Fabre, l'homme affublé de ses habits dorés aperçu le dimanche en plein défilé de la Fête-Dieu, avait gardé le curé Sasseville dans sa paroisse. Il y officiait toujours, selon les lettres de sa mère. Lui n'avait pas dû abandonner son travail et se réfugier dans une manufacture à cause du poids du péché. Impossible pour elle de croire à l'infaillibilité des articles d'un journal se faisant le porte-parole de ce prélat.

Ces gens-là pouvaient bien lancer des rumeurs de miracle pour conserver leur ascendant sur leurs ouailles. Désormais, son esprit se révoltait devant ces mascarades.

Pendant toute la journée du dimanche, Vénérance offrit un visage fermé, maussade. Au souper, elle fit se succéder les plats très rapidement sur la table afin de voir ses locataires s'esquiver au plus vite. Ceux-ci en profitèrent pour s'engager dans une longue marche.

Le lendemain, au déjeuner, elle ne présentait pas une meilleure mine. La raison se dévoila devant tous, sous la forme d'un gamin impatient : Madore, âgé de dix ans, se présenta dans la cuisine vêtu de son seul pantalon.

— M'man, j'peux pas aller à l'école. J'ai encore « rendu » ce matin.

Comme il offrait une mine pâle, un peu défaite, difficile de douter de ses paroles.

— Te montre pas comme ça, à moitié tout nu, devant les gens.

Ce sursaut de pudeur maternelle laissa le garçon indifférent.

— Pis tu vois, l'enflure augmente encore.

Il désignait le haut de son bras droit, où un œdème un peu violacé demeurait bien visible, même à une distance d'une dizaine de pieds.

— Moi aussi, ma bosse augmente, rajouta son cadet, Casimir, en venant à son tour dans la pièce. Elle est même plus grosse que la sienne.

— Toi, tu renvoies pas tes repas.

Dans la compétition fraternelle pour savoir qui souffrait le plus, les départager serait difficile. La mégère s'approcha pour évaluer les dommages, puis céda :

— Bon, vous passerez votre journée au lit. Si vous êtes trop malades pour apprendre, vous pouvez pas jouer non plus.

Comme aucun des deux ne protesta, ils devaient se sentir bien mal. Ils s'empressèrent de quitter la pièce avant que la mère ne change d'idée. Une petite voix flûtée vint encore interrompre le travail de la logeuse.

— Moi, maman, j'vas à l'école ?

Fernande portait déjà son uniforme scolaire, mais essayer de la fléchir ne coûtait rien.

— Tu l'as pas eu, ce maudit vaccin, alors tu viens déjeuner dans une demi-heure et tu vas au couvent.

Pousser sa chance ne servirait qu'à mettre la maîtresse des lieux de mauvaise humeur. Elle détala sans demander son reste.

— Madame Paquin, c'est le vaccin qui les a mis comme ça ? demanda Charles.

— J'vois pas autre chose. Avant y se portaient bien, après, cette vilaine bosse a commencé à pousser. Y ont du mal à lever le bras. L'un fait de la fièvre, l'autre garde pas sa nourriture. Ça fait deux jours que j'le suis pour tout nettoyer.

Le surcroît de travail la préoccupait infiniment moins que ces réactions physiques. À cet âge, bien des maladies ou des malaises pouvaient les emporter.

— C'est tout de même curieux, remarqua John Muir. Ce matin, à la sortie de l'église Saint-Patrick, un gars donnait une feuille à tout le monde. Ça venait du comité d'hygiène de la Ville. Selon ce papier, le vaccin serait la seule façon de se prémunir contre la variole, et en plus ce serait à coup sûr efficace.

— Si le vaccin les tue, grommela la femme, c'est sûr qui attraperont rien d'autre.

Logique implacable s'il en était. Pourtant, l'ébéniste se risqua encore :

— Ça disait qu'il fallait absolument le donner à tous les enfants.

— Pour mettre cette cochonnerie dans le bras de Fernande, ils devront me passer sur le corps.

L'effet secondaire enduré par ses garçons blindait sa décision de préserver la fillette de ce remède de sorcier. Comme pour souligner cet engagement, elle saisit une poêle de fonte sur la cuisinière, l'agita un peu dans les airs avant de la remettre à sa place.

— Vous avez raison, madame Paquin, l'approuva Crépin. Ces savants se prennent pour Dieu. Il faut être fou pour penser que mettre un morceau de vache dans son bras va empêcher le Tout-Puissant de donner la variole à quelqu'un, en guise de châtiment pour ses fautes.

Pour Félicité, Dieu n'avait aucune raison de s'en prendre à des filles comme Marie ou sa sœur Pélagie. Dans cette maison, elle seule portait une tare susceptible de lui mériter une fin commençant par la pourriture de la chair.

— Nous aurons donc droit à un combat entre les docteurs en médecine et les docteurs en théologie, ironisa John.

La prédiction de l'ébéniste se concrétiserait.

Le lendemain, les deux garçons Paquin ne se portaient pas mieux, tandis que Fernande se rendait à l'école un peu envieuse de les voir en congé, mais rayonnante de santé. Vénérance n'y tenait plus. Après avoir terminé la vaisselle du matin, elle s'essuya les mains avec plus de soin que d'habitude, accrocha son tablier à un clou planté dans le mur.

— Vous inquiétez pas, dit-elle en ouvrant la porte de la plus grande des chambres, à gauche du couloir. Je sors une minute, et je reviens avec un docteur.

L'initiative lui coûterait au moins un dollar, le salaire de son mari pour la journée. Le sacrifice de cette somme témoignait éloquemment de son anxiété. Sa promesse d'un prompt retour ne prévalut pas sur les obligations de ces professionnels. Les deux premiers déclarèrent ne pouvoir sortir, tellement les clients s'entassaient dans leur salle d'attente.

Heureusement, de nombreuses maisons de la rue Saint-Denis portaient une plaque de bronze avec un titre en abrégé : Dr. Rendue franchement de mauvaise humeur, elle frappa brutalement à la porte d'un troisième cabinet de consultation. Ne recevant pas de réponse, elle se dirigea vers l'autre entrée, située sur la façade. En entendant le vacarme, le docteur Bourque n'osa pas laisser sa domestique risquer une mauvaise rencontre.

— Pourquoi tout ce bruit ? demanda-t-il en ouvrant.

Vénérance le toisa, en une seconde le jugea compétent à cause des favoris et de la moustache déjà gris, et du crâne dégarni.

— Monsieur, venez voir mes garçons, ça presse.

L'autre se recula un peu devant tant de véhémence.

— Madame, je commence à recevoir des malades à quatre heures et je termine en soirée.

— Mais y peuvent pas venir. Y ont le bras comme ça.

La femme plaça son poing fermé contre son bras gauche pour donner une idée de la taille de la protubérance. L'autre pensa lui fermer au nez, puis fit plutôt volte-face, l'air soudainement préoccupé.

— Un œdème sur le bras ? Ils ont été vaccinés ?

— Oui, y l'ont reçu samedi, c'te maudite saloperie. Depuis, ça file pas.

— Ah ! Attendez-moi un instant, madame.

Il revint bien vite avec son melon sur le crâne, une canne dans une main et un petit sac de cuir dans l'autre. Sans un mot, il lui emboîta le pas. Sa seule hésitation survint au moment de s'engager dans la ruelle Berri. Le pauvre ne connaissait peut-être pas la présence de pareils taudis si près de sa belle maison de pierres grises.

— Ils sont là tous les deux, expliqua la mère en ouvrant la porte de la chambre.

Elle passa la première pour s'assurer qu'il ne traînait rien susceptible de lui faire honte. Le seau métallique exhalant l'odeur de vomissures lui parut plutôt comme une invitation au professionnel à faire de son mieux.

— Les enfants, v'là le docteur…

Dans son agitation, elle ne lui avait même pas demander son nom.

— Bourque, fit l'autre en s'approchant du petit lit le plus près de la porte. Alors fiston, je parie que tu as une grosse bosse rouge sur le bras. Montre-moi ça.

Casimir dormait en sous-vêtements, offrir son membre à l'examen fut l'affaire d'une seconde.

— C'est ce que je pensais. Un autre cas d'érysipèle.

— Hein ?

— É-RY-SI-PÈ-LE, fit l'autre en parlant plus fort et en détachant les syllabes, comme si une meilleure prononciation conférerait une compétence médicale à son interlocutrice.

Il n'eut d'autre effet que de lui faire écarquiller les yeux. La pression de ses mains sur le bras du malade tira une plainte étouffée.

— Voyons, un homme ne se plaint pas comme ça, gronda-t-il.

L'admonestation ne rendit pas la palpation moins douloureuse.

— Y sont comme ça à cause du vaccin ? demanda-t-elle.

— Je n'ai pas de doute. À l'orphelinat Saint-Joseph, où je suis passé, il y a eu vingt et un cas d'érysipèle pour vingt et un vaccins. En réalité, cette procédure se révèle plus dangereuse que la variole elle-même.

La mégère ouvrait de grands yeux. C'était le monde à l'envers : des médecins rendaient les gens malades.

— Mais nous autres, on peut pas savoir qui dit vrai, dans c't'histoire-là.

Le praticien fouilla dans son sac, en sortit un thermomètre en disant :

— Mets-toi sur le ventre.

Casimir connaissait la suite. Une velléité de refuser mourut dans son esprit. Résister à cet homme, c'était s'exposer à voir sa mère s'en mêler, une éventualité qui décuplerait sa honte. Heureusement, ce vieux docteur connaissait parfaitement la procédure. En un instant, il se retrouva avec un tube de verre dans le fondement.

— Je sais bien que pour les gens comme vous – il voulait dire une femme sachant à peine lire –, il devient difficile d'y voir clair. Parcourez ça, demandez l'aide de vos voisins si nécessaire.

De son sac, il tira une feuille de papier couverte d'un texte imprimé. La mégère fronça les sourcils et réussit à déchiffrer :

— *Pour mettre le public en garde contre un nouveau fléau qui nous menace.*

Elle devait lire à haute voix, en butant sur tous les mots, pour en saisir le sens.

— Ce fléau, c'est la variole ?

L'autre laissa échapper un soupir un peu découragé.

— Non, madame, je vous le répète, dans ce cas, la maladie est moins dangereuse que le remède.

La veille, Bourque avait constaté le décès de l'un des enfants des Blain à cause de l'érysipèle. Toutefois il ne servait à rien de faire davantage angoisser cette femme. Dans le cas des rejetons de cette mégère, mieux valait énoncer des paroles optimistes :

— Ces garçons sont robustes, dans trois jours ils referont leurs mauvais coups. Nourrissez-les bien, continuez de garder la maison bien propre. Ces simples précautions valent mieux que les vaccins. Les collègues qui en prônent l'usage ne sauraient même pas vous expliquer comment ils agissent.

Tout en parlant, il avait récupéré le thermomètre pour lire les chiffres, le secouer d'un mouvement sec du poignet et sans précaution sanitaire faire subir le même affront à Madore. Au terme de cet examen sommaire, le premier reçut une poudre pour casser la fièvre, l'autre une mixture répugnante pour calmer l'estomac.

En se dirigeant vers la porte, le médecin précisa encore :

— Donnez-leur des aliments légers à manger, laissez-les se reposer. Bientôt, ils seront rétablis.

Décidément, le professionnel s'en tenait à ce pronostic favorable, malgré ses certitudes sur les dangers du traitement. Alarmer ce genre de matrone ne donnait jamais rien de bon.

— Vous avez d'autres enfants ?

Ses visites chez les Canadiens français l'avaient habitué à des maisonnées de douze personnes, parfois plus.

— J'ai une fille aussi. Elle est à l'école.

— Elle a été vaccinée ?

— Non, elle a pas voulu.

— Et aujourd'hui, elle se porte bien. Alors, vous êtes à même de constater la véracité de ce que je vous disais : le remède pire que la maladie.

Il laissa derrière lui une femme plus pauvre de deux dollars et bien perplexe. Vénérance se pencha sur le feuillet imprimé, incompréhensible.

— Voilà qu'y nous écrivent en chinois, bougonna-t-elle. Monsieur Dallet va pouvoir m'expliquer tout ça.

Le commis aux livres s'exécuterait, fier d'exhiber son savoir devant tous ses voisins réunis à table. Le docteur Bourque réussirait bientôt à faire connaître ses idées à bien des gens, car le journal *Le Monde* reprendrait son texte dans son intégralité.

Sa publication dans un journal catholique lui conférait une sorte d'infaillibilité. Un journal soutenu par l'archevêché ne pouvait se détourner de la vérité, Dieu ne le permettait pas.

Une nouvelle fois, le vendredi 19 juin, Phébée avait obtenu la permission de quitter le travail un peu plus tôt pour se rendre chez le pharmacien Gray. Le professionnel, seul dans son officine, l'accueillit avec le sourire.

— Monsieur, je n'ai toujours pas reçu de nouvelles, commença-t-elle.

Son joli visage paraissait si torturé qu'il lui désigna une chaise avant de prendre place en face d'elle.

— Je n'ai pas d'autres informations. Le 65ᵉ Régiment pourchasse les Sauvages insoumis.

— Mais déjà, il y a deux semaines…

La voix se brisa, la couturière porta sa main gantée devant ses lèvres pour cacher son rictus de chagrin. Les larmes sur les joues amenèrent Gray à se pencher un peu vers l'avant pour dire :

— S'il y avait des combats meurtriers, je le saurais. Rassembler ces pauvres gens pour les conduire vers les réserves prend du temps. Ne vous torturez pas de cette façon.

Pendant quelques minutes, l'homme tenta encore de la consoler. En orientant la conversation vers le mariage prochain, il réussit à lui remettre un joli sourire sur le visage. La voyant rassérénée, il fit mine de se lever.

— Monsieur Gray… Me permettez-vous de prendre un peu plus de votre temps ?

— Oui, bien sûr. De quoi voulez-vous me parler ?

— En avril, vous êtes venu dans la maison où j'habite. Une fille souffrait de la variole.

L'homme indiqua d'un mouvement de la tête qu'il s'en souvenait. Visiter la pièce aveugle avait ajouté à sa détermination d'obtenir du conseil de ville un règlement interdisant ce genre d'aménagement.

— Pouvons-nous encore attraper la maladie, en vivant là ?

— Pas spécialement la variole, mais beaucoup d'autres affections. Si vous pouvez vous permettre de déménager…

— Je le ferai dès le retour de Jules. Enfin, peu après.

Ce mariage lui donnerait enfin la chance de se loger décemment. Elle gardait toutefois une petite pensée désolée pour Félicité. La pauvre saurait-elle se débrouiller toute seule ?

— Mais pour la variole ? Tout le monde dit que les cas se multiplient, présentement.

Son interlocuteur, très bien informé de la situation à titre de président du comité d'hygiène, hésitait toutefois, à l'instar de ses collègues, à donner des indications précises, de peur d'ameuter la population. Son charmant vis-à-vis avait cependant de trop beaux yeux pour être privé d'une réponse honnête.

— D'abord, parlons de votre domicile. J'y ai fait brûler six livres de soufre. Le mieux aurait été de jeter dans les flammes tous les meubles, tous les vêtements, car des germes peuvent se cacher dedans…

— On ne peut pas faire ça avec les biens des gens, se révolta Phébée.

Quoique compréhensible, cette réaction navra le pharmacien. La pauvreté même de la population empêchait de combattre efficacement l'infection. Personne, dans la ruelle Berri, n'avait les ressources pour renouveler une garde-robe ou un mobilier.

— Comme personne d'autre dans la maison n'a attrapé la variole, nous savons que cette pauvre fille n'a contaminé personne.

— Comment est-ce possible ?

Le pharmacien haussa les épaules avant d'admettre :

— Personne ne le sait. Le hasard? La volonté de Dieu? Vous l'avez certainement constaté : parfois tout le monde a la grippe dans une maison, sauf une seule personne.

«La volonté de Dieu», retint Phébée. Même l'un de ces savants professait cette opinion.

— Cependant, un autre pensionnaire peut la ramener à son tour.

— On voit des gens au visage ravagé dans la ville…

— Aussi longtemps que les gens refuseront de se faire vacciner, ces morts inutiles, ces visages défigurés seront notre lot.

Voilà que l'homme se contredisait, accroissant le doute dans l'esprit de la visiteuse. Il enchaîna :

— Tellement de personnes s'entêtent à ne pas prendre les précautions élémentaires pour enrayer l'épidémie. D'abord l'inoculation…

— Mais c'est bien trop dangereux.

Le regard de Gray se fit plus sévère. Tout de suite après avoir évoqué le Tout-Puissant, il affichait l'intolérance d'un prêtre de la science envers les sceptiques. Phébée sentit si bien le changement d'humeur qu'elle crut nécessaire de se justifier :

— Madame Paquin a fait vacciner ses deux garçons. Ils ont des bosses grosses comme ça.

Elle lui en montra la taille de la main.

— Puis ils ont été malades comme des chiens.

Se voir présenter des faits précis amena le professionnel à adoucir le ton.

— Ce genre de chose arrive parfois. Ça peut tenir aux conditions d'hygiène.

Phébée fronça les sourcils, incertaine.

— Si le vaccinateur est malpropre, il va contaminer son patient, à cause de la petite coupure sur le bras.

Il marqua une pause avant de se faire plus précis :

— La saleté entre dans le corps de celui-ci. Il ne faut pas s'en faire avec ça, ce sont des cas très rares.

— À l'orphelinat Saint-Joseph, tout le monde a été malade.

— Vous avez lu les lettres du docteur Bourque dans les journaux?

La jeune femme hocha la tête, même si ce n'était pas tout à fait vrai. Depuis quelques jours, Crépin Dallet lisait et commentait les textes de tous ceux qui s'opposaient à la vaccination. Il leur donnait d'autant plus de crédit qu'ils publiaient dans des journaux catholiques, ou à tout le moins conservateurs. Ce flot d'informations allait dans le même sens que l'enseignement du vicaire Savard.

— Je suis certain qu'il exagère, précisa le pharmacien en parlant de Bourque. Nous allons faire enquête sur ces allégations. S'il dit vrai, ça tient sans doute à l'utilisation de lymphe de vache contaminée pour produire le vaccin. Les fournisseurs prennent leurs précautions, mais un accident est toujours possible.

Faire cette concession, c'était ajouter encore aux doutes de son interlocutrice. L'homme tourna la tête pour voir l'heure à l'horloge posée sur une tablette. La visiteuse amorça le mouvement de se lever, mais il précisa encore:

— Vous savez que pour vacciner, on inocule… on donne aux gens une maladie sans gravité qui affecte les vaches.

— Et après on ne peut plus avoir la variole.

Gray opina, comme devant une bonne élève.

— C'est comme avec le tissu. Parfois le produit est de mauvaise qualité.

«Mais personne ne meurt d'une robe qui déteint ou se déchire trop facilement», se dit Phébée. Puis donner foi aux paroles des spécialistes, n'était-ce pas s'éloigner des enseignements de l'Église? Le ciel lui donnerait un beau mariage, si elle s'en montrait digne, pas ces bourgeois prétentieux. Son conseiller spirituel se montrait si convaincu à ce propos.

— Ces gens évoquent encore autre chose, risqua-t-elle. Comme ça vient des vaches justement, on peut finir par leur ressembler.

Le visage marqué par l'incrédulité, le pharmacien scruta son interlocutrice. Pour désigner l'apparition de traits bovins chez les immunisés, les auteurs parlaient de « minautorisation », en référence à l'être mythique de l'Antiquité doté d'un corps humain et d'une tête de taureau. En plus de sa laideur, il avait aussi la fâcheuse habitude de se repaître de la chair des jeunes vierges choisies parmi les plus belles. Le choix de ce terme s'avérait doublement lourd de sens : littéralement, la variole se nourrissait de chair, comme le Minautore.

— Mais ces histoires sont complètement stupides, et ceux qui les colportent, plus stupides encore, s'impatienta-t-il.

Ses convictions le rendaient insensible. L'insulte perça le cœur de la visiteuse. Cet homme employait son fiancé, il se montrait sympathique à son égard. La traiter ainsi d'imbécile, c'était dire qu'il la jugeait indigne de lui. La douleur rougit les joues de la couturière, des larmes montèrent à ses yeux. Pourtant, l'homme ajouta encore à son indélicatesse :

— Croire ça, c'est comme croire aux loups-garous, aux farfadets ou aux esprits des défunts qui hantent les maisons. Vous êtes trop intelligente pour y prêter attention, j'en suis certain.

Il aurait tout aussi bien pu dire : « Vous êtes assez idiote pour croire ça, je le vois bien. » Près d'éclater en sanglot, elle se leva précipitamment :

— Non seulement je vous retarde, mais je vais rater mon souper. Vous avez vu ma logeuse, elle ne blague pas avec le règlement.

La voix éraillée trahissait le mauvais prétexte évoqué pour prendre la fuite. Robert Gray quitta aussi son siège pour la raccompagner jusqu'à la porte. Maintenant, son emportement de tout à l'heure le mettait mal à l'aise. Il n'avait aucun désir de blesser cette beauté naïve.

— Mademoiselle Drolet, commença-t-il un ton plus bas, je vous l'assure, seul le vaccin est efficace pour éviter la variole. Je peux vous donner les noms des médecins dont l'approvisionnement est sûr.

— Je vais y penser, dit-elle en se raidissant. Je vous remercie de votre attention et de vos paroles… encourageantes.

La commissure de ses yeux se gonflait de larmes. Seule sa colère lui permettait de garder un peu sa contenance. L'homme refusa de lâcher sa main. Les yeux dans les siens, il dit encore :

— Je suis sérieux. Vous songez à vous marier.

Cette fois, il adoptait le ton d'un père inquiet pour sa fille, mais elle n'entendait plus.

— Vous faire vacciner, c'est le plus beau cadeau de noces que vous pouvez vous faire, et faire à Jules.

— Je vous remercie encore, monsieur Gray.

L'homme lâcha la main à regret, ouvrit la porte pour lui permettre de sortir, la regarda s'éloigner sur le trottoir. De son côté, Phébée pensait que tous les hommes instruits, quelles que soient leurs conceptions, affichaient la même arrogance cruelle.

Autant s'abandonner à la bonté de Dieu. Lui choisirait, pesant ses fautes, ses regrets et sa résolution à respecter scrupuleusement Ses enseignements. S'abandonner à sa bonté… Après dix pas, elle avait résolu de s'arrêter à l'église Saint-Jacques, quitte à se passer de souper.

On en était à la troisième semaine de juin, déjà. Les enfants termineraient très bientôt l'école pour la période estivale. La belle saison revenait avec son cortège de chaleurs torrides et de pluies diluviennes. Pourtant, en ce dimanche, tous profitaient d'une température douce sans être étouffante et d'un ciel d'un bleu soutenu.

Après la messe, où les décès des saints évêques avaient occupé tout le prône, les deux amies s'engagèrent dans une longue marche pour se dégourdir les jambes. Un objectif inavouable tenaillait cependant l'esprit de Phébée : reconnaître les jolies rues, celles des bourgeois, et tenter d'identifier l'endroit où un pharmacien prospère pourrait, dans cinq ou dix ans, installer sa famille.

Elle passait bien vite d'un sentiment d'abattement face au silence de son promis à un sursaut d'optimisme. Tout le jour, les mots « Tout se passera bien, je m'en fais pour rien, Dieu me tient en Sa sainte garde » devenaient une ritournelle. Ils hantaient son esprit et parfois passaient ses lèvres dans un murmure.

Félicité ne s'en formalisait guère. Malgré son inquiétude sur son propre sort, elle en venait à prier pour le bon dénouement de cette charmante romance, digne d'un conte de fées : la jolie princesse jetée dans la misère par une méchante sorcière serait finalement secourue par son prince.

— Je me demande pourquoi tant de gens entassent des malles dans leur voiture, remarqua bientôt la châtaine. Nous sommes pourtant bien loin du premier mai et de l'expiration des baux.

Au cours de la dernière heure, elles avaient parcouru les rues Saint-Denis, Saint-Urbain et Saint-Hubert. Devant une maison cossue sur trois, lui semblait-il, un charretier s'esquintait le dos sur des malles, sous les yeux d'une dame et de quelques enfants en habit du dimanche. Le chef de famille de son côté tentait de participer au déplacement des bagages les plus lourds.

— Tu ne te souviens pas ? Tu as vu des scènes de ce genre il y a un an…

— En juin dernier, je me débattais dans une manufacture tous les jours, et je trouvais tout si étrange.

La vie urbaine la troublait toujours un peu. Témoin éloigné de la richesse, des spectacles ou des grands événements, son quotidien différait bien peu de la misère de Saint-Eugène.

— Tu vois là le grand déménagement des riches vers leur maison de campagne, ou les grands hôtels situés sur les rives du Saint-Laurent.

— Il y a des gens qui possèdent deux maisons ?

— Pas tous, mais plusieurs. Les femmes et les enfants vont y passer deux, parfois trois mois, avec une ou deux domestiques pour leur épargner le moindre effort. Les hommes les rejoindront à quelques reprises, mais eux doivent s'occuper de leurs affaires en ville.

— Les familles seront séparées pendant tout ce temps…

L'ancienne institutrice montrait une mine si désolée que son amie prononça, moqueuse :

— Ne t'en fais pas pour eux. Ils sont mieux lotis que toi et moi, je t'assure. Si l'ennui tenaille ces beaux messieurs, ils sautent dans un train ou sur un bateau pour retrouver les leurs.

Tout de même, s'imposer un exil semblable paraissait si déraisonnable aux yeux de Félicité.

— Comme ils ont tout ici, que trouveront-ils de mieux ailleurs ?

— De l'air frais. Eux n'endureront pas une odeur de merde, de crottin et de charogne tout l'été. Ils ne mangeront pas de la viande laissée des heures au grand soleil, sous un nuage de mouches.

— Ça les met à l'abri des fièvres, des diarrhées… et de la variole, conclut Félicité.

— Voilà ! Ils conduiront moins d'enfants au cimetière que les habitants de taudis comme le nôtre.

— Tu sais où tous ces gens vont passer l'été ?

— Ce n'est pas un secret, les journaux vont en parler toutes les semaines. «Monsieur Untel se rendra à Notre-Dame, près de Rivière-du-Loup, afin de rejoindre son épouse...»

Son amie la regardait avec un sourire moqueur: Phébée glanait peu d'informations dans la presse. Les sujets trop sérieux amenuisaient encore plus sa motivation à bien lire. La couturière admit enfin, un peu impatiente:

— Les journaux ne sont pas les seuls à en parler. Les domestiques n'ont que ça en bouche, en septembre. Le bon air de Kamouraska, de Rivière-du-Loup, de La Malbaie.

— Pour elles aussi, ces semaines doivent faire du bien.

— Oui et non. Comme là-bas les adultes tendent à se coucher tard et les enfants à se lever tôt, ça leur fait des journées de dix-huit heures.

Bien sûr, il ne s'agissait pas d'un travail ininterrompu, mais les bonnes à tout faire devaient répondre aux moindres désirs de leurs maîtresses, à toute heure du jour et de la nuit.

Le spectacle de la richesse lassa bien vite les amies. Elles cherchèrent un banc situé à l'ombre sous les arbres, dans le carré Viger. Depuis le départ de Jules, les dimanches devenaient bien longs.

Le jour de la Saint-Jean, des orateurs canadiens-français rappelaient au souvenir du peuple les grands moments de l'histoire collective. Après avoir quitté le travail un peu plus tôt, les locataires de la ruelle Berri avalèrent bien vite leur souper afin de profiter un peu des festivités. Une parade représentait le clou de la soirée.

À huit heures, sur le trottoir de la rue Saint-Denis, au coin de la rue Vitré, John Muir faisait des envieux, avec une jolie femme accrochée à chacun de ses bras. Sa présence tenait Crépin Dallet à bonne distance.

— Qui sont ces gens? demanda Félicité en levant les yeux vers leur compagnon. Des miliciens?

Un peloton d'hommes en uniforme attrayant passait devant elle, des fusils posés sur l'épaule.

— Sans doute la garde de la paroisse Sainte-Marie. En plus des autres loisirs honnêtes, comme monter des pièces de théâtre écrites par des soutanes au tempérament artiste, ses membres peuvent faire de la *drill*.

Déjà, de nombreux zouaves avaient paradé en rangs serrés, de même que des zélateurs de diverses associations pieuses, leur bannière au vent. Si à sa création en 1837 il s'agissait d'une fête nationale, maintenant celle-ci paraissait le céder en importance devant la fête religieuse. Ou plutôt, les deux se mêlaient, le catholicisme représentant maintenant le cœur de l'identité canadienne-française.

Une voiture tirée par deux beaux chevaux évoquait le premier Français à avoir touché les côtes canadiennes. Un Jacques Cartier habillé de ce qui semblait être une robe de chambre rouge, une barbe faite de crin de cheval collée sur le menton, s'agenouillait devant la croix de Gaspé dans un effet plus grotesque qu'exaltant. Une fanfare aux costumes flamboyants suivait, jouant avec enthousiasme *Vive la Canadienne*, la chanson écrite des années plus tôt par le ministre George-Étienne Cartier.

À en juger par les vêtements, des spectateurs de diverses classes sociales se réjouissaient de voir les fantômes de ces gloires du passé. Au premier rang, souvent les pieds sur la chaussée pour ne rien manquer, des enfants se pressaient les uns contre les autres, échangeant des commentaires animés. Félicité les tenait à l'œil, prête à s'élancer si un cheval croisait la trajectoire de l'un ou de l'autre. Elle remarqua une fillette aux cheveux bruns, vêtue d'une jolie robe, les joues à demi couvertes de croûtes répugnantes. Elle y portait parfois la main pour se gratter du bout des ongles. Puis l'enfant se penchait vers des amies, leur murmurait des secrets à l'oreille.

— Tu la vois faire ? demanda Phébée, placée de l'autre côté de leur chevalier servant.

— Elle paraît déterminée à partager sa maladie, répondit Félicité.

— Comme ça, avec un peu de chance, les autres auront une version bénigne de la picote, comme John l'expliquait l'autre jour. Dans pas longtemps, elle sera guérie.

La couturière paraissait résolue à voir là une affection bénigne, comme si le souvenir des sœurs Robichaud était totalement effacé. Pourtant elle disait vrai : des parents exposaient volontairement leur progéniture aux maladies d'enfant pour en finir avec elles.

— Tout de même, précisa l'ébéniste, la variole, ce n'est pas la rougeole ou les oreillons. Ni la varicelle, même si ça se ressemble un peu, à cause des boutons. Vacciner tous ces jeunes serait la chose la plus prudente.

Dans la ville, les discussions se poursuivaient à ce sujet. Les partisans de cette forme de prophylaxie traitaient volontiers les opposants d'ignorants et d'obscurantistes. Ces derniers condamnaient l'insoutenable prétention des premiers. Puis il y avait toutes ces histoires d'effets secondaires désagréables, parfois mortels, qui venaient alimenter le débat. Dans l'est de la ville, l'intolérance colorait le plus souvent ces discussions.

— Mais toi, John, tu l'as reçu, ce fameux vaccin ? demanda Phébée.

La voix trahissait une préoccupation croissante. La question ne cessait de torturer la blonde. Comme elle aurait voulu qu'il y ait unanimité autour d'elle sur cette affaire importante.

— Pas encore, mais un médecin viendra à l'atelier cette semaine. Tout le monde y passera. C'est la décision du Canadien Pacifique.

— Mais ils ne peuvent pas vous forcer, s'insurgea la couturière.

— Oui et non. Ceux qui refuseront devront aller travailler ailleurs.

Comme un employé des chemins de fer avait apporté la maladie à Montréal, les sociétés ferroviaires ne souhaitaient pas être accusées de disséminer la variole aux quatre coins du continent.

Au terme de la parade, les badauds se dispersèrent dans le parc Viger. Un orchestre occupait déjà l'étage du kiosque. Dans un instant, les notes de musique s'élèveraient sous les arbres. Le trio trouva tous les bancs occupés. Très galant, John Muir étendit sa vareuse sur l'herbe pour permettre à ses compagnes de s'asseoir tout en préservant leurs jupes. Un peu de vert sur son pantalon ne l'importunait pas.

À la musique succéda un feu d'artifice. La journée du lendemain serait longue, les travailleurs rentrèrent chez eux peu après onze heures.

Chapitre 4

Errer dans les rues constituait le principal loisir des pauvres.

Bien sûr, des parcs offraient des activités de détente, des fanfares, des kermesses, des cafés, même des cirques donnant dans le grotesque et offrant à voir, pour quelques sous, la femme à barbe, l'homme à la peau de serpent ou celui dont les mains se terminaient par des pinces de homard, le veau à deux têtes, et quoi encore ? Toutefois ces amusements coûtaient de l'argent, et s'y aventurer sans une escorte masculine pouvait ruiner la réputation d'une femme.

User leurs souliers occupait donc les dimanches des deux jeunes femmes. Ce jour-là, leurs pas les conduisirent du côté de la rue Saint-Dominique, au nord de Sainte-Catherine. Elles s'arrêtèrent devant la patinoire Dominion, évoquant la possibilité de venir y tourner en rond au son de la musique au cours du prochain hiver. Puis Phébée remarqua avec lassitude :

— Nous connaissons toutes les pierres et toutes les briques des édifices de cette partie de la ville. Allons du côté du port. Au moins, nous pourrons admirer les navires.

— C'est très loin, protesta son amie.

— Allez… je te paierai un repas chez Joe Beef.

Elles étaient retournées ensemble à cet endroit l'hiver précédent, quand le chômage les privait de salaire. Félicité gardait un souvenir mitigé de l'établissement. Lors de son premier passage dans ces lieux, la présence des animaux et des travailleurs étrangers l'avait à la fois fascinée et effrayée. À la seconde, le groupe de prostituées l'avait troublée. Cependant, comme son dernier véritable repas remontait à la veille, elle consentit :

— Bon, d'accord. Cependant si nous allons là-bas, je paierai mon écot.

Cet acquiescement peu enthousiaste suffisait à Phébée. Elles regagnèrent la rue Saint-Laurent toute proche, pour marcher vers le sud jusqu'à la rue de la Commune. Le trajet fut entre-coupé d'arrêts dans des commerces juifs : le projet de confec-tionner une nouvelle robe pour chacune tenait toujours, mais il restait encore à choisir le tissu.

Puis elles atteignirent la rive du fleuve. Il charriait des eaux brunâtres. Pendant une demi-heure, les jeunes femmes arpen-tèrent le quai, s'arrêtant devant les navires les plus grands. Ils répandaient des odeurs de sel marin chargé d'iode, et aussi d'épices exotiques. Plus légères bien que tenaces, les effluves de bois et de toile un peu pourrissants emplissaient les narines.

— Tu viens me rejoindre, la belle ? dit une voix en anglais depuis le bastingage arrière d'un transatlantique.

Le marin un peu aviné faisait de grands gestes de la main. Plusieurs de ses collègues s'appuyaient contre la rambarde, des sourires de carnassier sur les lèvres.

— Tu ne parais pas de bien bonne compagnie, répliqua Phébée.

— Comment le sais-tu ? Tu ne me connais pas.

— Et je préfère ne jamais te connaître.

Décidément, depuis qu'elle était promise à un bon parti, Phébée avait perdu toute chaleur envers ceux, très nombreux, qui lui faisaient la cour. Elle prit la main de son amie, s'éloigna un peu des marins énamourés et elles empruntèrent la rue de la Commune.

— Où que tu ailles, ricana Félicité, quelqu'un te crie son amour.

— Cet amour-là, c'est celui des chiens en rut. Ça n'a rien de flatteur, crois-moi. Ils auront le même pour la première putain venue, ce soir.

L'ouvrière serra le bras de son amie sous sa main.

— Ils me confondent avec celles-là, se plaignit-elle encore.

Ce constat l'affectait visiblement. Un moment, elles marchèrent les yeux rivés au sol.

Si Félicité trouva la salle de la taverne encore très grande, elle l'était moins que dans son souvenir. Des ours grognaient toujours dans la cave tandis que d'autres animaux enfermés dans des cages ajoutaient au fumet particulier de l'endroit. La faune humaine toujours aussi bigarrée, les faciès africains ou asiatiques ne suscitaient toutefois plus la même curiosité apeurée chez l'ancienne maîtresse d'école.

— Tiens, la blonde que je ne vois plus, remarqua un serveur derrière le comptoir, le sourire charmeur.

Il pouvait s'agir du même homme que lors des deux visites précédentes, ou d'un autre. Il comptait parmi les innombrables personnes dont la trajectoire avait croisé celle de Phébée. Jamais elle n'abordait cet aspect de son existence, et son amie n'osait la questionner. Vouloir connaître les secrets d'autrui, c'était s'obliger à révéler les siens.

— Tu ne dois pas faire tes dévotions à la même église que moi, se moqua-t-elle, gentiment.

— C'est sans doute ça. Du nouveau depuis la dernière fois ?

— Pas vraiment. Je couds. Avec le temps, penchée sur mon travail, les yeux sur l'aiguille, je deviendrai une vieille bossue et aveugle.

Au cours de cet échange, le garçon les avait conduites à une table. Une cinquantaine d'hommes suivaient les jeunes femmes du regard, des marins pour la plupart.

— J'te connais, toé, lança l'un d'eux.

— Laisse-la tranquille, ordonna l'employé en décochant un regard mauvais.

— J'la connais. Phébée, elle s'appelle…

— Là, tu la fermes, ou tu sors d'icitte.

Le client aviné comprit avoir intérêt à diriger son attention vers sa chope. Les serveurs pouvaient se montrer dangereux, quand il s'agissait de ramener la «paix» dans un établissement.

— S'il t'embête encore. Tu me fais signe.

Après une pause, il retrouva son sourire pour leur demander :

— Vous mangerez toutes les deux ?

— Oui, et nous prendrons chacune une bière.

Félicité n'osa pas protester. Les produits de la brasserie Molson, située plus loin vers l'est, sur la rive du Saint-Laurent, s'avéraient sans doute plus sains que l'eau. À Montréal, l'été, le mot «potable» ne semblait plus exister. Elle murmura en jetant un regard oblique de l'autre côté de la grande salle :

— Ce gars, il te connaît ?

La châtaine évoquait le marin malpoli.

— Ça, je ne sais pas. Moi, je ne le connais pas.

Pourtant, il l'avait appelée par son prénom. Le trouble évident de la blonde amena son amie à changer de sujet.

— Ces gens-là sont au courant de tes projets de mariage ? Je veux dire… les serveurs, tous ces hommes que tu connais un peu partout en ville.

La question n'eut pas l'heur de rendre Phébée plus à l'aise. De son côté, la châtaine sentit le rouge lui monter aux joues. Quémandant des confidences, elle s'exposait à devoir répondre à des questions gênantes. D'ailleurs, après tous ces mois de cohabitation, finalement elles en savaient assez peu l'une sur l'autre.

Comme souvent par le passé, son amie chassa la morosité pour répondre, souriante :

— Non. Tu imagines si l'un d'eux se présente à la cérémonie ? Les Abel crieraient au scandale. Eux n'ont pas passé leur enfance dans des ruelles misérables. Ils ont les moyens de fréquenter couvent ou collège. Ça se marie entre eux, d'habitude, ces gens-là.

La notion de mésalliance, si lourde à porter l'hiver précédent, revenait dans la discussion de temps en temps. Félicité hocha la tête, compréhensive. Elle-même y songeait parfois. Vouloir changer sa position sociale grâce à une union avantageuse signifiait une coupure avec ses relations du passé. Quelle serait la place d'une ouvrière du textile auprès de l'épouse d'un pharmacien ? Leur chemin aussi risquait de se séparer.

Pour dissiper l'amertume liée à cette réflexion, elle changea de sujet :

— Que penses-tu du vaccin de John ? Il ne semble pas du tout en avoir souffert.

La veille, à leur demande, l'ébéniste les avait laissées entrer dans sa chambre pour remonter sa manche haut sur son épaule.

— Tu as vu cette croûte, et toute la rougeur autour ?

La couturière plissait le nez en évoquant ce souvenir.

— Ça n'avait rien d'inquiétant. L'égratignure ne paraîtra plus dans un ou deux jours, tout comme la rougeur. Rien de commun avec la longue indisposition des garçons de Vénérance.

— D'autres conséquences peuvent se développer plus lentement…

La blonde rougit au souvenir de son échange avec Robert Gray. La blessure demeurait vive. Le serveur posa les assiettes et les grandes chopes de bière sur la table. L'interruption fut la bienvenue. Chacune s'attacha à découper la viande, pour en avaler quelques bouchées.

— Je finis par oublier combien je reste tous les jours sur ma faim, remarqua bientôt Félicité. L'odeur de cette assiette suffit à faire crier mon estomac.

— Aucune des pensionnaires de Vénérance ne risque de prendre du poids. Toutes les personnes un peu trop enveloppées des paroisses Saint-Jacques et Saint-Louis devraient se soumettre à sa diète.

Malgré ce repas tardif, avalé après trois heures, toutes les deux feraient honneur au souper avant de regagner leur lit. La nourriture pouvait faire défaut n'importe quand, alors personne ne négligeait une occasion de manger, comme s'il était possible d'accumuler des réserves.

— Toi, tu n'as pas l'intention de le faire ? l'interrogea l'ancienne institutrice.

Pour gagner du temps, Phébée feignit de ne pas comprendre.

— Faire quoi ?

— Te faire vacciner.

— Je ne fais pas confiance à ça, mettre un morceau de vache dans mon bras.

Bien sûr, cette façon de présenter la chose rebuterait n'importe qui.

— John semble heureux que ce soit réglé. Puis il est convaincu que ça fonctionne.

— C'est un bon ébéniste, mais pas un médecin. Tu as lu les articles du docteur Bourque.

Crépin Dallet se faisait un devoir de les lire et de les commenter à table. Pour toutes les personnes réticentes devant la vaccination, avec des motifs souvent bien irrationnels, ces professionnels de l'autre camp fournissaient une véritable caution.

— D'autres médecins sont favorables.

Dans un mouvement de gauche à droite, Phébée fit voler ses boucles blondes.

— Tu l'as entendu aussi, les gens prennent le visage d'une vache. Ça ne peut pas faire autrement, si on bouleverse la nature du bon Dieu de cette façon. La prière reste la seule vraie protection.

Félicité contempla son amie. Cette ferveur religieuse affichée, les visites réitérées à l'église, les rencontres au moins hebdomadaires avec le vicaire Savard, tout ça traduisait son inquiétude pour Jules. L'entendre reprendre les arguments de Crépin la troublait toutefois. Pourtant, ce visage irréprochable, ces yeux lumineux étaient son sauf-conduit vers une vie meilleure. Moins que toute autre accepterait-elle de les mettre en jeu? Pour repousser la menace bien incertaine de prendre des traits bovins, la voilà qui s'exposait à la variole.

Par ailleurs, Félicité partageait largement les mêmes inquiétudes. Tous ces progrès dont les savants vantaient les bienfaits paraissaient effrayants. En mesurait-on vraiment toutes les conséquences? Elle choisit de ne pas insister. La couturière revint toutefois à la charge:

— Toi, le feras-tu?

— Je ne sais pas. Ces spécialistes qui se contredisent… Puis ça coûte cher: un dollar pour un vaccin, deux jours de travail. Au début, la Ville le donnait gratuitement, mais après tous ces… problèmes.

— Tu vois? Toi aussi, tu ne veux pas les laisser jouer avec ton corps.

La blonde se sentit confortée dans son choix. Cette fois, elles abandonnèrent définitivement le sujet. Le repas se termina avec les dernières nouvelles du Nord-Ouest: les miliciens poursuivaient des bandes d'Amérindiens, prétendait-on maintenant dans les journaux. Robert Gray avait eu raison… à ce propos, à tout le moins.

❋

Après une heure dans la taverne de Joe Beef, les jeunes femmes repues évoquaient leur retour à la pension pour s'étendre un peu. Elles allaient partir quand un homme entra dans le commerce pour crier, en anglais :

— Il y a une émeute, pas loin d'ici.

C'était une distraction gratuite susceptible de meubler un après-midi ennuyeux. Tout le monde regarda dans sa direction.

— Qu'est-ce que tu racontes ? s'informa un serveur.

— Dans la rue Saint-Paul, il y a un grand rassemblement. Les gens hurlent, la police est sur les lieux.

Voilà que l'émeute prenait des proportions plus modestes. Les descentes de police se succédaient assez régulièrement dans un quartier à la population si disparate, fournissant aux badauds un motif pour se rassembler. Plusieurs clients payèrent leur dû afin d'aller voir de quoi il retournait. Les jeunes femmes se dirigèrent aussi vers la sortie.

— Vous allez là-bas ? s'enquit leur serveur.

— Pourquoi pas ? Comme le cirque Barnum n'est pas en ville, admirer des agents distribuant des coups de matraque nous égaiera un peu.

L'humour de Phébée avait un goût acide, trahissant des mésaventures passées. Son amie opposa, un peu effarée :

— Mais ce sera trop dangereux.

— Je termine dans une minute. Vous voyez, mon remplaçant est déjà là. Si vous le souhaitez, je vous accompagnerai, suggéra l'employé en se débarrassant de son grand tablier.

— Si des gens se battent dans la rue, nous risquons de prendre des coups aussi, insista la châtaine.

Phébée tendit la main pour la poser sur son bras, puis déclara, amusée :

— Voyons, nous aurons un garde du corps. Puis les constables feront bien attention à des jolies filles comme nous.

L'employé considéra la question comme réglée. Il récupéra sa veste pendue à un clou pour l'enfiler. Son melon se trouvait déjà sur sa tête.

— Nous y allons ? dit-il en revenant vers elles.

Protester ne servait à rien, Félicité le savait bien. Dans des situations semblables, la décision de la couturière prévalait toujours sur la sienne, et de toute façon elle préférait l'accompagner pour ne pas se retrouver seule dans les rues.

— Nous te suivons, dit la blonde. Ne nous perds pas de vue, sinon mon amie deviendra bien nerveuse.

La taquinerie lui valut une grimace. En arrivant rue Saint-Paul, des éclats de voix leur parvinrent. Un peu plus loin vers l'est, un petit attroupement envahissait la chaussée. Bientôt, le trio arriva devant le vieil hôtel *Roscoe*.

— Qu'est-ce qui se passe ? se renseigna le serveur auprès d'un badaud.

— C'est le docteur du Service de santé, avec la police spéciale. Ils veulent envoyer des gens de force à l'hôpital des varioleux.

Depuis quelques semaines, des situations de ce genre survenaient avec régularité. Les familles ne voulaient pas que leurs proches soient placés là-bas, surtout que la rumeur publique faisait une réputation infernale à cet établissement.

— Approchons, proposa la blonde.

Sur ses talons, son amie se troubla. Comment expliquer cette attitude ? Depuis la mort de Marie Robichaud, Phébée évoquait sa crainte de la contagion, tout en résistant au seul moyen de se protéger. Là, elle avançait vers un foyer de contagion. « Comme si elle désirait laisser Dieu décider : s'Il approuve ses projets d'avenir, Il la protègera de la maladie. Sinon… » La jeune femme secoua la tête, comme pour chasser une idée ridicule.

La couturière se fraya bientôt un chemin parmi les spectateurs à grand renfort de sourires et de « Excusez-moi ».

Les gens ne se formalisaient pas trop de se faire bousculer. De toute façon, la plupart ne tenaient guère à être en contact avec un foyer d'infection. Sachant que ses protestations seraient inutiles, Félicité suivait.

— Vous ne craignez pas la maladie ? demanda-t-elle au serveur maintenant à ses côtés.

— Regardez, fit celui-ci en lui montrant sa joue. Ça vaut le meilleur des vaccins.

Quelques cicatrices lui marquaient la peau. L'effet ne semblait pas si néfaste, ces traces de pustules guéries depuis longtemps lui conféraient un air plus viril encore.

Derrière le vieil hôtel, le meilleur et le plus grand de la ville presque cinquante ans plus tôt, se dressaient des édifices très délabrés, des écuries ou des hangars convertis en logis pour les miséreux. Un notable se tenait devant une masure, un sac de cuir à la main, flanqué de deux hommes en uniforme noir. Ces agents du Service de santé municipal commentaient la situation :

— Là-dedans, si les voisins ont raison, crèchent dix-huit familles différentes.

— Et pour chacune, y a six ou sept enfants.

L'autre secoua la tête, partagé entre le dégoût et la pitié. Des gens sans ressources arrivaient tous les jours dans la ville. Un taudis de ce genre leur permettait de s'abriter des intempéries. En plein été, dormir à la belle étoile valait sans doute mieux que s'exposer tant à la puanteur qu'à la vermine qui infestaient certainement ces lieux.

— Et dans ça, il y a un malade ?

— Au deuxième. En tout cas, c'est ce que ces gens racontent.

Les agents se concertèrent du regard. Sur la façade de la bâtisse, à toutes les fenêtres, des personnes aux visages hostiles ne paraissaient pas enclines à collaborer. Pourtant, les deux hommes s'avancèrent vers la porte et entrèrent. Une grande plainte parvint jusqu'à la rue, puis des mots entrecoupés de sanglots :

— Laissez mon petit ! Là-bas, y va crever.

Une rumeur parcourut la foule. Des hommes se penchèrent pour ramasser des cailloux.

— Allez-vous-en ! cria l'un d'eux. Vous avez rien à faire ici.

— Nous savons comment prendre soin de nos enfants, fit un autre depuis sa fenêtre. Pas besoin de bourgeois pour nous faire la leçon.

L'homme en jaquette noire, un chapeau melon sur le crâne, s'appelait Louis Laberge. Il s'agissait du nouveau médecin employé par le Service de santé municipal. Découragé par la scène, il secoua la tête, effectua un tour complet sur lui-même avant de prononcer d'une voix forte :

— Nous sommes là pour vous aider. Ce garçon peut en contaminer cinquante. Tous ceux qui le touchent, pour les soins quotidiens, seront malades à leur tour, ils répandront la variole.

La voix se faisait posée, sans colère.

— Qui est ce type ? voulut savoir Phébée.

— Le médecin hygiéniste de la Ville, expliqua le serveur. C'est lui qui est en charge d'expédier les malades à Fletcher's Field.

Pour limiter la contagion, les autorités avaient fait aménager l'hôpital des varioleux dans une maison de ferme située en pleine campagne, au nord de l'Hôtel-Dieu.

Dans l'immeuble, des voix plaintives demandaient sans cesse aux agents du Service de santé de quitter les lieux. Le désespoir et, déjà, une pointe de soumission remplaçaient maintenant la colère. Dehors, les moins résolus laissaient tomber les pierres sur le sol. Le discours du médecin portait. Plusieurs s'éloignèrent d'un pas rapide, pour garder leurs distances avec l'enfant malade qu'on allait sortir.

Le bruit de roues cerclées de métal sur le pavé amena tout le monde à se retourner. L'ambulance arrivait. Le petit véhicule peint en noir rappelait les voitures de livraison des bouchers.

— Maintenant allons-nous-en, plaida Félicité. Il n'y a rien à voir, seulement des pauvres gens.

— Non, attendons encore…

Phébée se hissa sur la pointe de ses pieds pour mieux voir, fascinée. Toute sa vie s'émaillait de coups du sort cruels. Quand elle laissait libre cours à son angoisse, une curieuse conviction s'emparait de son âme : même cette contagion ne lui serait pas épargnée. Puis une part d'elle-même se rebellait : le bonheur ne pouvait lui être éternellement refusé, elle n'épargnait aucun effort pour se mettre en règle avec le ciel.

Les deux agents passèrent la porte, transportant un lit étroit. Derrière eux, une demi-douzaine de femmes et d'hommes en pleurs suivaient. Les mots « Roland, Roland » montaient comme une mélopée. Le malade se trouvait nu jusqu'à la ceinture, ses pustules si nombreuses qu'on aurait dit un écorché vif. Son odeur prenait à la gorge, tordait l'estomac. Deux spectateurs se plièrent en deux pour rendre leur dernier repas.

Horrifiée, Phébée saisit l'avant-bras de son amie, serra au point de faire sentir ses ongles à travers le tissu.

— Moi, je m'en vais, décida le serveur de la taverne Joe Beef.

En guise d'au revoir, il toucha la couronne de son chapeau, puis s'esquiva. Maintenant fascinée elle aussi par le spectacle morbide, Félicité regarda les deux agents placer le malade dans la voiture. Pour effectuer ce travail, ils devaient non seulement être vaccinés, mais entretenir une foi absolue en cette protection. L'ambulance disparut tout de suite avec son triste fardeau, alors que le lit demeura dans la rue. La famille le récupèrerait quand elle maîtriserait un peu mieux sa détresse.

— Nous devons nous occuper d'un autre varioleux, expliqua Laberge à l'intention des parents éplorés, mais aussi pour toutes les personnes présentes. D'ici cinq minutes, un employé viendra faire brûler du soufre dans la maison. Ça tuera les germes.

Le praticien n'osa pas conclure avec un souhait de « Bonne chance ». D'un pas lassé, il prit le même chemin que l'ambulance.

Elles étaient revenues en silence à la maison, hantées par le triste spectacle auquel elles venaient d'assister. Devant les autres, au souper, les deux jeunes femmes présentaient un visage encore troublé. Sensible à leurs états d'âme, John Muir demanda :

— Quelque chose ne va pas ? Vous semblez si tristes…

— Nous avons vu une scène horrible, commença Félicité.

— Une intervention du Service de santé de la Ville, continua son amie.

Tout en jouant du bout de sa fourchette dans son assiette, Phébée s'engagea dans le récit des faits et gestes du docteur Laberge, soulignant l'hostilité inutile des badauds, des voisins, des parents, puis à la fin, la soumission de ces derniers au représentant de l'autorité.

— Ces libéraux se comportent comme des tyrans, commenta Crépin Dallet du bout de la table.

Le maire Beaugrand appartenait à ce mouvement, tout comme une majorité des échevins. Le conseil municipal avait démis le docteur Larocque de ses fonctions pour placer Laberge à la tête du Service de santé. Ce dernier aussi devait être un réformiste.

— Ces fonctionnaires voulaient supprimer un foyer d'infection, expliqua l'ébéniste. C'est ce qu'ils ont fait ici aussi, à la mort de Marie.

— Dieu donne aux parents la responsabilité de soigner leurs enfants, rappela Crépin. Personne ne peut la leur enlever.

— Même quand ces parents négligent leur devoir ?

— Dans ce cas, Dieu les punira lors du jugement dernier. Il n'appartient pas aux hommes de s'en mêler.

Le commis leur assénait encore l'une de ses conclusions à l'emporte-pièce avec l'assurance d'un prêcheur. La logeuse se sentit interpellée par le sujet.

— Monsieur Dallet a raison. Personne sait mieux qu'une mère quels soins donner à ses enfants. Et personne s'en occupera avec plus de compétence. C'est puissant, l'amour d'une mère.

Les manches retroussées sur des avant-bras robustes, un tisonnier à la main, elle paraissait prête à faire un mauvais sort au premier assez audacieux pour la contredire. Félicité enleva à chacun l'envie de le faire.

— Ce pauvre garçon, comme il était horrible à voir. De la ceinture jusque dans les cheveux, les plaies étaient si nombreuses qu'elles semblaient n'en former qu'une. Pire encore que Marie.

La pauvre ouvrière décédée faisait figure, pour ceux et celles qui l'avaient vue, d'étalon avec lequel on mesurait l'horreur.

— Pire ? C'est pas possible, opposa Vénérance.

— Je l'ai vu, madame Paquin. Je vous assure…

— Et l'odeur… jamais je n'en ai respiré de semblable, renchérit la blonde.

Ça, la logeuse devait en convenir. Ce qu'elle avait senti dans la chambre, elle ne l'oublierait jamais. Maintenant, Crépin paraissait un peu décontenancé. Entendre décrire ainsi la situation des varioleux ébranlait finalement certaines de ses certitudes.

— C'est pour ralentir l'expansion de la maladie qu'ils s'en mêlent, insista John Muir. On a encore eu des inondations ce printemps dans certains quartiers de la ville. Pour limiter les dégâts, on érige des digues. On fait pareil dans le cas de cette maladie. Isoler un pauvre gars, enfumer une maison avec du soufre, c'est éliminer un lieu où les autres pourraient être infectés. Ils ont fait ça ici, et on ne l'a pas eue, cette peste.

L'expérience lui donnait raison : la démarche du pharmacien Gray les avait protégés. L'artisan jugea bon de conclure :

— Et la meilleure digue, c'est le vaccin. Je n'attraperai la variole de personne et je ne la donnerai à personne.

— Voilà où cette science nous amène : des paroles sacrilèges ! Dieu est tout-puissant. Il peut donner cette infection à qui il veut, vaccin ou non.

L'ébéniste jaugea longuement le commis assis juste en face de lui, à l'autre bout de la table. Puis, d'une voix grave, il déclara :

— Je vais donc te lancer un défi. Soit tu le relèves, soit tu fermes ta gueule. Nous allons tous les deux nous rendre à l'hôpital des varioleux pour y travailler une journée, moi protégé par un vaccin, toi par une foi parfaite. Dans deux, trois semaines tout au plus, nous verrons bien ce qu'il en est.

— Lancer un défi à Dieu, ça ne se fait pas, bafouilla l'autre.

Pourtant, il demeura coi tout le reste du repas. Personne ne mangea de bon appétit. Si les hommes s'entendirent ensuite pour une promenade – enfin, tous sauf Crépin –, les femmes montèrent à l'étage.

— S'il te plaît, dit Phébée en s'attaquant à la multitude de petits boutons sur son chemisier, ne me parle pas de vaccin. Ces deux-là vont finir par me rendre folle.

Félicité acquiesça de bonne grâce. De toute façon, elle aussi ne savait à qui donner raison.

Toute la journée, la chaleur avait été accablante. À la manufacture de textile, des femmes faisaient fi de la présence du contremaître et elles enlevaient leur robe. Les seins libres sous une chemise légère, au mieux avec un jupon, au pire avec un simple sous-vêtement pour cacher « le bas », un pantalon s'arrêtant aux genoux taillé dans une toile grossière, elles s'agitaient devant les métiers à tisser.

La provision d'eau sans cesse renouvelée ne les empêchait pas de rester sur leur soif. À deux heures, trois d'entre elles avaient déjà perdu connaissance. À quatre heures, un Rouillard en nage donna le signal d'arrêter les machines. Le reste de la journée ne serait pas payé, mais aucune ne contesta cette amputation des gages.

— Les petits seront pas fâchés de quitter la salle d'asile, commenta Rachel sur le trottoir. Est froide en hiver et étouffante en été.

— À la maison, la température demeure raisonnable ? demanda Félicité.

L'autre haussa les épaules, en signe d'impuissance.

— Regarde-nous. Personne icitte est bien logé.

— Je sais, mais il y a mal, et pire. L'an dernier, j'habitais une pièce sans fenêtre. Cette année, j'ai une vue qui surplombe les bécosses. Pourtant, je pense avoir amélioré mon sort.

— Ouais, fit l'autre, songeuse. Je suppose que mon château se trouve entre tes deux logis, rapport à la qualité. Tu vis toujours avec la beauté blonde ?

Cette façon de décrire Phébée amusa Félicité.

— Mais oui. Avec son allure, elle décore très bien un intérieur.

L'autre lui retourna son sourire. Elles se quittèrent sur un « À demain », et prirent chacune leur côté pour rentrer.

Sur le chemin du retour, la jeune femme se surprit de voir autant de monde encombrer les trottoirs à cette heure du jour, comme si d'autres employeurs avaient suspendu leurs activités. Parmi tous ces gens, pour la plupart assez jeunes, nombreux devaient être les « déserteurs », des travailleurs en rupture d'emploi. La chaleur rendait tout le monde irritable, et sous le coup de la colère il se prenait ce jour-là des décisions susceptibles d'être amèrement regrettées le lendemain.

La jeune femme était trempée de sueur. Elle eut envie de s'orienter vers le sud afin de profiter de l'air frais des berges du fleuve. La distance à parcourir la détourna de ce projet. La seule façon de se rafraîchir efficacement aurait été de se défaire de ses vêtements pour sauter dans l'eau. Juste penser à cette éventualité lui mettait le rose aux joues.

Au coin de la rue De Lorimier, une douzaine de jeunes garçons déferlèrent vers elle en hurlant. Certains paraissaient poursuivre les autres, crachant des insultes et distribuant des claques derrière la tête des plus lents. L'essaim entoura Félicité, et, à sa grande stupeur, des mains plongèrent dans les poches de sa robe pour y chercher de l'argent. D'autres semblaient n'avoir d'autre but que de tâter les parties les plus charnues de son anatomie.

— Laissez-moi! cria-t-elle à pleins poumons.

Ceux-là risquaient peu de se laisser convaincre par la protestation, mais elle suffit à attirer l'attention des passants.

— Déguerpissez, leur intima un travailleur de la voirie en levant sa pelle tenue à deux mains.

La menace esquissée suffit à décourager les voyous.

— Elle a rien dans sa robe, celle-là, railla le plus effronté d'entre eux. Cherchons une vraie femme.

Félicité se demanda s'il faisait allusion à sa pauvreté pécuniaire ou au manque de chair sur ses os. Les vauriens s'éloignèrent d'une quinzaine de verges tout au plus, peut-être dans l'espoir de reprendre leur recherche dans ses vêtements. À la fin, le bruit strident d'un sifflet les força à se disperser. Un policier nettement trop gras pour se livrer à cet exercice se précipita à leur poursuite, une matraque à la main.

— Si je vous attrape, ce sera l'école de réforme! les menaça-t-il en anglais.

Plusieurs agents étaient recrutés chez les Irlandais. On les retrouvait partout, même dans l'est de la ville.

— Jamais tu grouilleras tes grosses fesses assez vite pour nous rejoindre, rétorqua encore le même malappris.

Crâneur, il s'arrêta après avoir franchi cinquante verges, alla ramasser un morceau de crottin de cheval dans la rue au risque de se faire écraser par une voiture, et le lança en direction du policier. Ce gamin devait compter le baseball au nombre de ses loisirs, car le projectile parcourut une trajectoire parfaite pour atteindre sa cible en pleine poitrine.

Le constable ralentit le pas. D'une main, il tentait de nettoyer son uniforme, de l'autre, il reporta le sifflet à sa bouche. Normalement, à ce signal, des renforts devaient arriver bien vite, mais ses collègues ne se montraient pas disposés à s'essouffler par cette chaleur. Bientôt, ils furent une dizaine à récupérer des projectiles pour le viser. Lassé de servir de cible, l'homme battit en retraite.

Au coin de la rue, Félicité avait eu le temps de revenir de ses émotions. Plus circonspecte, elle se remit en marche. Depuis les logements au-dessus des commerces de la rue Ontario, des cris d'enfants venaient jusqu'à elle, ou alors des vagissements bien plus alarmants. Dans leur berceau, les bébés ne trouvaient plus le repos. Surtout, la chaleur avait vite fait de corrompre le lait. Le risque de souffrir de diarrhées mortelles était bien réel pour ceux déjà sevrés.

— Je pourrais profiter de l'occasion pour offrir encore mes services dans les commerces, marmonna la jeune femme.

Le souvenir d'Octave Duplessis, le petit libraire d'Hochelaga, lui revint en mémoire. Il avait dit dans six mois, ou dans un an… Puis elle s'estima ridicule de cultiver pareil espoir. Surtout, quelque chose dans le regard, l'attitude du marchand la troublait. Lui avoir donné ce livre! Cette générosité, il en voudrait le remboursement. Les attentions sirupeuses de

Sasseville et celles, vulgaires et cruelles, du contremaître Grondin constituaient ses seules références en matière de comportement masculin. Quant à Samuel Richard, son image s'effaçait derrière des souvenirs cuisants.

La châtaine mesurait le malheur des personnes mal employées. Au travail pendant la journée, toutes ne pouvaient chercher mieux. «Ça servira à rien, habillée comme ça, les commerçants ne voudraient même pas de moi comme cliente», ragea-t-elle intérieurement en regardant son reflet dans une vitrine.

Dans huit jours, elle atteindrait ses dix-neuf ans. Depuis son arrivée à l'école de Saint-Eugène, elle n'avait pas pris un pouce de hanches. Femme de petite taille, son alimentation trop pauvre et ses journées éreintantes la privaient des rondeurs venant avec l'âge adulte. Le chenapan de tout à l'heure disait vrai : il n'y avait rien à enrober sous cette vieille robe difforme, reprisée au moins dix fois.

Son dépit la rendait trop sévère envers elle-même. Elle ne tenait pas compte de ses traits réguliers et de ses yeux gris si expressifs. Elle retira le châle lui couvrant les cheveux. La sueur les mouillait autant que si on lui avait versé un seau d'eau sur la tête. Elle les démêla un peu de ses mains. Le geste attira le regard intéressé d'un jeune employé de bureau. L'attention la mit mal à l'aise : attirer ainsi les hommes, c'était sa malédiction.

Quand elle poussa la porte de la pension, ce fut pour entendre la voix plaintive de Fernande :

— Maman, j'ai trop chaud.

Les fenêtres en façade et les portes de toutes les pièces grandes ouvertes ne suffisaient pas à créer un courant d'air bienfaisant, tout en privant les occupants de la moindre intimité. On étouffait dans tout le rez-de-chaussée.

— Ça, je peux rien y faire, répondit la mère avec impatience. Je dirige pas le soleil.

La réponse tira un sourire à Félicité.

— J'veux aller au carré Viger, continua la fillette.

— Les jeunes filles respectables sortent pas dans la rue ou dans les parcs sans être accompagnées. Ça serait pas prudent.

— On risque rien, en plein jour.

— On risque de perdre sa réputation. Pour dénicher un bon mari, tu devras être sans tache.

La travailleuse laissa échapper un soupir. Dans dix ans, cette enfant risquait-elle vraiment de se voir reprocher une promenade effectuée sans chaperon ? Quand elle commença à monter l'escalier, une marche craqua. Vénérance passa la tête dans l'embrasure de la porte du salon.

— Ah ! C'est toi.

Le ton paraissait soupçonneux.

— … Le contremaître nous a laissées partir plus tôt. C'était insoutenable, dans la manufacture.

Dans la chambre, l'ouvrière se pencha par la fenêtre, huma l'air constamment empesté.

Chapitre 5

À son arrivée, Phébée trouva son amie étendue en travers du lit, face à la fenêtre, vêtue seulement de sa camisole et d'un sous-vêtement de lin.

— Ah! Je te surprends, dit-elle en riant. Pendant que les autres travaillent, tu te prélasses.

L'ouvrière se redressa à demi tout en tirant le drap pour se couvrir.

— On nous a permis de sortir plus tôt, se défendit-elle.

— Comme tu as du talent pour te sentir coupable. Je sais bien, la moitié des manufactures ont fermé de bonne heure, aujourd'hui. Dans les commerces, nous n'avons pas ces privilèges.

Tout en parlant, la blonde leva le bras gauche pour constater l'ampleur de la tache de sueur à l'aisselle.

— C'est la même chose pour moi, précisa la châtaine. Nous allons ruiner nos vêtements.

— Nous n'avons pas les moyens de porter une nouvelle robe tous les jours. Vénérance va réaliser une fortune juste à faire notre lessive.

La couturière se débarrassa de son vêtement pour le pendre à un cintre, puis le placer sur un clou juste au-dessus de la fenêtre. Elle en choisit un autre dans la petite garde-robe.

— Tu vas venir manger dans cette tenue? se moqua-t-elle.

— Je n'ai pas faim. Juste penser à la nourriture me lève un peu le cœur.

— Je sais, mais si tu n'avales rien, tu vas t'affaler sur tes moulins, demain.

Félicité quitta la couche de mauvaise grâce, entreprit de se vêtir en commentant :

— Je ne ferai pas à Crépin le plaisir de lui montrer mes charmes. Quoique si ça lui donnait une syncope, ça en vaudrait la peine.

— Aucune chance. Il a tellement l'habitude de nous déshabiller des yeux. Par contre, le beau Guildor...

— Tu as vu comment il nous regarde ? demanda la châtaine dans un sourire. Puis toutes ses attentions...

Le garçon les vouvoyait, leur cédait le passage et tirait le banc pour les aider à s'asseoir.

— Tu aimerais ça, s'il s'intéressait à toi ? demanda Phébée.

— C'est un enfant.

— Tu penses ? Dans un coin sombre, tu y verrais certainement un homme.

Un clin d'œil appuyé soulignait les derniers mots de la couturière. La mine effarouchée de son amie, quand on abordait la question de l'autre sexe, l'amusait toujours.

— De toute façon, je ne pense pas m'intéresser à qui que ce soit, conclut sa compagne. Jamais.

— Voyons, ton Jules doit bien se dissimuler quelque part.

— Pas dans le Nord-Ouest, j'espère.

La répartie les fit éclater de rire toutes les deux. Sa robe boutonnée jusqu'au cou, Phébée chercha des bas dans son coffre, mais décida plutôt de le refermer en disant :

— Ce soir je n'en mets pas. J'ai eu trop chaud toute la journée.

— Mais... ils vont s'en apercevoir.

— Pas avec la longueur de nos robes.

À la fin, Félicité se permit aussi cette petite audace. Charitable malgré son air bourru, Vénérance servit des viandes froides et une salade. Une fois le repas expédié, personne ne voulut monter tout de suite à sa chambre. En reculant sa chaise, John Muir demanda à sa voisine :

— Tu viens marcher avec moi ? Je ne parlerai d'aucun sujet désagréable.

— Après une pareille promesse, répondit Félicité, je ne peux pas refuser.

L'ébéniste lui tendit la main pour l'aider à se lever. Phébée planta ses deux coudes sur la table, encadra son visage de ses paumes puis, les yeux dans ceux du garçon en face d'elle, indiqua :

— D'habitude, c'est l'homme qui invite. Puis il attend le oui, ou le non.

Guildor se troubla, puis il réussit à articuler :

— Mademoiselle Drolet, voulez-vous vous promener avec moi ?

— Je croyais que nous en étions aux prénoms, après toutes ces semaines ! J'accepte quand même de t'accompagner.

Sans attendre son aide, elle se leva. Elle se tourna à demi avant de sortir de la pièce, puis demanda :

— Le gars au long visage déçu, à la table, il te montre comment entretenir des machines ?

Elle parlait de Charles.

— Oui, je suis son apprenti.

— Il paraît si triste. Acceptons-le avec nous.

D'un coup, les espérances de Guildor Lévesque s'affaissèrent. Ce ne serait pas le début d'une belle histoire. De toute façon, il connaissait l'existence d'un milicien nommé Jules… Derrière eux, Hélidia baissa les yeux. Il se passa une bonne minute avant que Crépin, d'une voix résignée, ne l'invite à se joindre à lui.

Dehors, John Muir avait entraîné sa voisine vers la rue Dorchester, pour regagner Berri. Le trio les suivait dix pas derrière.

— La journée a dû être éreintante, commença John pour démarrer la conversation.

— J'étais en nage. Si au moins le toit n'était pas de tôle…

— Je sais ce que tu veux dire. Ça donne toujours quelques degrés de plus à l'intérieur. C'est la même chose partout.

En ce 1er juillet, le soleil venait tout juste de disparaître derrière le mont Royal. Les réverbères ne seraient pas allumés avant une bonne heure. Une voix haut perchée leur parvint par les croisées grandes ouvertes d'une maison cossue de la rue Berri.

— Cesse de me parler sur ce ton !

La réponse de l'époux, formulée d'une voix tout aussi impatiente, suivit :

— Je te parlerai comme je le voudrai. C'est moi, l'homme.

Un grand fracas de verre brisé suivit. Ce devait être la répartie de madame.

— Si ce type tient à dire à toute la rue qu'il est le mâle dans cette maison, commenta John, il doit en douter pas mal.

Avec toutes les fenêtres ouvertes, et l'artère si tranquille, c'était un peu comme si la vie intime de ces bourgeois se déroulait sur les trottoirs.

— Tiens ! Le cadeau de mariage de tante Églantine vient de disparaître, supposa Phébée. Sans doute un grand vase bleu et blanc…

Le couple se retourna pour voir la couturière donnant un bras à chacun de ses compagnons, le trio avait bien vite repris du terrain.

— Ou peut-être un grand miroir, continua-t-elle.

— Tu as bien de l'imagination, dit John. Ton confesseur va te reprocher d'aller trop souvent au théâtre.

— Je n'y suis pas allée depuis plus de six mois. Je vis comme une veuve sans même avoir été mariée.

Le ton plaintif amena l'ébéniste à reprendre sa marche pour éviter que la blonde ne devienne morose. Après quelques pas, des cris d'enfants vinrent d'une autre maison, suivis du bruit d'une claque et des pleurs aigus.

— Une soirée comme ça me conforte dans ma vie de vieux garçon, avoua-t-il.

— Tout le monde est impatient ce soir, remarqua Félicité. Un bon orage rafraîchira les rues et calmera les esprits.

Vu le taux d'humidité élevé, la journée ne se terminerait pas sans une bonne averse, du tonnerre et des éclairs. Le groupe avait atteint la rue Sainte-Catherine maintenant. Tout le quartier paraissait s'être donné rendez-vous sur l'artère commerçante. Chacun cherchait un peu de fraîcheur. Là aussi, les esprits s'échauffaient rapidement. Des passants s'invectivaient sans raison, des adolescents en venaient aux coups.

— Décidément, remarqua John Muir, s'il ne pleut pas bien vite, la ville sera bientôt à feu et à sang.

Il entraîna la jeune femme accrochée à son bras vers le sud, dans Saint-Urbain. Les rues résidentielles semblaient plus sûres. Ce fut si vrai que Félicité profita du calme retrouvé pour demander :

— Tout à l'heure, tu disais vrai ?

— Tout à l'heure, j'ai peut-être prononcé une sottise. Tu peux être plus précise ?

— En parlant de la vocation du célibat.

Il commença par rire doucement, tout en plaçant sa main sur les doigts accrochés au pli de son coude.

— Tu sais, cette candeur te rend adorable.

— Je sais que je suis bien sotte. Ne te moque pas de moi.

— Dans la maison, il y a une seule personne que je ridiculise parfois : Crépin. Parler de ta candeur, c'est un compliment. Il n'y a pas une once d'hypocrisie chez toi.

Pourtant, elle cachait son véritable nom, et bien pire encore, depuis plus d'un an ! Se sentant comme un imposteur, l'ancienne maîtresse d'école rougit.

— Oui, continua son compagnon, j'ai la vocation du célibat. Je terminerai sans doute mes jours dans une pension comme la nôtre. Je prie souvent Dieu pour que ce ne soit pas celle de Vénérance.

Derrière eux, la conversation se développait enfin. Guildor en était venu à penser qu'en ne disant pas un mot, il passerait pour un idiot. Ce soir-là, Phébée paraissait résolue à se montrer gentille.

— Moi aussi, je pense avoir cette vocation-là, confia Félicité.

L'autre ralentit un peu son pas pour la regarder. L'obscurité grandissante ne lui permit pas de bien lire sur ses traits.

— Je veux bien convenir que nous sommes les seuls, dans la joyeuse bande des locataires de la ruelle Berri, à ne jamais évoquer une union possible, ou probable. Tu es bien jeune, tu as le temps de changer d'idée. Si un beau jeune homme se déclare…

Comment formuler : « Aucun homme ne voudra de moi. Jamais ! » Elle préféra éluder la question muette.

— Tu n'es pas si vieux, et tu as la certitude de vouloir vivre seul. Moi aussi.

La confidence fut suivie d'un silence plus long encore. Quelques hommes paradèrent dans l'esprit de l'ancienne maîtresse d'école. Deux l'avaient aimée, pour disparaître ensuite : son père, puis Samuel. Deux autres avaient fait d'elle leur victime. La tache sur son âme ne s'effacerait jamais.

Les badauds devenant plus nombreux rue Dorchester, des employés municipaux allumèrent les réverbères. Dans le halo de l'un d'eux, l'ancienne institutrice distingua un enfant au visage défiguré par des pustules. En forçant tout le monde à sortir, une journée radieuse participait aussi à la contagion.

— Tu sais, murmura l'ébéniste en se penchant un peu vers sa compagne, une personne ayant moins de tact que moi, c'est-à-dire tout le monde dans cette ville, demanderait pourquoi.

La jeune femme garda un long silence.

— Je suis bien contente de marcher avec toi, dans ce cas.

L'autre respecta son désir de discrétion, mais imaginer un motif probable était on ne peut plus facile. Seule une grande déception pouvait amener une jolie fille à rêver de solitude. Que ce soit si jeune le navrait.

— Ah ! Je viens de recevoir une goutte de pluie sur la joue, leur annonça Phébée derrière eux.

Les autres ne la crurent d'abord pas, puis les petits « plocs » sur les pavés se multiplièrent. Très vite, l'averse s'amena.

— Nous serons trempés, conclut la blonde en riant.

La pension se trouvait encore à cent verges. Ils s'élancèrent au pas de course. Derrière, d'autres pas retentirent. Comme d'habitude, avec Hélidia en remorque, le petit commis aux livres avait accroché ses pas aux leurs. Malgré la faible distance, la pluie tiède trempa les vêtements. Parce que ses compagnons la laissèrent prendre les devants, Phébée fut la première à passer la porte, suivie de Félicité. Dans le couloir, elles éclatèrent d'un grand rire.

— Ça nous lavera un peu, dit la couturière.

— Seule au fond du bois, je serais restée dehors, dit son amie.

Dès ces mots prononcés, elle songea à tous ceux qui la surveillaient à Saint-Eugène. Une femme pouvait-elle échapper totalement aux regards, où que ce soit en ce monde ? Baissant les yeux, elle constata comment le coton mouillé découpait la forme de ses seins. Puis la sensation de froid, sous le tissu trempé, rendit sa situation plus gênante encore. Un grondement sourd se fit entendre au loin.

— Ce sera un véritable orage, dit Charles en entrant à son tour.

— Alors dégage le chemin, lança John en le poussant.

Les quatre hommes se regroupèrent aussi dans le couloir. Hélidia fut la dernière à se mettre à l'abri. Sa robe tombait sur elle comme un sac. Sans dire un mot, elle s'engagea dans l'escalier. Félicité tenait ses bras croisés devant elle, suppliait sa compagne des yeux pour qu'elle libère le passage en direction de la chambre. Celle-ci comprit enfin.

— Bon, nous allons regagner nos appartements.

Elle grimpa les marches deux par deux. Son empressement faisait voler le bas de sa robe dégoulinante jusqu'à ses mollets. Tous les hommes, placés en contreplongée, se régalèrent. Parmi eux, seul Crépin sembla sur le point de lancer des imprécations contre la pécheresse. Elle ne portait pas de bas !

Félicité la suivit avec un peu plus de prudence, tout de même cruellement consciente de s'offrir à leur examen.

Autant les premiers jours de la semaine avaient été resplendissants, autant les deux suivants se révélèrent sombres et frais. Samedi, le 4 juillet, ses gages en poche, Félicité revint à la maison heureuse de renouer avec le soleil. Dans sa chambre, elle se défit bien vite de sa mauvaise robe de travail pour en revêtir une autre lavée le jour même par Vénérance. Elle regretta toutefois que la grande toilette ne précède pas le changement de ses atours.

Elle achevait tout juste de se boutonner quand Phébée arriva en coup de vent, les joues rougies par sa course depuis *Les Confections Marly*.

— J'ai une lettre, lui apprit-elle d'une voix blanche, adossée à la porte aussitôt refermée derrière elle.

— Une lettre ?

Son amie tenait l'enveloppe couleur crème dans sa main tendue, comme pour lui en donner la preuve.

— Elle est arrivée au commerce ce matin, mais Janvière me l'a remise seulement tout à l'heure. Pour ne pas me troubler dans mon travail, m'a-t-elle dit.

À voir son état présent, la couturière n'aurait rien pu accomplir de la journée. Cette missive concernait nécessairement le grand absent.

— Que dit-elle ?

— Je ne sais pas, je n'ai pas osé l'ouvrir. Elle vient de là-bas, mais ce n'est pas son écriture.

Félicité chancela. S'il n'écrivait pas lui-même…

— Alors vas-y, lis-la, la pressa-t-elle.

— Non, toi. Tu le sais, je ne suis pas à l'aise avec les mots écrits.

Là, elle sous-estimait ses compétences. Lire ne lui posait plus aucune difficulté. Toutefois, ce bout de papier la condamnerait sans doute au malheur. À cet instant, cette certitude s'insinuait dans son âme : une malédiction pesait sur elle, depuis sa naissance peut-être. Dieu lui tournerait le dos.

La pauvre fille demeurant immobile, la main tendue, son amie dut se résoudre à saisir la lettre.

— Viens t'asseoir près de moi, dit-elle en prenant place sur le lit. Je me demande pourquoi tu as reçu ça au travail.

— … Les derniers temps, il me conseillait de déménager. Peut-être a-t-il pensé que je l'avais fait.

L'échange ne servait qu'à retarder l'instant fatidique. D'un pouce un peu tremblant, Félicité déchira le rabat, trouva une seconde enveloppe dans la première. Elle ne portait aucune adresse, mais quelques mots.

— «Jules m'a demandé de vous envoyer ceci», prononça-t-elle dans un souffle.

Phébée émit une petite plainte, tordit ses mains dans son giron. Voilà, son pressentiment se réalisait. Félicité savait qu'hésiter plus longtemps prolongerait la torture. Le second pli contenait un carton couvert d'une écriture maladroite.

«Mon beau soleil», commença la lectrice.

— Ça, c'est bien lui.

La main glaciale relâcha sa poigne sur le cœur de la couturière. La vie lui donnait encore un peu de temps.

Pendant deux bonnes semaines, j'ai été fiévreux, incapable d'écrire, de penser même.

L'espoir vacilla tout de suite, la blonde émit une nouvelle plainte.

Maintenant, je suis rétabli, mais encore un peu faible. Comme je suis coincé dans un trou perdu, j'ai demandé à un camarade de poster ce mot quand il sera en ville. La nouvelle de notre retour prochain circule depuis que je me porte mieux, mais personne ne nous donne de date.

Félicité retourna le carton pour lire la suite.

Mon bel ange…

Quelques mots dans ce paragraphe la troublèrent un peu.

— Le reste, c'est pour tes yeux seulement.

Comme elle se retournait pour lui tendre le billet, elle trouva son amie agitée de sanglots muets, des larmes roulant sur ses joues. Après avoir attendu le coup de grâce, que le bonheur soit encore possible la laissait hébétée.

— Là, là, dit-elle en la prenant dans ses bras pour l'entraîner ensuite vers l'arrière, l'étendre près d'elle sur le lit. Il va bien. Dans peu de temps, il sera avec toi.

Pendant de longues minutes, Félicité la tint contre elle, lui chuchotant des mots d'espoir à l'oreille. Puis la blonde réussit à trouver assez de contenance pour parcourir plusieurs fois les dernières lignes. Certains passages lui remettaient un sourire aux lèvres.

— Nous devons descendre, fit doucement la châtaine, comme pour ne pas sortir trop soudainement son amie de son bonheur. Le repas de Vénérance…

— Non, pas tout de suite. Je ne veux pas voir les autres, juste toi. Plus tard, nous demanderons à John de venir avec nous dans un café. Pour l'instant, j'aurais l'air d'une idiote, à pleurer et à rire en même temps.

Elle avait raison, impossible de l'exposer aux regards des locataires dans cet état. Deux heures plus tard, le trio s'esquivait en douce pour se rendre dans un établissement respectable de la rue Sainte-Catherine. Cette prudence fut inutile : Crépin Dallet, de faction à sa fenêtre, les suivit des yeux jusqu'au coin de la rue Dorchester.

Lors de sa dernière rencontre avec le pharmacien, Phébée était sortie du commerce bouleversée. Cet homme avait souligné à gros traits son ignorance, sa sottise même. Ces mots lui tournaient dans la tête, alimentaient sa crainte d'être indigne d'un beau mariage. Au fond, se disait-elle, le professionnel voulait lui signifier exactement cela : reste à ta place, laisse les bourgeois à la leur. Autant six mois plus tôt elle s'autorisait à tous les espoirs, autant maintenant les doutes minaient sa confiance.

Puis il avait dit ce qu'elle ne voulait pas entendre, au sujet de la vaccination. Le ciel protégerait ses projets, s'Il l'en jugeait digne. Ces hommes de science prétendaient s'arroger la puissance de Dieu. Leur donner sa foi, c'était renoncer à la protection du Très-Haut.

Pourtant, un peu par fierté, un peu par générosité, le lundi 13 juillet elle quitta de nouveau le travail un peu avant l'heure pour aller le rencontrer. Lorsqu'elle poussa la porte, le professionnel leva la tête et lui adressa son meilleur sourire pour dire :

— Mademoiselle Drolet, je suppose que vous êtes maintenant rassurée. Selon ce que j'entends, tous les héros des Fusiliers Mont-Royal reviendront en bonne santé. Le régiment n'a subi aucune perte.

— … Vous avez reçu aussi des nouvelles de Jules ?

Cette idée la décevait un peu. Elle entendait avoir l'exclusivité des communications avec le jeune homme. Tout au plus acceptait-elle de partager ce privilège avec la famille de Sainte-Rose.

— Pas de lui, mais du 65e. Ils ont fini de courir après les Indiens. Selon mes amis, ils seraient de retour à Régina.

— Jules me disait ça dans un second mot reçu ce matin.

Cette fois, Janvière Marly lui avait remis la missive tout de suite. Sachant que le milicien se remettait de sa maladie, son employée ne se troublerait pas au point de devenir inefficace.

— Donc ce garçon vous a enfin écrit.

— Un petit message est arrivé au début du mois, puis un autre ce matin. Savez-vous qu'il a été très malade ?

— Non, pas du tout.

Le pharmacien parut réellement inquiet, bonne fille, la visiteuse entreprit tout de suite de le tranquilliser.

— Il a parlé de fièvre. Il a passé plusieurs jours dans un campement de fortune afin de récupérer un peu, avant de pouvoir rejoindre la ville.

— Bien sûr, admit le professionnel, à courir les plaines des semaines durant, mal nourris, couchant à la belle étoile, ces jeunes gens exposaient leur santé.

— Vous croyez qu'il peut en garder des séquelles ?

Son prétendant avait beau tenter de la réconforter dans ses deux lettres, l'anxiété la taraudait.

— Le simple fait de vous revoir le remettra sur pied. À son âge, l'idée du mariage suffit à se sentir tout à fait bien.

Voilà qui n'apaisait ses craintes qu'à demi. L'entrée d'un client l'amena à se placer un peu à l'écart. L'étal des remèdes «patentés» l'occupa un instant. Aux propriétés de plusieurs mixtures sur le marché depuis des années, la publicité ajoutait «efficace contre la variole». Seule la timidité empêcha la jeune femme d'en acheter une.

— Je voulais encore vous dire que Jules reviendra à Montréal dimanche prochain, en matinée, dit Phébée comme le client quittait les lieux.

— Vous serez là pour l'accueillir? Dites-lui de prendre le repos nécessaire, et qu'il pourra venir occuper son poste dès que sa santé le lui permettra.

— Je le lui dirai sans faute.

Robert Gray la reconduisit jusqu'à la porte. Elle accepta la main tendue.

— Je vous remercie d'avoir pris la peine de venir me donner ces nouvelles.

— C'est tout à fait naturel.

Déjà, elle se sentait disposée à lui pardonner les blessures de la dernière visite. Il continuait de tenir ses doigts dans sa paume, les yeux dans les siens.

— J'espère que, depuis notre dernière conversation, vous êtes allée vous faire vacciner.

Le sourire disparut, un pli marqua le front de la visiteuse. La laisserait-on tranquille un jour, à ce sujet?

— … La maladie paraît bien moins menaçante.

— Plutôt, les journaux en parlent moins. N'empêche, chaque semaine, il y a plusieurs morts. Pour chaque décès, il faut compter quatre ou cinq personnes atteintes, dont plusieurs resteront défigurées.

La jeune femme se retourna pour saisir la poignée de la porte.

— Dites-moi, vous y êtes bien allée? répéta le professionnel.

Sans se retourner, elle répondit d'une voix peu assurée:

— Oui, après vous avoir vu.

— Tant mieux. La situation risque de se détériorer encore beaucoup.

Phébée hocha la tête, poussa la porte. Une odeur âcre la prit à la gorge.

— Mais ça, qu'est-ce que c'est? demanda-t-elle, heureuse de changer de sujet.

— Dans l'est de la ville, il y a un dépotoir où l'on dépose le fumier des écuries municipales, celui de la compagnie de tramway ou des diverses sociétés de livraison ou de transport, sans compter ce que l'on ramasse tous les jours dans les rues. Depuis hier, tout ça brûle lentement.

— Ça doit nuire aussi à la santé des gens, remarqua-t-elle.

— Sans doute. Bonne soirée à vous, mademoiselle. Transmettez à Jules mes amitiés, quand vous le verrez.

Avec le sourire, elle s'y engagea avant de s'éloigner de son pas dansant.

Les séances du conseil municipal se tenaient tous les lundis soir. Après le départ de sa visiteuse, Robert Gray mit un peu d'ordre dans ses livres puis, un élégant chapeau de paille sur la tête et une canne à la main, il se dirigea vers l'ouest. Son visage maussade gâchait son allure de dandy. Dans un contexte où la ville courait à la catastrophe, présider le comité d'hygiène l'exposait à perdre sa réputation à cause de l'incurie des autres.

À son arrivée dans la salle de réunion, il avait réussi à se mettre tout à fait de mauvaise humeur. Le maire Honoré

Beaugrand commença par présenter un ordre du jour où figurait un sujet devenu habituel : «État de la situation sanitaire». L'échevin Adrien Martin intervint depuis son siège, placé juste en face du premier magistrat.

— Vous ne comptez pas aborder le sujet des odeurs ? Depuis hier, elles sont intolérables.

— Nous évoquerons les questions d'hygiène tout à l'heure, répondit le maire.

— Si vous espérez dissimuler certains sujets en traitant les questions à la douzaine, je voterai contre cet ordre du jour. Cette puanteur mérite un point particulier, car elle n'a rien de discrète.

Le ton était donné. La nouvelle administration, quelques semaines plus tôt, avait insisté sur la nécessité de nettoyer la cité. Depuis, la situation paraissait avoir empiré. Après une heure, une fois abordés les thèmes de moindre importance, les discussions portèrent enfin sur l'incendie du grand amoncellement de fumier.

— Ça prendra bientôt fin, commenta un conseiller de langue anglaise. Soit à cause d'une averse, sinon faute de combustible. Puis au fond, cette seconde éventualité serait la meilleure. Ça nous débarrasserait de ces matières.

— Ça vous convient de dire ça ! commenta Martin. Vous habitez dans la partie ouest de la ville.

Même si les anglophones représentaient une minorité de la population, les débats se déroulaient le plus souvent en anglais. La langue des affaires tout comme celle du pouvoir politique s'imposait. Comme l'autre se taisait, le même échevin ajouta :

— Quand vous voulez vous débarrasser de la marde, bien sûr, c'est du côté canadien-français que ça se passe, jamais du vôtre. Là, on paie des taxes pour brûler le contenu de latrines, et l'opération se fait à l'est. Même chose avec le fumier. On chie autant dans l'ouest que dans l'est, je pense. Cependant, la pestilence, nous sommes les seuls à l'endurer.

Impossible de contester cette affirmation, même si sa formulation pouvait choquer les oreilles sensibles. L'échevin continua de marteler son point :

— Le résultat, c'est que de notre côté de la rue Saint-Laurent, il y a plus de maladies, et les propriétés perdent de la valeur.

— ... Pour cette année, les contrats ont été approuvés par le conseil et signés, dit le maire. Ils spécifient où on dépose ces substances. Nous en négocierons un autre l'an prochain.

— Ah ! L'an prochain ! On sait bien d'où sont venus vos appuis lors des dernières élections. Vos supporteurs ont droit à de l'air pur, pas nous !

La discussion sur les miasmes dont les Canadiens français seuls souffraient se poursuivit encore longtemps. Puis vint la question des conditions sanitaires de la ville. Il revint à un échevin de langue anglaise de présenter les craintes du monde des affaires.

— Un peu partout aux États-Unis et dans les autres provinces, les journaux publient des articles sur la malpropreté de Montréal et la multiplication des cas de variole.

— Ce sont vos journaux qui ameutent la population au sujet de l'épidémie, dit Martin, pas les nôtres. Même *La Patrie*, une gazette appartenant à « son honneur » le maire, ne traite jamais de ça. Après avoir attiré l'attention sur quelques cas de picote, maintenant vous vous lamentez parce qu'on en parle ailleurs.

L'homme prononçait toujours les mots « son honneur » en grimaçant, comme s'il évoquait un sujet scabreux. Robert Gray en eut assez de ces échanges. De sa place au premier rang des spectateurs, il intervint :

— Si on en parle tant, c'est parce que les vôtres mènent une campagne contre la vaccination. Si tout le monde s'était fait inoculer en mai, plus personne n'aborderait le sujet de la maladie, car on ne verrait plus aucun cas.

— Bon, voilà le président du comité d'hygiène prêt à nous entretenir de l'obscurantisme des Canadiens français, railla l'échevin.

— Le docteur Bourque n'est pas un Anglais, à ce que je sache.

— Et Anderson ou Ross, pas des Français !

La résistance au vaccin ne venait pas seulement de l'est de la ville. Alors que personne ne comprenait vraiment comment il agissait, des médecins convaincus de l'importance d'une meilleure hygiène dans l'éradication des maladies clamaient que la disparition des taudis, la généralisation du tout-à-l'égout et un ramassage efficace des ordures mettraient fin aux épidémies. Des partisans de cette opinion se trouvaient partout en Amérique du Nord, pas seulement dans la province de Québec.

— Comme monsieur Gray participe déjà à nos débats, dit Beaugrand avec ironie, autant lui demander de décrire tout de suite l'état de la situation.

Le pharmacien se leva pour commencer d'une voix bien impatiente :

— La situation est simple. Les cas se multiplient sans cesse. Les gens résistent à l'intervention des agents de mon service, ils ne respectent pas les exigences de la quarantaine. Au lieu d'isoler les malades, ils les emmènent dans les parcs, dans de grandes processions. J'ai moi-même vu dans la foule des visages couverts de pustules le jour des funérailles de monseigneur Bourget.

— Je savais bien qu'on en viendrait là. Les Canadiens se font reprocher leur religion !

Adrien Martin caressait peut-être le projet de ravir le fauteuil du maire au mois de mars suivant. Il entendait d'ici là se faire le porte-parole de ses compatriotes de langue française, le plus souvent des conservateurs comme lui.

— Qu'ils prient toute la journée s'ils le veulent, ragea le pharmacien hors de lui, mais qu'ils fassent vacciner leurs enfants.

— Pour les voir tomber malades ensuite, mourir parfois. Il est pourri, votre vaccin.

Ce rustre touchait juste, la répartie ébranla le professionnel. Sous ses dehors lourdauds, le conseiller avait sans doute manigancé habilement pour obtenir des informations précises. Cette pensée amena Gray à réprimer sa colère pour expliquer d'une voix plus amène :

— Au début des vaccinations, peut-être a-t-on utilisé de la lymphe de mauvaise qualité. Maintenant il ne faut plus s'en faire, tous les médecins disposent d'un excellent matériau. Ces incidents ne se produiront plus.

Si Adrien Martin répondit d'une grimace bien sceptique, il ne rajouta rien de plus. Ce fut au maire de demander plus de précisions :

— Vous semblez dire que la situation se dégrade. Qu'en est-il ?

— En ne respectant pas les règles de quarantaine, les gens continuent de répandre la maladie. Si nous avons cent cas aujourd'hui, chacun d'eux peut infecter trois personnes, et avec ce chiffre, je suis très conservateur. Donc après deux semaines, au terme de la période d'incubation, nous en avons trois cents de plus. Et si ça se répète à tous les dix ou quinze jours…

Inutile de poursuivre le raisonnement, tous les membres du conseil savaient compter. Dans la salle, des journalistes noircissaient du papier. L'échevin ayant le premier évoqué la mauvaise publicité s'impatientait depuis que son collègue Martin avait détourné la discussion. Il profita de l'accalmie pour reprendre :

— Les journaux des autres villes font un tort considérable aux affaires. Des clients de Toronto refusent maintenant d'acheter les marchandises produites ici par crainte de la contamination.

Dans la salle, plusieurs hommes applaudirent. Vêtus de redingotes ou de jaquettes, souvent un cigare rivé à la bouche, ils formaient une belle délégation de manufacturiers et de grossistes. La discussion de ce soir pèserait lourd dans l'élection de 1886.

— Des hommes d'affaires éminents m'ont dit envisager de faire des mises à pied, comme au plus fort de l'hiver.

Pareille décision aurait un effet boule de neige. Les chômeurs, incapables de consommer quoi que ce soit, entraîneraient de nouveaux licenciements.

— De plus, enchaîna un autre échevin, la mauvaise publicité limite gravement le nombre de visiteurs dans la ville. Les chambres d'hôtel sont vides. Les gens qui ne sont pas obligés de venir ici par affaires restent chez eux, ou vont ailleurs.

De nouveau, les murmures des spectateurs firent connaître leurs préoccupations. À la maladie s'ajouterait bientôt la misère, parmi les maux affligeant la ville. Les membres du conseil ne dissimulaient pas leur malaise.

— La situation joue aussi dans l'autre sens, ajouta quelqu'un. Le Service d'hygiène de l'Ontario, tout comme ceux des États américains près d'ici, examinent les passagers venus de notre ville. S'ils ne découvrent pas de cicatrice du vaccin sur leur bras, ils les font descendre en pleine campagne. C'est arrivé à de nombreux voyageurs montréalais.

— Ils nous traitent comme des pestiférés, s'insurgea encore Martin.

Cette sélection des voyageurs se révélait d'autant plus facile que peu de voies ferrées permettaient de passer la frontière. Quelques équipes d'inspection suffisaient à la tâche. Le vaccin provoquait l'apparition d'une petite gale sur la peau. Quand celle-ci tombait, elle laissait une cicatrice facile à discerner. Constater son absence l'était tout autant.

— Nous allons tenter d'accélérer le rythme de la vaccination, dit le maire. Notre bonne volonté devrait permettre de rassurer nos voisins.

— Le faire de façon volontaire ne suffit plus, dit Robert Gray avec dépit. À moins de procéder de force, surtout avec les enfants, ça ne donnera rien.

— Vous voulez provoquer la révolution ! vociféra Martin maintenant hors de lui.

Les autres échevins de langue française agitèrent la tête à l'unisson pour exprimer leur accord avec cette sombre prédiction.

— Personne ne subira de contrainte, déclara Beaugrand avec empressement. Les gens ne sont pas stupides. Si nous leur expliquons la situation avec soin, ils comprendront.

Un profond scepticisme se peignit sur le visage du président du comité d'hygiène, comme sur celui de ses compatriotes de langue anglaise.

Chapitre 6

Les paroissiens se calèrent confortablement dans leur banc, heureux de somnoler un peu pendant le prône. Le curé de la paroisse Saint-Jacques les surprit en évoquant la valeur martiale des Canadiens français :

— Aujourd'hui, les Fusiliers Mont-Royal reviennent du Nord-Ouest. Par leur courage, leur résolution, ces hommes se sont montrés dignes de leurs ancêtres de la Nouvelle-France. Bon sang ne peut mentir ! Ces jeunes héros incarnent toujours les mêmes qualités viriles qui nous distinguent.

Dans la belle église, des messieurs bedonnants se gonflèrent d'aise, comme si eux-mêmes s'étaient couverts d'honneur sur les champs de bataille.

— Vous leur réserverez, j'en suis sûr, le bel accueil qu'ils méritent.

Lorsque l'ecclésiastique descendit l'escalier abrupt donnant accès à la chaire, Félicité esquissa un sourire amusé en regardant sur sa droite. Phébée s'était mise en frais pour accueillir son propre héros. Elle portait une nouvelle robe fort seyante. L'abondance de dentelle sur sa poitrine faisait penser à un écrin mousseux pour ses seins. Son souci d'élégance s'étendait jusqu'aux cheveux : le sacrifice de quelques cents lui avait permis de visiter une coiffeuse. Les boucles paraissaient plus amples, mieux disposées de part et d'autre du visage, jusqu'à effleurer les épaules. Pour le reste, une peau de pêche et des yeux bleu ciel suffiraient à capter l'attention de tout un régiment.

À la communion, toutes les deux se rendirent à la sainte table. La couturière continuait de se comporter comme une dévote. Ses prières se trouvant exaucées, elle en aurait pour longtemps à rendre grâce au Seigneur de la faveur obtenue, et à se tracasser pour la suite de ses projets matrimoniaux. Son amie se contentait de faire ce que l'on attendait d'elle dans ce milieu. De son enthousiasme d'enfant pieuse, peu de chose survivait.

Les paroissiens se répandirent bientôt sur le parvis de l'église. Des branches de pin et des drapeaux tricolores en ornaient la façade, avec une longue banderole portant les mots « Honneur à nos héros ». Phébée ressentait un tel état de grâce que l'arrivée de Crépin Dallet n'entama même pas son air serein.

— Voilà donc le grand jour, mademoiselle Drolet.

— Pour moi, c'est le plus beau de ma vie, n'en doutez pas.

L'autre esquissa un sourire, puis retrouva son sérieux en poursuivant :

— Je crois comprendre qu'une cérémonie religieuse suivra cet heureux retour.

— Jules a parlé d'un mariage dans les deux mois suivant son arrivée.

— Oh ! Voilà qui témoigne d'un bel empressement.

L'autre la regarda des pieds à la tête, s'attardant sur la taille fine.

— Les bans ont été publiés, je suppose, continua-t-il.

— Ils le seront bientôt, dit la fiancée d'une voix devenue froide. Je suis allée dans ma paroisse d'origine afin d'avoir les papiers nécessaires.

Ceux-ci se limitaient à son certificat de baptême et à une lettre à l'intention du curé de Sainte-Rose, confirmant son identité.

— Je suis heureux pour vous de la tournure des événements, ajouta le commis aux livres. Je suis surtout reconnaissant au ciel que le séjour de votre fiancé dans le Nord-Ouest ne se soit pas trop prolongé. Il n'en rapportera pas trop de séquelles.

Le visage de Phébée se figea devant le sous-entendu. La prudence lui ordonnait de clore cette conversation au plus vite pour se rendre à la gare Dalhousie.

— Cette sensibilité vous honore, dit-elle plutôt. Il a souffert d'une simple fièvre, dont il s'est remis tout à fait.

— Je ne pensais pas à sa santé. Du moins, pas à celle de son corps.

Félicité glissa la main sous le bras de son amie pour le serrer.

— Viens, dit-elle doucement. Nous allons être en retard.

— Que voulez-vous dire, exactement ? demanda la blonde.

— Je me fais un peu de souci pour ces jeunes hommes. À ce qu'on dit, les soldats envoyés loin des leurs ne sont pas des modèles de vertu. Puis il y a ces Sauvagesses… On ne peut pas attendre de leur part une bien grande retenue. Beaucoup d'entre elles ne sont même pas encore baptisées. Elles ne connaissent rien de la pudeur.

La bouche de Phébée s'ouvrit, mais aucun son ne sortit. Cette fois, son amie mit toute son énergie pour l'entraîner avec elle. En descendant les trois marches menant au trottoir, elle regarda brièvement par-dessus son épaule. Crépin Dallet rejoignait Hélidia, un sourire satisfait sur les lèvres.

— Celui-là, c'est le diable en personne, affirma-t-elle.

La blonde se laissait entraîner, le doute maintenant imprimé dans le regard.

Le long de la rue Saint-Denis, certaines maisons portaient des bouquets de conifères ornés du drapeau de la France, pour rappeler l'appartenance linguistique des miliciens, et de celui du Royaume-Uni. Ces jeunes gens étaient allés défendre la domination de l'Empire britannique sur cette partie du monde en pourchassant des Métis et des Amérindiens. Maintenant, les Prairies pouvaient recevoir tous les déshérités de la mère patrie. Au coin de Dorchester, on avait érigé un véritable arc de triomphe avec des branches de sapin ou de pin posées sur une grande structure de bois.

— Il me semble que tu pourrais aller le rejoindre sans John et moi. Maintenant, la présence d'un chaperon paraîtra un peu ridicule.

Phébée mit du temps avant d'émerger de ses pensées.

— Tu n'es pas heureuse de le voir revenir ? demanda-t-elle finalement, la voix empreinte de tristesse.

— Moins que toi, j'espère ! Sinon ce serait un peu étrange. Je suis heureuse pour vous deux.

L'humour tomba tout à fait à plat. Son amie menaçait de sombrer dans la tristesse. Ce serait faire un bien mauvais accueil à son fiancé.

— Tu ne vas pas ruiner cette journée à cause des paroles de ce monstre, toujours ?

Comme la couturière resta coite, Félicité continua :

— Ce salaud ! Je vais finir par lui arracher les yeux.

Elles avaient marché quelques dizaines de verges dans la rue Dorchester, pour bifurquer dans la ruelle Berri. La pension se trouvait tout près quand sa compagne sortit de son mutisme.

— Je n'ai que deux vrais amis : toi et John. Aujourd'hui je veux que vous soyez tous les deux près de moi.

Phébée s'arrêta. Sa compagne l'enlaça un bref instant, puis elle lui glissa à l'oreille :

— Excuse-moi d'être revenue là-dessus. Je serai là aussi longtemps que tu le voudras. Je monte chercher John. Si tu vois Crépin s'approcher, tu rentres tout de suite. Sinon, il saisira encore l'occasion pour cracher son venin sur toi.

L'autre donna son assentiment d'un mouvement de la tête. Félicité entra, gravit les marches de l'escalier deux à la fois, puis elle frappa à la porte de gauche.

— Ah! fit l'ébéniste en ouvrant. Voilà l'une des deux meilleures chrétiennes de Saint-Jacques. Aller à la grand-messe en ce jour de réjouissance, c'est admirable.

— Viens vite, je ne peux pas la laisser seule.

La jeune femme dut attendre qu'il récupère sa veste, son chapeau, puis pose un cadenas sur la porte de sa chambre. Ces quelques instants suffirent pour résumer le bref échange sur le parvis de l'église.

— Un de ces jours, quelqu'un lui donnera une raclée. J'aimerais être celui-là.

Phébée entrait à son tour lorsqu'ils atteignirent le rez-de-chaussée.

— Il arrive, les prévint-elle.

La seconde suivante, Crépin Dallet laissa Hélidia passer la porte la première et la suivit. Le regard de John Muir se fixa longuement dans le sien. L'artisan le dépassait presque d'une tête et présentait une musculation autrement imposante.

— Quoi? Qu'est-ce qu'il y a? commença le commis aux livres.

— Presque rien. Je me disais qu'un bon soir, je te retrouverais dans un coin sombre pour t'expliquer la façon de parler aux femmes.

— Je te dénoncerai à la police. Il y a des lois dans ce pays, clama le petit homme en se raidissant pour se faire plus grand.

— Suis mon conseil: longe les murs et demeure silencieux à table pendant le prochain mois. Ma colère se calmera peut-être un peu, pendant ce temps-là.

Sur ces mots, l'ébéniste poussa ses compagnes dehors devant lui et se plaça entre elles pour regagner la rue Dorchester.

— Tu sais, ce qu'il a dit, ce sont des sottises, expliqua-t-il bientôt à l'intention de la couturière. Comment veux-tu que cet avorton sache comment des soldats se comportent ?

Crépin ne le savait sans doute pas, en effet. Phébée s'en faisait une meilleure idée. Si elle ne pouvait se souvenir de la présence d'une garnison britannique dans la ville, suffisamment de marins privés de présence féminine pendant des semaines lui avaient fait des avances. Cela lui permettait de bien se figurer la chose.

— Tu as raison, convint-elle pourtant. J'ai les nerfs à fleur de peau, avec toute cette attente.

Ils arrivèrent à la gare Dalhousie quelques minutes après midi. Le train était déjà là, les miliciens alignés en bon ordre sur le quai. Si monseigneur Fabre ne s'était pas déplacé lui-même, au moins un représentant de l'archevêché bénissait les héros. Puis un politicien visiblement prospère, à en juger par son vêtement, monta sur une caisse de bois et commença :

— Nous pouvons rendre hommage aujourd'hui au mérite de ceux des nôtres qui, avec courage, sont allés combattre les hordes sauvages…

— Tu sais qui est ce type ? demanda Félicité en se tournant à demi vers John.

— Aucune idée. À l'entendre, je ne perds rien en continuant de l'ignorer.

— Le vois-tu ? demanda Phébée en se tournant vers l'ébéniste.

Pas très grande, la jeune femme se tenait sur le bout des orteils sans réussir à voir au-delà du mur d'épaules devant elle.

— Tu oublies que jamais tu ne me l'as présenté, ce prince charmant. Je vois bien quelques jeunes hommes avec une barbe de deux ou trois jours, dépenaillés…

— Que veux-tu dire?

— Les uniformes paraissent en bien mauvais état, comme si le gouvernement les avait achetés chez un Juif de la rue Saint-Laurent, émit-il avec un clin d'œil.

La jeune femme attribua ce commentaire à l'humour un peu facétieux de son ami. Les discours se terminèrent enfin. La foule rompit suffisamment les rangs pour permettre au lieutenant-colonel et député à la Chambre des communes Joseph-Aldéric Ouimet de passer à cheval, drapé dans un uniforme de parade. Lui n'arrivait pas du Nord-Ouest. Il avait rejoint le train ce matin, lors d'un bref arrêt à la gare d'Ottawa, pour en donner l'illusion.

Derrière, sur quatre rangs, suivaient les deux cents miliciens. Phébée constata combien le commentaire de John devait être pris au pied de la lettre. Les hommes portaient des pantalons noirs et des tuniques rouges largement décolorés, mal reprisés en certains endroits, encore déchirés ailleurs. Leur attirail avait souffert au cours des nombreuses semaines de marche dans les plaines, et jamais leurs nouveaux uniformes ne leur étaient parvenus. Sans doute pourrissaient-ils dans un hangar du Canadien Pacifique.

— Les faire parader dans ces haillons, c'est manquer de respect, commenta la couturière. Quelqu'un veut les tourner en ridicule.

Elle savait plus que quiconque que le statut, de la communiante au premier ministre, se révélait par la tenue. Ces hommes ressemblaient à des vagabonds allant de ville en ville afin d'obtenir quelques jours de travail, ou encore à des cow-boys égarés dans Montréal. La plupart avaient perdu leur petit calot pendant la campagne. Les plus pauvres s'en étaient cousus un autre avec les morceaux de tissu ramassés sur leur chemin. Les autres possédaient de quoi acheter un chapeau mou, un feutre, plus susceptible de bien les protéger de la pluie et du soleil.

Dans la rue, les miliciens purent former des rangs bien droits et reprendre leur pas martial. Phébée se tenait sur le pavé, près du trottoir, pour les regarder passer. D'autres jeunes femmes très émues faisaient comme elle : plusieurs membres du corps expéditionnaire comptaient une petite amie sur les lieux. Puis elle l'aperçut enfin, le visage à demi dissimulé sous le rebord de son grand chapeau.

— Jules ! cria-t-elle aussitôt, le cœur battant la chamade.

Le garçon la regarda intensément et esquissa un mouvement de la main pour la saluer. Son visage exprimait à la fois la joie de la revoir et la douleur de ne pouvoir se précipiter vers elle.

— Gardez les rangs, ordonna un officier en anglais.

Le moment se prêtait mal à conter fleurette. John Muir prit son amie par le bras pour la ramener sur le trottoir.

— Tu l'auras bientôt tout à toi, quand ce cirque sera terminé. D'ici là, viens avec nous. Maintenant, ils ne le laisseront pas quitter les rangs.

La blonde accepta de le suivre. Félicité avait aperçu la scène depuis le trottoir. Elle prit l'autre bras de son amie en disant :

— Nous allons marcher au même rythme qu'eux. Une fois rendus au terrain de l'exposition provinciale, ils seront bien obligés de les libérer.

— C'est à l'autre bout de la ville !

— Tu m'as fait parcourir un trajet plus long l'hiver dernier pour aller au carnaval, rappela-t-elle, un peu rieuse.

L'ancienne institutrice gardait en mémoire ces courses interminables au plus froid de l'hiver, son amie aussi. Une ombre passa sur son visage. Sa façon d'accepter la générosité d'inconnus lui faisait honte maintenant. Si Jules l'apprenait, il ne le lui pardonnerait pas. Puis la condamnation du prêtre, dans le confessionnal, la hantait toujours. Comment effacer tout ça ? Peut-être effrayée de le voir se dérober, elle avança sur le trottoir en prenant bien garde de ne pas laisser le jeune homme disparaître de son champ de vision, ne serait-ce qu'un bref instant.

La troupe arriva bientôt devant le carré Viger. Monté sur une estrade, un autre politicien évoqua lui aussi les ancêtres de la Nouvelle-France.

— Ça ressemble à un chemin de croix, commenta John.

— Les miliciens sont conviés à un repas au terrain de l'exposition provinciale, dans le grand pavillon, expliqua Félicité. Ils mangeront au son de discours et de toasts.

La veille, les journaux publiaient le détail de l'itinéraire. Le 65e Régiment se remit en route près d'une heure plus tard, après être resté au garde-à-vous sous un chaud soleil. Pareille corvée grugeait la force d'hommes déjà épuisés par des semaines de campagne. En conséquence, à l'intersection des rues Saint-Denis et Dorchester, un premier milicien tituba, puis s'écrasa sur le pavé. Ses camarades firent mine de le relever, un officier ordonna de le laisser là, sinon la parade se serait disloquée. Quand les deux cents soldats eurent dépassé le malheureux, des personnes massées sur le trottoir vinrent l'aider à se relever pour l'emmener ensuite avec elles.

Des parents ou des amis de chaque soldat se trouvaient dans la foule. Ces gens progressaient vers le nord au même rythme que leur brave, au risque de bousculer les autres spectateurs. Entre les rues Dorchester et Sherbrooke, trois autres militaires chutèrent à leur tour. Peut-être s'agissait-il pour certains d'une façon de mettre fin un peu plus tôt à cette corvée. Faire semblant pour rejoindre tout de suite ses proches devait en séduire plus d'un. L'hécatombe se poursuivit dans la rue Sherbrooke, vers l'ouest.

— Mais pourquoi soumettre ces pauvres garçons à une marche forcée ? protestait Phébée. S'ils veulent absolument les amener là-haut, ils peuvent utiliser des voitures.

— La parade permet à tous ces spectateurs, sur les trottoirs, de ressentir à leur tour la fierté militaire, dit John.

L'ébéniste donnait son bras à Félicité. Lui aussi se lassait de cette longue promenade. Sur une bonne distance, le long de la rue Sherbrooke, les badauds se firent plus rares. Leur nombre augmenta rue Saint-Urbain. Les cris « Vive les héros ! » ponctuaient la progression des Fusiliers Mont-Royal. Au coin de la rue des Pins, ils dépassèrent l'Hôtel-Dieu. Bientôt, la troupe longea une piste de course. Elle servait autant aux chevaux qu'aux athlètes. Au-delà, un grand édifice sommairement construit accueillait une fois l'an l'exposition agricole de la province. D'autres activités s'y tenaient aussi, notamment des grands banquets, des foires de toute nature.

Dès que le pavillon principal fut visible, une horde de spectateurs s'élança dans sa direction. Par le nombre, ils débordèrent très vite les préposés aux tourniquets, sautèrent les clôtures et pénétrèrent dans le périmètre sans payer leur dû. Les miliciens contemplèrent ces scènes de désordre avec dépit. Les devancer ainsi, c'était leur témoigner bien peu de respect.

Les protestations des préposés à l'entrée ne servaient à rien. Les invités d'honneur furent bousculés par les intrus au point de leur faire quitter la grande salle décorée de verdure et de drapeaux, pour se réfugier dans les locaux administratifs. Les plus craintifs quittaient les lieux avec leur voiture de louage.

Quand les soldats entrèrent dans le pavillon d'exposition, les grandes tables avaient été soulagées d'une bonne partie de la nourriture, alors que les derniers resquilleurs se sauvaient par une autre porte.

— Là, j'en ai assez, déclara Jules à un camarade, Georges Ouellet. Cette journée a été aussi difficile que toutes celles passées au Nord-Ouest. S'ils ne nous donnent pas à manger d'ici cinq minutes, je déserte.

— Dire que tout ce cirque n'est pas pour nous, mais pour le plaisir de ces importants personnages, affirma l'autre, cynique.

Du regard, le milicien désignait le maire Honoré Beaugrand. Le magistrat arborait son vieil uniforme de l'armée de l'empereur Maximilien, un souvenir de ses aventures militaires au Mexique. Avec, par-dessus, son lourd collier de fonction, il ressemblait à un potentat venu d'une contrée exotique. Sa mauvaise santé le courbait un peu vers l'avant, donnant l'impression que la décoration métallique tirait trop fort sur les muscles de son dos.

— Ces voyous ont volé le repas de ces gens, rageait le politicien.

Devant lui, un colosse revêtu d'un uniforme noir considérablement plus modeste baissait un peu la tête. Il s'agissait du chef de police Hercule Paradis.

— Ils étaient des centaines, s'excusa-t-il. Ils ont mis deux minutes à faire main basse sur tout ce qui était à leur portée pour fuir ensuite.

— Le banquet, c'est pour quand? cria un soldat à pleins poumons.

— Nous avons fait la guerre pour être traités comme ça? hurla un autre.

La situation risquait d'échapper bien vite aux officiers du 65e Régiment. L'inquiétude chassa les quelques notables encore présents.

— Que faisaient vos policiers? demanda le maire en réprimant mal sa colère.

— Ils ont fait de leur mieux. Aucun ne porte une arme. À un contre cinquante, armés d'une petite matraque, les imaginez-vous affrontant la populace?

La question de donner des révolvers aux responsables du maintien de l'ordre revenait régulièrement dans les discussions publiques. Dans des circonstances comme celles-là, l'usage de la force aurait eu des conséquences imprévisibles.

— Nous voulons manger ! exigea un autre soldat.

Tous les militaires ne réclamaient pas un repas, certains se servaient plutôt dans les restes laissés par les pillards. Bientôt, les tables seraient nettoyées. Le lieutenant-colonel Joseph-Aldéric Ouimet s'approcha de Beaugrand.

— Dites-moi, monsieur, comme vous êtes le commandant de ces hommes, pensez-vous pouvoir les ramener à l'ordre ?

Des yeux, le maire désignait les miliciens. Ceux-ci demeuraient debout, les discussions allaient bon train, les esprits s'échauffaient. Après des mois en expédition, les frustrations accumulées demandaient à s'exprimer. Bientôt, certains en viendraient aux coups.

— Je ne sais pas… Leurs officiers ne semblent plus capables de les contenir.

— Mais n'êtes-vous pas leur supérieur ?

Sur ces mots, le maire esquissa un sourire ironique. Il tourna le dos au député à l'uniforme chamarré pour regarder de nouveau le chef de police.

— Monsieur Paradis, proposez à ces gens de revenir sur les lieux pour voir les feux d'artifice, ce soir. En attendant, ils trouveront de quoi se nourrir dans les buvettes voisines.

Honoré Beaugrand enleva son collier de fonction pour le porter à bout de bras, puis sortit sans tarder. Le chef de police monta sur une chaise pour s'adresser aux membres du 65e Régiment et leur transmettre les directives reçues.

Les soldats sortirent de la grande bâtisse en petits groupes. Jules Abel apparut bientôt en compagnie de Georges Ouellet. Phébée se tenait à peu de distance de l'entrée principale. Les larges épaules de John Muir l'avaient protégée des offres malhonnêtes de nombreux miliciens en quête d'affection. Les prostituées de la ville feraient une bonne journée.

D'abord, elle demeura interdite en repérant son fiancé, puis elle s'élança subitement vers lui pour se cramponner à son corps, la tête posée au creux de son épaule, agitée de sanglots muets. Jamais le jeune homme n'avait senti sa compagne ainsi lovée contre lui. Avec une certaine timidité, il posa ses paumes grandes ouvertes contre son dos, esquissa une caresse légère. À travers la camisole et la robe, la chair se révélait chaude et souple. Il restait très droit, un peu crispé. La présence de nombreux témoins ajoutait à son malaise.

— J'ai eu tellement peur de ne jamais te revoir, murmura-t-elle, son visage posé contre la tunique d'un rouge délavé, tendant vers le rose.

— Moi aussi. Quand j'étais malade… je ne pensais à rien d'autre.

Jules la repoussa doucement, assez pour réduire son trouble. Le beau visage couvert de larmes l'émut. Leurs lèvres se retrouvèrent un instant, puis les convenances exigèrent qu'ils s'éloignent l'un de l'autre. Pour se donner une contenance, le garçon se tourna à demi en disant :

— En parlant de maladie, voici le compagnon à qui j'ai confié mon petit mot à ton intention. Il s'appelle Georges Ouellet.

Phébée tendit la main, bafouilla d'une voix incertaine :

— Je vous remercie de tout mon cœur, monsieur. Votre lettre m'a tellement soulagée. Je devenais folle d'inquiétude, je pense.

— Jules se montrait tellement insistant dans son délire. À la seconde où je vous ai vue, j'ai compris. Vous êtes ravissante, mademoiselle.

Le battement de cils de Phébée détacha de nouvelles larmes de ses yeux. Avec une gaucherie touchante, elle s'empressa de l'embrasser sur la joue. Le soldat se troubla un peu avant de dire :

— Je vois vos amis qui attendent, là-bas. Je vais vous laisser à vos retrouvailles.

— Pourquoi ne pas nous accompagner ? proposa Jules. Tu pourras connaître notre charmant chaperon. Elle nous a accompagnés tout au cours de la dernière année.

Ouellet jeta un coup d'œil en direction des deux autres. Félicité tenait le bras de John. L'idée d'être la cinquième roue du carrosse ne lui souriait guère.

— En montant jusqu'ici, dit-il, j'ai eu de la chance de ne pas m'étaler sur le pavé. Je tombe de fatigue. Mieux vaut chercher un endroit où dormir, et des vêtements un peu plus seyants.

— Où iras-tu ?

Venu de la campagne au moment de commencer ses études, son ami ne connaissait personne à Montréal, Jules le savait bien.

— À l'hôtel *Roscoe*, je pense. Je peux me le permettre, puis l'animation près du port me changera de nos bivouacs sous les étoiles.

Georges Ouellet tendit la main, l'autre la serra avec effusion.

— Je te rendrai visite cette semaine. Juré.

— Des gens plus charmants que moi désirent ta présence.

De la main, il toucha le rebord de son chapeau pour saluer Phébée, puis il partit à grandes enjambées. Jules s'en voulut un peu de ne pas avoir insisté pour le retenir. Sans famille dans les parages, il risquait de souffrir de solitude dans les prochains jours.

Puis il secoua la tête pour chasser ses idées trop sombres.

— Je reconnais bien Félicité, commença-t-il, mais qui est l'homme avec elle?

— Un ami de la pension. Viens, je vais te le présenter.

Au lieu de l'habituelle poignée de main, Félicité eut droit à une bise sur la joue.

— Voici John Muir, dit la blonde.

Le milicien reconnut un travailleur manuel à la poigne solide et aux mains larges et calleuses, mais le visage reflétait une intelligence vive, et le vêtement, un souci d'élégance rare chez les hommes de sa condition. Il le trouva un peu vieux pour Félicité, mais tout de même fort convenable. Ainsi, songea-t-il, la jeune couventine sortait un peu de sa réserve devant le sexe fort.

— Maintenant, dit-il, comme je n'ai pas eu l'occasion de manger depuis le matin, que diriez-vous d'un arrêt dans un restaurant?

Il était trois heures passées, aucun des miliciens n'avait avalé quoi que ce soit depuis le déjeuner, et pour les deux jeunes femmes et leur compagnon, rien depuis le souper de la veille.

— Les établissements sur le terrain de l'exposition ne paient pas de mine, dit John. Pas très loin dans la rue Saint-Urbain, je connais un endroit convenable.

Les autres se rallièrent à la proposition sans hésiter. L'ébéniste passa devant, Félicité toujours à son bras. Les amoureux suivaient, la main dans la main, les yeux dans les yeux. Les convenances auraient exigé plus de retenue, mais ce jour-là les Montréalais se montraient enclins à un peu d'indulgence pour les braves du Nord-Ouest.

Une heure plus tard, repus, ils buvaient leur thé sans se presser. L'établissement paraissait un peu démodé, mais on y servait une nourriture irréprochable. Aucun autre milicien n'y mangeait. À l'heure qu'il était, nombre d'entre eux devaient être avinés au point de devenir une compagnie plutôt désagréable.

— Ce fut une drôle d'expédition, résumait Jules, les yeux posés sur le visage de Phébée. Nous avons poursuivi des bandes d'Indiens. C'était comme courir après des fantômes. Si nous en avons attrapé certains, c'est qu'ils crevaient de faim. Ils se laissaient prendre pour obtenir de quoi manger.

— Vous vous êtes battus ? demanda Félicité.

— Pas vraiment. Des coups de feu ont été échangés, sans faire de victimes de part et d'autre. Au fond, ils me semblaient pitoyables. Réduits à la famine, couverts de haillons, crasseux, ils avaient peu à voir avec les farouches guerriers dont parlent les petits romans américains.

Ces évocations ravivaient de mauvais souvenirs. L'aventure militaire revêtait bien peu d'intérêt, jugeait-il après en avoir fait l'expérience.

— Que va-t-il leur arriver ? demanda John.

— Rien, dans la plupart des cas. Ils rejoindront leur réserve, où le gouvernement leur procure à manger un jour sur deux.

— Mais ils chassent, non ?

Félicité se rappelait ses manuels d'histoire.

— Ils ne chassent plus, car il n'y a plus de bisons. C'était très étrange. Lors de nos longues marches dans les plaines, nous tombions parfois sur des centaines de squelettes de ces animaux. Comme si on les avait exterminés pour les priver délibérément de nourriture.

Officiellement, les chasseurs blancs voulaient nourrir les travailleurs employés à la construction des chemins de fer et récupérer les peaux. Les robes de carriole des traîneaux du Québec étaient souvent fabriquées avec la peau de ces *buffalos*.

— Vous avez évoqué le retour dans les réserves, dans la plupart des cas, rappela John. Que se passe-t-il pour les autres ?

— Certains ont participé à des tueries. Quand on peut en faire la preuve, ils sont jugés pour meurtre. On les condamne à la prison, ou à mort. Une demi-douzaine a été pendue.

Le visage du milicien se troubla. Ces corps accrochés à une potence représentaient les seules victimes de la guerre qu'il avait vues. Un long moment, les autres respectèrent son silence. Puis Phébée dit tout bas :

— Toi et tous ces hommes, vous paraissez tellement fatigués, puis l'état de vos uniformes... On ne vous a pas bien traités.

Participant peu aux échanges, la blonde couvait son ami des yeux. Le vêtement en mauvais état et la barbe de deux jours ne plaidaient pas en sa faveur, non plus que ses traits émaciés et ses yeux cernés.

— Oh ! Pour une bonne couturière comme toi, nous sommes bien négligés, plaisanta-t-il. Pourtant là-bas, nous cadrions très bien avec les autres.

— Ce n'est pas juste ça. Tu parais si... fatigué.

La main du garçon se posa sur son avant-bras, son sourire exprima une lassitude dépassant les effets de la longue parade dans les rues de la ville, les aliments volés et l'obligation de chercher ailleurs son dîner à cause de ces pillards. Des semaines passées dans des conditions exécrables marquaient ses traits.

— Nous passions toutes nos journées à marcher, à la recherche de ces ombres. Sous la pluie, sous le soleil, avec un nuage de mouches autour de notre visage. Pendant des semaines, nous nous sommes nourris de conserves de mauvaise qualité.

Pareille misère ressemblait bien peu à une épopée héroïque, ni même aux expéditions sanguinaires des ancêtres de la Nouvelle-France. L'accablement l'emportait largement sur la fierté.

— Tu vas laisser ce régiment bien vite, déclara Phébée d'un ton qui n'admettait pas la réplique.

C'était l'exigence d'une épouse. La fiancée se sentait autorisée à assumer ce rôle à l'avance pour le plus grand bien de son compagnon, comme si elle seule savait ce qui lui convenait. L'autre imagina comment elle serait dans dix ou vingt ans, sans ressentir le moindre déplaisir.

— Pas tout de suite. Démissionner me ferait mal paraître aux yeux de mes camarades, des officiers. On ne prend pas la fuite après quelques difficultés.

— Ce que les autres pensent…

— Les autres, ce sont ceux qui ont pris soin de moi quand j'étais malade. Ils m'ont soutenu sur le chemin du retour vers Régina. Beaucoup sont aussi des camarades du collège ou de l'université, je les côtoierai toute ma vie.

De jeunes avocats, de jeunes médecins, de jeunes marchands joignaient la milice. Des gens avec qui il ferait des affaires, participerait à des comités, se mêlerait de politique.

Toutefois, sous le regard contrit de Phébée, il ajouta :

— Les soirées à tourner en rond au manège militaire, les exercices de tir, tout ça convient bien mal à un homme marié. Je remettrai ma démission dans quelques mois.

Les yeux tinrent une conversation muette, faite de désirs inassouvis, d'inquiétudes pas tout à fait dissipées et de tendresse. Les deux autres se sentirent tout à fait de trop. John eut une toux brève, puis commença :

— Nous allons rentrer. Si je lui fais deux jours de suite l'affront de m'absenter du souper, Vénérance risque de cracher dans mon assiette.

Félicité se leva en même temps que lui.

— Vous pouvez rester, vous savez, commença Jules.

Formulée sans grand enthousiasme, l'invitation valait un congédiement.

— Vous n'avez plus besoin de mes services comme chaperon, plaisanta la jeune femme. Puis je tiens aussi à bien me faire voir par ma logeuse.

— Mais j'y pense, demanda l'ébéniste, vous savez où coucher ce soir ?

— J'ai écrit à ma pension de là-bas. Le propriétaire avait gardé mes affaires dans un coin de son grenier. Comme il loue à des étudiants et qu'ils s'absentent pendant l'été, il m'assure que ma chambre est présentement libre.

— Alors je vous souhaite un bon retour, dit John en tendant la main. Cette jeune dame rendra votre acclimatation à la grande ville des plus faciles, j'en suis certain.

Jules s'était levé pour lui serrer la main. Félicité lui fit plutôt la bise.

— Je ne sais plus à qui je dois demander de prendre soin de qui, dit-elle en riant. Bonne soirée.

Elle embrassa son amie, échangea un regard amusé avec elle. L'instant d'après, tous les deux quittaient le restaurant.

— Cet homme, dit le milicien, en reprenant sa place, c'est son… ami ?

— Oui, répondit Phébée, son ami, tout comme moi. Ce n'est pas, et ce ne sera jamais… autre chose.

— Il paraît respectable.

Les mots « pour un ouvrier » ne passèrent pas ses lèvres. Sa compagne ressentit une piqûre au cœur. Simple couturière, la distance entre eux ne cessait de la préoccuper. Elle jugea utile de préciser :

— C'est un excellent ébéniste. Si tu voyais ce qu'il arrive à faire…

— Comme toi avec une aiguille ?

— Oui, exactement.

— Dans ce cas, il faudra lui demander de nous aider pour la maison.

L'allusion à un futur commun mit le rouge aux joues de la jeune femme.

— Tu n'as pas changé d'idée… pour nous deux?

— Pourquoi le ferais-je?

— Je ne sais pas. Tu as changé, parfois des expériences comme la tienne mènent à des remises en question.

Assis du même côté de la table, le bas de leur corps échappait aux regards des quelques clients et du serveur. Cette relative discrétion lui permit de prendre la main de sa compagne. Un long moment, ils demeurèrent silencieux.

— Si j'ai changé, ce n'est pas en ce qui nous concerne.

Phébée sourit, le regard maintenant lumineux.

— Je suis allée à l'église, comme convenu, pour les papiers.

Leurs doigts s'emmêlèrent, puis se détachèrent à l'approche de l'employé.

— Vous désirez commander autre chose?

C'était une façon courtoise de leur demander de vider les lieux. L'addition avait été réglée plus tôt.

— Non, nous partons.

Le couple passa la porte. Sur le trottoir, Phébée prit le bras de son compagnon, laissa son poids porter un peu contre lui. Il reprit la conversation interrompue.

— Je souhaite toujours me marier très vite. Toutefois, je compte attendre d'avoir retrouvé totalement la santé.

— Tu ne te sens pas bien?

Comment rendre compte d'un sentiment de fatigue intense, du sommeil fuyant, de la digestion difficile, et surtout d'une humeur sombre qui le tenaillait?

— Ce n'est rien, j'en suis certain. Tu ne voudrais pas d'un nouvel époux en mauvais état, n'est-ce pas?

Pour toute réponse, la blonde secoua la tête de droite à gauche, soudainement anxieuse pour lui, mais surtout pour eux.

— Mais deux ou trois jours à manger les repas de ma mère, et tout ira pour le mieux, je suppose.

— Tu comptes aller à Sainte-Rose ?

— Je verrai d'abord si Gray accepte de se priver de moi quelques jours. Puis je passerai à la maison. Tu sais, ma famille aussi m'a manqué. Je me suis même demandé si je les reverrais un jour.

L'idée de partager son affection tracassait la jeune femme, comme si la présence des autres représentait une menace. Elle s'arma de courage pour dire :

— Ton patron acceptera, il me l'a dit. Je comprends très bien. Je suis certaine que madame Abel saura te remettre sur pieds. De mon côté, je tenterai de me montrer patiente. Puis je prierai pour toi.

À lui plus qu'à tous les autres, elle tenait à se montrer comme la plus vertueuse des promises. Reconnaissant, Jules posa sa main sur les doigts accrochés au creux de son coude. Cette présence le rassurait, l'apaisait. « Les choses iront pour le mieux », se dit-il.

Chapitre 7

Pendant la majeure partie du chemin vers la maison, Félicité s'était tue. À son côté, John prenait bien garde de ne pas troubler ses réflexions. Devant l'église Saint-Jacques, il demanda doucement :

— Tu crains la solitude, n'est-ce pas ?

Être aussi facilement percée à jour déstabilisa la jeune femme. Bien sûr, le retour de Jules conduirait au départ de Phébée.

— Depuis une année, tout mon temps libre, je le passe avec elle. Même mes nuits !

— Elle demeurera ton amie, tu sais.

Oui, elles se reverraient de temps en temps. Peut-être le couple l'inviterait-elle à manger chez eux, mais certainement pas toutes les semaines… peut-être seulement deux ou trois fois dans l'année, imaginait-elle dans ses pires scénarios. De toute façon, la relation fraternelle ne serait certainement plus la même. Jules occuperait toutes ses pensées.

— Toute ma vie, auparavant, je me sentais tellement seule. Pour moi, une présence, c'était nouveau.

— Dans ton couvent…

— Une petite pauvresse instruite par charité ne se fait pas d'amies. Les autres me regardaient de haut.

Ou peut-être la honte la conduisait-elle à garder ses distances, face à ses camarades. Lors de leurs conversations, sœur Saint-Jean-l'Évangéliste revenait si souvent sur son péché d'orgueil. De toute façon, que sa propre attitude ait été ou non la cause de son isolement ne changeait rien au résultat : pendant tout ce temps, ses livres de classe lui tenaient lieu de présence.

— De la part de filles de notables, je n'en doute pas, abonda l'artisan. De son côté, notre amie commune s'insère dans notre vie à coup de sourires et de clins d'œil. En même temps, son affection est exigeante. Tu lui as sacrifié tous tes loisirs dans ce rôle un peu ingrat de chaperon.

— Il me manquera, ce rôle ! Tu vois, je crains de passer tous les soirs cette semaine, et dimanche prochain, dans ma chambre devenue trop grande parce qu'elle ne sera pas là.

— Ces soirées, ces dimanches, tu pourras les consacrer à prendre soin de toi, à rencontrer des gens. Placée dans l'ombre de ces deux tourtereaux, personne ne pouvait t'approcher.

Il se retint d'évoquer les jeunes hommes, tellement sa compagne clamait son désintérêt à l'égard des relations amoureuses. Déjà, ils atteignaient la ruelle Berri. Jamais, avant ce jour, Félicité n'avait trouvé son environnement aussi déprimant.

— Je ne sais même pas si je désire que l'on m'approche, avoua-t-elle dans un souffle.

La mort de son père l'avait placée dans un pensionnat, la concupiscence d'un prêtre, dans une petite école de rang. Sa déchéance lui valait d'habiter une maison de chambres misérable et de travailler dans une manufacture de coton. La vie avait mis une compagne pas trop curieuse sur son chemin, pour l'en priver maintenant. De la peur des hommes et de celle de la solitude, laquelle l'emporterait ?

— Profite de l'occasion, insista son compagnon. Tu auras le temps de penser à ce que tu désires, au lieu de te laisser emporter dans le sillage des jupes de Phébée.

En lui adressant un sourire chargé de sympathie, l'homme poussa la porte pour la laisser passer devant lui. Après une visite dans la cour arrière, Félicité s'enferma dans sa chambre, le cœur gros.

Seul le plaisir des retrouvailles pouvait rendre agréable une errance de plusieurs heures sur le flanc est du mont Royal, entrecoupée d'arrêts fréquents pour se reposer sous les arbres. Même si Jules se souciait de son allure négligée, Phébée insistait pour se montrer avec lui. Cette constance équivalait à une reprise de possession. Comme le funiculaire avait été inauguré quelques mois plus tôt, le couple se retrouva dans une curieuse voiture, semblable à un tramway, roulant sur des rails posés à un angle de quarante-cinq degrés.

— Je ne répéterai pas cette expérience très souvent, commenta la blonde, dont le regard se penchait sur la cime des arbustes et le sol, une vingtaine de pieds plus bas.

L'inclinaison la poussait au creux de son banc. Un peu effrayée elle se tenait à deux mains au dossier devant elle. Leur trajectoire les amenait à passer au-dessus d'un chemin contournant la montagne.

— Heureusement pour toi, ça durera moins longtemps que le trajet en train de Régina jusqu'ici. Pourtant, nous étions encore à deux jours au moins de l'océan Pacifique. Nous devrions y aller ensemble, un jour…

Toute allusion à leur avenir apaisait sa compagne, trop brièvement toutefois. Ils arrivèrent au grand chalet de pierre construit à flanc de montagne. Comment chasser le souvenir de sa dernière visite en ces lieux, pendant le carnaval? Pour se venger de la réserve de son cavalier à son égard, elle prenait alors plaisir à la compagnie de la première personne venue, quêtant ainsi un repas ou une boisson chaude. Quelqu'un pouvait-il la reconnaître, l'interpeller? Son accoutrement d'hiver, lors de cette escapade, préserverait sans doute son anonymat. Cela n'allégerait pas son malaise.

De son côté, le pharmacien se montrait plus entreprenant qu'avant son départ. Discrètement, en se dirigeant vers la balustrade bordant le réverbère, sa main se posa à la hauteur de la taille, dans le dos de sa fiancée. Comme aucune protestation ne vint, il esquissa un mouvement caressant. Ils approchaient d'autres personnes, quand il prit le bras de Phébée, juste au-dessus du coude.

— Tu ne me croiras peut-être pas, mais je viens ici pour la première fois, dit-il.

— Tu n'étais pas curieux de voir la ville de ce point de vue ?

— Seuls les Anglais viennent ici.

L'affirmation s'avérait juste ; autour d'eux, personne ne s'exprimait en français. Son uniforme défraîchi lui valait des regards curieux et son chapeau de feutre à larges bords, des sourires amusés. Toutefois, les journaux avaient évoqué la veille le retour des Fusiliers Mont-Royal après leur expédition dans le Nord-Ouest, chacun devinait la raison de ce curieux accoutrement.

— Puis je retournais chez mes parents presque tous les dimanches, avant de te connaître.

La fiancée comprit mieux l'accueil plutôt froid de Léonie, la première fois.

— Tu vois, à droite, les énormes maisons ? demanda-t-elle pour chasser ses mauvais souvenirs de l'hiver précédent. Ce sont les châteaux de ceux qui possèdent tout le pays. Là, les Allan, là, les Redpath…

De l'index, Phébée désignait ces endroits, répétant les mêmes commentaires que pour Félicité, l'hiver précédent. Le pont Victoria retint surtout l'attention de son compagnon. Les prouesses techniques continuaient de le fasciner.

— Et là, juste en bas, ce sont les bâtisses de McGill, remarqua-t-il.

— Oui, mais je ne saurais pas te les nommer.

La jeune femme se troubla un peu plus. Les jeunes gens si entreprenants, pendant le carnaval, étudiaient à cet endroit. De nouveau, la crainte irrationnelle qu'on le mette au courant de son comportement l'étreignit. Il ne l'accepterait sûrement pas, s'il l'apprenait.

— Puis au loin, nous voyons le clocher de l'église Saint-Jacques, enchaîna-t-elle d'une voix un peu affectée.

Longtemps encore, la grande ville retint leur attention. Puis quand l'exercice les lassa, le parc du Mont-Royal offrit de nombreux sentiers où se perdre, et où se retrouver. Après l'heure du souper, ils ne rencontrèrent plus personne sur leur chemin. La main de Jules prit tout naturellement la taille de son amie. Phébée montrait juste assez de réserve pour le rassurer sur sa moralité.

Comme elle ne mettait pas beaucoup d'efforts à tenir ses distances, il l'entraîna doucement dans un bosquet de grands pins, lui fit face alors que ses mains se posèrent sur ses hanches.

— Laisse-moi t'embrasser, dit-il, le regard énamouré. Un vrai baiser, cette fois.

Le mouvement de recul de sa compagne manquait de vigueur, ses lèvres ne cherchaient pas vraiment à se dérober. Le contact suffit à lui faire perdre un peu de sa retenue. Ses paumes amorcèrent un mouvement caressant sur les hanches, continuèrent sur les flancs. Avant de les voir atteindre ses seins, la jeune femme baissa le bras pour lui interdire cette progression et posa ses paumes ouvertes contre la poitrine masculine.

— Tu sais que je suis à toi. Tout de même, je ne peux pas te laisser continuer… Sinon demain tu commenceras à penser du mal de moi, à me mépriser.

Ses lèvres, humides, paraissaient plus rondes, un peu entrouvertes, ses yeux d'un bleu plus intense, à l'ombre des arbres.

— Je serais incapable de penser du mal de toi. Tu me rends fou.

L'admission de son pouvoir sur lui grisa un peu la jeune femme. Les lèvres s'abandonnèrent, les paumes firent connaissance avec l'élasticité des petits seins. Puis Phébée saisit ses poignets avec fermeté pour éloigner les mains de sa poitrine et lui fit très clairement savoir :

— C'est assez. Nous ne sommes pas mariés.

Tout de même, le ton se montrait assez accueillant pour le convaincre de ne pas retarder indûment la cérémonie. Ils lanternèrent encore à pas lents, seuls dans le parc. Ils furent les seuls passagers du funiculaire à la descente. Sur le terrain de l'exposition, de nombreux badauds se livraient à une promenade dans l'attente des feux d'artifice.

Selon les journaux de la veille, ceux-ci devaient être spectaculaires, à la hauteur des exploits des Fusiliers Mont-Royal. Peut-être les artisans responsables du lancement des bombes et des chandelles romaines pratiquaient-ils la dérision. Toujours est-il que le ciel s'illumina complètement pendant quelque trente secondes. Toutes les fusées avaient volé ensemble, les gerbes de lumière blanche, bleu et rouge se superposèrent pour illuminer le ciel. On aurait dit une attaque massive contre Montréal.

Puis ce fut l'obscurité de nouveau, et le silence.

— C'est tout ? s'indigna quelqu'un.

— Ce n'est pas sérieux ! déplora un autre.

Ce dernier acte de l'accueil des héros s'avérait à la hauteur des précédents : gâché. Les cérémonies soulignant le retour du régiment presque entièrement formé par des Canadiens français devenaient grotesques. Très vite, les spectateurs se dispersèrent en répétant des commentaires dépités.

— Maintenant, je vais te reconduire chez toi, dit Jules en guidant son amie vers la rue Saint-Urbain. J'espère juste que mon propriétaire ne verrouillera pas sa porte à double tour. À cette heure, il doit penser que je suis retourné à Sainte-Rose.

— Mais si c'est le cas, que feras-tu ?

L'autre fut amusé par cette éventualité.

— J'en serai quitte pour me rouler en boule sous un escalier, comme un chien. Et crois-moi, ce ne sera pas ma nuit la plus inconfortable des derniers mois.

Phébée serra les doigts sur l'avant-bras de son compagnon, prête à lui offrir de s'étendre dans le couloir de sa propre demeure. Au moins, il ne serait pas à l'extérieur. La réaction prévisible de Vénérance à cet acte charitable la réduisit toutefois au silence.

Finalement, le milicien n'eut pas à dormir dehors. Il possédait toujours la clé d'une porte arrière de la maison. Son propriétaire avait eu la délicate attention de placer sa malle d'étudiant dans son ancienne chambre. Aussi, le lundi matin 20 juillet, ce fut lavé et rasé de près, vêtu d'un costume correct, qu'il se présenta chez son ancien, et futur employeur.

— Ah ! Un revenant, s'exclama le pharmacien avec un sourire. Je termine, et je suis à toi.

Une dame un peu forte, encore jeune, se tenait devant l'étal des médicaments « patentés ».

— Je vous assure, madame Béliveau, continua le professionnel, la meilleure façon de protéger vos enfants, c'est de les faire vacciner.

— Les membres de la Faculté n'affichent pas le même avis, à ce sujet, répondit la cliente. Même le directeur de l'École de médecine de Montréal déconseille ce remède de sorcier.

Jules sourit à son reflet dans la vitrine. Il avait suivi des cours de ce directeur, Joseph Émery Coderre. Le praticien ne jurait que par la propreté des espaces privés et publics ainsi que par la salubrité des boissons et des aliments. Le tort de ces enthousiastes du nettoyage était de croire en une panacée protégeant de tous les maux. Pourquoi avaient-ils tant de mal à admettre qu'un environnement propre et le recours aux vaccins, à eux deux, limiteraient l'effroyable taux de mortalité des enfants de la ville?

Le pharmacien devait lire dans ses pensées.

— Je veux bien vous vendre ces capsules qui, quoique inutiles, ne leur feront pas de mal. Vous devez toutefois comprendre que seul le vaccin les mettra à l'abri de la contagion. Et là, je ne tente pas de m'enrichir à vos dépens; je ne procède pas à ces inoculations.

Les journaux considéraient souvent la campagne de vaccination comme un moyen facile de faire de l'argent. En demandant un dollar pour ce service, à vingt clients à l'heure en moyenne, les médecins eux-mêmes rendaient le soupçon compréhensible.

— J'y penserai, conclut l'acheteur. Et pour ça, je vous dois combien?

Robert Gray compléta la transaction avant de souhaiter une bonne journée à la maman inquiète, puis vint vers son stagiaire la main tendue.

— Heureux de te revoir. Je n'ajoute pas «en bonne santé», car ce costume paraît flotter sur toi.

Le tutoiement spontané, amical, rassérénait Jules.

— Je ne sais pas si je dois accuser le soleil, la boue, la nourriture avariée ou les innombrables piqûres des moustiques, mais une fièvre m'a cloué au lit pendant dix jours. Et encore, je devrais dire au sol. Nous n'avions pas de lit.

Son patron lui prit le menton entre le pouce et l'index, pour lui faire lever la tête, la faire tourner un peu à droite, puis à gauche, avant d'examiner longuement les yeux.

— Il y avait un médecin avec vous?

— Oui, un très bon. Il s'occupait aussi de la santé des chevaux.

L'autre éclata de rire. Il reconnaissait bien là le sens pratique du gouvernement conservateur.

— Va voir le docteur, juste à côté. S'il te prescrit quelque chose, reviens ici.

— J'en avais déjà l'intention. Vous avez de quoi me préserver de toutes les maladies, celles que j'ai déjà, et celles que j'attraperai d'ici la fin de mes jours.

Gray secoua la tête, un peu dépité, les yeux posés sur les remèdes miracles.

— Il y a un mois ou deux, selon la publicité, ces mixtures devaient soulager de la fatigue chronique, de la toux, des aigreurs d'estomac, régler le cas des seins taris ou réduire les sautes d'humeur.

À chaque évocation, il touchait du bout de l'index une boîte ou une fiole.

— Maintenant, si tu regardes dans les journaux, on ajoute les mots « et la variole » à cette énumération. Nos bons catholiques s'en remettent à ces produits, à des médailles bénites et aux neuvaines. Cependant le vaccin ne figure pas dans leur arsenal.

De plus en plus, les journalistes de la presse anglaise additionnaient les patronymes francophones dans les listes de décès et concluaient avec raison que les victimes habitaient l'est de la ville.

— Tu es au courant de la situation, ici? demanda le pharmacien.

— À mon départ, personne ne parlait de variole, mais là-bas, nous recevions des lettres alarmistes. Ma mère m'a fait part de vraies histoires d'horreur. Ça va si mal?

— Les cas se multiplient, et personne ne prend de mesures énergiques. Les catholiques interprètent ce malheur comme une punition de Dieu.

— Au comité d'hygiène, on n'a pas proposé une campagne de vaccination ?

Le pharmacien se troubla un peu. Son employé évoquait son propre rôle dans toute cette affaire.

— Tout allait de travers, au début. Tu te souviens du médecin du Service de santé de la Ville, Larocque ? On ne l'a pas vu pendant des semaines, à l'hôtel de ville. J'ai même présenté ma démission pour forcer la main du maire et obtenir son renvoi. À la fin, il l'a destitué de ses fonctions. Puis on a eu une histoire de lymphe avariée…

Pendant quelques minutes, Gray évoqua les effets secondaires néfastes, quelques fois mortels, d'un lot de vaccins contaminé.

— Ces incidents donnent des armes aux adversaires de la mesure. Surtout, il y a l'apathie intellectuelle de tous ces gens. Les rumeurs les plus folles circulent, et le manque d'instruction les empêche de faire la part des choses entre la fantaisie et la réalité.

L'homme évoquait là l'attitude des Canadiens français, pas celle de ses compatriotes. Il eut envie de décrire son échange avec Phébée, du début juillet, mais par délicatesse pour les sentiments de Jules il se retint.

— Mais toi, as-tu été vacciné ?

— Oui, quand j'étais étudiant. C'était une façon de défier un peu l'autorité du directeur de l'école.

— Quand tu seras chez le médecin, tout à l'heure, demande-lui de répéter l'opération, ce sera plus sûr. Insiste aussi pour que tous ceux que tu aimes le fassent.

Jules hocha la tête. Ce conseil le ramenait au vrai motif de sa visite.

— Je veux aller passer quelques jours à Sainte-Rose. Avant de m'avoir vu en personne, ma mère craindra le pire… Ensuite, me reprendrez-vous à votre service comme prévu ?

Le garçon se montrait un peu préoccupé, même si le pharmacien le lui avait promis plusieurs semaines auparavant.

— Et ton rêve d'avoir ta propre boutique ?

— Ce ne sera pas pour tout de suite… Je veux dire, pas avant le mariage.

— Reviens lundi prochain. D'ici là, repose-toi bien, car avec cette épidémie, tu te retrouveras souvent derrière le comptoir, et moi à l'hôtel de ville.

Une nouvelle poignée de main scella l'entente. Vingt minutes plus tard, Jules, un peu réconforté, se tenait en caleçon devant un médecin d'une maigreur aussi effrayante que la sienne.

— À peine revenu, et le voilà déjà reparti, glissa Phébée d'une voix attristée.

Ses amis lui avaient proposé la promenade coutumière, après le repas. L'attention ne suffisait pas à lui mettre un sourire sur le visage.

— Là tu n'es pas juste, la réprimanda doucement John Muir. Avoir encore mes parents, de retour après des mois d'absence je ne me promènerais pas dans la rue avec deux très jolies filles. Je passerais la veillée, et quelques-unes à venir, au coin du feu.

— De mon côté, je me sens tellement mal de ne pas être allée voir ma mère, renchérit Félicité. Voilà plus d'un an que j'habite Montréal.

Parce qu'elle en reconnaissait la justesse, le reproche blessa encore davantage la couturière. Dans dix ans souffrirait-elle cette hantise à chacune des absences de Jules ? La même frayeur la tenaillait sans relâche : le garçon se déroberait à la dernière minute, ce genre d'alliance, ce n'était pas pour une fille comme elle.

Tous les trois remontaient la rue Berri vers le nord, parcourant leur trajet habituel. Dans la rue Sainte-Catherine, la fiancée annonça :

— Vous allez continuer sans moi. Je m'arrête au presbytère.

— Ma foi, te voilà aussi pieuse que Crépin, commenta l'ébéniste. Promets-moi de ne jamais devenir aussi désagréable que lui.

Pendue à son bras gauche, la châtaine exerça une pression suffisante pour attirer son attention. L'échange d'un regard suffit, il enchaîna bien vite :

— Je viens de dire une sottise, oublie-la. Toi, tu ressembleras toujours à un ange, avec ou sans la bénédiction de ton petit vicaire.

Ces mots ne rendirent pas tout à fait son assurance à la jeune femme. Sans son adorable visage, lui prêterait-on cette moralité sans faille ? Pire encore, parfois elle inspirait tout le contraire : cette beauté ne venait-elle pas du diable, pour faire pécher tous les hommes ? Devant l'église Saint-Jacques, la châtaine proposa de l'accompagner, comme les autres fois.

— Profite de cette promenade, tes journées sont longues à la manufacture. Je peux bien rentrer toute seule, tu sais.

— Ça, pas question, intervint John. Nous allons faire le va-et-vient entre ici et la rue Maisonneuve. Quand tu sortiras, tu nous attendras près de la porte.

Comme elle fixait sur lui des yeux surpris, il précisa :

— Dans ce quartier, tu risques de tomber sur Crépin.

Elle hocha lentement la tête. Le petit commis noir de poil semblait résolu à miner sa confiance déjà fragile par des allusions traîtresses. Dans d'autres circonstances, la jeune femme l'aurait envoyé à tous les diables. L'approche de la cérémonie nuptiale la rendait si vulnérable !

— Je ferai comme tu le souhaites, consentit-elle.

Le presbytère se dressait tout près. Ses amis la regardèrent marcher vers une lourde porte de chêne, disparaître dans la grande bâtisse. En reprenant leur promenade, Félicité commenta :

— Je pensais que le retour de Jules la rendrait rayonnante. Pourtant, la nuit dernière elle sanglotait en silence. Je me suis sentie si désemparée que je n'ai pas su quoi lui dire.

— La pauvre ne cesse pas de se torturer. Ça lui semble impossible, je suppose.

Sa compagne s'immobilisa pour lever sur lui des yeux interrogateurs.

— Je parle du mariage.

— … Jules paraît plus amoureux que jamais. Tu l'as constaté comme moi, dimanche dernier. Je me sentais tout à fait de trop, dans ce restaurant.

Les derniers mots vinrent sur un ton dépité. Son compagnon posa la main sur les doigts au creux de son coude avant de dire :

— Pourtant, son sourire s'efface bien vite, la tristesse marque son visage.

— Je ne comprends pas. J'étais là quand elle l'a rencontré, et toutes les fois suivantes. Elle désirait tant que cela se termine ainsi. Si près du but, je m'attendais à la voir trépigner de joie.

D'un autre côté, l'approche de l'heureux dénouement ne mettait pas le cœur de la châtaine en liesse. Il signifierait aussi leur séparation.

— J'imagine qu'elle n'arrive pas à y croire, répéta l'ébéniste.

— Il est amoureux, même pour une fille aussi peu dégourdie que moi, ça saute aux yeux. Elle n'a pas économisé les sourires et les battements de cils pour y arriver, tu sais.

Ces comportements aguicheurs, avant de les contempler chez son amie, la couventine les connaissait pour avoir entendu les religieuses les condamner sans appel. John Muir demeura songeur jusqu'à ce qu'ils atteignent l'intersection suivante. Alors qu'ils rebroussaient chemin, il commença :

— Elle ne me confie pas tout, ni à toi. Quand j'essaie de la comprendre, ma mémoire me ramène à mes années à l'orphelinat.

Lui aussi se montrait avare de «vraies» confidences. Ses misères passées, il les gardait secrètes. Félicité l'entendait les évoquer vraiment pour la première fois.

— Certains garçons étaient là depuis la naissance, poursuivit-il. Les autres gardaient le souvenir de leurs familles pauvres. Nous n'avions jamais rien reçu, et dans cet endroit nous ne recevions rien de plus qu'une nourriture insuffisante.

L'homme se tut, absorbé par ses souvenirs.

— On s'habitue à tout, même à ce genre de dénuement. Dans ces conditions, tous les changements semblent porteurs d'une nouvelle menace. Je me rappelle d'un jour où une bourgeoise est arrivée avec un sac rempli de jouets, de petits objets achetés pour un sou chacun. La bonne dame les a posés sur une table, en disant : «C'est pour vous.» Personne n'a bougé. Nous étions une douzaine en demi-cercle, immobiles. Je ne peux parler pour les autres, mais moi, je n'arrivais pas à y croire.

— … Que veux-tu dire ?

— Recevoir, je crois que ça s'apprend. Quand on ne t'a jamais rien donné, comment peux-tu le savoir. Même si quelqu'un te met un objet convoité devant toi, tu ouvres de grands yeux incrédules, sans savoir quoi faire.

Habituellement serein, son ami affichait maintenant une tristesse indicible. Félicité se sentait d'autant plus touchée que ces paroles auraient pu être les siennes. Combien la générosité de l'abbé Merlot et des religieuses lui pesait, deux ans plus tôt.

— Phébée n'ose pas trop croire en l'amour de Jules. Depuis sa naissance on l'a privée de ça. Tous les gars lui tournent autour, mais elle demeure seule.

— … Elle parle toujours de ses parents de façon positive.

— Et ils sont morts, la vie les lui a enlevés. Elle les a connus juste assez longtemps pour mesurer sa perte, pas assez pour la rendre forte.

La jeune femme s'appuya contre son compagnon, au risque de se mériter des remontrances des bourgeois. L'ébéniste parlait à la fois de Phébée et de lui même. Des trois, avec sa mère toujours vivante, elle paraissait la mieux nantie. Avant de dormir, elle prendrait le temps de lui rédiger une jolie lettre.

— … À la fin, ces jouets, nous les avons détruits.

Félicité s'immobilisa tout à fait, posa ses deux mains sur les avant-bras de John.

— Pourquoi ?

— Trop dangereux…

La voix se brisa. Il continua après avoir pris une profonde inspiration :

— Trop dangereux de les accepter. Nous aurions été heureux de les avoir, nous aurions imaginé que quelqu'un, quelque part, se souciait de notre bonheur…

L'ébéniste regardait au-dessus de la tête de sa compagne. Voir la compassion dans son regard lui aurait enlevé toute sa retenue, au point d'éclater en sanglots au beau milieu de la rue.

— Alors ? fit-elle d'une voix douce.

— Parmi nous, personne ne voulait prendre le risque de se les voir retirés ensuite. Comment supporter une pareille douleur ?

Pendant un instant encore, ils se tinrent immobiles sur le trottoir de la rue Saint-Denis, forçant les promeneurs à les contourner. Puis l'homme prit doucement le bras de sa compagne, juste au-dessus du coude, et se remit en marche.

— Accepter l'amour des autres, faire confiance, prendre le risque de se trouver seul à nouveau après une expérience heureuse, ça demeure encore difficile tu sais.

Félicité savait, il lui semblait qu'il parlait d'elle. Quoique les blessures différaient, tous les trois sortaient du même moule.

Aussi impressionnée que lors de ses visites précédentes, Phébée se tenait bien droite, les mains jointes dans son giron. Le Christ en croix lui jetait un regard sévère, la Vierge paraissait condamner sa robe trop ornée de dentelles. Le vicaire Savard la rejoignit bientôt dans la petite pièce. Elle servait aux « directions spirituelles » offertes aux chrétiens d'élite. L'ecclésiastique n'avait pas l'habitude d'y recevoir d'aussi jolies femmes.

— Mademoiselle Drolet, commença-t-il, vous voilà rassurée, je suppose. Tous les fusiliers sont revenus en un seul morceau.

Sans lui tendre la main pour la saluer, déjà il s'installait sur une chaise.

— Je suis si heureuse, monsieur l'abbé.

— Je vous l'avais bien dit : il s'agit simplement de s'abandonner à la volonté de Dieu, comme un enfant, en quelque sorte. Lui sait bien ce qui est bon pour vous.

— J'ai tellement prié…

La couturière s'arrêta, soucieuse de ne pas céder au péché d'orgueil.

— Maintenant, je prierai tout autant pour le remercier, se reprit-elle.

Le prêtre hocha la tête de haut en bas. Cette paroissienne finirait peut-être par devenir une bonne catholique. Tellement de gens demandaient le secours de Dieu, sans penser à rendre grâce ensuite.

— Ça devrait devenir votre pratique quotidienne. Ajoutez-y l'engagement à vous soumettre avec joie à la volonté divine, en tout temps : alors vous vivrez comme le demande Notre-Seigneur.

L'homme marqua une pause, pour donner plus de poids à sa suggestion :

— Pour vous soutenir dans cette voie, vous pourriez rejoindre l'une de nos nombreuses confréries religieuses. Vous êtes un peu âgée pour devenir une enfant de Marie, mais comme vous n'avez pas eu la chance d'aller au couvent… Ça vous aiderait beaucoup, je crois.

La visiteuse se raidit un peu. Se joindre à l'une de ces associations de bien-pensantes, cela lui semblait bien cher payé pour sa nouvelle respectabilité.

— J'en tirerais certainement le plus grand bien, admit-elle, mais je ne sais pas encore dans quelle paroisse je vivrai, après le mariage. Jules vient tout juste de revenir, il n'a pas eu le temps de penser à s'établir à son compte. Quand je saurai, je chercherai les meilleurs moyens de continuer à travailler à mon édification.

La réponse ressemblait trop à une dérobade pour que l'ecclésiastique l'accueille de bonne grâce.

— Je comprends, consentit-il pourtant.

Ensuite le silence s'installa entre eux, pesant. Phébée s'agita un peu sur sa chaise, cherchant ses mots. L'autre se refusa à l'aider. Pourtant les simples mots « Je vous écoute, ma fille » auraient rendu la suite plus facile.

— Je ne sais trop comment vous dire… Autour de moi tout le monde parle du vaccin, présentement. Des professionnels présentent ça comme la seule façon de se protéger.

Le souvenir de l'admonestation de Gray lui revint en mémoire.

— En formulant de telles opinions, ces gens commettent un péché grave.

— Moi je n'en ai pas, d'opinion, se justifia-t-elle bien vite. Je désire recevoir vos lumières.

La modestie du ton amena le prêtre à se montrer plus conciliant. Quand il se confesserait à son curé, évoquerait-il combien la soumission d'une jolie femme à sa volonté lui procurait un plaisir trouble ? Sans doute pas.

— Depuis le début de nos rencontres, je cherche à vous inculquer une vérité toute simple, dont on vous a certainement parlé à la petite école : Dieu est tout-puissant. Il faut Le prier, se plier à Ses commandements, accepter chrétiennement tout ce qu'Il nous donne.

— … Tout cela, je le comprends très bien, monsieur le curé.

Phébée continuait à lui donner un titre qu'il ne possédait pas : simple vicaire, son interlocuteur mettrait des années avant d'assumer la direction d'une paroisse.

— Si vous le compreniez si bien, vous n'hésiteriez pas sur l'attitude à adopter. Ces gens prétendent protéger des maladies en mettant leur mixture dans le bras. Croyez-vous vraiment que la volonté de Dieu puisse être entravée par ces simagrées ?

— Non, bien sûr que non.

— Au cours des dernières semaines, vous avez réalisé des progrès. Du moins je le croyais. Dieu vous a récompensé en permettant que votre fiancé revienne du Nord-Ouest indemne. Là, vous semblez disposée à croire des impies qui prétendent faire échec aux desseins du Tout-Puissant.

L'homme n'alla pas jusqu'à dire : « En agissant ainsi, vous vous écartez de Sa divine protection. » Pourtant, la visiteuse le comprit bien. Tout de suite elle songea à la mauvaise mine de Jules. Pouvait-il retomber malade à cause d'elle ?

— Je ferai comme vous me direz, monsieur le curé.

— Oh ! Ma volonté ne compte pas du tout, dans cette affaire. Dieu décide.

Malgré ces mots, l'homme affichait un air satisfait, maintenant. Phébée le regardait, au bord des larmes. Après l'avoir fait languir un peu, il ajouta :

— Il vous a déjà signifié la marche à suivre. La prière, la confiance en Sa divine bonté représentent les seules protections efficaces, sur cette terre. Celles qui conduisent au salut éternel. La prétention de se dérober à Sa volonté, le doute quant à Sa toute-puissance, vous mèneront en enfer.

La petite pièce lui parut étouffante, les yeux de l'ecclésiastique sur elle, brûlants. Bien vite, la paroissienne balbutia des remerciements, se jeta à genoux pour recevoir une bénédiction.

Promise à un mariage avantageux, Phébée Drolet doutait toujours que la vie, après tant de misère, lui offre un pareil dénouement. En conséquence elle puisait un peu – trop peut-être – dans ses économies pour augmenter son capital d'élégance. Même en cousant elle-même les pièces, le tissu, les dentelles, les rubans et le charmant chapeau de paille incliné sur l'œil représentaient le salaire de deux semaines.

— Comme elle est jolie, constata Félicité, généreuse de son admiration.

— Tu as raison, l'approuva John Muir. En fait, elle est trop bien pour lui.

L'observation lui valut de se faire serrer l'avant-bras du bout des ongles. Sans les épaisseurs de la chemise et de la veste, la peau aurait été marquée.

— Eh! Cesse de me martyriser. Tu me rappelles mon institutrice, sœur Saint-Malachie. Quand nous ne récitions pas assez vite les commandements de Dieu, elle nous maltraitait comme tu viens de le faire.

La jeune femme fut sur le point de s'excuser, puis elle aperçut le sourire moqueur sur le visage de son compagnon.

— Vous deviez lui rendre la vie impossible, à cette pauvre femme.

— Nous tentions bien un peu de prendre notre revanche, je l'admets.

À dix pas devant eux, Jules et Phébée s'engagèrent rue de la Commune. La blonde déplaça un peu son ombrelle pour dissimuler son visage au soleil. Pour s'identifier aux bourgeoises, il lui fallait éviter tout hâle sur la peau.

— Tu as raison, reprit John, notre amie est magnifique. Ce type est un peu idiot de retarder la cérémonie jusqu'en octobre. À sa place, je m'empresserais de mettre ce trésor sous clé.

La remarque, dans la bouche d'un homme clamant sa vocation de célibataire, la fit sourire.

— Il faut le comprendre, le pauvre, l'excusa Félicité. Il ne paraît pas bien fort sur ses jambes, puis les examens de son association professionnelle se dérouleront en septembre.

— Tu as un point, là. Aucun nouveau marié ne passerait ses soirées à étudier. Encore moins avec Phébée assise dans le salon. La cérémonie doit venir après ces importantes formalités.

Le sous-entendu troubla un peu l'ancienne institutrice. Elle alternait encore entre sa pruderie de couventine et la honte de ses turpitudes. Comment une fille déchue pouvait-elle se montrer aussi sensible à la notion de respectabilité?

— Mais toi aussi, remarqua l'ébéniste en se tournant un peu pour la voir, tu es bien jolie aujourd'hui. Ce chemisier et cette jupe te vont à ravir.

Quand Phébée lui avait offert de lui confectionner ces nouveaux vêtements, la châtaine avait d'abord protesté, pour se soumettre à la fin, comme d'habitude. Elle portait une jupe d'un bleu poudré, et un chemisier blanc souligné de dentelles. Une petite veste de la même couleur que la jupe, n'allant pas plus bas que la ceinture, complétait le tout.

— Je ne suis pas mal, mais à côté de ce colibri devant nous, je me sens terne comme un moineau.

— Afficher tant de fausse modestie est certainement un péché d'orgueil: tu veux que les autres te complimentent. Tu ressembles à un plus bel oiseau…

Cette conversation ramena les leçons de sœur Saint-Jean-l'Évangéliste à l'esprit de Félicité. La religieuse affirmait qu'il ne fallait ni trop jouer la modeste ni se vanter, les deux attitudes étant aussi répréhensibles l'une que l'autre.

— ... Peut-être à une mésange, alors? dit-elle après un moment d'hésitation.

— Une mésange, se moqua l'autre. Pourquoi pas un pic-bois, si tu veux jouer au petit laideron. Dis au moins un geai bleu, avec la couleur de ton plumage.

Félicité ne put réprimer la fierté que cette remarque fit naître en elle.

Devant eux, le couple d'amoureux arrivait au quai Longueuil. Un petit vapeur s'y trouvait amarré. Le nom peint sur sa coque ne laissait aucun doute sur sa destination: *Laprairie*. Jules précéda sa compagne sur la passerelle, tourné de côté pour garder sa main dans la sienne.

Une fois à bord, les deux hommes réglèrent le prix de la promenade au capitaine, puis Jules demanda:

— Où souhaitez-vous vous asseoir? Je suggère en haut, si vous ne craignez pas trop le soleil, car nous verrons mieux.

— Avec nos chapeaux nous sommes bien protégés, dit Phébée. Puis la brise nous rafraîchira.

Les deux autres donnèrent leur assentiment d'un geste de la tête. Une échelle de coupée très raide conduisait au pont supérieur. La blonde s'y engagea la première, son compagnon la suivit avec un empressement suspect. Un coup d'œil sur des jambes découvertes jusqu'aux mollets, gainées de bas blancs, le récompensa. Félicité dut se livrer au même exercice, gênée de s'offrir elle aussi aux regards.

— Venez avec nous, dit la couturière en ramenant sa jupe près de son corps.

Elle occupait déjà un banc du côté gauche du bâtiment. Il dominait le quai de quelques pieds. Les deux jeunes femmes se trouvèrent côte à côte au centre, les hommes à ses extrémités. Après avoir appareillé, le navire présenterait ce flanc à la rive sud, aucun autre passager ne leur cacherait la vue.

— Monsieur Abel, dit Félicité en étirant le cou pour le regarder au-delà de son amie, je suppose que votre famille vous a fait un bon accueil ?

— Plus que bon. Après avoir multiplié les neuvaines pour mon retour sain et sauf, maintenant ma mère les continue pour remercier le ciel de l'avoir exaucée. Même ma petite sœur s'est mise de la partie. Elle m'a confié à l'oreille avoir dit des milliers de chapelets. Je pense que le chiffre de trois rosaires serait plus réaliste.

Tout de même, cet enthousiasme pieux lui faisait plaisir.

— Je suis certaine que cette ferveur t'a protégée, murmura sa promise.

John Muir serra les doigts sur l'avant-bras de sa compagne de la journée. Leur amie commune ne perdait aucune occasion de se faire bien voir, n'hésitant pas à se montrer maintenant comme une grenouille de bénitier.

— Et les autres membres de la famille ? voulut savoir Félicité.

— Mon petit frère me regarde comme un tueur d'Indiens. Il a même tiré mes cheveux pour savoir si mon scalp tenait toujours.

— Votre famille compte un autre membre, je pense, ajouta l'ébéniste.

Jules commença par adresser un sourire amusé à son interlocuteur, puis il confia :

— Mon père a un grand sens pratique. Son esprit est un peu… terre à terre.

— Voilà qui est tout à son honneur. Trop de personnes ont la tête dans les nuages.

— Absalon, c'est son nom, m'a mis la main sur l'épaule, puis il a dit : « J'espère que t'as fini avec ces foleries de la milice.

Je t'ai pas payé des études pour que tu ailles te faire tuer par les Sauvages. Ramène ta blonde ici pour qu'on la connaisse mieux, mets-toi en affaires et marie-toi. »

Même si elle les entendait pour la seconde fois, ces paroles firent rougir Phébée de plaisir.

— Je vais à Sainte-Rose dimanche prochain, leur apprit-elle.

— Décidément, ce monsieur Abel est un sage, conclut John. À votre place, je ferais tout ce qu'il dit.

Si au pont supérieur les choses tournaient pour le mieux, une petite commotion sur le quai amena les passagers à allonger le cou pour voir.

— Ah non ! Madame, j'vous interdis de monter à bord.

— Mais je veux juste me rendre à Laprairie. Je vais chez une tante qui habite là-bas.

Quand cette femme fit mine de mettre le pied sur la passerelle, le capitaine en saisit l'extrémité pour l'enlever du quai. Devant une nouvelle tentative, il la retirerait tout à fait.

— Pas avec ceux-là, madame. Et vous aussi, vous devez être contaminée.

Cette personne était accompagnée de deux enfants. Appuyée au bastingage, Félicité distinguait les pustules sur les petits visages.

— Vous n'avez pas le droit. J'ai l'argent pour payer les passages.

Comme pour le lui prouver, elle faisait mine d'ouvrir son sac.

— Sur ce bateau, j'suis le patron. J'décide seul qui monte ou non. Vous viendrez pas me rendre malade ou infecter les personnes déjà à bord. J'connais aucun cas de vérole à Laprairie. Je s'rai pas accusé d'être celui qui a amené la maladie.

La femme se révéla vaincue par ce plaidoyer. Elle ramassa la valise posée sur le quai, tourna les talons en mettant une main sur l'épaule de son plus jeune enfant.

— Comme c'est cruel, se désola Phébée.

— Tu as raison, commenta Jules, mais le capitaine aussi. Juste sur ce bateau, deux ou trois personnes auraient sans doute attrapé la variole à cause d'eux. Ensuite, dans le village de la rive sud, qui sait combien.

— J'en avais entendu parler, dit John. Les varioleux ne peuvent plus circuler. Sur les trains, on fait descendre les passagers non vaccinés. Ceux qui ont des plaies de ce genre sur le visage ne montent même pas à bord des wagons.

— Mais ce n'est pas juste, plaida la blonde. Ces enfants n'ont pas fait exprès pour être malades…

Son fiancé passa son bras autour de son épaule, pour la rapprocher de lui.

— Tu es sensible, ma belle. Bien sûr, ces petits n'ont commis aucune faute. La mère se montre toutefois doublement négligente. En ne les faisant pas vacciner, elle a couru le risque qu'ils soient infectés. En se promenant avec eux dans cet état, elle répand le mal. Si elle est venue ici en tramway, tu imagines les dégâts ? Il faudrait mettre toute cette famille en quarantaine.

Phébée se raidit devant cette opinion formulée sans nuance. Quelques jours plus tôt, le vicaire de la paroisse Saint-Jacques se montrait tout aussi affirmatif. Des deux, qui devait-elle croire ? Le représentant de Dieu sur terre, ou un jeune homme qui devait toujours passer les examens de son association professionnelle ?

— Vous avez été vacciné ? demanda Félicité de l'autre bout du banc.

— Deux fois. Il y a plus d'un an d'abord, et lundi dernier, sur les conseils de mon patron. Trop de prudence ne peut pas faire de mal. Et vous ?

À ce moment, les opérations de largage des amarres retinrent l'attention. Après avoir éloigné l'embarcation du quai à l'aide d'une perche, le capitaine actionna les roues à aubes. La machine à vapeur laissait déjà échapper une fumée grasse. John Muir fut le premier à confier :

— Le Canadien Pacifique a pris la décision pour moi. Tous les travailleurs se sont mis en ligne, et un vieux barbu nous a égratigné le bras.

— Et toi, Phébée ? demanda Jules en se tournant vers elle.

— … Oui, j'y suis allée l'autre jour, en sortant justement de la boutique de Robert Gray.

Le mensonge lui rosit les joues. Il lui fallait mentir à l'un ou à l'autre. Ce péché, avec un ecclésiastique comme interlocuteur, lui semblait plus lourd de conséquences.

— Tu as très bien fait.

À nouveau, le jeune homme la prit par les épaules. La blonde inclina la tête, visiblement troublée. Félicité échangea un regard rapide avec l'ébéniste, gênée par ce gros mensonge, puis confia :

— Moi, je ne le suis pas encore.

Son malaise se rapprochait de celui ressenti à confesse. Désobéir aux savants s'ajoutait maintenant à la liste de ses péchés.

— Mademoiselle Dubois, commença le jeune professionnel en affectant un air navré, vous me faites de la peine. Bien sûr, attraper la variole ne signifie pas la mort, la plupart s'en sortent. Ce serait toutefois si dommage de marquer votre beau visage.

Le compliment lui valut un sourire de reconnaissance. Le traversier se dirigeait maintenant vers le milieu du fleuve. À l'horizon, le pont Victoria, un tuyau de fonte, s'approchait doucement. La machine à vapeur produisait un chuintement asthmatique, obligeant les passagers à élever la voix.

— C'est cher, vous savez, précisa Félicité.

— Pas trop cher pour vous épargner de ressembler aux enfants de tout à l'heure.

Son insistance sur ce sujet devenait lourde. Pour détourner la conversation, John Muir demanda :

— Vous êtes déjà passé sur ce pont… Je devrais dire dans ce pont.

— Non, pas encore, répondit Jules.

— Ça vaut le coup. On dirait un long tuyau carré, si étroit que la fumée ne peut s'élever, elle revient dans les wagons.

— Un de ces dimanches, nous pourrions prendre le train à la gare du Grand Tronc pour effectuer une promenade à Saint-Lambert.

Phébée profita de l'occasion pour sortir de son mutisme.

— Voilà une belle idée, lança-t-elle, sarcastique. Nous allons faire exprès pour gâcher nos vêtements.

— On loue peut-être de ces longs manteaux cache-poussière, blagua John.

Le sujet de la vaccination fut oublié jusqu'à l'accostage au quai de Laprairie.

— Là je me demande qui sert de chaperon à qui, ricana Félicité en multipliant les précautions pour ne pas glisser sur les pierres mouillées.

Elle levait le bas de sa jupe pour la protéger de l'écume. Après un repas léger dans un petit établissement au bord de l'eau, tous les quatre se promenaient sur la rive depuis une heure. Le vent venu du fleuve les soulageait de l'odeur de la ville, ou de celle de l'arrière-cour de Vénérance.

— Cette histoire devient compliquée, admit John. Peut-être ces deux-là pensent-ils nous préserver de tout contact incorrect.

Ses yeux se fixaient sur les silhouettes de Phébée et Jules à cent verges. Ils se tenaient par la taille. La jeune femme portait des gants, personne ne constatait l'absence d'anneau à son doigt. Peut-être les prenait-on pour de jeunes mariés. Malgré tout, des promeneurs ne se privaient pas de leur adresser des regards réprobateurs.

— En ce qui nous concerne, nous savons tous les deux ne pas avoir besoin de surveillance.

Malgré ces mots, Félicité s'interrogeait toujours sur la nature de leur relation. Voilà le premier homme avec qui elle ne ressentait aucun malaise. Son compagnon renchérit :

— Ce matin, Vénérance m'a confié que nous formions un couple charmant... pas tout à fait dans ces mots, bien sûr. Elle doit déjà chercher des gens pour occuper éventuellement nos chambres.

— Dans mon cas, elle a raison. Je n'aurai pas les moyens de payer le loyer toute seule.

John hocha la tête, au fait des maigres ressources de ses voisines.

— Que feras-tu ?

— Je regarde à la manufacture, peut-être une fille voudra-t-elle partager mon lit.

Cette façon de dire les choses lui mit un peu de rose aux joues.

— Mais je n'ai encore personne en vue. Alors à moins que Guildor ou Hélidia ne quitte sa pièce sans fenêtre, je devrai chercher ailleurs. Puis même une chambre de ce genre risque d'être au-dessus de mes moyens.

Il lui restait un peu plus de deux mois pour trouver une solution.

Chapitre 8

Le pharmacien et son apprenti contemplaient un grand espace herbeux faisant penser à un champ. Sur tous les côtés s'alignaient des arbres. Seuls les croix et les monuments de pierre rappelaient ce qu'on y semait.

— Tout de même, nota Jules, quel bel endroit où se reposer ! La montagne au sud et à l'ouest, et au nord, une plaine riche et fertile qui va jusqu'à la rivière des Prairies.

— Bon, te voilà entiché de notre belle campagne, répondit Gray en descendant de la voiture à son tour.

Si son patron le tutoyait depuis quelque temps, lui s'en tenait au vouvoiement.

— Personnellement, continua le pharmacien, je ne suis pas bien pressé d'établir ma dernière résidence ici.

Pour venir jusque-là, leur cocher avait dû emprunter le chemin de la Côte-des-Neiges. Une petite maison de pierre se dressait à l'entrée du cimetière. Le pharmacien poussa la porte pour pénétrer dans une pièce minuscule. Un homme se tenait derrière une table, occupé à classer sa paperasse.

— Vous êtes bien le gardien, ici ? demanda-t-il.

— Si je m'trouve là, y a bien des chances, rétorqua l'autre avec impatience.

L'employé n'appréciait guère qu'on le dérange alors que les funérailles se multipliaient. Habitué à un accueil plus civil, cette attitude indisposa Gray. Comme s'il était le maître des lieux, le visiteur occupa une chaise et fit signe à Jules de prendre l'autre.

Après s'être présenté comme le président du comité d'hygiène municipal, il expliqua :

— Les enterrements se déroulent entre neuf et cinq heures. C'est insuffisant.

— Jusqu'ici, ça a amplement suffi.

Celui-là n'entendait pas augmenter son temps de travail.

— Pas avec la variole. La situation se dégradera encore. Vous devez autoriser les enterrements jusqu'à sept heures au moins.

— Mon patron, c'est l'archevêché de Montréal, pas la municipalité.

— J'y suis passé ce matin, dit Gray un peu lassé. L'évêque coadjuteur ne paraissait pas enclin à faire le chemin jusqu'ici. Si vous insistez, je lui dirai de venir vous informer de la gravité de la situation lui-même.

Le président du comité d'hygiène quitta son siège, le gardien fit de même.

— Ça sera pas nécessaire. Vous dites jusqu'à sept heures ?

— Si la situation empire encore, ce sera neuf heures. Puis faites vite. Ces cadavres sont sans doute encore contagieux. Plus tôt vous mettrez deux pieds de terre dessus, mieux ce sera.

Son interlocuteur opina. Puis Jules sortit sur les pas de son employeur. Au gré des jours, une meilleure alimentation lui redonnait les livres perdues. Début septembre, ses vêtements lui tomberaient bien sur le corps.

— Nous allons faire un tour par là, dit Gray à l'intention du cocher, puis nous revenons.

Du moment qu'on lui payait son temps, et non la distance parcourue, ce dernier ne voyait aucun inconvénient à passer la journée à l'ombre de ces grands arbres. Les deux hommes marchèrent dans le grand parc. Les monuments funéraires, la plupart très modestes, s'alignaient des deux côtés du sentier. Ça et là, ils apercevaient de petits monticules de terre fraîchement remuée.

— Je viens ici pour la première fois, dit Jules. Je ne sais pas si c'est comme d'habitude. Montréal compte tout de même de nombreux habitants.

— Alors nous allons demander à ce type.

Debout dans un trou, un vieil homme aux cheveux blanchis, le visage buriné par les intempéries, jetait régulièrement une pelletée de terre sur le côté droit de la fosse. Sachant que sa journée durerait longtemps, il économisait ses efforts en mesurant tous ses gestes et en réduisant sa cadence.

— On a vu plusieurs nouvelles tombes, commença le pharmacien en s'approchant. Vous devez en creuser beaucoup, ces derniers temps.

Lier conversation demeurait la meilleure façon de prendre des pauses. Le fossoyeur planta la lame de sa pelle dans la terre meuble, sortit une courte pipe, un véritable brûlot, de l'une des poches de sa veste élimée, fit mine de plonger la main dans celle de son pantalon.

— Aimeriez-vous essayer celui-là ? offrit le pharmacien en tendant une blague à tabac taillée dans un beau tissu.

L'autre marqua une brève hésitation, puis accepta l'offre.

— Je suppose que c'est du bon.

Le vieil homme apprécia les vêtements bourgeois de son interlocuteur. Ce gars-là ne cultivait pas son tabac dans son arrière-cour.

— Alors, les tombes se multiplient-elles ? insista Gray.

— Pour ça, oui. Peut-être deux de plus tous les jours. Heureusement, ce sont de petits trous. Ça prend moins de temps.

— Comment ça, de petits trous ? questionna Jules.

— Des petits trous parce que ce sont de petites boîtes.

L'homme avait bourré la pipe de tabac et rendu la blague à son propriétaire, pour se concentrer sur la délicate opération d'allumage. Satisfait de son action, sa bouffarde entre les dents, il montra une longueur de trois pieds avec les mains.

— Pas plus grandes que ça.

— Les morts en surplus sont des enfants ? demanda Gray.

— Presque tout le temps. Foutue vérole.

Lui ne s'illusionnait pas. La situation allait de mal en pis. Le pharmacien tenta d'estimer le nombre des victimes. Puis après l'échange de poignées de main, le duo revint sur ses pas. Un corbillard s'engageait dans l'allée. Les deux hommes décidèrent de le suivre sans même se concerter.

La voiture s'arrêta après cent verges. Un petit nombre de fiacres ou de calèches transportait les membres de la famille immédiate. Un homme descendit, tendit les deux mains pour aider une femme à faire de même. Toute de noir vêtue, le visage dissimulé par un voile de même couleur, elle paraissait écrasée par un sort cruel. Du fourgon mortuaire, les employés de l'entrepreneur de pompes funèbres sortirent un premier cercueil de bois peint en blanc.

— La personne dedans ne doit pas mesurer plus que ça, dit Jules.

Avec ses mains, il indiquait une longueur de trente ou trente-deux pouces. Après avoir posé leur premier fardeau sur l'appareil utilisé pour descendre le cercueil au fond du trou, les employés retournèrent au corbillard pour prendre une seconde boîte plus courte encore et la poser sur la première.

— Il y a deux enfants, continua le jeune homme d'une voix blanche.

— Comme c'est très contagieux, si quelqu'un a la variole dans une maison, les autres risquent de l'attraper.

— Mais tous ne meurent pas.

— Tu as raison. Les trois quarts, même un peu plus, s'en sortent, excepté s'il s'agit de la variole hémorragique. Dans ce cas, les chances de survie sont infimes.

Après la triste scène à laquelle ils venaient d'assister, ce fut en silence qu'ils rejoignirent leur cocher. Celui-ci s'engagea bientôt dans le chemin de la Côte-des-Neiges pour les ramener en ville.

Quand la voiture arriva rue Sainte-Catherine, Robert Gray demanda au cocher de s'engager vers l'ouest. Dans la rue, il entreprit de désigner à son stagiaire les officines de divers médecins.

— Comme tu pourras remplir seul les prescriptions dans quelques jours, familiarise-toi avec leur nom. Quant à déchiffrer leur écriture, c'est une autre histoire.

— Ça, c'est si je réussis l'examen de l'Association.

Jules n'évoquait jamais la chose sans un pincement au cœur. Sa petite expédition dans l'Ouest l'avait privé de plusieurs semaines d'études.

— Ne pense même pas à la possibilité d'un échec. Puis la perspective d'un mariage prochain devrait décupler tes forces.

Quand Gray évoquait le grand jour, son ton se faisait volontiers gouailleur. Cette fameuse première nuit, il l'enviait bien un peu à son stagiaire. La nostalgie de ses vingt ans le prenait parfois. Lorsque la voiture s'engagea dans la rue Monkland, une file d'attente s'allongeant sur le trottoir attira l'attention des deux hommes.

— Que font ces gens? demanda Jules. Devant un cabinet de médecin, c'est un peu inattendu comme rassemblement.

— Le docteur Radcliffe a annoncé dans les gazettes une journée complète de vaccination.

— Si cette affluence se maintient pendant dix heures, cela lui rapportera au moins trois cents dollars.

Dans les manufactures, les travailleurs touchaient ce montant en une année. Pour Phébée et Félicité, c'était en deux ans. Son employeur suivait ses pensées.

— Ce n'est pas clair, ça. Il lui faut payer le vaccin. Comme les producteurs de Boston savent que nous sommes dans une situation difficile, ils montent les prix.

— Je veux bien, mais des docteurs demandent un autre dollar pour remplir un simple certificat de vaccination.

Certains employeurs l'exigeaient maintenant, notamment dans les banques, les grands magasins, les restaurants. On les affichait à l'entrée des établissements. Refuser d'obtempérer valait un renvoi sur-le-champ.

— Je sais, déplora Gray. Dans ce cas, j'en conviens, c'est du vol.

Le stagiaire avait l'un de ces documents dans son porte-feuille, une page imprimée à l'avance où il s'agissait de remplir les blancs avec deux noms : celui du vacciné et celui du médecin. Au coin de la rue Dorchester, le cocher s'engagea vers l'est. Le pharmacien lui demanda d'effectuer de courts détours dans de petites artères sombres et étroites. Sur les trottoirs, des enfants levaient des yeux cernés, tendaient parfois la main dans l'espoir de recevoir une pièce.

— Regarde celui-là, lui désigna Gray.

Un garçon de sept ou huit ans leur présentait un visage couvert de croûtes d'un gris jaunâtre. Ses yeux lançaient un défi à ces hommes à la peau lisse.

— Il est contagieux. Combien peut-il en avoir contaminé, aujourd'hui ? se désola-t-il sans attendre de réponse.

Des maisons étaient placardées d'affiches jaunes. La plupart avaient été arrachées en partie, ou quelqu'un avait couvert le texte au charbon de bois.

Le président du comité d'hygiène en désigna une en disant :

— D'habitude, on reçoit un signalement anonyme : il y a un malade à tel numéro, dans telle rue. Les hommes du Service de santé viennent, posent le plus souvent ce papier sous la menace de la famille, des voisins, mais ils n'osent pas toujours revenir afin de procéder à la désinfection. D'autres fois, entre la dénonciation et la visite, on a escamoté le malade. Comme ça, impossible de le conduire à l'hôpital.

— Pourtant, on devrait tous les mettre à l'hôpital des varioleux, commenta Jules.

— Déjà, il déborde. On a agrandi, mais ce sera insuffisant. On ne peut pas les mettre dans d'autres établissements, ce serait créer une catastrophe.

— Que fait-on, alors?

Visiblement, le pauvre président du comité d'hygiène tenait à exprimer à quelqu'un ses angoisses et sa frustration quant à cette déprimante situation. Le stagiaire était revenu au bon moment pour jouer ce rôle de confident.

— Nous faisons trop peu, conclut le pharmacien. Nous espérons que ces affiches, quand elles ne sont pas complètement arrachées, empêcheront les voisins et les parents d'entrer dans une maison contaminée. Si nous le pouvons, nous amenons le malade à l'hôpital. Sinon, nous demandons à ses parents de ne laisser personne l'approcher. Tu peux mesurer notre succès: nous venons d'en voir un dans la rue. Puis si nous croyons que ça sert à quelque chose, nous procédons à des désinfections.

Le «nous», dans ce contexte, désignait le Service de santé de la Ville, et non le comité d'hygiène, voué plutôt à recommander les mesures à prendre. Pendant ce monologue, le cocher était revenu à la rue Sainte-Catherine. Après être descendu, Gray lui tendit son dû. En entrant dans la pharmacie, il dit encore à son compagnon:

— Tu vois pourquoi je n'ai pas besoin de demander de prolonger les heures d'activités des cimetières des protestants. Ils font la queue pour se faire vacciner. Du côté des Canadiens français, des varioleux se promènent dans les rues.

179

L'homme ne se trompait pas. Jules ressentait pourtant cet exposé des faits comme une attaque, une parmi tant d'autres, contre sa communauté d'appartenance.

Le soir venu, Jules parcourait les mêmes rues, Phébée accrochée à son bras.

— Je connais ces endroits, tu sais, confia la jeune femme. Ça ne nous fait pas une promenade bien romantique.

Quelques mois plus tôt, traverser ces parages familiers avec lui l'aurait rendue honteuse. Toutefois, le lendemain il l'emmènerait à Sainte-Rose. « Une visite très attendue de tout le monde à la maison », insistait-il. Son passé, elle devrait apprendre à le regarder « passer », justement, ne plus le voir comme une entrave au présent. Cela semblait toutefois très difficile. Pourtant Jules tenait la main posée au creux de son coude, se tournait à demi pour voir ses yeux le plus souvent possible, la regardait comme un assoiffé regarde une fontaine.

— Je sais bien, marcher sous les arbres du carré Viger serait plus agréable. Je voulais revoir tout ça sans entendre la voix prétentieuse de mon patron. Il est sûr d'avoir tout compris, et il regarde les Canadiens français avec condescendance. Faire ce qu'ils nous disent, ce serait accéder au rang des civilisés.

Ce « condescendance », la blonde en demanderait la signification à Félicité en rentrant à la maison, pour le bien comprendre. Cependant l'agacement de son amoureux ne lui échappait pas. Elle avait déjà senti le mépris de Gray sous un couvert de gentillesse.

Jules s'arrêta devant une affiche jaune à demi arrachée. Les gens n'en toléraient pas la présence. Attirer ainsi l'attention des badauds sur la maladie frappant les leurs paraissait être une atteinte insupportable à la dignité. Cette attitude aussi, la couturière la comprenait sans mal.

— On en voit plein, dans cette rue. La contagion s'est répandue d'une maison à l'autre, comme un incendie.

Le couple descendit la rue Wolfe, ils entendaient revenir vers le nord par la rue Montcalm ; les ennemis d'antan semblaient bien proches l'un de l'autre, cent vingt-six ans plus tard. S'engageant dans cette seconde artère, le couple tomba sur un attroupement. Des hommes, des femmes et des enfants occupaient les deux trottoirs, la chaussée aussi.

— Laissez-les tranquille ! clama une voix.

L'injonction fut reprise par au moins vingt autres personnes. Jules passa son bras autour de la taille de sa compagne pour l'entraîner avec lui, tout en profitant de l'occasion offerte pour esquisser un mouvement caressant au creux des reins. Après quelques pas, ils comprirent la nature de la situation. Des policiers, trois au total, contenaient tant bien que mal les cinquante badauds agglutinés là. Un petit fourgon tout peint en noir était garé près du trottoir. Son cocher tournait la tête en tous sens, visiblement inquiet de se trouver à la merci de ces gens.

— Ils vont lui voler son bébé ! cria une femme debout tout près de Phébée.

— Même les Sauvages font pas des choses pareilles.

Nerveux, les constables se consultaient du regard, la matraque tenue à deux mains à la hauteur de la poitrine. Puis vint un cri déchirant, à peine humain.

— Non, vous pouvez pas ! Laissez mon p'tit tranquille.

Dehors, les badauds s'avancèrent un peu, certains cherchèrent des pierres par terre. La situation pouvait dégénérer à tout instant.

— Laissez mon p'tit, fit encore la voix stridente.

— Salauds, allez-vous-en ! hurla un homme.

— Allez gagner votre vie en faisant un vrai travail, ajouta un autre.

— Ça gagne des fortunes en s'attaquant au pauvre monde.

L'intervention des hommes du Service de santé municipal fournissait l'occasion d'exprimer une colère séculaire contre tous les détenteurs de pouvoir, de toutes les époques. Ces fonctionnaires se transformeraient peut-être en boucs émissaires. Toutes les personnes présentes retinrent leur souffle quand un homme vêtu d'un uniforme sortit d'un immeuble décrépit, un garçon de trois ou quatre ans dans les bras.

— Mon p'tit, répéta encore la voix haut perchée.

— Laissez-le tranquille, grognèrent les personnes présentes plus ou moins à l'unisson.

— Mon bébé !

La mère franchit bientôt la porte, un homme la tenait à bras-le-corps pour la retenir. Elle se débattait tellement que son corsage, grand ouvert, laissait voir ses seins flasques comme des outres vides.

— Lâchez ce garçon ! tonna un homme à la carrure d'équarrisseur.

Dans sa main levée, il tenait un caillou de la taille d'un poing. D'autres l'imitèrent. L'agent du Service de santé eut la bonne idée de s'avancer au lieu de fuir. Il tenait le gamin devant lui, de ses deux mains sous les bras.

— Il est malade, vous voyez pas ? Nous devons l'amener à l'hôpital pour le soigner.

— Personne revient de l'hôpital des varioleux, s'écria quelqu'un à l'arrière.

Le colosse baissa le bras, les yeux fixés sur l'enfant. Son visage se couvrait totalement de pustules. Il ne restait que les yeux intacts, et l'intérieur de la bouche grande ouverte par ses pleurs. Certaines avaient éclaté, laissant des traînées de pus s'écouler. Le tout s'accompagnait d'une odeur écœurante.

L'agent continua, montrant le petit malade à tous, à tour de rôle. Quand il passa devant Phébée, celle-ci s'accrocha au coude de son fiancé, secouée de sanglots. Près de l'entrée du petit immeuble, la mère s'était laissée tomber sur ses genoux, toujours criante et gémissante.

Les policiers comprirent qu'ils bénéficiaient d'une petite accalmie avant que, la stupeur passée, ces gens ne manifestent encore leur colère.

— Dans l'ambulance, vite.

L'homme du Service de santé pénétra dans le petit fourgon entièrement peint en noir et referma la porte derrière lui. Son collègue abandonna la mère éplorée pour rejoindre le cocher sur le siège.

— Mon bébé…

Le cri s'éteignit dans des pleurs, mais la désespérée se releva pour courir derrière l'ambulance. Les trois policiers s'élancèrent aussi, certains que l'humeur de ces gens changerait très vite. Ils ne se trompaient pas.

— Les cochons, ils volent nos enfants.

Les pierres fendirent l'air, l'une fit «ploc» contre le crâne d'un constable qui s'abattit contre le pavé. Ses collègues le saisirent chacun par un bras et le relevèrent pour continuer à suivre le fourgon. Ils passèrent à côté de la mère toujours prostrée sur le sol. Les badauds firent mine de les poursuivre, changèrent d'idée après avoir parcouru quinze verges.

Jules continuait de presser sa fiancée contre lui, ses mains lui caressaient le dos de bas en haut.

— Allez, ma belle, c'est fini maintenant.

— Ils sont partis avec le petit garçon, dit-elle entre ses sanglots.

— Oui, je sais. C'est triste, mais le laisser là serait pire encore.

Elle réussit à se maîtriser un peu, chercha un mouchoir dans son petit sac. Jules se révéla plus rapide. Déjà, il lui tendait le sien. Lorsqu'elle put respirer profondément, elle arriva à faire peu à peu taire ses pleurs. Lentement, bras dessus, bras dessous, le couple continua son chemin.

— Cet homme, tout à l'heure, commença Phébée après un silence, il disait vrai ? On ne revient pas de l'hôpital des varioleux ?

— La plupart des malades s'en remettent, tu sais...

Jules ne compléta pas sa pensée. Non seulement cet enfant paraissait très gravement atteint, mais à ses yeux la mort valait mieux que de vivre avec un visage ne rappelant plus que vaguement la personne que l'on avait été.

— Heureusement, nous avons été vaccinés, dit-il plutôt. Plus tard, tous nos enfants le seront aussi. Nous ne prendrons aucun risque avec ça.

Les doigts de la blonde se crispèrent sur son avant-bras. Le geste pouvait passer pour un acquiescement, mais il exprimait plutôt l'angoisse grandissante qui l'habitait. Ce mensonge devenait lourd à porter ; il le serait de plus en plus.

Le lendemain matin, ces images horribles s'effaçaient de sa mémoire devant un soleil radieux.

— Tu ne veux pas venir à la basse messe avec moi, tu es certaine ?

— Tu veux dire avec vous. À l'église, vous vous passerez de votre chaperon.

Couchée sur le flanc, la tête posée au creux de sa main, Félicité regardait son amie avec un sourire amusé.

— Que feras-tu ? demanda Phébée.

— Dormir encore un peu, puis me rendre à l'église. Je ne doute pas que Crépin voudra me tenir compagnie toute la journée. De son côté, Hélidia se demandera laquelle de nous deux mérite de se faire arracher les yeux.

— Les deux, ricana Phébée.

Depuis le retour de Jules, le commis semblait tout disposé à combler le vide dans la vie de la jeune châtaine. Si John Muir disparaissait pour ne revenir qu'en soirée, lui échapper serait difficile… à moins de chercher la compagnie de Guildor. L'idée lui tira un demi-sourire.

— Bon, je te souhaite bonne chance dans le jeu du chat et de la souris.

Phébée se pencha pour l'embrasser sur la joue, puis se sauva de son pas dansant.

En sortant de l'église, la blonde se tenait au bras de son fiancé, souriante.

— Tu sais, je me sens presque aussi émue que la première fois, dit-elle.

— Mais maintenant, tu connais tout le monde.

Jules caressa la main posée sur son bras, chaleureux, compréhensif. Lui aussi se serait senti intimidé à l'idée de rencontrer la famille d'une promise. La gare Dalhousie n'était pas très loin. La blonde s'émerveilla encore du plaisir de couvrir la distance vers Sainte-Rose en si peu de temps. Le soleil paraissait plus haut, plus chaud. Le chemin vers le commerce s'avéra poussiéreux. Sur le perron, ils échangèrent un regard.

— Tu as le choix entre mon père ou ma mère pour commencer, la taquina Jules.

— Ton père aura des clients.

Ainsi, elle pourrait s'esquiver plus vite. Ils entrèrent dans le commerce, où une douzaine de paysans ou de villageois s'affairaient. Pourtant, Absalon quitta l'arrière de son comptoir en disant:

— Ah! La petite, je dois t'embrasser.

Sans attendre la réponse de la jeune femme, il prit son visage entre ses mains, lui posa des baisers sonores sur les joues.

— Celle-là, dit-il en se tournant vers ses clients, elle va marier ce grand innocent au mois d'octobre. C'est un peu tard dans l'année, mais mon gars courait encore après les Sauvages dans l'Ouest il y a deux semaines. Sinon, la cérémonie aurait déjà eu lieu.

L'un après l'autre, les clients présents vinrent leur offrir leurs vœux de bonheur, les hommes s'attardant plus que de raison sur les joues de la blonde. Finalement, quand le couple passa dans la cuisine, il paraissait évident que personne dans la paroisse ne raterait ces épousailles. Puis le cérémonial recommença, mais cette fois pour un auditoire plus restreint.

— Mon petit, commença Léonie en s'élançant vers Jules, t'as pas encore repris le poids perdu.

— Mais tu m'as vu il y a une semaine. Je ne peux pas prendre quinze livres en quelques jours.

— D'abord, t'avais qu'à rester ici.

Tout de même, le reproche vint avec une étreinte. Quand la ménagère se tourna vers Phébée, elle commença par l'embrasser avant de donner ses directives:

— Tu le feras manger, et tu l'empêcheras de faire des folies. Ah! La milice...

La couturière se sentit plus légère. Ces gens demeuraient heureux de la voir se joindre à leur famille. La femme la garda un moment entre ses bras, puis l'abandonna pour retourner à ses chaudrons, émue plus que de raison. Les enfants montrèrent une plus grande réserve, après tous les mois écoulés depuis la première rencontre. Toutefois, Fidélia approcha une chaise de celle de la visiteuse, puis murmura :

— Ma robe, c'était la plus belle, à la communion solennelle.

— J'en suis contente. Tu sais, quand la cliente est jolie, le vêtement le devient aussi.

— T'as été bien fine de faire ça, Phébée, la remercia la mère depuis le poêle.

Des larmes montèrent aux yeux de la jeune femme. L'idée d'avoir des parents la rendait si heureuse.

Le dîner se déroula tout simplement. L'atmosphère joyeuse se dissipait parfois, les parents y allaient alors de conseils bien sentis. Lors de l'un de ces épisodes sérieux, Absalon se pencha vers son fils pour dire d'une voix grave :

— C'est pas pour nous, ces choses-là. Les guerres, la politique, ça appartient aux professionnels, aux bourgeois de la grande ville. Nous, nous sommes de petits commerçants.

— Alors la milice, laisse tomber ça, le pressait la mère. De toute façon, ça fait pas sérieux, pour un homme marié.

— Le lendemain du mariage, promis. Je ferai brûler mon uniforme le lendemain du mariage.

— Pourquoi pas tout de suite ?

Comment expliquer que le manège militaire lui inspirait un sentiment d'appartenance. Bien sûr, il se retirerait. Toutefois pendant les cinquante années à venir, les réunions des anciens des Fusiliers Mont-Royal lui feraient plaisir.

Après un repas trop copieux, tout le monde s'entendit pour une marche sur la berge de la rivière des Prairies.

— Tant pis pour notre partie de pêche, Phébée, dit le père. En cette saison, le poisson goûte la vase. Nous nous reprendrons, promis.

— Ce sera avec plaisir, monsieur Abel. Vous savez, je me demande si je saurai encore mettre un ver sur un hameçon.

— Moi, je vais t'aider, lui proposa Didace du haut de ses dix ans.

Des arbres, le plus souvent des saules, poussaient près de l'eau. Ils procuraient une ombre bienvenue. Pendant une trentaine de minutes le groupe se promena lentement en évoquant les événements des prochaines semaines, des prochains mois. Un moment, Fidélia tint la main de sa future belle-sœur. Didace la regarda avec envie, mais n'osa pas faire la même chose.

Dans un méandre de la rivière, quelqu'un louait des embarcations. Il fut décidé d'en profiter un peu.

— Nous logerons pas tous ensemble dans le même canot, dit Absalon. Les enfants, vous venez avec nous.

Ils protestèrent bien un peu, tellement la nouvelle venue retenait toute l'attention. À la fin, ils glissèrent sur l'eau avec leurs parents. Dans la seconde embarcation, Jules prit les rames, Phébée se plaça à l'arrière, sur une large banquette prévue pour deux personnes.

— Tu es en mesure de ramer ? s'enquit-elle.

— Tu sais, la fièvre, c'était il y a un bon mois. Depuis, je récupère.

Jules se penchait vers l'avant, puis se relevait, tirait vers l'arrière. Chaque fois, les rames s'enfonçaient dans l'eau, en ressortaient à la fin du mouvement. L'embarcation courait sur son erre, légère.

— Tu ne vois rien, tu tournes le dos à l'avant, remarqua-t-elle, un peu ironique.

— C'est pour ça que les gars invitent une fille à monter avec eux. Elle les guide pour éviter les collisions.

Leur position, en face-à-face, présentait aussi un autre avantage. Il la regarda inclinée vers l'arrière, un bras sur le bord du bastingage, sa robe bleue et son corsage blanc particulièrement seyants, son chapeau de paille élégant, ses yeux sous le rebord, un peu espiègles.

— Es-tu aussi nerveuse que ce matin ? demanda-t-il, moqueur.

— Tes parents font tout pour me mettre à l'aise. Ils me traitent comme si j'étais leur fille.

— C'est un peu ça, l'idée du mariage. Former une famille.

Phébée mesurait d'heure en heure combien cette sécurité lui avait manqué. Son petit côté crâneur n'enlevait rien à sa fragilité. Elle se déplaça un peu pour laisser tremper ses doigts dans l'eau. Le mouvement l'amena à bouger ses jambes. Le bas de la robe remonta au point de dégager complètement la bottine lacée, de même qu'une partie de son mollet. Jules ne détachait pas ses yeux des huit pouces de bas bleus devenus visibles.

Quand la blonde ramena son visage vers l'avant, elle prit tout de suite conscience de la direction de ses yeux. Entre fiancés, convenait-il de jouer la jouvencelle effarouchée, ou alors d'accorder une petite récompense à un homme si attentionné ? Elle hésita, puis fit mine de s'étirer. Le mouvement dégagea encore plus la jambe, livrant au regard un joli spectacle.

— Mes parents semblent déterminés à me voir quitter la milice, dit le jeune homme d'une voix un peu troublée.

C'était le signal de revenir à une posture plus pudique. Phébée se redressa, fit mine de s'apercevoir combien la jupe révélait plus que les usages ne le permettaient. En replaçant l'ourlet plus convenablement, elle s'empressa de répondre :

— Je suis absolument d'accord avec eux, et le lendemain des noces, je mettrai le feu à ton uniforme, si tu ne le fais pas toi-même… Je ne veux plus jamais que tu t'éloignes de moi.

Jules esquissa un sourire à l'idée d'être séquestré par une aussi jolie femme.

Afin d'être de retour à Montréal assez tôt, le couple dut partir de Sainte-Rose au milieu de l'après-midi. Le trajet jusqu'à la gare prit l'allure d'une procession de la famille Abel en entier. Elle occupait toute la largeur du chemin. Au passage d'une voiture, les marcheurs devaient se ranger en une ligne, le long d'une clôture faite de perches de cèdre. Les enfants gardaient le sourire, heureux qu'une visite ait un peu bousculé la routine habituelle des interminables dimanches après-midi.

Sur le quai, Fidélia osa s'approcher de Phébée et la prendre par la main pour demander :

— Tu voudras me faire une robe pour le mariage, dis ?

— Voyons, je t'ai pas élevée comme ça, commença la mère. Puis elle continua à l'intention de la couturière :

— Excuse-la, j'lui avais dit de pas t'embêter avec ça.

— Mais ses vêtements sont plus beaux que ceux des magasins, insista la fillette.

— C'est pas la question. Phébée aura beaucoup de choses à faire d'ici octobre.

La moue de Fidélia laissait présager des larmes prochaines. La blonde se pencha pour murmurer à son oreille :

— En ce moment, c'est vrai, je n'ai pas beaucoup de temps. Si on parlait d'une robe pour Noël plutôt ?

— Si elle veut pas ?

Les yeux de la gamine se portèrent vers sa mère, lourds de reproches.

— Une fois que je serai mariée, nous serons parentes, presque des sœurs. Alors pour Noël, ce serait un joli présent.

— Tu ferais ça ?

— Bien sûr. Ça me fera plaisir.

Un large sourire accueillit l'engagement. Léonie en avait entendu assez, malgré le ton de la confidence, pour deviner toute la conversation. Le train s'approchait, elle n'avait pas le temps de discuter encore. De toute façon, elle finirait par accepter.

— T'es une bonne fille, Phébée, dit la mère en la prenant aux épaules pour lui faire la bise. Jules est bien tombé.

Absalon serra la main de son fils et s'approcha de sa future belle-fille pour l'embrasser à son tour.

— Pour une fois, je suis totalement d'accord avec ma femme, lâcha-t-il avec un clin d'œil. À bientôt, ma petite.

Les enfants la saluèrent à leur tour dans le bruit grinçant des freins du train. Pour mettre fin aux épanchements, le couple se dirigea vers son wagon, main dans la main. Une fois assise sur la banquette, Phébée laissa son poids porter contre son compagnon, posa la tête sur son épaule.

— Rassurée ? demanda celui-ci.

— Tes parents sont si gentils.

— Tu es si adorable.

La locomotive s'ébranla, par la fenêtre ils virent les Abel toujours debout sur le quai, désireux d'échanger encore un dernier salut de la main. Le trajet s'effectua en silence, les amoureux absorbés dans leur satisfaction béate. Ils ne retrouvèrent vraiment la parole que devant la maison de la ruelle Berri.

— Les prochaines semaines vont me sembler bien longues, commença le jeune homme.

— Nous allons nous voir tous les jours.

— Tu sais ce que je veux dire.

L'amorce du mollet et le bas bleu lui revenaient en mémoire… Ses yeux se faisaient caressants en la regardant de haut en bas.

— Octobre, ce n'est pas si loin. Maintenant, je dois rentrer. Le souper de Vénérance sera bientôt servi, et toi il te reste encore tes examens à préparer. Voilà de quoi occuper ton esprit.

Le ton moqueur mit un peu de rouge aux joues de Jules. Elle suivait le cours de ses pensées, s'en amusait au lieu de s'offusquer.

— Avant de reprendre le travail, je vais me faire une provision de souvenirs pour me donner du courage.

Il la prit dans ses bras, ses mains esquissèrent une caresse dans son dos. Elle le repoussa doucement.

— Six personnes au moins doivent se tenir derrière leur fenêtre pour nous surveiller.

— Ah, tes voisins ! Donnons-leur de quoi commérer.

Jules posa sa main droite sur le côté du joli visage, souda sa bouche à la sienne. Après une brève hésitation, elle lui abandonna ses lèvres. Son estimation se révélerait erronée : seul Crépin les regardait, son rideau un peu écarté.

Chapitre 9

Dans la ruelle Berri les soupers prenaient toujours la même allure. Crépin Dallet offrait sa vertu et sa culture en partage, tandis que les autres essayaient de penser à autre chose. Le 3 août, le commis aux livres s'essayait maintenant à un autre registre.

— Je dis la vérité. À Régina, le tribunal a condamné Louis Riel à la pendaison.

— Mais comment sais-tu ça ? demanda John. Dans les ateliers du Canadien Pacifique, on entend les rumeurs les premiers. Il y a toujours un commis du télégraphe prêt à se montrer indiscret, juste pour se rendre intéressant.

— L'un des Barsalou, Horace, m'a annoncé la nouvelle à la fermeture, tout à l'heure.

— Faire du savon le transforme en spécialiste de la politique ?

Crépin serrait les dents. Les journaux du lendemain lui donneraient raison. En attendant, il endurerait les railleries de ces ignorants.

— Moi, je crois ça, s'en mêla Charles. Les Anglais sont toujours prêts à tuer un Français, surtout s'il est catholique.

— Quand un gars admet devant le juge avoir pris les armes contre Sa Gracieuse Majesté la reine, pas besoin d'un autre motif pour le condamner. C'est une trahison.

— On sait bien, toi, les Anglais…

Muir serra les mâchoires, réprima avec peine un mouvement de colère.

— Ces nuances t'échappent peut-être, mais je suis Irlandais, pas Anglais. Ceux-là pendent au moins un nationaliste par mois, à la maison…

Discrètement, Phébée posa la main sur l'avant-bras de son ami. Ce geste eut l'heur de le calmer tout de suite.

— Puis un catholique, expliqua Crépin, c'est bien vite dit. Riel a inventé une nouvelle religion, dont il se disait le prophète.

— Ça prouve qu'il est fou, clama tout de suite Charles, décidé à mettre en évidence la cruauté des bourreaux. Dans tous les pays civilisés, on condamne pas les malades.

Tout doucement, Phébée arriva à mêler John et Félicité à une conversation sur la douceur du temps et ses projets d'avenir. Les autres pouvaient bien se passionner pour les plaidoyers de folie dans les cours anglaises, le sujet ne l'intéressait guère.

À neuf heures, il n'y eut pas d'invitation à prendre une marche. Depuis le retour de Jules Abel, la blonde rejoignait son amoureux. Félicité et John jouaient donc aux chaperons. Leurs voisins se débrouillaient entre eux.

Quand le trio arriva rue Berri, le jeune pharmacien marcha vers eux d'un pas pressé. Sa fiancée, comme tous les soirs, eut droit à un baiser sur les lèvres – bien chaste devant des témoins –, le chaperon, à une bise sur la joue, et le troisième, au rôle indéterminé, à une poignée de main.

— Vous avez entendu la nouvelle? s'exclama-t-il ensuite. Selon mon patron, Riel a été condamné à mort.

— Lui aussi a entendu ça? dit John.

La conversation du souper fit l'objet d'un bref échange.

— Gray a des amis chez les libéraux. Les avocats du rebelle militent dans ce parti. Il a reçu un télégramme de Fitzpatrick, l'un de ceux-là, en fin d'après-midi.

— Pour en avoir le cœur net, nous pouvons marcher vers un journal.

Les deux jeunes femmes donnèrent leur assentiment. Dans cette direction ou dans une autre, pour elles, le résultat serait le même : elles profiteraient de la fraîcheur du soir après la moiteur de la journée, et d'une agréable compagnie.

Les bureaux du journal *La Patrie* se trouvaient vers l'ouest, dans la rue Sainte-Catherine, à une distance raisonnable. En s'approchant de cette destination, les trottoirs devenaient de plus en plus encombrés. Devant l'édifice, une petite foule débordait sur le pavé. Des employés posaient de grands cartons de chaque côté de la porte. Celui de gauche disait : « Le jury a recommandé la clémence » ; celui de droite : « Le juge condamne Riel à être pendu ».

— Les Ontariens voulaient le pendre depuis 1870, claironna quelqu'un.

— Là, ils auront leur cadavre, les salauds, rugit un autre.

— Avec les conservateurs, ce sera toujours la même chose. Nous n'obtiendrons jamais justice.

Du côté du *Herald*, on devait plutôt applaudir la bonne nouvelle.

— Pauvre diable, résuma Jules en se rapprochant de Phébée.

— Mais tu es allé combattre ce type. Ou plutôt les Indiens, c'était la même guerre, non ?

— Je partage de plus en plus l'opinion de mon père. Tu l'as entendu, hier ? « Mêle-toi pas de ça, occupe-toi de tes affaires. »

Le marchand de campagne perdait ses illusions politiques et, au passage, bousculait les convictions de son fils.

— Nous rentrons ? continua-t-il à l'intention de ses compagnons.

Deux par deux, ils rebroussèrent chemin. À la lueur des réverbères, Félicité vit la mine renfrognée de son compagnon.

— Ça ne va pas ?

— Non, ça ne va pas. Crépin disait vrai. Là, on aura droit à une semaine émaillée de : «J'avais raison. Vous devriez m'écouter quand je dis quelque chose.»

La prédiction se révéla rigoureusement exacte.

Le dimanche suivant, des clameurs s'élevaient derrière l'hôtel de ville, sur le Champ-de-Mars. Une plateforme avait été érigée à la hâte. Dessus, un aréopage de politiciens et de sympathisants libéraux haranguait la foule. Le député Honoré Mercier commença par clamer la nécessité d'unir tous les Canadiens français en un seul parti pour ne pas diviser les forces.

— Ça, commenta Jules dans l'oreille de Phébée, c'est déjà fait. Les Canadiens français appuient presque tous les conservateurs.

— Mais ici, ce ne sont pas des libéraux? Il y a beaucoup de monde.

— Sans doute, mais avec une bonne part de curieux. Regarde leurs habits. La plupart n'ont pas le droit de vote. Tu te souviens des dernières élections municipales? Un peu plus de six mille voix ont été comptabilisées pour une ville grande comme la nôtre. Bien sûr, si tous ceux-là participaient au suffrage, ça ferait une grosse différence.

Dans la foule, les vareuses et les casquettes dépassaient en nombre les vestes, les melons et les chapeaux de paille. La blonde s'en souvenait : même si son père passait une partie de ses soirées à critiquer les politiciens, jamais il ne se rendait dans un *poll*. Seuls les propriétaires profitaient de ce privilège. Les travailleurs, pour la plupart, demeuraient locataires toute leur vie. Quant aux femmes, la question ne se posait même pas.

— Toi, tu pourras voter?

— La prochaine fois, j'espère bien. Mes privilèges se multi-
plieront dès que je passerai les examens de l'association.

Sur l'estrade, un petit avocat mince et fluet, mais doté d'une
voix étonnamment forte et persuasive, achevait un vibrant
plaidoyer en faveur du héros du Nord-Ouest, catholique et
Canadien français, assassiné pour avoir défendu les siens. C'était
faire peu de cas de la moitié des ancêtres de Riel, des Indiens,
et aussi des dizaines de morts de Batoche.

— Quand tu voteras, ce sera pour les libéraux?

Phébée voulait savoir qui appuyer. Qu'une femme pense
autrement que son époux, dans ce domaine, pouvait ruiner
la paix conjugale. Cette précaution ne lui coûtait rien, le sujet
la laissait totalement indifférente. Malheureusement, en venir
à un compromis sur la question du vaccin s'avérait plus difficile.

L'orateur suivant, un journaliste, s'appelait Laurent-Olivier
David. Lui aussi de petite taille, élégant dans sa jaquette noire
soigneusement boutonnée, il se présentait tête nue pour parler
à la foule, comme le voulait l'usage. Tenant son melon d'une
main, il commença:

— Pour avoir défendu les siens, Louis Riel a été accusé de
haute trahison. Pour satisfaire les fanatiques protestants de
l'Ontario, on vient de le condamner à mort.

— Honte, honte! vociféra quelqu'un.

— C'est un gouvernement de chiens galeux, tonna un autre.

Un mouvement se fit dans la foule, la couturière se pressa
contre son compagnon, effrayée. Si quelqu'un avait osé un
« vive le Parti conservateur », il n'aurait probablement pas vécu
assez vieux pour manger son repas du soir.

— Mais qui fera la liste des crimes de sir John Macdonald,
le premier ministre?

L'évocation du titre de noblesse souleva des railleries et des
sifflets.

— Quelle sentence mérite-t-il pour avoir affamé les Métis au point de les pousser au désespoir ?

— La mort, la mort !

Le cri devint une incantation reprise par des milliers de poitrines.

— Le jury populaire a parlé. Si dans cette affaire quelqu'un mérite la pendaison, c'est Macdonald, et tous ses complices.

Les hurlements reprirent de plus belle. Les plus nantis agitaient leur canne dans les airs, les autres, des gourdins.

— J'ai peur, dit bientôt Phébée.

La foule se déplaçait vers l'avant, se massant contre l'estrade. Au passage, des badauds la bousculaient. Dans ce désordre, des mains devenaient curieuses.

— Partons. De toute façon, ces gens-là répètent la même chose depuis le début.

Le bras passé autour de sa taille, Jules l'entraîna vers l'arrière. Le chapeau de paille un peu de travers, elle atteignit la rue voisine. Appuyé contre un réverbère, John Muir attendait, Félicité à côté de lui.

— Vous avez pu entendre d'ici ? demanda le pharmacien.

— Si des mots nous ont échappé, le sens du message paraissait assez clair. Il y a des salauds, il y a des victimes. Et avant le lever du soleil demain, quelques-unes des vitres des journaux conservateurs vont recevoir des pierres.

Laconique, l'analyse se révélait pourtant très juste. Cet ouvrier à l'esprit vif faisait décidément une bien curieuse impression à Jules.

— Maintenant, autant aller manger le repas de Vénérance, laissa tomber Félicité. Crépin nous fera un bel exposé sur le sujet, conforme à l'opinion de l'archevêché.

Le lendemain, le lundi 10 août, la salle de réunion du conseil municipal se révéla bondée, la classe des industriels bien représentée dans la foule. Une fois les questions routinières expédiées, la situation sanitaire retint l'essentiel des discussions. D'abord, la société chargée de ramasser les déchets réclamait une augmentation de la somme convenue par contrat. Le manque d'expérience dans la prestation de ce service l'avait amenée à sous-estimer la tâche. Ensuite, les cas de variole se multipliaient, alors que l'intervention des agents du Service de santé se heurtait de plus en plus souvent à une opposition violente.

À la période des questions, un manufacturier de produits en caoutchouc se leva, déjà rouge de colère, pour dire :

— Mes clients de l'Ontario se tournent vers d'autres fournisseurs. Ils ne veulent pas amener la maladie chez eux avec mes produits. Je les soupçonne d'ouvrir mes lettres avec des gants.

— C'est pareil pour moi, dit son voisin. Aucune femme ne veut acheter un corset fabriqué par une véroleuse.

Le mot entraîna un rire bref dans l'assistance.

— Nous regrettons aussi le ton alarmiste des articles publiés un peu partout sur le continent, déclara le maire Beaugrand. Toutefois, ceux-ci reprennent le contenu des journaux d'ici. Toutes les histoires d'horreur, nos concitoyens les concoctent eux-mêmes.

Sur ces derniers mots, il regardait fixement le petit groupe de scribouillards présent dans la salle, en particulier celui du *Daily Star*. Le gros homme au costume élimé se redressa, tout fier de cette attention.

— Il faut relancer la campagne de vaccination gratuite, risqua quelqu'un, pour montrer que nous prenons la chose au sérieux.

— Et même les vacciner de force, en remit un autre.

Ce « les » en apparence bien neutre désignait les Canadiens français, l'échevin Martin le comprit.

— Vous ferez quoi? Envoyer des policiers dans chaque maison pour immobiliser le patient pendant que le médecin fera son travail? Vous voulez imposer ce genre de tyrannie dans un pays censé jouir des libertés anglaises?

— Pourquoi pas, s'ils ne comprennent pas autrement?

— Vous aurez la révolution. Déjà que les esprits s'échauffent avec l'affaire Riel.

L'excitation montait aussi dans la grande salle de réunion. Le maire Beaugrand tapa sur la table avec son maillet pour obtenir l'attention de tous.

— Monsieur Gray, où en sommes-nous avec la campagne de vaccination? demanda-t-il.

Le président du comité d'hygiène se leva à contrecœur, le masque des porteurs de mauvaises nouvelles sur le visage. Les journalistes rivaient leurs yeux sur lui, le crayon levé.

— Dès les premiers cas, au mois d'avril, nous avons entamé une campagne de vaccination gratuite. Après quelques complications, les gens ont cessé de venir…

— Avec raison, le coupa le conseiller Martin. Vous avez admis l'autre jour que le produit était pourri.

Si le qualificatif demeurait exagéré, sur le fond le bonhomme avait raison. Le maire donna quelques coups de maillet pour imposer le silence.

— Continuez, monsieur Gray.

— Après quelques incidents malheureux, des médecins, et je regrette de devoir le dire, canadiens-français pour la plupart, ont mené une cabale contre le vaccin. La procédure s'est arrêtée. Maintenant, si la population réclamait ce traitement, nous ne serions même pas en mesure de satisfaire à la demande.

Le constat tomba dans une salle devenue silencieuse. Puis, un membre de l'assistance demanda:

— Comment ça?

— Dans les villes américaines ou canadiennes où les journaux évoquent la situation à Montréal, les gens réclament le vaccin en masse. Les quelques producteurs de lymphe ne suffisent plus à la demande. Nous n'arrivons plus à refaire nos stocks.

Même ceux qui, dans la salle, s'opposaient à toute coercition pour immuniser la population montrèrent un visage désemparé. Si dans tous les coins de l'Amérique les gens s'arrachaient ce remède qu'on disait ici de sorcier, peut-être avait-il du bon, après tout.

Participer à l'administration municipale venait avec de curieux privilèges. Le jeudi 13 août, le maire Honoré Beaugrand et une dizaine de conseillers descendaient de trois calèches élégantes stationnées dans la rue Saint-Étienne, tout près des grandes baraques du Grand Tronc, où étaient installés les ateliers de fabrication et d'entretien du matériel roulant, et remisés tous les équipements plus ou moins délabrés utilisés au cours de la trentaine d'années d'existence de l'entreprise.

Gray tenait à l'amitié du premier magistrat le privilège de figurer au sein de ce groupe choisi. Descendant de voiture, le conseiller Archibald tint à s'informer de la situation sanitaire de son arrondissement auprès du président du comité d'hygiène.

— Il y a bien quelques cas, expliqua ce dernier, mais nous maîtrisons la situation chez vous. Personne ne résiste au mouvement de vaccination.

— La très grande majorité de mes électeurs sont des protestants, observa le politicien en guise d'explication.

L'échevin Martin marchait tout près. Le pharmacien craignit un instant de le voir se mêler à la conversation, mais l'autre se contenta de plisser le front, soupçonneux. La délégation déboucha bientôt sur un grand terrain vague traversé par de nombreuses voix ferrées parallèles. Ces hommes devaient passer par-dessus les rails en regardant à droite et à gauche pour éviter de se faire heurter par des locomotives en mouvement.

— Je me demande pourquoi les propriétaires de ce cirque sont venus dans ce coin perdu, protesta Archibald après avoir buté contre une poutre transversale. D'habitude, ces gens-là s'installent dans le terrain de l'exposition provinciale.

— La raison est bien simple, dit Gray. Ils arrivent avec des chevaux et des bisons par dizaines, et toutes ces estrades.

De la main, il désignait un grand ovale constitué d'assemblages de poutres et de madriers. Une cinquantaine de personnes, dont plusieurs portaient de longs cheveux noirs, parfois ornés de grandes plumes, s'affairaient à les assembler.

— Vous voyez, ici ils transportent ce matériel sur une centaine de verges tout au plus, pas quelques milles.

Autour d'un train stationné sur une voie d'évitement, d'autres travailleurs déplaçaient de lourds objets.

— Je veux bien, mais des gens risquent de se casser un membre, dans ce champ encombré de déchets et de cailloux.

Le vieil homme à barbe blanche parlait de lui, en évoquant ce genre d'accident. Il ne prenait aucun plaisir à cette expédition. Pourtant, le *Wild West Show*, le grand spectacle ambulant de William Frederick Cody, débarquait pour la première fois au Canada. Il revint à sa première préoccupation :

— Cette histoire de pénurie de vaccins, c'est vrai ?

— Malheureusement, oui. Aucune entreprise canadienne ne produit de lymphe. Comme les journaux américains évoquent l'épidémie montréalaise, des villes des États-Unis organisent des campagnes de vaccination massives. L'offre ne suffit plus à la demande.

Les notables arrivaient près d'un grand tipi, cette tente conique fréquemment utilisée par les nations indiennes de l'Ouest. La construction paraissait plutôt incongrue en ces lieux. Devant l'entrée, un colosse vêtu de peaux de daim, coiffé d'un large chapeau de feutre, les attendait en compagnie d'un Dakota aux cheveux grisonnants, aux traits burinés par le vent et le soleil. Il portait une grande coiffe de plumes.

— Messieurs, commença Cody, je suis enchanté que vous ayez pu accepter l'invitation du grand chef Sitting Bull. Ces messieurs de la presse sont déjà là. Au cours des deux dernières heures, ils ont pu faire le tour de nos installations et voir tous nos animaux.

Le directeur du cirque serra la main du maire, puis celle de tous les conseillers, dont Gray présent au milieu du lot. Il apprécia la poigne solide, les yeux d'un bleu très pâle, un peu moqueurs, comme s'il avait un peu de mal à croire en sa propre chance : bien gagner sa vie en mettant en scène une caricature de la vie de l'Ouest, qu'il présentait aux habitants de l'est du continent. Bientôt, ce serait la soif d'exotisme des Européens qu'il tenterait de satisfaire.

Le pharmacien tendit ensuite la main à Sitting Bull. L'autre lui adressa plutôt un léger signe de la tête. Son aventure à lui se révélait plus rocambolesque encore que celle du cow-boy. Réfugié au Canada après avoir vaincu les troupes du général Custer, il meublait les cauchemars des femmes et des enfants. Quand le *Wild West Show* arrivait dans une ville, les journaux reprenaient à l'unisson les histoires de massacres et de tortures des colons des plaines de l'Ouest. Les spectateurs arrivaient dans les estrades tout disposés à éprouver une excitation mêlée de crainte devant les Sauvages.

Dans la tente, une quinzaine de journalistes se tenaient le plus près possible des murs, obligés de se pencher un peu en avant, sinon leur tête aurait touché la toile. Assis en tailleur à même le sol, un calepin et un bout de crayon à la main, ils prenaient des notes. Les notables seraient mieux nantis. Ils poseraient leurs fesses sur d'épaisses peaux de bisons.

— Ce n'est plus de mon âge, ces jeux-là, grommela Archibald en se mettant à genoux péniblement, pour s'asseoir ensuite. Mes articulations ne sont plus ce qu'elles étaient, vous devrez m'aider à me relever.

— Je le ferai avec plaisir, le rassura le pharmacien.

À sa droite, le président du comité d'hygiène jouirait de la présence du conseiller Adrien Martin. Le gros homme se laissa choir lourdement sur son siège improvisé. Lui aussi demanderait de l'aide à la fin du repas. Près de l'entrée, on avait assigné au maire Beaugrand une place aux côtés de Cody et de Sitting Bull. Le cow-boy annonça tout de suite le menu :

— Vous savez comment les bisons sont devenus rares, dans l'Ouest. Heureusement, comme j'ai mon petit élevage, je peux manger encore comme dans le bon vieux temps… et vous faire profiter de cette excellente viande.

Les journalistes grattaient dans leur calepin, les invités échangeaient des regards un peu inquiets :

— Son bison, je le soupçonne de l'avoir acheté au marché Bonsecours, remarqua le conseiller Martin. Si ça se trouve, nous pourrons voir une peau de vache noir et blanc près de la cuisine de ce drôle.

— Il se vante de posséder le plus grand troupeau encore existant, murmura Gray.

— Je me méfie autant des meneurs de cirque que des vaccinateurs, ronchonna l'autre d'un ton grinçant.

Le pharmacien chercha des yeux une autre place où aller s'installer. Il ne tenait pas à revivre une nouvelle fois les interminables affrontements des séances du conseil de ville. Malheureusement, le cercle des invités d'honneur était complet et échanger son poste d'observation avec un journaliste ne se faisait pas. À la fin, le fait que le conseiller municipal avait beaucoup perdu de son arrogance habituelle le rassura assez pour qu'il reste là.

Devant chaque invité, à même le sol était posée une tasse de fer blanc. Un cow-boy au large chapeau entra avec une grande cafetière dans chaque main. Sans vraiment se pencher, il versa un liquide noir et épais, éclaboussant les échevins au passage. Derrière lui, d'autres serveurs dans la même tenue, un révolver pendu à la ceinture, amenaient les assiettes. Ils affichaient la même attitude un peu méprisante que le premier en faisant le service. Évidemment, ce genre de tâche convenait peu à des hommes rompus à conduire de grands troupeaux dans des plaines interminables. Si Gray pouvait accepter cette nonchalance, le dessous des ongles très noirs et les poignets des chemises un peu crasseux agirent toutefois sur son appétit.

Dans chaque assiette une épaisse tranche de viande baignait dans son jus, avec une ou deux pommes de terre. Un autre serveur vint distribuer les couteaux et les fourchettes.

— On fait comment pour manger ? demanda le conseiller Jeannotte, assis du côté opposé du cercle.

Il tenait son assiette d'une main, le couvert de l'autre.

— Ça, ricana Martin en levant les ustensiles à la hauteur de ses yeux, c'est pour lancer aux Sauvages s'ils nous attaquent. Tu prends la viande avec tes mains, et tu mords dedans.

Les convives en vinrent à placer les assiettes entre leurs jambes et, penchés vers l'avant, découpèrent leur steak. Ils purent ensuite porter leur attention sur la conversation de leurs hôtes.

— J'aimerais bien recruter Gabriel Dumont, le lieutenant de Riel, disait Cody. Celui-là semble un vrai dur.

— Tous les Canadiens anglais veulent le pendre, remarqua Beaugrand.

— Ça en fait une meilleure attraction encore, dit l'autre en riant. Pensez-vous que votre voisin de gauche ne fait que des heureux, dans les villes américaines ? Il a massacré les hommes de Custer jusqu'au dernier.

Sitting Bull esquissa un sourire. Chaque allusion au général aux longs cheveux blonds le mettait d'humeur joyeuse.

— Tout de même, j'attendrais un peu pour promener Dumont au Canada. Les procédures judiciaires contre Riel ne sont pas encore terminées.

— Il n'a pas été condamné à mort ?

L'ancien éclaireur de l'armée américaine se donnait tout de même la peine de prendre ses informations avant de se présenter quelque part. Les journalistes rendraient compte de tous ses mots. Cette incursion dans les affaires politiques canadiennes valait les affiches les plus grandes et les plus colorées, pour attirer les foules.

— Comme toujours après une condamnation à mort, la sentence a été portée en appel.

— Pour les Indiens, vous n'avez pas eu la même délicatesse. Une demi-douzaine a déjà été pendue, n'est-ce pas ?

De nouveau, la voix se faisait moqueuse. Si le sort de Riel soulevait les passions de tous les Canadiens français, celui des meneurs chez les autochtones les laissait indifférents. Une voix rauque se fit entendre. Chacun tendit l'oreille pour écouter Sitting Bull. Et personne ne comprit grand-chose à ses propos jusqu'à ce que le maître du cirque prenne l'initiative de les traduire.

— Mon ami souligne que les chefs Big Bear et Poundmaker n'ont pas opposé une bien forte résistance. Ils se sont laissé emprisonner bien facilement.

Le vieux Dakota, vainqueur à la bataille de Little Big Horn, commentait peut-être la température clémente de ce mois d'août. Comme personne à part ces deux-là ne parlait la langue siouane, impossible de vérifier la nature de la conversation. Toutefois, Cody paraissait si amusé que l'on pouvait le soupçonner de prendre un malin plaisir à troubler la quiétude de ces notables.

— En réalité, ces deux chefs n'ont pas participé aux combats, précisa Beaugrand. Ils ont plutôt tenté de calmer les esprits de leurs guerriers.

Le visiteur ne se troubla pas de se voir corrigé ainsi. Cette conversation ne servait qu'un seul propos : amener la rédaction d'articles sensationnalistes dans tous les journaux de la ville. L'objectif serait atteint. L'échange porta ensuite sur des sujets plus anodins, alors que les invités se concentraient sur leur repas. À la fin, chacun se déclara assez satisfait de la viande de bison, le conseiller Martin convint que la bête n'avait certainement pas pacagé dans la vallée du Saint-Laurent. Quand tous eurent posé couteau et fourchette, William Cody commença à faire circuler des curiosités tirées de sa collection.

— Ça, c'est le scalp de Yellow Bond. Après le massacre des troupes de Custer, l'armée a pourchassé ce chef, pour prendre une petite revanche.

Il s'agissait d'une pièce de cuir à peu près circulaire où tenaient encore de longs cheveux noirs.

— Pour nous montrer des trucs pareils, ce gars semble vouloir récupérer son repas avant qu'on le digère, commenta le conseiller Martin en faisant circuler l'étrange souvenir à son voisin de gauche.

— Avant d'en arriver là, j'espère que vous aurez le temps de sortir, répondit Gray.

Après une courte pause, l'échevin enchaîna :

— Tout à l'heure, j'ai entendu votre conversation. La ville manque vraiment de vaccins ?

— Oui et non. Ceux qui désiraient le recevoir l'ont eu. Les autres ne se bousculent pas aux portes des médecins.

— Inutile de me faire la leçon. Je comprends mieux la chose maintenant… Du moins je le pense.

Cette surprenante admission désarçonna le pharmacien qui ne formula aucun commentaire.

— J'ai environ six cents locataires…

Cet homme possédait de très nombreux taudis dans l'est de la ville, tout le monde le savait.

— J'ai dit locataires, pas logements, précisa le conseiller pour éviter que son voisin ne surestime sa fortune. Les familles canadiennes-françaises sont nombreuses, et plusieurs ont des chambreurs.

Tout de même, on parlait de plusieurs dizaines de logis, peut-être quatre-vingt.

— Parmi tout ce monde, continua-t-il, j'ai eu ma part d'affiches jaunes.

— Si ces gens s'étaient fait vacciner…

Martin leva la main pour s'épargner un long sermon.

— En plus, j'ai un frère. Lui aussi doutait de l'utilité du vaccin. Il possède une grande maison bien propre. Rien d'insalubre chez lui…

L'homme hésita, puis précisa :

— Des gens comme Bourque ou Coderre prétendent que l'hygiène peut tout régler. Ma belle-sœur est un peu obsédée par le nettoyage. Vous pourriez manger sur le plancher, chez elle. Pourtant, ses six enfants ont attrapé la variole.

— … Je suis désolé.

Le conseiller regarda le pharmacien, secoua la tête de dépit, murmura encore :

— Tous les six, atteints en une semaine.

— Ils ont sans doute tous été contaminés par la même personne.

Pareille conclusion ne rendait pas la situation plus facile à accepter. Ils se turent. Si Sitting Bull invitait des gens à souper, sa générosité se limitait à un seul service. Bientôt, les notables quittèrent la grande tente. L'expérience culinaire ne laisserait aucun souvenir, mais chacun se vanterait d'avoir été l'hôte du vainqueur de Little Big Horn, et d'avoir manipulé un vrai scalp.

Même pour un vendredi soir, le tramway se révélait exceptionnellement bondé. Pourtant, dans l'ouest de la ville, la population n'était pas si dense. Les deux jeunes femmes occupaient une banquette, tandis que Jules et John demeuraient debout.

— Tous ces gens vont au cirque ? demanda Phébée en levant la tête vers son fiancé.

— Certains rentrent peut-être chez eux, mais la plupart se dirigent vers les terrains vagues de la Pointe-Saint-Charles.

La voiture s'arrêta au bout de la rue Wellington. Les passagers descendirent en hâte, jouant des coudes pour atteindre rapidement la chaussée.

— Ces gens manquent un peu d'égards, commenta Félicité en replaçant son chapeau de paille bien droit sur sa tête.

— Pour aller voir de vrais Sauvages, nos voisins se comportent comme s'ils en étaient eux aussi.

L'ébéniste lui offrit son bras, un sourire amusé sur les lèvres.

— Nous aurions pu venir dimanche. Là, je suis à la course depuis mon départ de la manufacture. Ce n'était pas nécessaire de voir la première représentation.

— Mais tout le monde dans cette ville pense comme toi. Il ne restait plus de billets pour dimanche. Ce sera la journée des notables, même monsieur le maire sera là.

Ils continuaient vers le sud à pied, maintenant en suivant la rue Saint-Étienne. Quelques pas derrière, les fiancés se hâtaient. Ils étaient maintenant une petite foule à converger vers le même endroit. À leur droite se dressaient les baraques du Grand Tronc.

— Là aussi, ils fabriquent des locomotives ? demanda Félicité.

— Et des wagons, des rails. Tout le nécessaire pour faire rouler des trains.

— Ces bâtisses paraissent un peu délabrées.

— Elles existent depuis plus de vingt ans. Celles du Canadien Pacifique ressembleront à ça un jour. Moi aussi, je ferai alors décrépir.

La pointe d'autodérision amusa Félicité. Pourtant, le visage de son compagnon devenait plus grave. Il ralentit le pas alors que les autres bifurquaient vers la voie ferrée.

— Tu vois ce terrain inoccupé, là-bas? demanda-t-il.

— Oui. Tous ces petits amoncellements de pierres, ce sont?…

— Des monuments funéraires, ceux de gens si pauvres qu'on les enterrait enveloppés dans un drap, dans le meilleur des cas. Les autres étaient nus.

— Comment ça?

Maintenant, John Muir se tenait immobile, se laissant distancer par tous les autres.

— C'est un cimetière irlandais. Personne, parmi ces gens, n'avait les moyens de gaspiller des vêtements en les laissant pourrir sur un cadavre.

— Je ne vois aucune église à proximité…

— Ils travaillaient à la construction du pont Victoria. C'était tellement difficile que plusieurs mouraient d'épuisement. Ou alors c'était de la fièvre, du choléra. On les enterrait tout près du chantier.

Le sifflet d'un train attira leur attention. Félicité voyait l'extrémité du long tuyau de fonte. Une locomotive en sortait justement dans un grand vacarme métallique, laissant s'élever un nuage noir et gras de fumée de charbon. Tous les autres visiteurs durent s'arrêter pour attendre la fin du passage du convoi.

— Allons les rejoindre, dit John en posant la main dans le dos de la jeune femme pour la faire avancer.

Le dernier wagon roula sous leurs yeux. Ils devaient traverser la voie ferrée pour rejoindre un vaste terrain vague.

— Fais attention pour ne pas tomber, ou alors tu vas ruiner cette jolie robe. Les rails sont graisseux.

La jeune femme dut trousser sa jupe, révéler aux regards la moitié de sa jambe, pour passer au-dessus de la voie. Ce faisant, elle regardait à droite et à gauche nerveusement, comme si une autre locomotive risquait de surgir de nulle part. Quand ils furent dans un grand champ où l'herbe refusait de pousser, John confia encore :

— Mes deux parents sont enterrés dans ce cimetière. J'ai bien essayé de reconnaître leur tombe, mais aucune ne porte un nom.

Félicité serra sa main sur l'avant-bras de son compagnon.

— Tu avais quel âge, quand tu les as perdus ?

— Dix ans. Je me suis retrouvé à l'orphelinat.

Ce souvenir lui écorchait encore le cœur. Son amie se souvenait des confidences entendues plus tôt dans l'été. Sa voix se fit naturellement très douce pour aborder le sujet de ses origines.

— Ta mère était canadienne-française, n'est-ce pas ?

— Oui, mais comme tu sais, qui prend mari prend pays. Pour elle, ce pays a été un cimetière de pauvres gens.

L'artisan marqua une pause, puis reprit avec un entrain factice :

— Changeons de sujet. Je ne voudrais pas déprimer les Sauvages de ce cirque avec un visage trop triste.

Devant eux, on avait érigé des estrades sommaires. Elles formaient un vaste ovale, capable de recevoir plusieurs centaines de spectateurs. Les gens se massaient devant la seule entrée, des hommes, des femmes et des enfants. Ces derniers comptaient pour la moitié de la foule.

Jules et Phébée s'étaient arrêtés pour les attendre.

— Je vous pensais perdus, dit la blonde en riant.

— Comme je suis le plus vieux de nous quatre, normal que je sois le plus lent. Entrons, maintenant.

Ils firent la file derrière une famille comptant trois enfants.

— Ces gens sont plus riches que moi, dit Félicité à l'oreille de son compagnon. Combien ça coûtera à ce monsieur ?

— Je te l'ai dit, je t'invite.

— Vas-tu me forcer à chercher une publicité du *Wild West Show* dans le journal afin de connaître le prix d'entrée ?

John Muir secoua la tête, amusé. Sa compagne avait accepté de voir Jules payer pour elle pendant près d'un an, mais la même attention de la part d'un voisin la rendait mal à l'aise.

— Pour les adultes, c'est trente cents, et pour les enfants, vingt-cinq.

Certains Montréalais seraient suffisamment enthousiastes pour assister à plus d'une des six représentations. Après avoir payé, le petit groupe prit place dans les estrades. Devant eux, la scène offrait un grand espace de terre nue à ciel ouvert. S'il pleuvait, les acteurs pataugeraient dans la boue.

— C'est la première fois que Buffalo Bill se produit dans notre ville, dit Jules.

Ce jour, le 14 août 1885, marquerait les mémoires.

— C'est un drôle de nom, remarqua sa fiancée.

— Son vrai nom, c'est William Frederick Cody. Il tiendrait son surnom de ses prouesses à la chasse. On l'avait engagé pour tuer des bisons afin de nourrir les ouvriers recrutés pour la construction des chemins de fer.

— Tout en affamant les Indiens par la même occasion, ajouta John.

À ces mots, le visage du pharmacien s'assombrit un peu. Ses nuits se peuplaient parfois des enfants amérindiens en haillons, à demi morts de faim, qui tendaient la main aux miliciens les conduisant dans les réserves pour recevoir à manger.

Les estrades furent bientôt remplies au point de laisser entendre de petits craquements sous le poids des spectateurs. La représentation pouvait enfin commencer. Cody s'adressa d'abord aux spectateurs, puis une cinquantaine d'Indiens entrèrent en scène au galop, tout en hurlant. Les chefs Sitting Bull, White Eagle et Frisking Elk se trouvaient à leur tête.

— Celui-là n'a qu'une jambe! cria un adolescent assis au premier rang.

Cette observation prouvait qu'il avait à la fois de bons yeux et de bons poumons, pour couvrir le bruit des sabots sur le sol et celui des fusils déchargés dans les airs. Annie Oakley vint ensuite, une petite femme armée d'une carabine qu'elle déchargeait avec enthousiasme et talent, en ne ratant aucune cible.

Après cet exercice d'adresse, un troupeau de bisons un peu affolés fit son entrée, pourchassé par des Indiens. Le but était de faire courir ces animaux le plus près possible de l'assistance pour la gaver de sensations fortes. Puis vinrent ensuite d'excellents tireurs, dont le gamin Johnny Baker, le *cow-boy kid*, capables d'atteindre des pièces de cinq cents jetées en l'air.

Certains numéros présentaient des exercices au lasso, du dressage de chevaux sauvages, et surtout la mise en scène de sept batailles, dont celle de Sitting Bull contre le général Custer à Little Big Horn... et même celle de Batoche, un clin d'œil à tous ces Canadiens.

Buffalo Bill vint en dernier pour montrer son habileté avec une carabine et un révolver. Puis tous ces citadins de l'Est purent rentrer chez eux avec la conviction de connaître enfin l'Ouest sauvage. En sortant du grand ovale, Phébée demanda:

— C'était comme ça, Batoche?

— Je n'ai pas combattu à Batoche, précisa Jules.

— Tout de même, tu le sais mieux que nous.

— Non, ce n'était pas comme ça. D'abord, la bataille a duré plusieurs heures, pas cinq minutes. Puis de nombreuses personnes sont mortes.

Le ton paraissait désabusé. En pleine obscurité, tous ces gens durent repasser au-dessus des rails. Au moins, les dames purent relever leurs jupes en profitant d'un peu plus de discrétion. De retour rue Saint-Étienne, John dit pour ses compagnons :

— Ces parages ne sont pas bien sécuritaires. Allons un peu plus loin, nous verrons sans doute des cafés ou des restaurants encore ouverts dans Wellington.

— Autant rentrer bien vite, dit Félicité. Nous devons nous rendre au travail pour sept heures, demain.

— Aucun de nous n'a soupé ce soir, rappela John. Il continua un peu moqueur : Puis à ton âge, passer douze heures dans une manufacture après une nuit écourtée, ce n'est rien.

Les deux autres n'eurent même pas envie de protester. Le spectacle leur avait creusé l'appétit. À cinq reprises encore, des foules se réuniraient, épaule contre épaule, pour admirer ces prouesses. Combien, parmi ces gens, couvaient déjà la maladie ?

Chapitre 10

Les soupers du samedi soir permettaient toujours de partager les nouvelles, les petites comme les grandes. John Muir se présenta à table avec un exemplaire du *Daily Star* sous le bras.

— Si on veut connaître la situation dans la ville, il faut regarder dans un journal anglais, précisa-t-il d'abord. Les journaux français parlent de politique, de politique et encore de politique... ou alors de religion. Aujourd'hui, on compte quatre cents cas de variole.

— Si nos journaux n'en parlent pas, dit Crépin, c'est que le nombre des malades ne présente pas une nouvelle digne d'intérêt.

— Quatre malades, peut-être pas, mais quatre cents? Puis il faut ajouter ceux de Saint-Henri, de Saint-Jean-Baptiste, et tous ceux qui n'ont pas été déclarés. L'hôpital pour varioleux est plein.

Dans la ville, ces informations entraînaient des réactions diverses. Si la peur en enfermait plusieurs dans leur domicile, d'autres se servaient de la prière comme d'une protection contre les germes. Quant à Vénérance, le sujet lui mettait les nerfs à fleur de peau.

— Monsieur Muir, vous allez pas nous ennuyer encore avec cette infection?

Jules était de retour à Montréal depuis quatre semaines. Déjà, ses joues se faisaient moins creuses, il donnait moins l'impression de flotter dans ses vêtements. Malgré tout, Phébée lisait toujours une certaine fatigue sur ses traits.

— Nous pouvons nous asseoir ici, dit-elle. Il y aura bientôt de la musique.

Le couple s'était encore rendu au carré Viger. Il leur faisait office de salon, en quelque sorte.

— C'est le même banc que l'an passé, ajouta-t-elle ensuite.

— Je le pense aussi.

Le souvenir de ce dimanche de l'été précédent les fit sourire tous les deux. Les nombreux événements survenus depuis laissaient penser que bien plus d'un an s'était écoulé.

— Tu sais, ce jour-là j'ai eu besoin de tout mon courage pour t'aborder, murmura Jules.

— Ça ne paraissait pas trop. Juste un peu.

— Puis tu te montrais si moqueuse.

— Ça aussi, juste un peu, dit-elle avec un sourire.

La réminiscence de leur rencontre lui revenait sans cesse, elle revivait la scène avec plaisir. Ce jour-là avait scellé sa destinée.

— As-tu la moindre idée du nombre d'étudiants qui m'ont accostée, un jour ou l'autre ?

Cette pensée troubla son fiancé. Parfois, le passé de sa jolie compagne le tracassait un peu. Il se racontait de bien curieuses choses sur les ouvrières et les couturières lorsqu'il discutait autour d'une bière avec ses camarades.

— Je ne dis pas ça pour me vanter, ajouta-t-elle tout de suite. Tu comprends, j'espère ? Tu connais ce genre de garçons : ils n'ont qu'une idée en tête, et ce n'est pas le mariage.

Jules rougit un peu. Ses propres pensées, ce jour-là, n'avaient pas été toutes innocentes.

— Ces expériences m'ont appris à me transformer en porc-épic. Pas trop pour ne pas décourager un garçon sincère comme toi, mais assez pour éloigner les autres. Tu es le seul à avoir voulu me revoir.

Leurs mains se frôlèrent sur le banc, s'unirent.

— Tu n'es pas comme eux. En faisant la connaissance de tes parents, j'ai compris pourquoi : ce sont d'excellentes personnes, toi aussi.

Phébée ne se trompait pas sur un aspect de son éducation. Léonie aurait passé tout un savon à son fils, s'il s'était mal conduit avec une jeune femme. Elle savait rugir et secouer sa tignasse rousse devant certains comportements.

— Tu es unique aussi, ma belle. Comme un ange…

Le visage de la jeune femme se crispa à cette évocation.

Une demi-heure plus tard, un orchestre s'installa à l'étage du kiosque, émit des notes un peu criardes, mais joyeuses. Elles mettaient un sourire sur tous les visages. Le jeune homme remarqua un garçon parcourant l'allée sous les arbres, une liasse de feuilles dans les bras. Il en tendait une à tous les passants, s'arrêtait devant les bancs pour en donner aussi à leurs occu-pants. Certains badauds secouaient la tête de droite à gauche pour signifier leur désintérêt. Ce refus ne troublait guère le camelot d'occasion. Il leur fourrait son papier dans les mains, puis tournait le dos aussitôt. Quelqu'un le payait pour distribuer sa littérature, le garçon entendait accomplir sa tâche le plus vite possible.

— C'est pour vous, monsieur, dit-il en déposant une feuille sur les genoux de Jules.

— Je n'en veux pas. Elle ira à la poubelle.

L'autre haussa les épaules. Le jeune pharmacien allait chiffonner le papier quand le titre attira son attention : « Non ! » Après avoir lu la première ligne, il laissa échapper un juron.

— Qu'est-ce que c'est ? demanda Phébée.

— Un scandale, non, un crime. C'est un crime qui va coûter bien des vies. En plus, ça vient d'un médecin.

La réaction de son compagnon prit la blonde par surprise. Des yeux, elle chercha une image licencieuse susceptible de provoquer sa colère.

— Je vais te lire le premier paragraphe. Tu verras par toi-même : « Ne laissez pas vos enfants se faire vacciner ! La vaccination est non seulement un acte non naturel, sale et impur, mais elle est dangereuse pour la santé et la vie. Des douzaines d'enfants montréalais ont été infectés par la répugnante maladie à cause de la vaccination. Ne laissez pas vos enfants se faire empoisonner par la vile putrescence d'une bête ou par le venin syphilitique d'hommes malpropres. »

La jeune femme n'osa pas proférer une parole. Formuler son opinion sur le sujet, ce serait se présenter comme une ignorante, pire, une imbécile aux yeux de son amoureux. Sa beauté permettait de faire oublier son origine, mais dans son ménage une seule personne proclamerait la vérité. Ce ne serait pas elle.

— On devrait le pendre, ce criminel. Mettre des idées pareilles dans la tête des gens !

— Quelle sorte d'idées ? Parler contre la vaccination ?

— Ces arguments sont inacceptables, insensés même ! En plus, associer ces médecins à la syphilis…

Sa compagne ouvrait sur lui de grands yeux bleus un peu perdus. Il se dit qu'elle ne devait connaître ni la syphilis, ni la façon de l'attraper. Ce genre d'ignorance lui convenait bien, il n'entendait pas l'instruire à ce sujet.

— Il va encore plus loin. Écoute : « La vaccination est en dehors du domaine de la science ; on doit la classer avec les incantations, les sorts et la sorcellerie. Elle n'est en aucune façon un moyen de prévenir la variole, car elle a fait des milliers de victimes parmi ceux qui portaient la marque de la bête sur leur corps. »

«La marque de la bête». Phébée resta accrochée à ces mots. Elle pouvait les interpréter de deux façons. Les prêtres désignaient le diable de cette manière. Ils pouvaient aussi signaler les visages prenant des traits animaux, bovins. L'idée qu'il s'agisse seulement d'une petite cicatrice circulaire en haut du bras, à l'endroit où on égratignait la peau, ne l'effleura pas.

— Tu dis qu'un médecin a écrit ça?

— Le docteur Ross. Ce gars-là mène une campagne pour l'hygiène.

Pourtant, Jules lui-même plaidait sans cesse pour un grand nettoyage de la ville. Comment y comprendre quelque chose? Dans ce monde de savants, certains pensaient comme Phébée et partageaient ses peurs, d'autres regardaient de haut son inquiétude et se retenaient sans doute de la traiter d'idiote. Son fiancé faisait partie du second groupe.

Cette fois, la jeune femme frappa à la grande porte de chêne sans avoir pris un rendez-vous au préalable. La religieuse faisant le service domestique au presbytère lui apprit que le vicaire Savard confessait à l'église. La mort pouvait survenir n'importe quand, il convenait d'offrir ce service quasiment en permanence.

Phébée se plaça à l'extrémité de la file des pénitents, des femmes surtout. Il lui fallut bien quarante minutes avant de pouvoir s'agenouiller dans le petit réduit. À l'ouverture du guichet, elle commença dans un souffle:

— Monsieur l'abbé, c'est moi.

Devant le silence de son interlocuteur, elle ajouta:

— D'habitude je vous rencontre au presbytère.

Cette fois, l'ecclésiastique se souvint.

— Mademoiselle, vous vous êtes confessée ce matin avant la messe, je pense.

Le peu de temps écoulé le laissait perplexe. Quel péché pouvait-on commettre un dimanche après-midi ? Courte, la liste en contenait toutefois de bien graves.

— Oui, en effet. Je voulais juste vous parler.

— Ça ne pourra durer bien longtemps, j'aperçois des paroissiens alignés devant moi.

Grâce à de petites ouvertures dans la porte, le vicaire voyait un peu dans la nef. La file d'attente s'allongeait vraiment.

— Juste une minute, je vous assure. Mon fiancé est pharmacien...

— Je le connais.

— Il tient des discours très sévères contre les opposants au vaccin.

— J'en conclus donc qu'il approuve cette procédure.

Cela arrivait souvent, chez les jeunes gens les plus instruits. Même formés dans des séminaires ou des collèges, la plupart se laissaient séduire par les prétentions scientifiques.

— Il ne cesse d'en parler. Je me sens si mal à l'aise. Je laisse entendre que je suis vaccinée, mais ce mensonge pèse très lourd sur ma conscience.

— Alors pourquoi ne pas lui dire la vérité ?

La couturière prit une longue inspiration avant d'oser admettre :

— ... Il risque de s'éloigner de moi.

— Parce que vous respectez les enseignements de l'Église ?

Un bref instant, le souffle lui manqua. Lui conseillerait-il de le quitter pour mieux vivre sa foi ? L'abbé Savard y pensa bien une seconde, il se retint cependant. Monseigneur Fabre n'avait pas encore ajouté la vaccination à la liste des péchés graves.

— Les gens instruits deviennent souvent présomptueux, constata-t-il à mi-voix.

La fiancée éplorée partageait cet avis. Elle en connaissait deux, chacun s'exprimait sur le sujet de la même façon méprisante.

— … Que dois-je faire ?

La crainte rendait le ton hésitant. Tout pouvait se jouer en cet instant.

— Vous devrez prier pour deux, vous en tenir plus étroitement encore aux enseignements de Dieu et de l'Église.

Le souvenir de multiples confessions traversa l'esprit du prêtre.

— Malheureusement, ce genre de situation n'est pas si rare, dans le milieu où vous allez entrer. Avec la douceur, la prière, des épouses doivent souvent lutter pour garder la protection de Dieu sur la maison, la famille. Au fil des ans, les plus vertueuses arrivent à ramener ces hommes à une plus stricte observance. Elles se livrent parfois à un véritable travail de conversion. Celles-là sont des saintes femmes.

« Je dois être catholique pour deux », songea Phébée. La suite vint confirmer son impression :

— Voilà une bien lourde responsabilité pour une jeune personne. Vous seule pourrez conserver la protection du Très-Haut sur votre demeure.

— … D'un autre côté, la femme doit obéissance à son mari. On le dit lors de la cérémonie du mariage.

— C'est vrai. D'abord, vous n'êtes pas encore mariée. Surtout, une épouse doit obéir à son époux dans la seule mesure où les exigences de celui-ci n'enfreignent en rien les commandements de Dieu, ou de l'Église. Absolument jamais, vous me comprenez ?

— Oui, je comprends.

Pourtant, ils n'évoquaient pas la même chose. La blonde entendait là une interdiction formelle de se faire vacciner. Le prêtre se référait plutôt à l'ensemble des pratiques… perverses que des époux imposaient à leur femme.

— La paix, la santé et le salut des membres de la famille reposeront sur vos épaules.

Un moment, la jeune femme demeura coite, puis, à force d'habitude, elle commença à réciter l'*Acte de contrition*, s'interrompit très vite, un peu gênée.

— Merci, monsieur le curé.

Sous les regards un peu inquisiteurs des personnes attendant leur tour, Phébée alla s'agenouiller dans l'allée latérale pour prier longuement.

Le mercredi suivant, préoccupée, Félicité passa la matinée penchée sur ses métiers à tisser. Ce matin-là, le contremaître Rouillard avait renvoyé trois ouvrières chez elle, choisies parmi les plus âgées, en plaidant un ralentissement dans les commandes. D'habitude ce genre de situation survenait l'hiver, pas en plein été.

À l'heure du midi, les conversations allaient bon train.

— Tu y crois, toi, à la diminution des ventes? demanda Rachel.

— Je connais mes lettres, commença la jeune femme en riant, mes chiffres aussi. Toutefois si j'étais juste un peu compétente en affaires, je ne serais pas ici.

Sa compagne mastiquait un petit pain, une vague anxiété sur le visage. Elle survivait difficilement à des arrêts de travail de quelques jours. Si cette période s'allongeait juste un peu, ce serait la famine. Un peu plus loin, quelques femmes furent prises d'un fou rire. L'une d'elle s'exclama :

— Vous ne savez pas ce que Bérangère raconte, vous autres! C'est trop drôle. Allez, répète ton histoire, ça fait du bien de rire un peu.

— Dans la gazette, commença la grosse femme, c'était écrit qu'on avait collé l'une de ces maudites affiches jaunes sur la maison Allan, sur la montagne.

Ce fut au tour des autres de s'esclaffer, puis l'une lança :

— Tiens, même les riches Anglais ont des boutons. Ça leur apprendra. Depuis des semaines, y disent que nous sommes malades à cause de la crasse dans nos maisons !

— Ah ! Mais moi, je crois pas ça, intervint une autre. Eux autres, y s'paient les meilleurs docteurs, y z'ont une dizaine de domestiques pour tout ramasser.

— C'était dans le journal, répéta Bérangère un peu vexée. La maison des Allan, j'vous dis. Ce s'rait une bonne, justement, qui s'rait malade.

Cette petite précision convainquit tout le monde. Les servantes, c'étaient des Canadiennes françaises ou des Irlandaises, des gens que la maladie n'épargnait jamais. Félicité se souvenait de cette maison immense, cachée dans un grand parc. Elle portait un nom : Ravenskrag. Phébée la lui avait montrée lors de leur expédition sur la montagne, pendant le carnaval.

— À cause de cette maladie, je meurs d'inquiétude pour les enfants, murmura Rachel.

— Ils se portent bien ? questionna sa collègue.

— Oui, mais à entendre les gens, ça s'attrape avec un regard.

Si les journaux français abordaient peu le sujet, les rumeurs les plus folles circulaient dans la ville.

— Ce soir, j'irai à la messe spéciale à l'église Notre-Dame avec Phébée. C'est pour demander la protection du ciel.

— Avec les petits, j'peux pas y aller. Tu diras une petite prière pour nous autres ?

Félicité esquissa un sourire tout en acceptant d'un mouvement de la tête. La travailleuse garda le silence, puis elle retrouva un peu de sa bonne humeur en demandant :

— Phébée, c'est la belle blonde ? Les garçons doivent tourner autour d'elle comme des mouches à miel.

L'image amusa Félicité. Oui, son amie devait être sucrée comme une friandise.

— Comme elle va se marier dans moins de deux mois, plus personne n'a le droit de l'approcher. Et pour moi, ce sera la rue. Je ne pourrai pas payer la chambre toute seule.

L'autre hocha la tête, réfrénant son envie de dire à sa collègue que sans enfant à charge, sans parents à qui remettre ses gages tous les samedis, elle lui paraissait plutôt bien nantie.

— Si tu connais une fille prête à partager mon lit, fais-le moi savoir, continua Félicité.

— Si j'entends quelque chose, je te le dis.

En attendant le retour au travail, elles gardèrent le silence les yeux fermés, désireuses de refaire un peu leurs forces. La journée ne se terminerait que dans six heures et demie.

Ce soir-là encore, les locataires de la ruelle Berri avalèrent en vitesse un souper sommaire. Enfin, pas tous les locataires : la plupart des hommes tenaient à afficher une assurance qu'ils ne ressentaient peut-être pas.

— J'mène une si bonne vie, insistait Charles, mi-sérieux. Jamais le Seigneur laissera ces méchantes maladies m'atteindre. On a un contrat ensemble : je commets juste des péchés véniels et, en échange, Dieu prend soin de moi.

— Affirmer une chose pareille est sacrilège, s'offusqua Crépin d'un air offusqué.

L'idée que quelqu'un partage avec lui la protection du ciel le révoltait.

— Veux-tu dire que j'suis pas assez vertueux pour bénéficier de la grâce divine ?

Le commis aux livres quitta sa chaise en reniflant, comme si la proximité de ce voisin offensait ses narines. Des yeux, Félicité consulta John Muir, assis à sa droite.

— Avec tous les dévots courant les rues ce soir, jamais je ne risquerais de laisser mes amies sans protection. Ces gens qui passent leur existence en prières ont de bien vilaines perversions à faire oublier. Je les soupçonne d'être taraudés par la luxure.

La remarque s'appliquait si bien à Crépin que celui-ci se troubla. Son attention se porta sur Hélidia :

— Mademoiselle Chambron, vous voudrez bien marcher avec moi jusqu'à l'église Notre-Dame ?

Elle garda les yeux baissés au moment d'accepter.

— Et toi, Guildor, te joins-tu à tous ces mangeux de balustres, ou tu viens à la taverne avec moi ? demanda Charles. Tu comptes pas parmi ces gens effrayés par l'épidémie, j'espère.

Le jeune apprenti tergiversa un peu. S'il ne se distinguait pas par une piété exceptionnelle, la peur de ses voisins pesait aussi sur lui. D'un autre côté, apprenti auprès de Charles, il n'entendait pas se le mettre à dos. Finalement, parmi les locataires, eux seuls n'assisteraient pas à cette messe spéciale.

— Nous montons mettre nos chapeaux, précisa Phébée à l'intention de John, et nous te rejoignons dehors.

À la fin, Vénérance eut la satisfaction de voir tout ce monde quitter les lieux. Elle aussi mettait la prière dans son arsenal de protection contre la maladie, mais sa journée de travail exigeait encore une bonne heure. Ses *Je vous salue, Marie*, elle les réciterait au-dessus de son eau de vaisselle.

Leur chapeau de paille retenu sur le sommet de la tête par de longues aiguilles, les deux jeunes femmes prirent chacune un bras de John Muir. Celui-ci était sans conteste l'un des hommes les mieux accompagnés de Montréal.

— Comment se fait-il que ton fiancé ne vienne pas avec nous ce soir ? demanda l'artisan. La prière ne lui apparaît pas comme un moyen fiable d'échapper à tous ces miasmes dont parle le *Daily Star* ?

— Sa foi va plutôt à la science, je pense.

Le constat venait avec une expression de grande tristesse. Les paroles de l'abbé Savard résonnaient dans sa tête.

— Il ne passe pas une journée sans me parler de vaccin. Le maire Beaugrand devrait en faire son publicitaire.

— Tu veux dire qu'au lieu de t'accompagner, il travaille à ses examens, je suppose.

La blonde secoua la tête, un peu attristée de le détromper.

— Même pas. Ce soir, c'est son patron qui profite de sa compagnie, lâcha l'amoureuse avec dépit.

— Un employé ne jouit jamais d'une bien grande liberté face aux invitations de son employeur, plaida son ami. Puis les affaires municipales, ça doit intéresser un futur commerçant. Il aimerait avoir sa propre boutique, n'est-ce pas ?

D'une pression des doigts, Phébée remercia son compagnon de la rassurer ainsi.

— Je ne suis pas au courant de tous ses projets, mais lors de ma visite à Sainte-Rose, il s'est isolé avec son père. J'ai entendu les mots loyer, intérêt, prêt…

— Tu ne penses pas qu'il fait mieux de s'intéresser à la politique municipale, s'il entend avoir pignon sur rue ? Puis ce n'est pas comme s'il t'abandonnait aux mains de Crépin. Après lui, je suis certainement l'homme le plus gentil de la ville.

L'affirmation tira un sourire moqueur à son amie, mais aucune parole de contestation. Le commis comptable, Hélidia à ses côtés, marchait plusieurs verges devant. L'homme gardait ses distances, comme s'il craignait que les gens les sachent ensemble.

Au même moment, Jules assistait à la séance spéciale du conseil de ville avec les autres spectateurs, surtout des manufacturiers et des industriels soucieux de la bonne réputation de Montréal aux yeux de leurs partenaires d'affaires.

— Pour enrayer l'infection, il conviendrait que les lieux de rassemblement soient fermés, insistait Robert Gray.

— Vous voulez tous nous ruiner, s'insurgea un conseiller.

— La crise actuelle vient de la variole. Pour éviter la ruine, il faut la faire disparaître.

— Fermer les lieux publics, c'est mettre à pied des centaines de travailleurs.

Aucune des personnes menacées de chômage n'était présente à la table du conseil. En réalité, la très grande majorité d'entre elles, faute d'être propriétaires, ne pouvaient participer au choix des représentants municipaux. C'est à titre de possesseur d'un commerce de détail que l'échevin contestataire se lamentait.

— Une épidémie, c'est comme un incendie, plaida le président du comité d'hygiène. Si on arrive à priver le feu de son combustible, il s'éteint de lui-même. Partout dans ces grands édifices où des personnes se côtoient, on nourrit plutôt les flammes. Les germes passent de l'un à l'autre.

— Si on fermait les théâtres, proposa le maire Beaugrand.

Les élections se gagnaient avec l'appui des commerçants, il fallait demeurer prudent. Les propriétaires de salles de spectacle représentaient toutefois un bien petit effectif, leur colère ne porterait pas à conséquence.

— C'est certainement l'endroit le plus propice à la contagion, appuya un conseiller.

— On ne peut pas faire la même chose avec les restaurants, dit un autre. Épidémie ou pas, les gens doivent manger.

— Ou avec les commerces de détail.

— Ce sont des endroits essentiels à la bonne marche de la ville. Les gens doivent se nourrir, se procurer les produits de première nécessité.

Jules Abel ne put réprimer un sourire. On fermait sans trop d'hésitation les établissements des autres, à condition que le sien reste ouvert. À ce rythme, les risques de contracter la maladie ne diminueraient pas de sitôt.

— Pour assister à des spectacles, les gens ne se rassemblent pas seulement dans de grandes salles, déclara encore Beaugrand. Nous venons de recevoir une demande du cirque Barnum qui veut la permission d'installer son grand chapiteau sur le terrain de l'exposition.

— Dans une salle ou dans une tente, le danger est le même, rappela Gray.

— Je n'appuierai certainement pas cette demande, s'opposa quelqu'un.

Refuser l'accès de leur ville à la grande entreprise new-yorkaise n'effrayait aucun d'entre eux. Qu'importait si les enfants de Montréal ne voyaient pas l'éléphant Bimbo ou le lilliputien Tom Pouce parader dans les rues cette année-là. Ils ne voteraient pas avant des années.

— Nous avons laissé Buffalo Bill donner son spectacle, au cours des derniers jours, dit le conseiller Martin. Lundi dernier, des gens s'entassaient encore dans ses estrades.

Le conservateur savait bien comment mettre l'équipe libérale majoritaire devant ses contradictions.

— Ce n'est pas la même chose, se défendit le premier magistrat. Nous avions accordé la permission à cette entreprise de s'installer sur les terrains du Grand Tronc en juin dernier. Le directeur aurait pu nous poursuivre pour bris de contrat.

L'argument tira un ricanement au gros échevin.

— Non seulement des gens ont pu attraper la variole en regardant des Sauvages galoper, mais la viande de bison était tout à fait indigeste. Je préfère ne pas évoquer les conséquences de notre repas sous la tente.

Des conseillers hochèrent la tête pour donner leur assentiment. Les estomacs de l'Est toléraient mal les steaks venus de l'autre bout du continent.

— Monsieur Gray n'en avait pas fini avec les mesures préventives, dit le maire, désireux d'abandonner bien vite le sujet des lieux de rassemblement.

Le pharmacien se tenait debout, de la lassitude sur le visage, écœuré du peu de sérieux avec lequel ses suggestions étaient reçues.

— Afin d'assurer la propreté de nos rues, désormais nous ajouterons un peu de thymocrésol à l'eau de nettoyage.

Des voitures surmontées d'énormes barriques arrosaient régulièrement les pavés, des balayeurs venaient juste après pour pousser les détritus dans les caniveaux.

— Ce thymo…, commença Martin. Ça n'empoisonne pas les gens, toujours ?

— Moins que si on laisse toutes ces saletés pourrir dans les rues.

Depuis ses dernières confidences, l'échevin hésitait à évoquer les remèdes pires que le mal. De toute façon, la vie municipale lui fournissait de nombreuses occasions de souligner l'incompétence de l'équipe de la majorité. Il laissa passer la mesure sans protester.

— Ces gens chargés de ramasser des déchets pour les faire brûler, Dumaine…

— Dumaine et Larin, précisa Gray.

— C'est ça. Vous me pardonnerez, mais je n'ai pas tellement d'amis chez les libéraux, j'ignore leurs noms… D'abord ils nous ont fumés comme des jambons en faisant brûler de la marde. Maintenant, ils veulent se faire payer davantage pour en faire la cueillette.

Le président du comité d'hygiène se tourna vers le maire. L'appel à l'aide silencieux ne resta pas sans réponse.

— Nous avons innové avec ce contrat pour le ramassage et la destruction des déchets. Personne ne pouvait se faire une idée nette des coûts de l'opération, faute d'expérience. La soumission était trop basse.

— Si je comprends bien, il faut à tout prix respecter le contrat avec Buffalo Bill. D'un autre côté, quand Dumaine et Larin demandent de l'argent supplémentaire, malgré une entente dûment signée dans le bureau du maire, cette administration est prête à puiser encore dans l'argent de mes taxes.

Le politicien ne faisait plus face à ses vis-à-vis, mais aux journalistes présents dans la salle. La suite serait imprimée en toutes lettres dans les publications conservatrices.

— Je ne connais ni ce monsieur Dumaine, ni ce monsieur Larin. Pour recevoir un tel traitement de faveur, je suppose qu'ils votent du bon bord.

Rouge de colère, le maire Beaugrand réussit difficilement à se contenir.

Malgré la lumière déjà déclinante à cette heure, le décor de l'église Notre-Dame se livrait aux regards dans toute sa majesté. Les statues en grand nombre, les sculptures en relief sur les murs, les colonnes, les ors et les bleus utilisés à profusion, ce cadre grandiose élevait l'âme jusqu'au ciel.

La messe célébrée en grande pompe devait obtenir une intercession de saint Roch auprès de Dieu, pour qu'Il protège la cité.

— Nous devons demander la protection de ce saint, insistait le père Picard du haut de la chaire, le prier avec ferveur, car il a connu la maladie et, avec l'aide de Dieu, l'a surmontée.

La barbe grise et les sourcils broussailleux, l'ecclésiastique promenait ses yeux sévères sur la foule assemblée. Comme il manquait de bancs, les gens s'entassaient à l'arrière du temple, et même dans les allées.

— Quand ce saint vivait, ce n'était pas la variole qui frappait la chrétienté, mais la peste, une maladie plus terrible encore qui tuait parfois la moitié de la population d'une ville.

L'information laissa pantois tous les fidèles. Déjà, ils connaissaient les ravages du choléra pour l'avoir, chez certains, déjà subi, mais surtout à cause des récits des vieillards. Pour eux, une maladie capable de tuer une personne sur deux dépassait l'entendement.

— Afin de nous gagner les bonnes grâces du saint, nous lui avons offert un autel, vous le voyez…

Du côté droit de l'église se dressait bien un autel nouvellement décoré, sur lequel était célébrée une messe à voix basse en ce moment même. Sur celui-ci, saint Roch supplantait l'un de ses collègues du paradis afin d'obtenir une intervention favorable du ciel. Une nouvelle statue de plâtre, dans une ville où il n'y avait jamais pénurie de ces sculptures, permettait ce changement de saint patron.

— Nous allons prier saint Roch de tout notre cœur. Il obtiendra de Dieu que nous ne tombions pas malades, ou, si nous le sommes, que nous guérissions.

Phébée, bien droite, fixait des yeux l'ecclésiastique. Traînant ses amis dans le sillage de sa jupe, elle s'était avancée dans l'allée de gauche, suffisamment pour ne perdre aucune syllabe du sermon.

— Sa Grandeur, monseigneur Fabre, recommande à tous de suivre les directives du Service de santé municipal… y compris au sujet de la vaccination.

À cette précision, de nombreuses personnes se raidirent un peu.

— D'ailleurs, notre archevêque lui-même se fera inoculer le *cowpox*, et moi aussi.

Cet engagement ébranla la jolie blonde. Avait-elle tort de résister à ce traitement? Pourtant, le vicaire se faisait bien impératif. La suite la rassura un peu.

— Mais entendons-nous: Dieu est le seul maître de nos vies. Il est responsable des petites et des grandes choses qui nous touchent. Un malheur comme la maladie, c'est une invitation à examiner notre âme sans complaisance, à traquer toutes nos fautes pour les confesser et obtenir le pardon. Dieu punit le mal, il récompense la contrition, le ferme propos de ne jamais recommencer. Aucune intervention humaine, y compris les innovations des médecins les plus savants, ne peut s'opposer à la volonté de Dieu.

Un sermon aussi contradictoire pouvait plaire à tout le monde.

«Si Dieu approuve mon projet de mariage, jamais il ne permettra que cette infection ne m'atteigne», se convainquit la couturière. La jeune femme se soumettait au jugement de Dieu, comme les saints des temps anciens. La communion vint quelques minutes plus tard. Bien peu de gens s'agenouillèrent à la sainte table. L'obligation d'être à jeun rendait l'exercice à peu près impossible à cette heure du soir.

En sortant de l'église, Phébée glissa une pièce dans un tronc et prit une image de saint Roch. Comme à l'aller, elle s'accrocha à l'un des bras de John Muir et Félicité, à l'autre.

— Que vas-tu faire avec ça? questionna l'homme.

— Je me demande si je pourrais broder quelque chose de ressemblant sur une petite pièce de tissu. Si j'y parviens, je l'accrocherai à mon scapulaire.

Déjà, pendus à une ficelle de soie, la jeune femme portait entre ses seins les deux petits morceaux de laine brune sur lesquels on avait cousu une image de la Vierge et de l'Enfant, et une autre du Sacré-Cœur. De nombreuses personnes devaient se soucier d'ajouter une troisième image, depuis quelques semaines.

— Si tu y arrives, j'aimerais faire la même chose, intervint Félicité.

Les deux jeunes femmes entendaient se cuirasser contre les germes de cette façon.

La question du ramassage des ordures, et surtout de ce qu'il en coûterait de plus pour continuer à profiter de ce service, occupa les conseillers longtemps encore. Les gens dans l'assistance ajoutèrent leurs voix passionnées aux discussions.

Dix heures avaient sonné à la grande horloge posée dans le hall de l'hôtel de ville quand Robert Gray rejoignit son stagiaire. Ils marcheraient ensemble vers leurs logis respectifs.

— Tous ces débats doivent te donner envie de ne jamais poser ta candidature à une fonction élective, maugréa le pharmacien.

— La nécessité de gagner des électeurs conduit à bien des compromissions.

La maîtrise du français de l'homme impressionnait Jules. Un moment, la nuance entre les termes compromis et compromission les occupa. Ils arrivaient près du commerce quand le stagiaire demanda :

— Vous croyez vraiment qu'interdire la venue du cirque Barnum ou fermer les théâtres changera quelque chose à l'épidémie ?

— Si ça permet de rappeler à tous d'éviter les grands rassemblements, la mesure sauvera assurément de nombreuses vies. Sans compter celles et ceux dont les visages ne seront pas ruinés par de vilaines cicatrices.

Devant la porte du commerce, ils se serrèrent la main en se disant bonsoir.

Chapitre 11

Pour un jeune couple, à moins d'assister aux spectacles ou de visiter les expositions – rares le jour du Seigneur –, marcher constituait l'activité la plus accessible. Le dernier dimanche d'août, Phébée s'aventura seule en pleine campagne avec son cavalier.

Les mains baladeuses de son compagnon l'effrayaient de moins en moins. Les premiers bans seraient publiés dans deux semaines. Autant considérer ces petites audaces comme les visites d'un acheteur dans sa future propriété avant de passer devant notaire. Puis Jules restait au fond bien respectueux. Son appétit s'exprimait juste assez pour la rassurer sur sa sensibilité à ses charmes.

La campagne, en 1885, commençait juste au nord de la rue Sherbrooke. Bien sûr des terrains étaient construits et de nombreuses maisons marquaient le paysage, la petite ville de Saint-Jean-Baptiste accueillant son lot de travailleurs en quête d'un logement à meilleur prix. Cependant, rencontrer un gamin conduisant des vaches au beau milieu d'une rue non pavée demeurait possible.

Une nouvelle fois, le couple entendait profiter de l'expérience étrange du funiculaire. Le point de vue depuis le belvédère, sur la montagne, méritait des passages répétés. Ils prirent la rue Saint-Urbain vers le nord, longèrent l'Hôtel-Dieu. La proximité de ces murs gris mettait toujours Phébée mal à l'aise. Trop souvent, on allait là pour mourir. Juste au-delà, un sentier large, bien fréquenté, conduisait au mont Royal. Il traversait un grand champ d'avoine. Les grains dorés paraissaient lourds, prêts pour la récolte.

— À qui appartient ce terrain ? demanda la jeune femme.

— Il s'appelle Fletcher's Field, du nom d'un ancien propriétaire, mais je ne sais pas qui le possède aujourd'hui.

Pour une fois, la citadine apprenait quelque chose sur sa ville. Que l'information vienne d'un garçon de la campagne l'amusa. Jules n'avait aucun mérite, son patron l'avait emmené là quelques semaines plus tôt.

— Ce Fletcher doit habiter cette grande maison de brique. Tu vois ce beau verger tout autour ? Si on ne voit personne, j'essaierai de prendre une pomme.

Comme tous les gens nés en ville, la jeune femme considérait ce qui poussait dans les arbres comme n'appartenant à personne. Ou à tout le monde, ce qui revenait au même.

— C'est raté, je vois les occupants, continua-t-elle bientôt.

Le nombre de personnes dans le jardin clôturé, de même que les ailes terminées depuis peu de part et d'autre de la maison, auraient dû la renseigner sur la vocation des lieux.

— Aucun cultivateur n'habite là, expliqua Jules. C'est l'hôpital des varioleux.

Phébée s'arrêta net, serra la main sur le pli du coude de son compagnon.

— C'est là ? En pleine campagne…

— L'idée était d'isoler les malades. C'est un peu raté, car cette route me semble bien fréquentée, surtout le dimanche.

En effet, des promeneurs allaient à pied, à dos de cheval ou encore en calèche. Des gens les interpellaient depuis le verger. Certains se hâtaient pour s'éloigner au plus vite. D'autres s'arrêtaient le temps d'une conversation.

— Comme la ville n'avait connu aucun cas depuis 1874, expliqua encore le jeune professionnel, l'établissement était fermé. Non seulement il a fallu le rouvrir, mais maintenant on a agrandi. Le comité d'hygiène discute de la création d'un nouvel hôpital, car l'espace fera bientôt défaut.

La blonde ralentit son pas, pâle, les yeux fixés sur la dizaine de personnes présentes dans le verger.

— Ma belle, tu veux une pomme ? la héla un homme.

Il se tenait à cheval sur la clôture de pierre et lui tendait le fruit. Le dos de sa main et le poignet se couvraient de pustules, mais son visage en portait quelques-unes seulement. Sans ouvrir la bouche, Phébée secoua la tête de gauche à droite.

— J'suis pas le serpent de l'Ancien Testament, tu sais.

Le regard de la promeneuse se porta sur une femme, debout sous un arbre. Son cou, ses joues et son front portaient des cloques blanchâtres. Le malade se retourna à demi pour voir où les yeux de la blonde se posaient.

— Jeanne, appela-t-il, je pense que cette princesse a peur de nous. Tu vois ses beaux cheveux dorés ?

L'autre dit oui d'un mouvement de la tête, tout en dévisageant Phébée. L'attention de l'homme se porta sur le couple. Son demi-sourire découvrait des dents de carnassier, prêtes à mordre la chair.

— Toi, t'as une chance impossible, continua-t-il à l'intention de Jules. Cette beauté s'accroche si fort à toi… Vous devez être des nouveaux mariés.

— Vous ne devriez pas vous tenir si près du chemin, le semonça Jules, et encore moins offrir des pommes. Vous êtes certainement encore très contagieux. Des croûtes se formeront sur ces pustules, elles tomberont ensuite. Après seulement, vous pourrez approcher les autres.

Les yeux lancèrent des éclairs de rage. Non seulement ce gamin paradait en ces lieux avec une jolie fille, mais il se permettait de lui faire la leçon. Ces bien portants, le variolé les haïssait d'autant plus parce qu'ils avaient eu raison : leur petite cicatrice sur le bras disait leur supériorité.

— Dis donc, t'es un vrai savant, rétorqua-t-il d'une voix grinçante, chargée de menaces.

— Maintenant, d'un simple contact vous risquez de contaminer toutes les personnes pas encore vaccinées, insista le pharmacien.

Sa promise frémit à ces mots. Le regard du varioleux se fit plus cruel encore.

— Eh ! Vous autres, cria-t-il en se tournant vers le jardin. Notre visiteur ici doit être un docteur.

Les patients étaient une bonne dizaine, sous les arbres. Par ce beau temps, une fois le pire passé, l'air frais et le soleil asséchaient la peau, accéléraient la formation des croûtes. La plupart d'entre eux s'approchèrent.

— Jules, allons-nous-en, supplia Phébée.

— Tu t'appelles Jules ? Eh bien, Jules, profite bien de ta journée, car ta beauté, là, a la vérole. Quand tu la regarderas demain, tu verras ça.

L'homme ricana en lui présentant le dos répugnant de sa main. Ce gars plein de suffisance s'était certainement protégé des germes. Toutefois, le coup porta. Il le vit pâlir, jeter un regard effrayé sur sa compagne. Imaginer celle-ci menacée l'atteignait plus que n'importe quelle insulte.

Le jeune pharmacien résista à l'envie de lui défoncer la figure. Il s'éloigna plutôt, très vite.

— Je te le dis, mon petit Jules, elle a la vérole, ta blonde.

Lui et quelques autres éclatèrent de rire, comme après une bonne blague. Phébée eut la conviction qu'il voyait le fond de son âme. Ces mots sonnaient comme un mauvais sort.

Fidèle à son habitude, Félicité abrégea sa nuit de quelques minutes afin de profiter la première des latrines. La chose s'avérait d'autant plus facile que les premiers rayons de soleil tombaient directement dans sa fenêtre.

À son retour dans la maison, elle croisa Fernande, toujours en chemise de nuit.

— C'est aujourd'hui que tu commences ta troisième année, je pense ?

— On n'a pas d'école.

— Comment ça ? La rentrée n'a pas lieu le 2 septembre ?

— J'ai envie.

La fillette serrait les genoux ensemble, déplaçait ses pieds sur le plancher froid.

— Oh ! Pardonne-moi.

L'ancienne institutrice dégagea la porte. L'autre sortit très vite.

— Madame Paquin, l'école ne commence pas aujourd'hui ?

Vénérance se tenait près de son poêle à charbon, les cheveux déjà ébouriffés.

— On pensait ça. Hier un garçon a fait le tour des maisons pour distribuer un papier. Pas avant deux semaines, un ordre du maire, à ce qui paraît. C'est lui qui va les payer, ces semaines ? Parce que les pisseuses, elles couperont pas leur facture.

— Elles souhaitent éviter la contagion.

Si les autorités civiles prenaient les choses en main, le couvent situé près de l'église Saint-Jacques ne serait sans doute pas le seul à subir une mesure de ce genre. Cela vaudrait pour toutes les écoles de la ville.

— La maudite variole. Finiront-y par nous laisser tranquilles avec ça !

Inutile d'expliquer à la logeuse que manquer dix jours d'école valait certes mieux que s'exposer à la maladie. Fernande revint dans la cuisine soulagée et un peu plus sociable.

— Tu vas donc commencer le 16 septembre, reprit Félicité.

— Lundi dans deux semaines, confirma la gamine.

— Tu as hâte de reprendre les classes ?

La fillette haussa les épaules, puis admit :

— Au fond, rester ici, c'est ennuyant.

Entre deux maux, apprendre lui paraissait plus intéressant que les longues journées passées dans sa chambre ou au salon. Vénérance contrôlait sévèrement les va-et-vient de ses rejetons, sous prétexte de ne pas vouloir les voir dans les jambes de ses pensionnaires. Comme ceux-là s'absentaient douze heures par jour, ils n'étaient pas les premiers destinataires de cette délicate attention. La ménagère souhaitait faire ses corvées sans s'encombrer d'eux.

— Surtout, au couvent, tu peux te faire de nouvelles amies.

Un autre haussement d'épaules répondit à la suggestion. Celle-là ne pleurerait certainement pas la fin de sa scolarité, mais saurait-elle rendre la suite de son existence plus stimulante pour autant ? Du bruit vint de la petite pièce attenante, celui d'un broc heurtant le rebord d'une cuvette. Félicité ferait encore sa toilette sous les yeux intéressés de Crépin Dallet.

— Je te laisse. Je dois me préparer.

Félicité entamait son quatorzième mois à la Dominion Cotton. Parfois, elle se prenait à imaginer le cent quatorzième. Occupée toute la journée, elle ne pouvait effectuer aucune démarche pour décrocher un emploi dans un magasin, car la plupart des commerces fermaient à l'heure même où elle quittait la manufacture. Pour les autres, son accoutrement de travail, son épuisement rendaient cet effort inutile. Rien ne lui permettait d'espérer un meilleur sort. Quand elle aurait tout le loisir de chercher, on en serait au chômage d'hiver. Ces circonstances la condamneraient à un nouvel échec.

Rater une journée à la manufacture pour parcourir les commerces, ce serait risquer de se voir mise à pied. En s'accrochant à un misérable emploi, elle se privait de la possibilité d'en obtenir un meilleur. Son inertie tenait bien un peu aussi au départ prochain de Phébée. La solitude à venir la mettait dans un état proche du découragement. Parfois, un espoir naïf pointait : « Il va se passer quelque chose, sûrement. » Mais quoi ? L'annulation des épousailles ? Juste penser à cela l'amenait à se sentir tellement coupable !

Au moins, au début de septembre, la chaleur n'accablait plus les ouvrières de la Dominion Cotton. À sa gauche, Victoria opérait ses six machines avec une satisfaction visible. Elle demeurait minuscule, son visage devenait vieux sans jamais avoir connu la jeunesse. Gagner un demi-dollar dans la journée la remplissait d'aise. Avec un emploi d'adulte, recevant des gages d'adulte, apprendre ses lettres ne l'intéressait plus. C'était là des choses d'enfants.

À midi, toutes ces femmes regagnèrent leur coin habituel le long du mur, sortirent de leurs poches profondes le petit pain de leur dîner, ou une galette préparée la veille. Félicité récupéra son goûter, acheté tous les jours sur le chemin du travail dans une boulangerie, parfois une taverne.

— Quelqu'un connaît Pro Bono ? demanda une femme à la ronde.

Celle-là était arrivée en juillet. Elle portait le doux prénom de *Daisy*, Marguerite en français. Ça ne devait pas être le sien. Les domestiques se voyaient souvent attribuer le nom d'une fleur. Aussi la femme de chambre de madame pouvait s'appeler Rose pendant quarante ans, même si quarante employées se succédaient à son service.

— Non, répondirent quelques-unes.

— C'est un nom, ça ?

Pour elles, cette appellation pouvait tout aussi bien désigner une maladie ou une prière des grandes occasions.

— Oui, c'est un nom. C'est même celui d'un gars qui écrit dans le journal.

L'ouvrière chercha dans sa poche une feuille de papier toute chiffonnée.

— Dans le *Herald*, s'il vous plaît.

Grâce à une mère d'origine irlandaise, elle lisait couramment l'anglais. Grâce à un père ou à un mari canadien-français, elle parlait tout aussi bien, ou tout aussi mal, selon le point de vue, cette seconde langue.

— Le gars, Pro Bono, dit que les Canadiens français sont responsables de la vérole à cause de leur ignorance, de leur crasse et de leur refus de se faire vacciner.

Un « Oh ! » un peu étonné accueillit le résumé, des mains se tendirent pour voir le bout de papier. Personne d'autre n'y comprendrait le moindre mot, mais plusieurs déchiffreraient la signature.

— Félicité, commença Rachel d'une voix sentencieuse, j'pense que ce gars nous aime pas.

Le constat souleva un éclat de rire chez quelques autres.

— Mais ça fait rien, je l'aime pas moi non plus, ajouta-t-elle.

La finale provoqua un nouvel accès d'hilarité. Ces accusations, elles circulaient à demi-mot depuis le début de l'épidémie. Un lecteur, dans une lettre ouverte, les écrivait simplement noir sur blanc.

— Les écoles n'ont pas reçu les enfants ce matin, évoqua l'ancienne institutrice. Est-ce la même chose pour la salle d'asile des sœurs grises ?

— Elles ont slacké les enfants samedi.

Utiliser ce mot, en parlant d'une salle d'asile, trahissait un certain cynisme. Toute leur vie, ses deux garçons se feraient mettre à pied tous les hivers, peut-être plus souvent encore.

— Comment te débrouilles-tu ?

— Une petite vieille les garde dans son taudis. Ça l'aide à payer sa soupe. Elle dépanne une demi-douzaine de parents.

— Mais… les risques de contagion ?

L'autre adopta une mine lassée, secoua la tête.

— Paraît que les gens sont contagieux pendant dix jours avant le premier bouton. Je l'ai peut-être, tu l'as peut-être. Alors pourquoi faire tant d'histoires ? On peut rien faire, on voit le danger trop tard.

— Êtes-vous vaccinés ?

— Ah ! J'les laisserai jamais mettre leur cochonnerie dans mon corps, ni dans celui de mes p'tits.

Ce sujet provoquait cette réaction hostile si souvent que Félicité ne s'en surprenait plus.

Au cours de ses études, les bons frères des Écoles chrétiennes avaient enseigné à Crépin Dallet à lire l'anglais. Il secouait une copie du *Herald* au-dessus de la table en clamant :

— C'est honteux. Maintenant ils expriment leur haine dans les journaux. À la manufacture, les gars menaçaient d'aller incendier ce journal.

— L'idée leur est passée au moment de rentrer à la maison, ricana John. Grands parleurs, petits faiseurs. À cette heure-ci, les propriétaires doivent boire leur whisky sans s'en faire.

— Y s'en sortiront pas toujours, les enfants de chienne, ragea Charles.

— Messieurs, pour parler comme ça, allez à la taverne.

Vénérance réitérait régulièrement cette invitation. Ce réflexe tenait peut-être au fait que son mari y était un fidèle client.

— On va faire ça, madame Paquin, ricana le mécanicien, mais après avoir mangé votre excellent repas.

La logeuse le contempla, le sourcil levé, incapable de décider si elle devait considérer la répartie comme une moquerie ou non. Personne n'aborda plus le sujet. La taverne serait un meilleur endroit pour exprimer une juste colère. À neuf heures, Charles, John et le jeune Guildor se dirigèrent vers l'établissement le plus proche, Crépin entreprit alors de traduire le texte du *Herald* pour Hélidia et Vénérance.

Dans le couloir, Phébée dit à son amie :

— Tu ne vas pas te réfugier dans la chambre toute seule. Viens te promener avec nous.

— Tu seras mariée dans six semaines. Tu n'as plus besoin de moi.

— Pas en tant que chaperon. Ça ne nous empêche pas d'aimer ta compagnie.

L'affirmation eut l'effet d'un baume sur le cœur de la jeune fille. Sans tarder, elle monta chercher sa veste et revint pour regagner très vite la rue Berri. Jules les attendait sur le trottoir, devant sa maison de chambres. Après un baiser à sa fiancée, il posa les lèvres sur la joue de Félicité. La meilleure amie de sa future épouse devenait une intime.

— Je suis heureux de vous revoir. Vous vous faites rare.

Tous les matins en se rendant à la boutique, Phébée passait devant l'un des postes du Service de santé de la Ville. Au lieu d'en concentrer les activités à l'hôtel de ville, on développait des bureaux satellites. L'idée était de donner aux habitants à l'est de la rue Saint-Laurent une meilleure idée de son travail, tout en le rendant plus facilement accessible. En effet, bien peu de Canadiens français hantaient les couloirs du majestueux édifice de la rue Notre-Dame.

Chaque fois, elle apercevait les agents spéciaux recrutés pour mettre en vigueur les mesures de précaution. Sanglés dans un uniforme noir, une casquette sur la tête, ils manifestaient l'arrogance des ignorants à qui on accorde une parcelle de pouvoir. Placarder des demeures, clouer les volets et les portes lors des quarantaines, venir se saisir de malades pour les conduire à Fletcher's Field, tout cela montait à la tête.

À son arrivée dans le commerce, Janvière demanda en guise de bonjour :

— Alors, ma belle, tu dois compter les jours, maintenant ?

La gaieté paraissait feinte. La marchande affichait un air soucieux depuis le samedi précédent. Le congé du dimanche ne lui avait pas ramené son humeur joyeuse. Tout au plus tentait-elle de donner le change.

— Je compte plutôt les heures. Vous savez combien il en reste, dans toutes ces semaines ?

— Non, mais je suppose que toi, tu le sais.

La blonde allait révéler le chiffre établi par Félicité la veille, après en avoir soustrait une dizaine. Son attention fut attirée par des hommes s'agitant devant la vitrine.

— Mais qu'est-ce qu'ils font ?

La propriétaire émit un juron peu compatible avec son sexe et sa position sociale, puis elle se précipita vers la porte.

— Allez-vous-en, vous autres. On n'a pas besoin de vous.

— Nous avons appris qu'une personne atteinte de la variole habitait la maison. Pour la protection du public, nous allons fermer cet établissement.

L'agent tenait l'une de ces affreuses affiches jaunes, rédigées dans les deux langues. Elle disait : « VARIOLE ! Cette maison se trouve en quarantaine. Éloignez-vous. »

— Fermez votre commerce. Nous viendrons désinfecter dans une heure.

Face à l'audace de ce fonctionnaire, le visage de Janvière passa au violet.

— Gaston ! hurla-t-elle. Gaston, descends vite chasser ces bandits.

La situation risquait de tourner au vinaigre, aussi la couturière s'avança pour dire :

— Vous vous trompez, messieurs. Personne n'est malade dans cette maison.

— Laissez-nous faire notre travail, mademoiselle. Une information nous a été transmise.

Son compère mettait de la colle sur la maison, à gauche de la porte d'entrée, avec un gros pinceau. Ces hommes n'entendaient pas discuter avec les occupants de la bâtisse.

— Elle vient de qui, cette information ? l'interrogea la marchande en poussant l'agent de ses deux mains.

Au lieu de le lui dire, le fonctionnaire déroula l'affiche. Janvière, maintenant sur le trottoir, la lui arracha des mains pour la déchirer en deux, puis en quatre, et la lancer sur le pavé.

— Gaston, tu arrives à la fin, ou je dois chasser ces malappris toute seule ?

Le chef de la maisonnée ne se pressait vraiment pas. Phébée soupçonna qu'il attendait prudemment le triomphe de sa femme sur ces intrus.

— Vraiment, messieurs, regardez-moi, insista-t-elle pour calmer les choses. Personne n'est malade ici.

L'agent se plia de bonne grâce à l'exercice, contempla un instant le joli visage, ne vit pas l'ombre d'un petit défaut sur la peau.

— Nous faisons not' devoir.

Il récupérait une seconde affiche. Cette fois, il se tint un peu plus loin de la marchande pour la dérouler.

— Je vais l'arracher, rugit-elle.

— Alors vous vous retrouverez devant le tribunal.

— J'aimerais bien voir ça.

Tout de même, elle avait parlé un ton plus bas. L'autre colla la grande feuille de papier sur le mur.

— Ah! Te voilà, toi. Tu vois ce qu'ils font à notre commerce?

Difficile de l'ignorer, le placard jaune sautait aux yeux. Gaston se tenait dans l'embrasure de la porte, les bretelles lui battant les fesses, les cheveux ébouriffés. Il ne devait pas être un adepte du lever à la barre du jour.

— Vous avez pas le droit, prononça-t-il d'une voix hésitante.

Le fonctionnaire le toisa, mais ne se donna pas la peine de répondre. Ce bourgeois ne l'impressionnait guère.

— Vous demeurerez fermé. Des collègues viendront désinfecter tout à l'heure.

— Je veux bien voir ça, répéta Janvière, des intrus venir violer mon domicile. Je pourrai les abattre, et ce sera de la légitime défense.

— C'est vrai, ça, dit une voix venue de la rue.

Un charretier avait arrêté son cheval pour suivre la dispute, d'autres l'avaient imité. Un véritable attroupement se formait devant la boutique.

— Un homme est roi et maître chez lui, intervint un autre.

— On peut tirer sur quelqu'un qui met les pieds sur son terrain, précisa un autre, tout le monde sait ça.

Chacun semblait avoir quelque chose à dire sur le caractère inviolable de la propriété privée.

— C'est pour vous protéger qu'on fait ça, déclara l'agent beaucoup moins assuré devant l'hostilité des badauds. Quelqu'un est malade dans cette maison.

— Qui ça? insista Janvière.

Ses yeux furibonds faisaient le tour de tous ces spectateurs, comme pour les défier de la contredire.

— Regardez-nous. Qui est malade ? Moi, mon mari, cette belle fille ? Elle resplendit, elle va se marier le mois prochain.

Deux ou trois personnes lancèrent un « Félicitations, mademoiselle » amusé.

— On a reçu une lettre.

— Une lettre, railla quelqu'un. Moi aussi j'en reçois, des lettres. J'empêche pas les gens de vivre pour ça.

— Puis allez donc faire un vrai travail, s'indigna un autre, au lieu d'empêcher une bonne commerçante de faire le sien.

L'hostilité devenait de plus en plus palpable. L'un des agents ramassa les affiches, l'autre la colle, puis ils retraitèrent vers leur poste. En les regardant, Janvière saisit la feuille jaune par les coins supérieurs et la détacha du mur. L'adhésif n'avait pas eu le temps de sécher, elle vint sans effort.

— Nous reviendrons, l'avertit l'un des agents.

— Je l'arracherai encore pour faire ça.

Avec ostentation, sous les applaudissements de la foule, elle la déchira. Deux ou trois gamins tinrent à affirmer leur présence. Ils cherchèrent des cailloux pour les lancer aux employés du Service de santé. Avec l'assurance, du moins affichée, de faire valoir son droit, la marchande entra dans son commerce et ferma la porte derrière elle.

— Ils ont dit avoir reçu une lettre, dit Gaston d'une voix plaintive.

— Voyons, personne ne peut savoir…

— Mais si quelqu'un l'a écrit…

— Gages-tu que c'est Georgette ?

Phébée restait plantée au milieu du commerce, de plus en plus embarrassée. Cette Georgette tenait une boutique concurrente. Alerter le Service de santé pour fermer le compétiteur d'en face semblait plausible. « Mais qu'est-ce que personne ne peut savoir ? » se demanda-t-elle.

La réponse se matérialisa juste devant ses yeux : Junior ! Il se tenait au bas de l'escalier donnant accès au logis, à l'étage, un regard admiratif, presque amoureux, rivé sur la jeune femme. Quelques pustules gâchaient son visage. Ses culottes courtes en révélaient d'autres, sur les jambes.

— Ils vont m'amener dans leur voiture ? demanda-t-il en s'arrachant à sa contemplation.

L'enfant paraissait terrorisé, des larmes glissaient sur ses joues.

— Non, mon Janvier, je ne les laisserai jamais faire.

— Ceux qu'ils emportent, ils disparaissent.

Il devait avoir six ans tout au plus. Si la couturière ne le voyait pas pour la première fois, elle venait d'apprendre son prénom. Ce « Junior » ne référait pas à Gaston, mais à l'épouse, le véritable chef de la famille.

— Maintenant monte, dit la mère. Personne ne doit te voir.

Le gamin hésita, puis fit comme on le lui demandait. À voix basse, le père remarqua :

— S'ils viennent désinfecter, ils le verront.

— C'est pour ça qu'à moins de me mettre des fers aux mains et aux pieds, jamais ils n'entreront.

L'affirmation réussit à convaincre le bonhomme. Bientôt, il suivit les traces de son fils. Il se passa encore deux bonnes minutes avant que Phébée ne murmure :

— Madame…

— Tu ne vas pas t'y mettre toi aussi. Oui, il a des boutons.

Ce mot faisait infiniment moins peur que « pustules » et conférait à la maladie un caractère bénin.

— Ils deviennent fous, avec ça. C'est une maladie d'enfant, la picote. Tout le monde attrape ça, tôt ou tard. Dans une semaine, ça ne paraîtra pas, sauf une petite marque ici et là.

Toutefois, Phébée le savait, on ne pouvait confondre les effets de la variole avec ceux de la varicelle. Elle demeurait immobile, ses grands yeux bleus écarquillés. Sa patronne, agitée, tenta de se justifier.

— Le pauvre chou a raison d'avoir peur. Les gens qui montent dans cette voiture noire se rendent dans cet horrible endroit… Là-bas, c'est l'enfer. On n'en revient pas.

La scène survenue huit jours plus tôt près de l'hôpital des varioleux rejoua avec une netteté effarante dans l'esprit de la jeune femme. C'était vrai : la géhenne devait ressembler à ça.

— Pour l'embarquer, ils devront d'abord me tuer.

Janvière était sincère. La seule idée que l'on s'en prenne à son enfant lui donnait des allures de lionne. À la fin, elle aborda d'une voix plus posée, chargée d'une véritable affection même, la préoccupation majeure de Phébée.

— Tu sais, tu ne risques rien, il ne vient jamais dans le commerce, encore moins dans ton atelier.

Ce « jamais » demeurait bien relatif, Phébée venait tout juste de le voir au pied de l'escalier. La tête lui tournait, le sang lui battait aux tempes. Sa patronne gardait les yeux sur elle, attendant des mots comme : « Vous avez certainement raison. »

Puisqu'ils ne venaient pas, la mercière conclut d'une voix redevenue cassante :

— Va travailler, maintenant, nous avons toutes les deux à faire.

Si le travail s'accumulait sur sa table, Phébée fut incapable de tenir une aiguille avant midi, tellement ses mains tremblaient. Devait-elle partir tout de suite ? Fuir sans se retourner ? Vivre jusqu'au mariage lui coûterait cinq dollars. Elle en avait bien plus dans la petite poche cousue dans son sous-vêtement.

Une fois réfugiée dans sa chambre derrière la porte verrouillée, rien ne lui arriverait, pensait-elle.

Puis la vérité s'imposa, limpide. Janvière devait dorloter son petit malade. Si sa patronne avait contracté la maladie, elle était contagieuse depuis une semaine au moins. Tous les jours, elle avait pu infecter autrui. Dans cette éventualité, la variole envahissait déjà son propre corps. S'isoler ne donnerait rien. Puis la contagion pouvait venir de tout le monde. Elle songea que Félicité partageait son lit tous les soirs…

— Dieu ne permettra pas ça. Pas après tout le reste…

La pauvreté, la mort de ses parents, l'extrême misère : le mauvais sort ne pouvait durer toujours. Ou le pouvait-il ? Le ciel lui avait fait deux présents : sa beauté, et sa capacité de coudre comme personne. Alors que sa vie changeait pour le mieux, où un gentil garçon lui donnait son cœur, Il ne la briserait pas ainsi. Elle s'était pliée aux recommandations du vicaire Savard, l'autre devait respecter sa part du marché, maintenant.

— Je vous salue, Marie…

Dans son esprit enfiévré, seule cette incantation sans cesse répétée pouvait restaurer le calme.

Phébée n'avait voulu parler à personne du nouveau développement aux *Confections Marly*. Ce que diraient ses meilleurs amis, elle le savait déjà. John lui répèterait de se faire vacciner au plus vite, que l'opération s'avérait sans douleur et sans risque. Prélever de la chair de vache pour la mettre dans le corps entraînait certainement des conséquences, cela lui semblait une évidence ! Cette recommandation coûtait peu à un homme. On disait « fort comme un bœuf », en guise de compliment. Pour elle, dont la délicatesse des traits représentait tout le capital, la réalité était tout autre.

Quant à Félicité, difficile de connaître son opinion sur la question, évoquer le risque de «minotaurisation» suscitait un sourire sceptique sur son visage. D'un autre côté, jamais elle ne parlait de se présenter chez un médecin.

Le lendemain matin, perturbée, la couturière regagna la boutique, résolue à prendre la fuite si elle sentait sa santé menacée. Cependant, quelle forme prenait cette menace, exactement? Ces minuscules bêtes qui, selon Jules, transportaient les maladies, grouillaient peut-être déjà partout dans son lieu de travail. Ou ne se trouvaient nulle part. Existaient-elles seulement? Des médecins croyaient en leur existence. Fallait-il leur accorder la même confiance qu'à Bernadette Soubirous, qui affirmait avoir vu la Sainte Vierge?

Cette dernière pensée confinait au sacrilège. Le vicaire Savard s'imposa à son souvenir, avec des yeux plus sévères encore que ceux du Christ en croix. La vision amena la jeune femme à se signer. En tournant le coin de la rue Sainte-Catherine, Phébée aperçut Janvière sur le trottoir, griffant le mur. Des lambeaux jaunâtres collaient à la brique.

— Ils en ont mis une autre? demanda-t-elle en approchant.

— Deux autres. J'en ai enlevé une hier soir, et celle-là ce matin. Comme si j'avais rien que ça à faire.

Comme la colle avait été appliquée des heures plus tôt, le papier adhérait fermement au mur. La marchande arrivait à rendre le texte illisible, mais les passants sauraient ce dont il s'agissait. Chacun connaissait ces affiches pour en avoir vu des dizaines.

— Les agents ne sont pas venus désinfecter?

— Jamais ils n'entreront! Aucun de ces parasites ne passera ma porte.

— Dans ma maison de chambres, ils ont fait brûler du soufre.

Le triste sort de Marie Robichaud avait meublé quelques-unes de leurs conversations déjà. Les vêtements de la blonde en avaient d'ailleurs gardé l'odeur tenace pendant plusieurs jours.

— Dans une boutique comme la mienne, tu imagines la réaction des clientes si on fait ça ? Déjà, nous devons parfumer les dessous avec de la lavande, pour leur donner envie de les acheter… Bon, allons nous mettre au travail, maintenant.

Peut-être la scène de la veille avait-elle suffi à convaincre les agents du Service de santé de ne plus affronter le dragon femelle dans son antre. Ou alors attendaient-ils une preuve formelle de la présence d'un malade dans la maison. Toujours est-il qu'ils ne se présentèrent pas à la porte de la journée.

Toutefois, l'action des fonctionnaires porta. Tant la rumeur publique que les vestiges des affiches sur le mur suffirent à décourager la clientèle. De tout le mardi 8 septembre, aucune femme ne passa la porte.

Le mercredi, l'achalandage ne revint pas à la normale, et encore moins le chiffre d'affaires. Certaines femmes se présentaient bien, motivées surtout par la curiosité, semblait-il.

— Voilà bien longtemps que l'on ne voit plus votre petit garçon, remarqua l'une d'elles, suspicieuse.

— C'est bien normal, répondit Janvière sans sourciller. Depuis dix jours, il séjourne chez ma sœur, dans le coin de Sorel.

— Ah ! Vous avez des parents par là ?

— Une sœur, c'est un peu parent, non ?

De la petite pièce au fond, Phébée entendait la conversation. Comme elle avait si peu à faire maintenant, ces visites rompaient un peu la monotonie de sa journée, tout en augmentant son inquiétude.

— C'est curieux, quand même, aller à la campagne en cette saison. D'habitude, on fait ça pendant les grandes vacances.

— Comme il ne va pas encore à l'école, ses grandes vacances durent toute l'année.

L'acidité du ton aurait suffi à décourager une acheteuse, en temps normal. Celle-là s'incrustait.

— Bien sûr, c'est plus prudent de le laisser là-bas, avec ces histoires de maladie, remarqua-t-elle.

— Vous y croyez, vous, à cette rumeur ? On en parle depuis des semaines, mais je n'ai jamais vu une femme avec des croûtes sur le visage passer cette porte.

L'autre prit un air entendu, puis murmura, comme pour se faire discrète :

— La variole, ça ne court pas dans notre monde. Chez les pauvres, oui. Dans la paroisse Saint-Jacques, c'est autre chose.

Le fait de vivre au milieu de notables ne rassurait toutefois pas complètement cette femme.

— Puis vous savez, moi, je n'ai pas pris de chance. Je me suis fait vacciner dès le début.

— Vous êtes bien courageuse, madame.

— Comment ça ?

— Vous n'avez pas entendu parler des conséquences ? Pourtant, avec tous les tracts distribués dans les rues…

La visiteuse fronça les sourcils. Janvière se ferait un plaisir de l'éclairer.

— Il paraît que le vaccin donne une apparence animale aux gens.

Tout en parlant, la mercière examinait son interlocutrice, comme si elle cherchait des stigmates visibles de cette transformation.

— Ils donnent une maladie de vache, n'est-ce pas ? insista-t-elle.

En regardant bien, constatait la mercière, on en venait à observer chez cette cliente un visage long, un menton et un cou un peu bovins ainsi qu'une pilosité suspecte sous le nez.

— Moi, je fais confiance aux médecins, rétorqua la femme. Ils sont catégoriques, ce sont là des histoires répandues par des gens crédules.

Le rouge monta aux joues de Janvière. Au lieu de lancer quelques épithètes malsonnantes, elle opposa :

— Pourtant, Bourque, Coderre et Ross sont des médecins eux aussi. Leurs pamphlets me semblent être bien savants.

Ces trois-là continuaient leur farouche campagne contre la vaccination.

— Bon, coupa court la visiteuse, je ne vous retarderai pas plus longtemps. Au revoir, madame Marly.

— Au revoir, madame.

La marchande posa des yeux assassins dans le dos de l'importune. Après la fermeture de la porte, elle passa dans l'atelier de couture pour soulager un peu sa colère.

— La vieille hypocrite ! Tu l'as entendue ?

— Un peu, mais pas très bien.

— Venir me demander des nouvelles de Junior ! Tiens, l'auteur de cette lettre, ce doit être elle. Tout ça pour nuire à la réputation d'une honnête femme.

Pendant quelques heures encore, toutes les clientes qui ne sortaient pas un sou de leur sac feraient d'excellentes coupables.

— Je ne vous ai pas demandé des nouvelles de votre garçon, dit la couturière. Se remet-il bien ?

— Très bien. Il a bien eu quelques boutons, mais ça donnera bientôt des croûtes toutes sèches.

Tout de même, le ton trahissait une angoisse réelle.

— Et vous, madame, vous sentez-vous bien ? Ça s'attrape par les contacts, paraît-il.

— Regarde-moi. Est-ce que tu vois des pustules ?

Janvière portait maintenant sa colère contre son employée. Cette dernière resta muette.

— Tu vois bien, toute cette histoire de contagion, c'est exagéré! Pour Gaston, c'est pareil, aucune trace. Puis il y a eu un cas dans ta maison. Quelqu'un d'autre l'a-t-il attrapé?

La couturière bougea la tête de droite à gauche. Dans la ruelle Berri, cependant, Robert Gray était rapidement venu décontaminer. Tout de même, juste ce fait demeurait aberrant. Pourquoi elle, et personne d'autre? Voilà qui ajoutait à la crédibilité de l'abbé Savard: une puissance mystérieuse agissait, condamnant les uns, sauvant les autres. Quelles fautes avaient valu ce triste sort à Marie Robichaud? Rien chez elle n'indiquait la pécheresse.

— Je ne sais pas comment Janvier a attrapé ça, insistait sa patronne pour bien marquer son point, mais Gaston est avec lui toute la journée, ensuite nous dormons dans le même lit. Regarde-nous. Pas un bouton. Tu sais ce que je pense?

Phébée s'en doutait bien un peu, mais elle fit non de la tête.

— Les médecins et le nouveau maire… tu sais, le libéral? Lui et sa clique ont monté ça pour se donner de l'importance.

— Chez moi, Marie est morte pour vrai.

La répartie ébranla la marchande, son exaspération céda la place à une vague inquiétude.

— Des gens, il en meurt tous les jours, personne ne sait pourquoi. Dieu a dit: «Je viendrai comme un voleur.»

Sur ces sages paroles, Janvière retourna derrière son comptoir, laissant son employée encore plus bouleversée.

Chapitre 12

Le samedi suivant, en pénétrant dans la boutique, Phébée trouva la mercière faisant les cent pas. Elle leva un visage préoccupé et déclara :

— Ma fille, j'ai une mauvaise nouvelle. Je vais te payer la semaine au complet, même si tu n'as presque rien fait, puis je ferme.

— … Il y a du nouveau, madame ? réussit à demander la couturière, estomaquée.

— Le nouveau, tu l'as vu comme moi. Il vient dix fois moins de monde, et ceux qui passent cette porte n'achètent plus rien. Ils viennent me parler de cette maudite épidémie.

Le ton de Janvière s'éleva sur la dernière phrase, devenant un peu hystérique.

— Ça ne va pas plus mal, toujours, pour votre petit garçon ?

La sympathie évidente de son employée calma un peu l'humeur explosive de la marchande. Elle marqua une pause avant d'affirmer :

— Non, je te l'ai dit déjà, il y aura des croûtes dans deux ou trois jours. Ensuite elles commenceront à tomber. La peau ne sera presque pas marquée, les lésions sont peu profondes. Ça me soulage. Lui si beau, le voir défiguré serait insupportable.

Elle ferma les yeux, inspira, puis expira longuement pour réfréner les émotions lui gonflant la poitrine. Puis ses pas la conduisirent vers son comptoir pour sortir trois dollars d'un tiroir.

— Tiens, voici ton dû. Je suis désolée. On devrait travailler comme des folles ces temps-ci, avec les toilettes d'automne. Pourtant les clientes restent chez elles.

L'argent changea de mains. Phebee l'empocha, le cœur gros.

— Ça me fait d'autant plus de peine que j'aurais aimé passer tous ces derniers jours avec toi. Dans un mois, tu seras une femme mariée.

La promise pouvait sans mal puiser dans ses petites économies pour tenir jusqu'à la cérémonie. Après celle-ci, cet argent ne serait plus nécessaire. Jules verrait à ses besoins, elle se consacrerait en retour à prendre soin de son mari et de la famille à venir.

— Vous croyez rouvrir bientôt ?

— Difficile à dire. On ne peut pas prévoir quand on en aura fini avec la variole. Passe une fois de temps en temps…

Elles restèrent silencieuses, les yeux dans les yeux. Elles se voyaient peut-être pour la dernière fois en tant qu'employeur et employée. Pourtant, Janvière n'esquissa pas le geste de venir l'embrasser, ni de lui tendre la main. Son visage devenait un masque d'inquiétude.

— Merci pour la paie de la semaine, c'est gentil à vous. Au revoir.

— Au revoir, ma belle. Prends soin de ce beau jeune homme. Vous vous méritez, tous les deux.

Phébée regagna le trottoir, se dirigea vers l'est, la tête basse. La mercière plaça un carton portant le mot « FERMÉ » dans la fenêtre de la porte.

Janvière attendit encore un peu, pour être certaine que la couturière avait fait un bon bout de chemin, puis sortit. La pharmacie la plus proche était celle de Robert Gray, mais aller chez le président du comité d'hygiène de la Ville lui paraissait pour le moins imprudent. Aussi préféra-t-elle rejoindre la rue Dorchester et marcher vers l'ouest jusqu'à un grand commerce un peu délabré.

Au comptoir, elle demanda à un vieux monsieur un peu sourd :

— Je voudrais de l'acide carbolique.

Janvière Marly aimait prendre ses informations avant de passer à l'action. L'autre la regarda, un peu soupçonneux.

— C'est aux agents de la Ville, de faire ça. Ce genre de produit est un peu dangereux.

— Eux viennent après que ce soit arrivé. Moi, je veux agir avant. Je tiens un commerce, je ne sais pas d'où viennent mes clients.

L'autre hocha la tête, chercha sous le comptoir et y dénicha une bouteille épaisse et sombre.

— Ce produit-là, si vous trempez la main dedans, vous pourrez compter tous vos os en la sortant. Vous devez le diluer avec de l'eau.

Pendant quelques minutes, il expliqua comment faire ce mélange, précisa qu'il valait mieux porter des gants de caoutchouc, travailler pendant de brèves périodes afin de respirer les effluves délétères moins longtemps, et entrecouper la désinfection de longues aérations.

— Après, ouvrez les fenêtres toutes grandes.

— Si c'est si fort, je suppose que pour nettoyer des tissus, ça ne va pas.

— Si ça traverse la peau, imaginez avec une robe comme la vôtre.

Le corsage laissait la poitrine un peu opulente à l'étroit. Le commis gardait le regard penché et semblait prier pour voir les boutons céder sous la tension.

— Je vends des robes, justement.

— Ah! Dans ce cas, le mieux est de faire brûler du soufre.

— Ensuite, elles vont empester.

L'autre la regarda avec une mine amusée, l'air de dire «on ne peut pas tout avoir».

— Je vous en mets combien?

— Combien m'en faut-il?

— Pour deux étages, six livres.

Le vieil homme lui expliqua ensuite comment employer le soufre. Janvière profita d'un tramway pour rentrer à la maison, ses emplettes pesant un peu trop lourd. Au moment d'entrer dans l'appartement, Junior vint la rejoindre en courant. «Oui, se dit-elle de nouveau, il récupère bien.» Toutefois, elle demeurait seulement à demi-satisfaite. Passant la tête dans l'embrasure de la porte de la chambre principale, elle commenta:

— Je crois que j'ai tout, mais ce sera une rude journée de travail.

Son mari, couché sur le flanc, regardait en direction du mur. Il se tourna à demi en disant:

— Désolé, mais aujourd'hui, je ne suis pas en état d'aider.

Les joues affichaient une vilaine teinte d'un rouge violacé, depuis les côtés du nez jusqu'aux oreilles. La peau rappelait l'écorce d'une orange. Dans vingt-quatre heures, les pustules couvriraient cette partie de son visage. Depuis le matin, ce nouveau développement ajoutait à l'inquiétude de la mercière.

Lorsque Phébée entra dans la maison, Vénérance vint dans le couloir afin de vérifier l'identité de l'intrus.

— Ah! C'est toi. Tu vas pas travailler, aujourd'hui?

— Non. J'ai décidé de sacrifier une journée de salaire pour venir vous aider à faire vos corvées.

— Te moque pas, t'en aurais besoin. Ce serait une bonne idée que t'apprennes à tenir une maison, comme tu seras mariée dans un mois.

— Nous aurons une bonne pour faire ça, ricana la blonde en s'engageant dans l'escalier.

Ce ne serait sûrement pas le cas avant quelques années, mais aucune épouse de professionnel ne vidait elle-même les pots de chambre une fois passés ses trente ans. Bien sûr, la couturière s'interrogeait aussi sur ses habiletés en ce domaine. Jules éclatait de rire chaque fois qu'elle exprimait des doutes à ce sujet.

Dans la chambre, elle se jeta en travers du lit, partagée entre la colère et les larmes. Junior avait dû présenter des symptômes plusieurs jours avant la visite des agents du Service de santé. En gardant le silence, Janvière l'avait mise dans une position dangereuse.

— Je l'ai peut-être déjà, ce poison, répéta-t-elle pour la centième fois. Peut-être.

Cette simple pensée l'encourageait dans son inaction. Contaminée, le vaccin devenait inutile. En même temps, tout son être se refusait à en admettre la possibilité. L'attention de tous ces hommes, dans la rue, l'avait convaincue de la possibilité d'un beau mariage. Si près du but, Dieu, ou le mauvais sort, ne permettrait pas qu'une horrible infection ruine ses espoirs. Elle aussi méritait une part de bonheur. Le Tout-Puissant pèserait ses fautes et son repentir, puis déciderait de son sort.

Cette alternance entre le désespoir et la confiance en la protection divine occupa son esprit jusque vers midi. Puis, dans un effort pour se changer les idées, elle ouvrit *La Porteuse de pain* pour en recommencer une nouvelle lecture attentive. Un sourire narquois sur les lèvres, elle regarda le mot sur la page de garde : Félicité. Pourtant, il ne s'agissait pas de l'écriture de son amie, qui rappelait les grandes lettres bien tracées des religieuses, mais plutôt de petits coups de plume nets et précis.

— Tu me caches quelque chose, mais je finirai bien par le découvrir…

Offrir un livre constituait certainement une délicate attention, mais de qui venait-elle ? Phébée n'avait pas commencé la relecture, quand elle entendit l'entrée bruyante des enfants Paquin qui fréquentaient une école tout près de la maison, ils revenaient pour le dîner. La couturière songea à descendre pour manger avec eux, quitte à donner trois cents à Vénérance. Elle se retint. L'échange, plus tôt dans la matinée, ne devait pas bien disposer le dragon à son égard. Autant s'en passer.

Elle avait parcouru deux pages à peine lorsque quelqu'un frappa à la porte d'entrée. Personne ne répondit, deux minutes plus tard les coups redoublèrent, puis une troisième fois, plus insistants encore.

— Voilà que je joue à la domestique, maintenant, grommela la jeune femme en quittant sa couche pour s'engager dans l'escalier.

Arrivée en bas, elle vit Fernande devant la porte, hésitante.

— Pourquoi n'ouvres-tu pas ?

— Maman nous le défend. Y ne faut pas faire entrer des inconnus.

— Qu'elle vienne, alors.

— Elle est derrière. Elle entend pas.

Que sa propre cuisine retienne Vénérance dans les latrines témoignait d'une sorte de justice immanente. Au moment où Phébée s'apprêtait à formuler une remarque caustique, les coups reprirent.

— Il va finir par défoncer, celui-là, pesta-t-elle en allongeant la main pour ouvrir.

Sur le trottoir, un homme tournait justement les talons en remettant son chapeau. Il l'enleva tout de suite pour commencer :

— Mademoiselle, j'en étais venu à penser qu'il n'y avait personne à la maison.

Ses yeux se posèrent sur Fernande un court instant.

— Ou peut-être devrais-je dire madame.

— Vous me croyez si vieille ?

La voix un peu moqueuse décontenança le visiteur. Il se reprit, un peu rougissant :

— Oh non, mada… mademoiselle. Vous devez être la grande sœur de cette enfant.

— Même si c'est faux, voilà au moins une affirmation plus gentille.

Machinalement, Phébée avait relevé un peu ses boucles blondes de la main droite. Son instinct l'amenait à montrer ses dents parfaites, le galbe de sa poitrine à tous les hommes un peu présentables. Et celui-là l'était plus qu'un peu.

— Je parie que vous aviez un motif pour venir ici, dit-elle après un silence. Vous devriez me le dire, je pense.

— … Je suis le docteur Baril. À la demande du Service de santé de la Ville, je passe de maison en maison pour vacciner les gens.

À cette évocation, Fernande quitta le pas de la porte pour se réfugier dans le couloir.

— Vous savez qu'il y a une épidémie de variole ? continua l'homme un peu dérouté par le silence de son interlocutrice.

— À moins d'être sourde, aveugle et incapable de lire, impossible de l'ignorer.

— C'est très dangereux.

— Beaucoup de personnes l'affirment. Cependant, la plupart des gens se rétablissent.

— Pour la forme moins sévère, vous avez raison. Les traces sont toutefois… cruelles.

Son regard s'attardait sur le beau visage, comme pour lui signifier de ne jamais prendre le risque de l'abîmer.

— On dit aussi que le vaccin est plus dangereux que le mal.

— Vous avez donc lu mes collègues Bourque et Coderre. Je vous assure, ils sont dans l'erreur.

— Eux diraient la même chose de vous.

L'homme esquissa un sourire desabuse, hocha la tête pour lui donner raison. À ce moment, Vénérance arriva en s'essuyant les mains sur son tablier.

— C'est pour quoi ? demanda-t-elle d'une voix peu amène.

— Monsieur le docteur vient nous proposer de vacciner la maisonnée contre la variole, l'informa Phébée.

— Ah ! Ça non. Mes garçons l'ont eue dans le bras, votre cochonnerie. C'est devenu gros comme ça.

Des mains, elle indiquait la circonférence de la cuisse d'un homme. Fernande se tenait toujours un peu en retrait, tout près des jupes de sa mère.

— Cet inconvénient s'est avéré moins douloureux que la maladie, je vous assure.

— Trois jours au lit, pis le prix de la visite d'un docteur. Bourque, si je me souviens bien. C'est pas rien, ça.

Le visiteur laissa échapper un soupir un peu découragé. Cette mégère ne céderait pas, il le devinait.

— Je peux vous vacciner gratuitement. Votre petite fille, là, n'est pas aussi bien protégée que ses frères. Vous ne voudriez pas la voir malade.

La gamine se dissimula derrière la matrone, se fit invisible.

— Même si vous me payez, j'dirai non. J'la mettrai pas en danger pour rien.

Sur ces mots, poussant Fernande devant elle, Vénérance regagna sa cuisine.

— Mademoiselle, insista Baril, vous au moins, soyez raisonnable. Protégez votre santé.

— La moitié des médecins sont d'un autre avis.

L'autre parut découragé. Secouant la tête de droite à gauche, il insista :

— Ils ont tort, vous avez tort de refuser. Lisez les noms des morts dans le *Daily Star*. Vous le verrez, les Canadiens français comptent pour neuf décès sur dix. Ce n'est pas parce que Dieu protège mieux les Anglais que les nôtres. Eux se font presque tous vacciner, pas nous !

Si un prêtre avait entendu ces mots, le pauvre professionnel aurait risqué l'excommunication pour hérésie.

— Je vous remercie, monsieur Baril, dit Phébée en esquissant le geste de fermer la porte.

— Mademoiselle, dites-moi au moins que vous ferez ce décompte ?

La blonde le regarda dans les yeux, puis hocha la tête de haut en bas. L'huis se referma sur le praticien un peu dépité. En neuf heures de travail, il vaccinerait finalement quatre personnes.

Bientôt ce serait l'automne, et Félicité se tenait encore au-dessus de métiers à tisser. Elle s'en voulait d'autant plus de sa négligence à chercher autre chose que les affaires périclitaient à la Dominion Cotton. Près du quart des travailleuses attendaient à la maison le moment d'être réembauchées. On les avait mises à pied au cours des dernières semaines.

Au milieu de l'après-midi, un sifflet à vapeur signala la fin de la journée. Surprises, les ouvrières arrêtèrent les machines. Elles se regardaient l'une l'autre, déconcertées. Les changements à la routine n'apportaient jamais de bonnes nouvelles.

— Tu penses qu'y vont toutes nous slacker ? demanda Victoria en venant rejoindre Félicité.

— Je ne sais pas, mais j'espère bien que non.

Le long du plafond, l'arbre de transmission se figea aussi, comme tous les samedis. À trois heures à peine, c'était inédit.

On laisserait s'éteindre la machine à vapeur. Le contremaître Rouillard entra bientôt dans la grande salle de tissage, flanqué du gérant de la manufacture et d'un autre personnage, un notable, à en juger par son habillement.

— C'est qui, celui-là ? demanda Rachel en s'approchant à son tour de la châtaine.

D'ignorance, la jeune femme haussa les épaules. Le contremaître se tenait bien droit, visiblement troublé.

— Mesdames, aujourd'hui nous terminerons plus tôt. Vous savez que depuis quinze jours nous avons dû remercier des ouvrières…

Ce préambule ressemblait terriblement à une annonce de fermeture. Une rumeur angoissée parcourut la grande pièce.

— Actuellement, les affaires vont mal à cause de la variole. D'habitude, la production de la manufacture est vendue surtout en Ontario. Là, nos clients se tournent vers d'autres fournisseurs, car ils craignent d'attraper la maladie en touchant le coton…

Cette fois, au moins vingt femmes s'exprimèrent en même temps, à voix haute. La question de la contagion faisait l'objet de vives discussions, donnait naissance à de curieux comportements. Certaines s'enroulaient un foulard autour du cou, d'autres ne mangeaient que des oignons, ou encore avalaient des breuvages malodorants. Pas une plante de l'île de Montréal n'avait été négligée. Toutes utilisaient l'un ou l'autre des remèdes de bonne femme. Certaines dépensaient la moitié de leurs gages pour se procurer les remèdes « patentés » annoncés dans les journaux.

— Au lieu de fermer, monsieur Adams, le propriétaire de notre entreprise, veut tenter de redresser la situation.

Tous les yeux se tournèrent vers l'inconnu. Voilà à quoi ressemblaient ces habitants des flancs du mont Royal. Pourtant au premier regard, excepté le rasage de plus près, la propreté et les beaux habits, on ne distinguait rien de particulier chez lui.

— Je me demande s'il voudrait m'épouser, glissa une ouvrière d'une quarantaine d'années.

Les autres rirent nerveusement, le capitaliste parut agacé, devinant que l'on parlait de lui. Le contremaître leva les mains pour obtenir le silence.

— Nous allons vacciner tout le monde... Voilà le docteur Thompson qui arrive.

Un autre Anglais bien vêtu entra dans la salle. Derrière lui, Mainville et un autre machiniste portaient une petite table couverte d'instruments et de produits mystérieux. Un apprenti suivait avec deux chaises. Tous les yeux observaient la petite procession, tous les esprits essayaient d'assimiler les derniers mots.

— Nous allons faire savoir partout que nos tissus sont fabriqués par du personnel immunisé, que tous nos employés sans exception sont vaccinés. Ça devrait ramener la confiance.

— Mais j'en veux pas, de votre remède de sorcier ! se rebella une femme.

— Nous ne forcerons personne. D'un autre côté, aucune travailleuse non vaccinée ne touchera à nos machines ou à nos produits. Si ça ne vous plaît pas, partez tout de suite.

Les yeux se tournèrent vers la protestataire, qui fixait maintenant le sol.

— Tout à l'heure, les hommes ont été vaccinés, dans l'autre salle, poursuivit le contremaître.

Mainville traînait encore dans la pièce. Il posa sa main droite sur le haut de son épaule gauche, grimaça comme s'il ressentait une intense douleur. Un coup d'œil du gérant suffit à le mettre en fuite.

— Monsieur Adams s'est fait vacciner lui aussi, pour bien signifier que tout le monde, dans l'entreprise, obéit à la règle. À l'avenir, nous n'embaucherons personne qui n'a pas le certificat d'un médecin compétent.

Ayant de nouveau entendu son nom, le propriétaire comprit que l'on venait d'évoquer son geste courageux. Après une inclinaison du haut du corps en guise de salut, il mit son haut-de-forme et quitta les lieux.

— Maintenant, monsieur le gérant le fera aussi devant vous. Vous verrez bien le ridicule de toutes ces histoires sur des remèdes de sorcier.

La femme qui avait exprimé son désaccord un peu plus tôt se tint muette, les yeux baissés. Sur un geste de Rouillard, l'homme dégingandé enleva son veston, détacha sa chemise en tournant le dos aux spectatrices, découvrit largement son épaule gauche.

— C'est pas bien costaud, un Anglais, ricana quelqu'un.

Les autres réprimèrent mal un fou rire nerveux.

— Tu t'en contenterais bien, Hortense, glissa une autre.

La bavarde rougit d'entendre prononcer son nom à haute voix, craignant des représailles. Le contremaître leva une main pour imposer le silence. Son geste ne servait plus à rien. Les spectatrices regardaient, maintenant fascinées. Le praticien grattait une matière rosâtre du bout d'un scalpel, se tournait à demi pour faire une petite coupure sur le bras du gérant. Il lui donna ensuite un morceau de coton à mettre sur la plaie. L'homme replaça sa chemise, se retira avec sa veste à la main.

Rouillard défit ses vêtements à son tour, suscitant des ricanements et des murmures. Un instant suffit pour lui inoculer le vaccin.

— Maintenant, qui vient la première ? Je vais vous donner vos gages quand vous sortirez.

— Tu vas rester pendant qu'on se déshabille, remarqua quelqu'un à haute voix.

— Avec tout ce que vous m'avez montré pendant les grosses chaleurs de l'été passé, ça ne devrait pas vous déranger.

— À son âge, c'est sans conséquence, railla quelqu'un.

Un peu de colère crispa les traits du contremaître. Sa patience avait des limites. Si toutes ces femmes ne se taisaient pas bien vite, certaines se chercheraient bientôt un emploi.

— Je vais me mettre près de la porte, je vous donnerai votre dû quand vous sortirez. Maintenant, cessez de faire les enfants. Qui commence ?

Personne ne bougea d'abord. Les ouvrières échangèrent des regards apeurés.

— Nous n'allons pas y passer toute la nuit, insista Rouillard.

— Ça coûte une piastre chez le docteur, maugréa quelqu'un. Pour une fois que les Anglais nous font un cadeau, moi j'le prends.

À cinquante ans, peut-être ses varices l'empêchaient-elles de demeurer longtemps debout sans bouger. Elle découvrit une trop large part de ses mamelles en défaisant son corsage, dégagea son épaule en prenant place sur la chaise. Ce fut fait en dix secondes.

— Tu y vas, toi, Félicité ? voulut savoir Victoria.

— Tu as les moyens de perdre tes gages ?

La jeune fille malingre secoua la tête de droite à gauche. Au fond, l'ancienne institutrice se réjouissait de voir cette contrainte mettre fin à ses hésitations. L'idée de se dénuder en partie devant les autres la tracassait maintenant plus que le traitement lui-même. Trois autres ouvrières succédèrent rapidement à la première, puis il y eut un autre moment d'incertitude.

— Bon, moi j'ai hâte de revoir mes enfants, dit Rachel. J'y vas.

Elle avança vers la chaise en se déboutonnant, se releva un instant après. Félicité se raidit en faisant les premiers pas, ses doigts tremblaient un peu sur les boutons de la robe. En l'ouvrant, elle baissa les yeux, préoccupée de la propreté de sa camisole, constata que les pointes de ses seins paraissaient dressées sous le mince tissu. En faisant glisser un pan du vêtement sur son épaule, elle tenta de les masquer de son mieux de son bras droit.

Puis ses yeux suivirent les étapes de l'opération. Le médecin gratta la surface de la lymphe de la pointe de son petit couteau. À chaque opération, un peu de sang des travailleuses restait sur le tranchant, colorait la matière rosâtre. D'un geste rapide, le docteur Thompson entailla légèrement la peau, puis murmura :

— *It's done*, en lui donnant un morceau de coton.

Elle le plaça sur la minuscule coupure, tâcha de le tenir en place tout en marchant vers le contremaître. De ses doigts un peu tremblants, elle essayait de rattacher les boutons, les joues cramoisies comme si elle avait dû se mettre nue en public.

— T'as bien fait. À ton âge, jolie fille en plus, ce serait une pitié d'attraper cette saloperie, dit Rouillard.

D'un sourire, elle le remercia de ses bons mots, et se tourna à demi pour voir Victoria découvrir une poitrine si gracile qu'elle rappelait celle d'un garçon. Dehors, elle rejoignit Rachel en train de partager ses émotions avec une collègue.

— Si je prends un air de vache, maintenant, je perdrai toutes mes chances de me remarier.

— Comme les hommes ressemblent tous à des bœufs, ils n'ont pourtant rien à dire !

La vieille ouvrière s'en alla, hilare, après cette boutade. Félicité adressa un sourire un peu hésitant à son amie.

— T'y crois, toi, à cette histoire de ressembler à un bovin ? voulut savoir cette dernière.

— Les Anglaises se font toutes vacciner, à ce qu'il paraît. Certaines ont peut-être des dents de cheval, mais aucune ne ressemble à une vache.

La répartie les fit rire toutes les deux. Victoria les rejoignit, la mine un peu inquiète.

— Tu n'y crois pas ?

Les derniers mots ne lui avaient pas échappé.

— Voyons, ne te tracasse pas avec ça. Tu dois bien manger du bœuf, des fois ?

La jeune fille hocha la tête, incertaine.

— Alors, tu vois des changements ? Et regarde-moi. J'en mange presque tous les dimanches.

Si l'autre la jalousa d'être aussi bien nourrie, elle n'en laissa rien voir, toute à son soulagement.

— À lundi, Félicité, à lundi, Rachel, les salua-t-elle avant de s'en aller.

Les autres lui rendirent son au revoir, puis échangèrent encore quelques phrases.

— Ce que tu viens de dire, commenta bientôt la mère de famille, t'aurais dû l'expliquer devant les autres.

— Expliquer quoi ?

— Ton histoire sur la viande. La moitié s'imagine avec des cornes sur la tête, maintenant. Ça les aurait rassurées.

— Alors nous la répéterons lundi. À bientôt.

Ensuite, la main droite posée sur le haut de son épaule gauche, Félicité demeura debout sur le trottoir. Son hypothèse avait rassuré Victoria, mais elle n'était pas tout à fait sûre d'y croire elle-même.

Comme il était encore tôt, Félicité songea à se rendre à la librairie de Duplessis. Aller jusqu'à la rue Hochelaga lui prendrait moins d'une heure, et elle serait revenue à temps pour le souper.

« Quelle idiote tu fais, se dit-elle dans un murmure. Ce petit bonhomme n'a plus aucun souvenir de toi. Donner un livre, ça ne veut rien dire. Puis, dans cette vieille robe, tu aurais l'air de quêter. »

Étonnamment, ce dernier argument la préoccupait plus que les autres. En se dirigeant vers la maison, comme elle s'estimait naïve de penser encore à ce marchand.

Une fois débarrassée de sa mauvaise robe, Félicité se vit forcée de demeurer un moment en sous-vêtements. Son amie tenait à examiner son bras de près.

— Je suis certaine que la loi empêche de forcer les gens à se faire vacciner. C'est comme… un viol.

Ce mot troubla son amie.

— Tu exagères. Personne ne m'a forcée.

— Menacer de te slacker si tu ne le fais pas, c'est t'imposer leur volonté.

La jeune femme avait vu là une occasion de surmonter ses hésitations, sa peur en fait. Le propriétaire lui avait tout simplement donné la petite poussée nécessaire pour la décider. Cependant, parmi les autres travailleuses, plusieurs agissaient réellement sous la contrainte.

— Ils n'avaient pas le choix, dit-elle pour défendre ses patrons. Tu ne peux pas nier ça. Madame Marly a fermé sa boutique car ses clientes ne venaient plus. C'était la même chose pour la Dominion Cotton.

La couturière se sentait trahie. Elle-même, quelques heures plus tôt, refusait de se faire vacciner. Voilà que sa seule véritable amie acceptait, au lieu de rester solidaire de leur décision. Bien vite cependant, la jeune femme mesura l'absurdité de cette émotion. Aucune connivence de ce genre n'avait été évoquée. Jamais. Depuis des semaines elles évitaient d'aborder la question de l'immunisation, tellement elles sentaient leur désaccord à ce sujet.

— Ils n'ont pas le droit, plaida-t-elle encore.

Félicité préféra ne pas insister. Très vite, elle avait renoncé à convaincre son amie. Quand elle y songeait, la châtaine comprenait pourquoi elle s'était privée si longtemps de cette protection : éviter de faire de la peine à son amie. Depuis plus d'un an, tout son temps, tous ses loisirs tournaient autour de Phébée. Son amitié l'avait conduite à se mettre en danger. Elle éprouva de la reconnaissance envers son employeur de l'avoir en fin de compte libérée de son dilemme.

Ce soir-là, tous les pensionnaires de la maison prenaient place à table. Le récit des derniers événements amenait Vénérance à s'insurger.

— Ils t'ont forcée ! dit-elle à la fois surprise et en colère.

— Personne ne m'a immobilisée pendant qu'ils me vaccinaient.

— Te jeter dehors si tu les laissais pas te mettre cette cochonnerie dans la peau, c'était te forcer.

Le souvenir de son échange avec le malotru venu à l'heure du dîner alimentait encore sa colère.

— Nous non plus, ils nous ont pas vaccinés de force, intervint Charles.

— C'était ça ou la porte, dit Guildor, comme pour… Félicité.

Le pauvre garçon commençait tout juste à faire usage du prénom de ses voisines. Ça le rendait encore un peu hésitant.

— Vous aussi, y vous ont fait ça ?

— À tout le monde, reprit Charles. À la McDonald Tobacco, le vieux patron a été le premier à y passer. On l'a vu sans sa chemise, tout maigre et tout plissé.

— Il doit bien avoir cent ans !

Aux yeux de l'apprenti, avoir des poils blancs sous les bras trahissait un âge canonique.

— J'en reviens pas, s'indigna la logeuse. On peut plus rien faire comme on veut.

De la part d'une femme prête à se soumettre à toutes les directives de son curé, pareille révolte semblait bien étrange.

— Vous avez pas mal ? s'enquit-elle.

— Moins qu'après une piqûre de guêpe, expliqua Charles.

— Tout de même, ça gratte un peu quand on bouge le bras, précisa son apprenti.

— C'est pas tout enflé ?

Vénérance gardait un souvenir sensible de l'état de ses deux garçons.

— Non non, dirent d'une seule voix le mécanicien et Guildor.

La mégère n'en était pas moins sceptique. Son regard se fit ensuite insistant sur Félicité.

— Ce n'est pas si douloureux.

— Ils vous font ça le même jour, en plus.

L'initiative prise chez deux employeurs laissait tout le monde perplexe.

— Ça se parle depuis des jours dans les journaux anglais, expliqua John. Les manufacturiers ne peuvent plus vendre leur production en Ontario ou ailleurs au Canada, à cause de la peur de la contagion. Ils se sont entendus entre eux pour faire vacciner leur personnel. Le médecin recruté pour cette corvée écrira sans doute aux clients pour leur dire que les tissus, ou le tabac, ou n'importe quoi d'autre ne présentent plus de danger.

Pour exprimer sa colère, Vénérance fit du bruit avec ses chaudrons. Hélidia sortit de son mutisme habituel pour s'inquiéter à haute voix :

— Personne a été vacciné, à la filature. Si c'est important pour vous autres, ça l'est aussi pour nous.

— Ce sera sans doute pour la semaine prochaine, dit John. Les patrons ne pouvaient accaparer tous les médecins de la ville le même jour.

Voilà qui procurait un nouveau motif de colère à la laissée-pour-compte. Même pour la vaccination, elle passerait la dernière.

— Vraiment, insista la logeuse, vous vous sentez bien ?

— Vos garçons ont été malchanceux, dit John. Ça chauffe un peu, ensuite on a une petite gale pas plus grosse qu'un dix cents. Quand elle tombe, il reste une toute petite cicatrice. Même l'épaule de la belle Phébée ne serait pas déparée… pas plus que celle de Félicité.

La couturière présenta une mine anxieuse. Si les gens gardaient une cicatrice à cet endroit, le soir des noces Jules réaliserait avoir été trompé pendant toutes ces semaines. Un époux pouvait-il contempler sa femme totalement nue, dans une clarté suffisante pour que ce détail soit visible ? Elle se résolut à rester pudique.

— Et vous, monsieur Crépin, voulut encore savoir Vénérance, personne vous a forcé ?

Le commis aux livres était demeuré silencieux depuis le début du repas, contrairement à son habitude.

— Non, on nous a laissés tranquilles. Les Barsalou sont des catholiques. Ils font confiance à la bonté de Dieu et à la prière. Chez les patrons protestants, ce n'est pas la même chose.

Tout de même, son visage paraissait bien soucieux, ce soir-là.

Peut-être à cause de l'épidémie, les paroissiens semblaient plus recueillis, plus pieux qu'à l'accoutumée. Le curé de l'église Saint-Jacques pouvait se montrer satisfait. Même les confessions devenaient plus nombreuses, lui semblait-il, et plus complètes. Face à des âmes si réceptives, il convenait de se montrer plus convaincant encore, afin de les gagner toutes.

L'ecclésiastique monta en chaire avec une mine grave, celle d'un homme résolu à faire son devoir pour conserver son troupeau dans le droit chemin.

— Celles et ceux qui écoutent mes sermons, la parole de Dieu, au lieu de laisser leur esprit vagabonder, ou alors de piquer un somme, se souviennent de mes paroles sur le carnaval. Pour vous aider à vous rappeler ce prêche, c'était le jour où on a démantelé la glissoire maudite qui passait devant notre église.

Jules Abel se raidit. Lui se remémorait très bien cette journée : avec ses amis raquetteurs, il avait fait l'objet d'une condamnation publique.

— Je vous disais alors que nous recevrions le salaire de nos péchés, une juste rétribution pour nos fautes.

Un murmure parcourut l'assistance. La suite se devinait facilement.

— Ce salaire, c'est l'épidémie de variole.

Le chuchotement se fit plus intense, des paroissiens s'agitèrent nerveusement sur leur banc, les fidèles debout à l'arrière contemplaient leurs chaussures.

— Nous avons la variole cet été parce que nous avons eu le carnaval l'hiver dernier. Nous avons vécu la célébration de la chair, alors c'est dans notre chair que le Seigneur nous punit.

Phébée se tenait immobile, avec son amoureux à sa droite, son amie à sa gauche. Le sang se retira de son visage, la tête lui tourna un peu. Ces mots, elle les recevait comme une sentence pour ses péchés. Pendant un instant, elle eut la certitude que Dieu ne la protégerait pas. Soumise à son jugement en s'exposant à la contagion, Il lui ferait payer ses fautes.

— Les autorités de Montréal ont voulu élever la ville aussi haut que la tour de Babel. Ils voulaient la faire connaître aux quatre coins de l'Amérique. Comme il a détruit la tour de Babel, Dieu a détruit cette renommée. Aujourd'hui, notre ville est connue, certes. Partout, les journaux évoquent cette affreuse maladie. Notre renommée, c'est celle de la pestilence.

La voix s'enflait, au point de ressembler à un cri. Le curé se prenait pour l'un de ces prédicateurs fous, heureux d'annoncer la fin des temps.

— Pour le péché de la chair, Dieu nous punit dans notre chair en envoyant sur nous un mal qui fait pourrir, dévisage, et parfois entraîne la mort. Pour le péché d'orgueil de nos dirigeants, Il nous envoie la honte. Aujourd'hui, les visiteurs ont déserté Montréal. Les hôtels, les restaurants sont vides, et plus personne ne veut acheter les produits de nos manufactures.

Le bon curé se tut un instant pour toiser ses ouailles, abasourdis. À l'arrière du temple, Phébée s'appuya lourdement sur le bras de son ami, s'y agrippa comme pour éviter que Dieu ne l'escamote. Le pasteur reprit enfin la parole sur un ton plus léger :

— Second ban : il y a promesse de mariage entre Phébée Drolet, de cette paroisse, et Jules Abel, de Sainte-Rose, dans l'île Jésus…

Comme la cérémonie aurait lieu dans la paroisse de l'époux, l'engagement ferait l'objet d'un affichage à la porte de son église. Ainsi, quiconque connaissait un empêchement à cette union devait le faire savoir, sous peine de faute grave. « Quelqu'un peut-il aller dénoncer ma présence au carnaval ? » se demanda la jeune femme.

Dans les bancs, parmi les gens debout à l'arrière, des jeunes femmes jetèrent des yeux un peu envieux sur la couturière. Celle-là faisait une bonne prise, meilleure que sa condition devait le lui permettre. « Comment rivaliser avec une pareille beauté », s'interrogeaient-elles avec frustration. Chacune en serait quitte pour dénoncer le fait que l'harmonie des traits et la finesse d'une silhouette l'emportaient sur la bonne éducation et le milieu d'origine, pour attirer un parti intéressant.

Chapitre 13

— Je passe matin et soir devant *Les Créations Marly*, disait Jules. Il y a une affiche jaune collée près de la porte. Enfin, elle était là hier, et ce matin. Je l'ai encore aperçue en me rendant ici.

Le couple se trouvait sur le parvis de l'église. Phébée se troubla. « S'il sait, jamais il ne me laissera tranquille avec cette histoire de vaccin. » L'explication de Janvière Marly à ses clientes vaudrait pour lui.

— J'ai vu aussi ce placard, je suis passé par là hier, en allant te rejoindre. Voilà ce qu'elle m'a dit : des gens ont écrit au Service de santé pour dire que son fils était varioleux. Janvier se trouve à la campagne depuis des semaines, qu'il soit malade ou pas ne change rien. À cause de cette histoire, les derniers jours, plus personne ne venait dans le commerce. Elle m'a donné mon congé.

— Le Service de santé pose des affiches là où il y a un malade.

— Tu les crois infaillibles ? De toute façon, qu'elle ferme faute de clientes ou à cause de la contagion, la boutique se trouve bien en quarantaine. Et moi, chômeuse.

Le jeune pharmacien ne dissimulait pas son scepticisme. Ces agents ne pouvaient placarder une maison sans motif sérieux. À la fin, il conclut avec un sourire :

— Enfin, l'important est que tu sois vaccinée. Si ta patronne s'est montrée imprudente, au moins toi, tu es à l'abri.

Son mensonge devenait sa prison. Après avoir trompé son fiancé à son retour de la rivière Saskatchewan, revenir en arrière lui paraissait totalement impossible. En répétant régulièrement la même fausseté, elle s'enfermait à double tour et jetait la clé au loin. Courir chez le médecin y changerait-il quelque chose maintenant ? Pendant dix jours, un enfant contagieux s'était trouvé à l'étage, juste au-dessus de sa pièce de travail.

Outre ce fatalisme, un autre motif la retenait : les paroles du vicaire Savard. Le prêtre n'en dérogeait pas : se faire vacciner, c'était admettre ne pouvoir compter sur la protection du Tout-Puissant à cause d'une âme trop chargée. S'en remettre à la religion des savants ajouterait un péché mortel à ses fautes.

« Dieu jugera ! se disait-elle finalement au terme de ces moments d'incertitude. Je dois faire confiance à Son infinie bonté. Jamais je n'ai voulu faire le mal… Pas sciemment, en tout cas. » Toujours revenait le désir d'en avoir le cœur net, de savoir s'Il bénissait ses projets ou non. Cependant, tout au fond de son cœur, sans vraiment en prendre conscience, ne connaissait-elle pas la réponse ? Parfois, la pauvre Phébée éprouvait la certitude d'être déjà malade.

Son fiancé contemplait ses traits, comme pour suivre le cours de ses pensées. Heureusement, Félicité vint les rejoindre. Sa présence permit d'oublier, ne serait-ce qu'un instant, cette douloureuse réflexion.

— Bonjour, mademoiselle, dit Jules en lui tendant la main. Nous n'aurons pas droit à votre présence aujourd'hui. Comme c'est dommage.

— Prenez bien garde de ne pas répéter votre invitation, au cas où je changerais d'avis.

La châtaine posait sur lui un regard narquois, presque espiègle.

— Mademoiselle, je vous assure…

L'autre éclata de rire, franchement amusée par le trouble soudain du garçon.

— Je vous taquine, dit-elle en mettant sa main sur son avant-bras.

— Mon amie veut consacrer tout son après-midi à la recherche d'un nouveau logis, expliqua Phébée. Elle rêve de dénicher moins pire que dans la ruelle Berri.

Le professionnel se priva de tout commentaire. Il connaissait les ressources limitées des ouvrières. Pourrait-elle vraiment trouver mieux?

— Soyez très prudente. Une jeune femme seule à visiter des maisons, parfois…

Impossible de se faire plus précis devant une femme sans manquer aux convenances.

— Notre ami John lui servira de garde du corps, précisa la couturière. Tu as raison, les rues ne sont pas sûres quand on est jolie.

Elle contemplait avec satisfaction le nouveau vêtement confectionné pour son amie plus tôt dans l'été. La veste arrivant juste à la taille lui donnait une charmante silhouette.

— Vous faites bien, conclut Jules. Je vous souhaite bonne chance.

L'ancienne institutrice ne s'imposa pas plus longtemps. Ces deux-là projetaient un petit dîner en tête-à-tête.

— Je vous souhaite un bel après-midi, dit-elle avant de les quitter.

Le couple, bras dessus, bras dessous, s'engagea dans la rue Sainte-Catherine, en direction de l'ouest. Après le repas, ils passèrent le temps en faisant du lèche-vitrines. Ils en étaient à évoquer ce qu'il conviendrait d'acheter pour leur nouveau logis.

— Tu sais, confia le jeune homme, je ne suis pas malheureux que tu ne travailles plus. Même si la boutique ouvre de nouveau avant le mariage, tu ne devrais pas y retourner. Tu pourrais plutôt te consacrer à la confection de ton trousseau.

Toute jeune femme, à moins de vivre dans une misère abjecte, s'engageait dans le mariage avec tout son linge de corps et celui de la maison : son trousseau. Le sien se distinguerait de tous les autres par la qualité de la confection et l'élégance des broderies.

— Puis en plus, insista-t-il, tu veux faire toi-même ta robe de mariée, tout comme celle que Félicité portera à la cérémonie. Ça te demandera beaucoup de temps. Si tu retournais chez madame Marly, il faudrait que tu y mettes toutes tes nuits, car il ne reste que trois semaines. Pour l'argent, je t'aiderai.

— Presque *quatre* semaines.

Le ton de reproche, en évoquant la longue attente, lui fit plaisir. Elle semblait si impatiente de voir la cérémonie arriver. Y songer le faisait rougir.

— Qu'en dis-tu ? insista-t-il.

— Pour le travail ? Tu as raison, je préférerais rester à la maison. Pour l'argent, ça ira. Après le mariage, je pourrai même en mettre un peu dans la caisse commune. Presque rien, mais ce sera déjà ça…

Jules caressa la main de sa douce posée sur son bras.

— D'un autre côté, tu sais que madame Marly m'a toujours bien traitée. Si elle a besoin de moi, je lui donnerai quelques jours.

Cette loyauté aussi charmait son compagnon. Ses craintes de mésalliance de l'hiver précédent lui paraissaient ridicules, aujourd'hui. Cette femme ferait une bonne épouse.

— Je suis certain que tu lui manqueras. Après le mariage, tu ne travailleras pas ailleurs que chez moi, affirma-t-il avec un sourire. L'idée de te tenir derrière un comptoir te plaît toujours ?

— Dans une pharmacie ? Je pourrais faire des erreurs dangereuses. Cependant si tu crois vraiment que je peux être utile… Je t'aiderai de mon mieux.

Le sujet revenait quelquefois entre eux. Une aussi jolie femme dans un commerce augmenterait certainement l'achalandage. Puis, surtout au début, la main-d'œuvre gratuite serait bienvenue.

— Tu ne prépareras pas les médicaments, bien sûr. Toutefois il se vend tant de choses sans grand rapport avec les maladies, dans un commerce de ce genre. Là je cherche des locaux à louer. Quand je trouverai, nous irons voir ensemble.

Les conversations de tout l'après-midi porteraient sur les projets d'avenir, les amoureux s'en sentaient grisés. Pendant ces heures, Phébée ressentait les effets de la bénédiction de Dieu sur elle.

Un bon chrétien pouvait-il toujours compter sur la grâce du Très-Haut pour échapper à la maladie? Les mauvaises pensées, les mauvais regards s'avéraient-ils des fautes graves au point de mériter la variole? Même la confiance en Dieu la plus solide pouvait vaciller.

Pour une fois, en sortant de l'église, Crépin Dallet n'essaya de se rapprocher ni de Phébée ni de Félicité. De toute façon, depuis la publication des bans, la première semblait enchaînée au bras de son promis. Bientôt elle disparaîtrait de son horizon.

«Mais l'autre, supputa-t-il en s'engageant vers l'ouest dans la rue Sainte-Catherine, deviendra-t-elle plus abordable une fois seule?»

La question s'accompagna d'une pensée si coupable qu'il accéléra le pas pour ajouter à la distance entre elle et lui.

Aucun médecin catholique ne gardait son cabinet ouvert le jour du Seigneur. Même les protestants, si loin de la vraie foi, n'allaient pas jusque-là. Les uns et les autres se contentaient de répondre à des urgences. Il en allait autrement dans la rue Saint-Laurent. En plus des commerces et des établissements un peu glauques offrant des divertissements inconcevables en pays chrétien, l'artère accueillait un certain nombre de professionnels indifférents au caractère sacré du dimanche.

Le commis aux livres s'engagea vers le nord pour marcher jusqu'à la rue Sherbrooke en examinant toutes les enseignes, toutes les affiches. Il traversa de l'autre côté, pour se diriger vers le fleuve en se livrant au même exercice. Il arrivait à la rue Dorchester, un peu déçu de ne pas trouver, quand un morceau de carton placé contre une vitre sale attira son attention. Un mot se trouvait écrit dans un alphabet mystérieux, puis en anglais :

— *Doctor*, lut Crépin à haute voix.

Il poussa la porte pour entrer dans une petite salle empestant l'ail. Une dizaine de personnes, des hommes et des femmes, posèrent des yeux à la fois incrédules et curieux sur lui. Une mère en haillons prit son enfant sur ses genoux afin de lui faire une petite place sur l'un des bancs. Il hésita. Rester debout lui éviterait la vermine que ces gens portaient nécessairement sur eux. À la fin, la pression de tous ces regards le fit céder. Chez les Sauvages, refuser une attention pouvait avoir des conséquences funestes.

Pendant plus d'une heure, il attendit. Un misérable sortait de la pièce du fond, un autre y entrait. La mère et son rejeton disparurent enfin. Après eux, ce serait son tour. Le temps venu, plein d'appréhension, il entra dans le cabinet. Assis sur un tabouret devant un vieux pupitre à cylindre, un homme d'une cinquantaine d'années, une barbiche noire au menton, le dévisageait.

— Je voudrais me faire vacciner, dit le visiteur dans un anglais laborieux.

— C'est une bonne décision, répondit l'autre dans un français passable. Je suis surpris de vous voir venir ici pour le recevoir.

— Ailleurs, c'est fermé aujourd'hui, et je travaille tous les autres jours de la semaine.

Le praticien hocha la tête, lui désigna un siège, puis se leva pour se diriger vers une armoire.

— Enlevez votre veste et votre chemise.

Crépin se déboutonnait déjà. Il dut aussi ouvrir son long sous-vêtement pour dénuder son épaule gauche.

— Vous parlez bien français, remarqua-t-il pour meubler le silence.

— À Budapest, apprendre une ou deux autres langues européennes est assez habituel. Dans mon milieu, en tout cas.

Parlait-il du milieu juif ? Médical ? Il revint avec un petit plat métallique et un couteau minuscule. La matière rosâtre soulevait un peu le cœur.

— C'est de la chair de vache ?

— La lymphe. Pour vous éviter le *smallpox*, je vais vous donner le *cowpox*.

Le couteau plongea dans l'affreux produit, il servit à en déposer un peu sur la peau après l'entaille. Puis le praticien offrit une pièce de gaze et rangea son matériel après avoir nettoyé la lame avec de l'alcool. En se retournant, il découvrit Crépin reboutonné, debout.

— Je vous dois combien ?

— Dans la ville, tous demandent un dollar.

La précision tenait à son désir de montrer que, même juif, il ne changeait pas les prix à la hausse. Le client paya, formula un « Bonne journée » à peine audible avant de quitter les lieux.

Afin de se dérober à la colère divine, ce catholique était venu se faire vacciner dans l'officine d'un membre du peuple déicide. Devait-il courir tout de suite à l'église afin de s'en confesser ?

À la fin, Félicité avait non seulement accepté de tenir compagnie à son amie, mais aussi de participer de bon cœur au projet religieux pour amener sur les futurs mariés la santé et la prospérité. Aussi, quand après le repas John proposa à la châtaine de l'accompagner pour une promenade, elle répondit :

— Désolée, mais je vais me faire rare pendant quelque temps.

— Enfin, tu as abandonné ta promesse de devenir vieille fille.

Le ton contenait juste assez d'ironie pour lui mettre du rose aux joues.

— Pas du tout. Ce soir, et les huit prochains, Phébée et moi nous rendrons à l'église.

Si John estimait cet accès soudain de piété un peu ridicule, il n'en laissa rien paraître. À la place, le regard fixé sur la blonde, il lui dit :

— Ton pauvre fiancé se trouvera bien négligé.

— Nous avons passé l'après-midi ensemble. Demain et les jours suivants, je compte bien le convaincre de se joindre à nous.

L'ébéniste devinait combien Jules s'enthousiasmerait peu pour ce projet. Seule la proximité de sa promise, même age-nouillée et recueillie, lui rendrait les choses plus faciles. Les pensionnaires terminaient leur repas et Vénérance s'impatientait de les voir quitter sa cuisine. Crépin Dallet choisit toutefois de prolonger un peu la conversation.

— Donc, vous entreprenez une neuvaine.

— Tiens, se moqua Charles Demers, le commis comptable sait compter jusqu'à neuf.

Comme un apprenti docile, Guildor Lévesque ricana devant la saillie.

Depuis toujours, soit pour obtenir un passage rapide du purgatoire au ciel pour un parent ou un ami défunt, soit pour éloigner la maladie et les autres malheurs, les catholiques s'engageaient dans une action pieuse neuf jours d'affilée. Le mieux aurait été d'assister à la messe, mais ces travailleuses ne disposaient pas du temps pour se prêter à cet exercice. Le ciel se contenterait d'un chapelet quotidien.

— Vos prières seront destinées à qui ? demanda Crépin après une pause.

— … À la Vierge et à saint Roch.

Phébée se méfiait toujours quand elle répondait aux questions de cet énergumène. D'un autre côté, comment pourrait-il trouver à redire face à cette initiative ?

— Ah ! Je vous félicite. Saint Roch saura certainement intercéder auprès de Dieu pour qu'il vous garde en bonne santé.

Le commis porta alors sa main droite sur le haut de son bras gauche. Le contact du tissu de sa manche sur le vaccin tout frais se révélait un peu douloureux. Il n'entendait pas se confier à ce sujet.

— Pauvre saint Roch, ironisa encore Charles. Il doit faire des heures supplémentaires, avec tous les Montréalais tirant sur le coin de sa robe.

— Viens, dit Félicité à Phébée en se levant de table. Nous avons à faire.

La travailleuse se savait condamnée à quitter sa chambre. Si cette éventualité troublait son sommeil, au moins rien ne l'obligeait plus à faire preuve de délicatesse envers Crépin, le plus désagréable de ses voisins.

De son côté, John Muir en serait quitte pour marcher seul.

Le lundi 14 septembre, et encore le 15, Jules Abel passa toutes ses journées seul derrière le comptoir de la pharmacie Gray, confectionnant les potions ou préparant les pilules prescrites par les médecins. Il effectuait ces tâches en toute légalité. Non seulement en avait-il terminé avec les examens de l'association, mais depuis le samedi précédent il savait avoir assez bien réussi. À en juger par ses notes, les correcteurs avaient sans doute tenu compte de son séjour dans les territoires du Nord-Ouest. Quelques points en plus pour avoir accompli son devoir civique ne le gênaient pas.

Quand son employeur reprit sa place à son retour de voyage, il commença par s'informer du chiffre d'affaires des derniers jours. Puis il rappela les raisons de son absence :

— Tout le monde au conseil municipal a dû se rendre à l'exposition industrielle de Toronto. Les élus de là-bas voulaient nous montrer à quoi ressemblera leur ville, quand tous les manufacturiers montréalais s'y seront installés à cause de la variole.

Le professionnel avait pesté toute la semaine précédente contre la perspective de ce déplacement, aussi Jules n'apprenait rien. Il attendit la suite en silence, car son patron brûlait d'évoquer son expédition.

— En pleine campagne, avant d'arriver à la frontière de l'Ontario, un inspecteur du Service de santé est monté à bord du train. Tout le monde a dû se dévêtir pour montrer le haut de son bras, comme ça, devant les autres.

Il mimait les gestes d'enlever sa veste et de déboutonner sa chemise pour dégager son épaule.

— Les femmes aussi ?

— Oui, elles aussi. Nous étions dans un wagon particulier, mais je me suis levé pour aller voir ce qui se passait ailleurs. Quel brouhaha. Les plus jeunes n'avaient jamais montré autant de peau, sauf peut-être à leur médecin, et seuls les époux des plus vieilles bénéficient de ce spectacle.

Jules songea à la gêne de Phébée, si elle devait se plier à pareille exigence ; et juste à l'imaginer forcée de le faire, il se troublait.

— Certaines devaient être tout à fait incapables de se dévêtir comme ça.

— Pourtant, à la fin toutes se sont soumises. Par contre, des hommes ont refusé. On les a fait descendre près des rails, au milieu de nulle part. Selon ce que j'ai entendu, certains ont essayé de passer la frontière à pied, ou avec un fiacre. On les en a empêchés. Des contrôles sont installés partout pour interdire aux Montréalais de répandre la pestilence.

Ces histoires, tout le monde les évoquait.

— Et parmi les conseillers, personne n'est revenu à pied ? demanda-t-il.

— Non. Cela aurait pu se produire, toutefois. Quand Jeannotte s'est déshabillé, il ne montrait aucune cicatrice. On l'a vacciné sur-le-champ. Le bonhomme glapissait de rage, mais au fond, il se réjouissait. Aujourd'hui il peut poser en victime des vaccinateurs, tout en étant prémuni contre la maladie.

La rumeur publique, friande des bonnes histoires, répandait que l'un des plus véhéments adversaires de l'inoculation, le docteur A.W. Ross, avait dû se soumettre au contrôle. Non seulement son bras portait la cicatrice d'une vaccination ancienne, mais aussi celle d'un rappel tout récent. Comme la querelle sur la mesure prophylactique cachait aussi une lutte de pouvoir, ce genre d'hypocrisie ne devait pas être un cas unique.

— Le conseiller Martin a dû subir une vaccination forcée, lui aussi, remarqua Jules. Il se montre si… réfractaire, lors des séances.

— Ah ! Mais pas du tout. Le cher homme a vu assez de ses locataires mourir pour comprendre tout l'intérêt de se protéger.

Le professionnel regretta un instant de trahir ainsi une confidence, puis haussa les épaules. Dans la tente de Sitting Bull, on ne lui avait pas demandé la discrétion.

Phébée avait terminé sa neuvaine, dans laquelle elle avait finalement entraîné Jules. Sa proposition d'en commencer tout de suite une autre, «pour être plus sûre», se heurta à un refus gentil mais ferme. Le mardi 22 septembre, alors qu'elle marchait avec son amoureux, rêvant d'avenir, Félicité tenait compagnie à John Muir. Déjà, ils avaient atteint le carré Viger pour en faire le tour. Un groupe de musiciens enthousiastes, des employés dans une maison de commerce, les intéressa un moment.

Sur le chemin du retour, John se montra soucieux avant de demander:

— Tu ne lis pas les journaux anglais, n'est-ce pas?

— Parfois. Comme tu le sais, sauf le dimanche, mes loisirs sont peu nombreux.

— Il en traîne toujours à l'atelier. Ceux de ce matin rendaient compte de la séance du conseil municipal d'hier soir. Selon le rapport du comité d'hygiène, dans cette seule journée, la variole a tué vingt-sept personnes. Maintenant, dans les treize centres répartis dans la ville, on en vaccine plus de mille par jour.

— C'est beaucoup.

Aux yeux de la jeune fille, ce nombre paraissait bien important. Il dépassait la population de Saint-Eugène, et même de Saint-Jacques.

— Mais non, ma belle, c'est bien peu. À ce rythme, on finira de vacciner les Canadiens français un peu avant Noël.

Du côté des anglophones, le processus avait débuté dès le début de l'été. Les quelques réfractaires ne couraient aucun risque, protégés du simple fait qu'ils ne croisaient à peu près personne susceptible d'être malade.

— Elle m'inquiète, tu sais, continua-t-il après une pause.

— Phébée?

— Oui, Phébée. Son scapulaire, ses neuvaines, ça la conduira peut-être au ciel. Le problème c'est qu'en refusant de se faire vacciner, elle risque de se retrouver devant saint Pierre afin de vérifier si sa ferveur religieuse lui vaudra le salut.

L'homme ne paraissait pas accorder beaucoup de crédit à ces protections. S'il respectait les exigences minimales de l'Église, son engagement n'allait pas plus loin.

— As-tu essayé de la convaincre? voulut-il savoir.

— Je l'aime beaucoup, c'est plus qu'une amie, tu sais.

Commencer ainsi par un plaidoyer de défense n'augurait rien de bon.

— Si j'insistais, je lui ferais de la peine. Même si elle ne voit pas de poils de vache pousser sur mes oreilles, elle est tout aussi effrayée qu'avant des conséquences possibles.

— Toujours cette stupide histoire de ressembler à une vache. Le gars qui a inventé ça mériterait de se faire pendre à ce lampadaire.

Lui aussi, à la fin, n'osait plus conseiller à la blonde de se faire vacciner, pour la même raison que Félicité. Il posa la main sur les doigts serrés au creux de son coude, puis remarqua:

— Des fois, je me demande…

Félicité tourna vers lui des yeux interrogateurs.

— Son attitude, ça n'a aucun sens. On dirait qu'elle fait exprès pour se mettre en danger. Christ, la mercerie est fermée à cause de la contagion, et elle ne fait rien.

— … Ton histoire de jouets détruits me trotte dans la tête, tu sais.

L'autre s'arrêta tout à fait pour l'entraîner près du mur d'un commerce. Lui aussi craignait une attitude de ce genre: détruire ce que l'on ne sait comment accepter.

— Il lui a demandé sa main, les bans sont publiés, il l'accompagne dans sa ferveur religieuse, et elle doute encore ? ragea-t-il.

— Je ne comprends pas trop son attitude, et je n'ose pas l'interroger. À la moindre de mes allusions, elle affirme avoir mis sa confiance en Dieu.

— Crépin ne peut pas l'influencer à ce point.

— Mais ce vicaire, oui.

La jeune femme gardait un souvenir cuisant de ses échanges avec lui, à confesse. Comme Sasseville, il entendait se faire l'interprète du Très-Haut pour façonner la vie de ses ouailles. Au moins, il ne paraissait pas servir les mêmes fins.

— Ça lui paraît trop beau, je suppose, avança l'ébéniste. Après tant de misère, elle s'imagine sans doute mériter tous les coups du sort. Ce mariage avantageux, ça cadre si peu avec ses expériences passées.

— J'ai tellement hâte à la cérémonie. Après, elle ne pourra plus douter.

Son compagnon afficha son scepticisme. Combien de jours heureux fallait-il avant de croire en sa bonne étoile ? Donner le change, se montrer crâneuse, cela convenait bien à la Phébée de l'époque où elle luttait à grands coups d'œillades pour se faire une place en ce monde. « Oui, convint-il, Félicité doit avoir raison : son nouveau jouet, elle craint toujours de se le voir arracher des mains. » Ne disait-on pas que le passé était garant de l'avenir ?

Plus grave, son comportement augmentait la probabilité qu'elle perde tout.

— De ton côté, ça va ? demanda-t-il quand ils se furent remis en marche.

— Je suis vaccinée.

— Non, pas ça. La recherche d'une nouvelle chambre… Dans moins de trois semaines, elle sera mariée.

L'échéance hantait la châtaine. Pour elle aussi, l'avenir paraissait recéler bien des menaces.

— Pour le prix que je peux me permettre de verser, je vois des endroits aussi déprimants et mal équipés que chez Vénérance. Parfois c'est même pire, pour un loyer plus élevé. Si je ne trouve rien d'autre, je me résignerai à prendre l'un ou l'autre de ces taudis.

Les personnes cherchant un pensionnaire laissaient des affichettes dans les commerces, en particulier les boulangeries, puisque tout le monde finissait par y passer. Il ne manquait pas de chambres à louer dans la ville. La difficulté résidait dans le prix.

— Je devrais faire comme les Paquin, réfléchit l'artisan, louer une maison et loger de bonnes filles comme toi et Phébée.

— Mais pour ça, tu devrais te marier. Ou alors ne louer qu'à des Crépin.

La taquinerie perçait dans la voix de l'ouvrière, comme si la proposition tenait de l'impossible.

— Voilà une affreuse perspective. Comme notre monde est imparfait.

Son bras encercla les épaules de son amie. Lui aussi devenait chagrin juste à l'idée de ne plus la voir dans la maison de la ruelle Berri.

Les membres du comité d'hygiène, réunis dans une petite pièce de l'hôtel de ville, affichaient leur mine des mauvais jours.

— Le nombre de cas déclarés va en augmentant sans cesse, expliquait Gray à ses collègues. Quand nous trouvons un malade, il y en a sans doute deux ou trois cachés dans des pièces obscures.

Dans les quartiers les plus pauvres, faire venir un médecin se révélait hors de prix. Ces gens souffraient, et souvent mouraient dans la plus grande discrétion. Impossible d'en faire le décompte. Le docteur Laberge, embauché par le Service de santé de la Ville, prit la relève :

— Les gens refusent toujours le vaccin. L'appui du clergé, même exprimé du haut de la chaire, ne suffit pas à renverser la tendance.

Le fonctionnaire n'oserait jamais qualifier cet appui. Un anglo-protestant jouissait d'une plus grande liberté, à cet égard. Le conseiller Archibald commenta, caustique :

— Le soutien de ces ecclésiastiques se fait souvent du bout des lèvres.

Même si les francophones comptaient pour la moitié des personnes présentes, les discussions se tenaient invariablement en anglais. Le conseiller Jeannotte s'insurgea dans cette langue :

— Le curé de Saint-Jacques a été très clair dans son appui.

— Oh ! Il a bien recommandé la vaccination, précisa Robert Gray, mais en ajoutant aussi que Dieu seul dispensait la santé ou la maladie. Je le sais, j'étais là.

— Chez les catholiques, expliqua l'échevin francophone d'un ton outragé, nous croyons à la toute-puissance de Dieu.

Converti à la « vraie » religion afin de se marier, le pharmacien était devenu un traître au méthodisme, tout en se frottant à la méfiance tenace des catholiques.

— Si Dieu a permis la découverte du vaccin, dit-il avec impatience, Il souhaitait que l'humanité en bénéficie.

— Vous connaissez donc les voies de Dieu ?

L'étrange tournure de la discussion les éloignait de la véritable raison de leur présence en ces lieux. Le conseiller Stroud sortit sa montre de gousset en soupirant, puis leur rappela :

— Pendant que nous gaspillons notre temps à parler de religion, des dizaines d'entrepreneurs de cette ville sont en train de décider du nombre de leurs employés qui seront mis au chômage samedi. Il s'agit en majorité de Canadiens français, dois-je le rappeler ?

— Les affaires vont de plus en plus mal, renchérit Archibald. Les voyageurs évitent de venir à Montréal, nos clients cherchent des fournisseurs dans d'autres villes. Rien ne prouve qu'ils nous reviendront après le passage de la variole.

L'intervention détourna l'attention des querelles théologiques. Le ralentissement de l'économie risquait d'entraîner une crise profonde.

— Que comptez-vous faire ? questionna Jeannotte, soupçonneux.

Des yeux, le président du comité d'hygiène consulta le docteur Laberge, puis expliqua :

— Nous devons proposer au conseil de rendre la vaccination obligatoire. Si on commençait lundi prochain, le 28 septembre…

— Vous voulez provoquer une révolution ! clama Beausoleil. Les gens ne se laisseront pas faire.

— Puis une municipalité n'a pas le droit de faire ça. Ce serait de la dictature. Déjà, avec la condamnation de Riel à mort…

L'échevin Jeannotte s'interrompit. Comment expliquer à ces Anglais, partisans du Parti conservateur et solidaires de la décision de pendre le chef métis, que leurs compatriotes voyaient dans cette exécution prochaine une véritable conspiration contre leur nationalité ? Imposer une mesure touchant la santé, défier les enseignements de l'Église au sujet de la force de la prière et du repentir, pour se garder des épidémies, seraient perçus comme une nouvelle attaque directe contre leur religion.

— Ça n'a rien à voir, protesta Gray.

— Ça a tout à voir, riposta Beausoleil. Vous ne pouvez pas nous pendre un par un, comme vous faites avec Riel dans le Nord-Ouest, alors vous entendez nous empoisonner en masse avec ce maudit vaccin.

— … En tout cas, les gens vont penser ça, tempéra Jeannotte un ton plus bas.

Leurs collègues de langue anglaise les regardaient maintenant avec de grands yeux incrédules. « De vrais imbéciles, en conclut Stroud. Ils préfèrent crever sous les soutanes plutôt que de soigner leurs enfants. Tout ça à cause de prêtres ignorants et stupides. » Un gouffre d'incompréhension se creusait entre les communautés.

Le dérapage de la discussion laissait les deux professionnels de la santé, le pharmacien et le médecin, pantois. La situation sanitaire devenait trop dramatique pour y ajouter une guerre de race.

— Messieurs, dit Gray, gardez ce genre d'argument démagogique pour les assemblées du Champ-de-Mars. Des gens meurent à cause de l'inaction de nos services.

Le rappel calma un peu les esprits.

— De toute façon, constata Jeannotte, vous-même disiez récemment que vous ne pourriez pas vous procurer des doses de vaccin en nombre suffisant pour l'inoculer à tout le monde.

— En y mettant le prix, nous avons surmonté ce problème.

— Les docteurs chargent une piastre pour ce poison. Vous entendez faire subir aux plus pauvres une taxe additionnelle ? Pour la plupart, ça représente le salaire d'une journée de travail. Imaginez le coût pour un père de six enfants. Avec sa femme en plus, ça représente plus d'une semaine de gages.

Repris en public, le chiffre suffirait à lui seul à soulever la révolte.

— C'est pour ça que le Service de santé municipal va recruter quelques médecins, précisa le président du comité d'hygiène. La ville les paiera, ainsi que les doses.

Personne n'eut l'indécence de demander quel serait l'effet de cette générosité sur son compte de taxes. Des dizaines de milliers de personnes restaient à vacciner, la facture serait salée.

— Moi, je vous le dis, conclut Jeannotte en secouant la tête de droite à gauche, ça ne passera pas au conseil.

À tout le moins, l'échevin entendait faire sa part pour en arriver là.

À la manufacture de coton, l'ambiance gagnait en morosité. Il restait tout au plus la moitié de l'effectif sur les lieux. Le contremaître Rouillard présentait une mine suffisamment préoccupée pour laisser croire que l'avenir proche réservait encore son lot de mauvaises nouvelles.

— Ces gages-là, disait Rachel devant les portes de la Dominion Cotton, j'vas les économiser.

On était samedi, elle venait de recevoir sa petite enveloppe. Elle la secouait à la hauteur de ses yeux, comme pour donner plus de poids à sa colère.

— Parce que ça ira pas en s'améliorant, moi, j'te l'dis.

— S'ils n'arrivent plus à vendre de toiles, plaida Félicité, ils ne peuvent pas nous garder.

— Ils ont des entrepôts, ils pourraient mettre ça de côté. Crains pas, le vieux monsieur qu'on a vu tout nu le jour du vaccin, il va garder sa grosse maison, pis le gérant et le *foreman*, leurs gages, quand nous on crèvera de faim.

Ces dernières semaines, bien des gens formulaient ce genre de propos amers. En cette période de l'année, ces femmes tentaient habituellement de mettre un peu d'argent de côté pour faire face au chômage d'hiver. Octobre serait bientôt là et elles risquaient de devoir dépenser les économies de l'été précédent. Janvier les verrait totalement démunies.

— Bon, j'me sauve là, dit l'ouvrière en tournant les talons.

— À lundi…

— C'est ça, à lundi.

La menace d'une mise à pied faisait régner une atmosphère tendue entre les travailleuses. Depuis un mois, chacune espérait le renvoi de sa collègue plutôt que le sien.

Félicité prit la rue Hochelaga pour rentrer. Après avoir parcouru quelques centaines de verges, une agitation dans la rue Parthenais attira son attention. La voiture noire du Service de santé était stationnée devant une maison. Aux agents spéciaux s'étaient joints quelques policiers afin de contenir une foule menaçante.

Malgré les vociférations des badauds, deux personnes furent bientôt installées dans le petit véhicule sinistre.

— J'peux pas en prendre plus, dit le conducteur en regagnant son siège.

— Y en a encore trois là-dedans, et un mort aussi.

— Moi, j'peux pas en prendre plus. Va falloir que tu demandes un fiacre pour les autres.

De peur de voir ses collègues entasser les malades les uns par-dessus les autres dans la boîte noire, l'homme fit claquer les guides sur le dos de son cheval. Lorsqu'il tourna dans la rue Ontario, il passa devant une Félicité médusée.

— Comme l'autre fois, laissa-t-elle échapper.

La scène la ramenait aux événements survenus à l'arrière de l'hôtel *Roscoe*, au cours de l'été. Depuis, les opérations de ce genre devenaient de plus en plus routinières, selon John, et souvent marquées d'une grande violence. Le quartier Sainte-Marie, où elle se trouvait, demeurait le plus durement touché par la maladie.

Chapitre 14

Le lendemain, le dimanche 27 septembre, toutes les paroisses de l'est de la ville vivaient une grande transhumance. Dans Sainte-Brigide, par exemple, un prêtre portait un grand crucifix noir dans les rues. Deux milliers d'enfants suivaient derrière lui. Cette catégorie d'âge regroupait la grande majorité des victimes de l'épidémie. Terrorisés, ils prononçaient des *Je vous salue, Marie* à tue-tête, entrecoupés d'une imprécation: *Seigneur Jésus, ayez pitié de nous.* Des scènes semblables se répétaient partout ailleurs dans la ville.

Certains curés entendaient toutefois se singulariser. Celui de Saint-Jacques proposait à ses ouailles un pèlerinage susceptible de les occuper tout l'après-midi.

— C'est très loin, argumentait Jules, pendant que la foule se massait dans la rue Saint-Denis, devant l'église.

— Je comprends que tu ne veuilles pas venir, répondit Phébée en lui effleurant la joue de ses doigts gantés. Après tout ce que tu as subi au début de l'été, tu ne dois pas être tout à fait remis.

Chaque fois que le jeune homme refusait de participer à une activité religieuse, la blonde empruntait sa voix maternelle pour faire référence à l'expédition du Nord-Ouest.

— Ce n'est pas ça, protesta-t-il. Ils veulent se rendre au cimetière de la Côte-des-Neiges. Aller retour, ça prendra des heures.

— Pour nous ça ira, je t'assure, nous pouvons le faire.

Le pluriel s'imposait puisque Félicité était d'emblée conscrite pour tous les événements pieux. Elle acceptait d'autant plus facilement que dans deux semaines leur cohabitation prendrait fin. L'idée d'emménager seule dans une chambre plus misérable encore que chez Vénérance la mortifiait. Le ciel l'aiderait peut-être, finalement.

— Nous voulons prier pour le repos de l'âme des victimes de la variole, continua la couturière, et pour le pardon de nos fautes.

L'ardeur qui marquait sa voix embarrassa un peu son fiancé.

— Ça, on peut le faire à l'église. Si tu veux, je t'y rejoindrai… je vous rejoindrai aux vêpres en fin d'après-midi.

— Mais les morts, ils ne sont pas dans l'église, ils sont au cimetière.

Si Dieu était vraiment partout, Il entendrait aussi bien les prières récitées dans la grande bâtisse que sous les arbres au flanc de la montagne. Le rappeler à sa fiancée ne servirait pourtant à rien.

— Puis nous sommes déjà allés dans ce coin-là pour profiter du parc, continua cette dernière. Alors tu ne trouvais pas que c'était trop loin. Nous pouvons le faire aussi pour nous sanctifier.

Le sentiment de Phébée lui parut si sincère qu'à la fin il abdiqua :

— Ça va, ça va, je viens avec vous. Cependant, je me fie plus au vaccin qu'à une procession pour me protéger de cette maladie…

— Jules, le mit en garde la couturière en faisant un signe de croix, ne dis pas des choses comme ça. Tu vas amener le malheur sur notre mariage.

Décidément, le sujet mettait sa fiancée sur des charbons ardents. Une très grande nervosité à l'approche du mariage expliquait sans doute son attitude. Pour lui aussi, l'engagement de toute sa vie lui inspirait de profondes réflexions. Dans ces moments de grande angoisse, tout le monde le savait, les femmes misaient sur les secours de la religion.

La blonde regretta bien vite son ton trop impératif. Un peu pour s'excuser, elle ajouta :

— Tu as entendu le curé tout à l'heure : la science des hommes ne peut rien contre la volonté de Dieu.

Un sourire passa sur les lèvres du jeune pharmacien. Si la vie matrimoniale ne leur réservait pas de sujet de dispute plus grave que celui-là, il dirait oui sans trop hésiter dans deux semaines. Pour tous les hommes présents sur le parvis de l'église, une ombre de scepticisme paraissait de bon ton, tant qu'ils respectaient les règles propres à leur communauté. Tous se réjouissaient en même temps de pouvoir compter sur la piété exacerbée de leur épouse. La soumission rigoureuse aux principes exposés dans le petit catéchisme en faisait des compagnes dociles et généreuses. En réalité, ils espéraient que leur douce moitié se révèle pieuse pour deux, afin d'assurer leur propre salut.

Jules se promit à ce moment de réfréner l'expression de certaines de ses opinions en sa présence. Ce serait payer bien peu pour préserver la paix du ménage.

— Moi, conclut-il malgré tout, je prierai surtout pour nous deux, pour notre avenir. Je demanderai à Notre-Seigneur au moins soixante ans de vie conjugale avec toi.

Une larme se forma à la commissure des yeux de la blonde. Elle l'essuya de sa main gauche, prit les doigts de son compagnon de la droite pour les serrer doucement.

« Même pour une procession religieuse, je me sens de trop, songea Félicité. Ces amoureux devraient être seuls. » Dans ses prières, le bonheur de sa sœur d'adoption prendrait toute la place.

Gloria in excelsis Deo
Et in terra pax hominibus bonæ voluntatis.
Laudamus te. Benedicimus te. Adoramus te.
Glorificamus te. Gratias agimus tibi
Propter magnam gloriam tuam,
Domine Deus, Rex cælestis,
Deus Pater omnipotens.

Le choix de ce cantique, habituellement réservé aux messes solennelles, était un peu curieux. Il tenait aux deux dernières strophes destinées à rendre grâce à Dieu :

Seigneur Dieu, roi du ciel,
Dieu le Père tout-puissant.

Jules apprécia la voix discrète mais juste de Félicité. Celle-ci, tout comme sa fiancée, offrait une mine recueillie, les yeux baissés, un chapelet emmêlé dans les doigts. *L'Étendard*, un journal catholique, prétendrait que deux milles fidèles participaient au pèlerinage. Personne ne les compterait, mais excepté les moins de dix ans et les individus malades ou trop âgés pour se livrer à cette longue marche, tous les paroissiens, ou presque, y prenaient part.

Le curé de Saint-Jacques guidait ses ouailles, une chasuble brodée d'or sur le dos, une grande croix dans les mains. De chaque côté, un vicaire portait un encensoir. Phébée cherchait le regard de Savard, comme pour lui exprimer : « Voyez je suis là, je respecte ma part du contrat. » Les enfants de chœur venaient ensuite, en peloton. Puis les paroissiens formaient le gros des troupes.

Arrivé devant les grilles du cimetière Côte-des-Neiges, le curé commença :

Kyrie eleison,
Christe eleison.

Les croyants répétèrent ces mots graves neuf fois, faisant alterner les mots « *Kyrie* » et « *Christe* », « *Seigneur* » et « *Christ* ». « *Eleison* » ne faisait pas mystère pour ces gens : prends pitié.

— Nous allons maintenant prier saint Roch, afin qu'il nous protège de la maladie, enchaîna l'officiant. Comme vous le savez, il guérissait surtout des affections de la peau.

Une fois ces dévotions achevées, tous ces gens purent se livrer à un chemin de croix aménagé dans un très beau sentier qui serpentait sous les arbres. Comme la foule était importante, la plupart des gens ne verraient aucune des représentations des quatorze stations. Qu'à cela ne tienne, tous les connaissaient par cœur. Les voix ferventes s'élevèrent vers le ciel.

Repoussés un peu à la périphérie de ce grand troupeau, les deux jeunes femmes et leur compagnon durent marcher parmi les tombes. Çà et là, des rectangles de terre remuée signalaient les enterrements les plus récents. Parfois, on avait eu le temps de graver les prénoms et les dates sur les monuments familiaux.

— Georgette, 1881-1885, lut Félicité.

— Ici, Antoine, 1880-1885.

L'énumération se poursuivit quelques minutes. Jules les prit enfin toutes les deux par le bras pour les emmener dans une allée couverte d'un fin gravier. Autrement, il serait revenu dans la paroisse Saint-Jacques avec deux pleureuses.

Une heure plus tard, le curé faisait de grands signes de la main pour rallier tout son monde, ses vicaires parcouraient les rangs des fidèles pour les regrouper. Le pasteur entendait reformer la procession pour faire le trajet en sens inverse. Ses ouailles montrèrent une certaine indiscipline. Les personnes ayant perdu récemment un membre de leur famille choisirent de se recueillir plutôt sur leur tombe. D'autres estimaient le rythme des pèlerins trop lent et préféraient accélérer le pas pour rentrer à la maison au plus vite.

Attristée par toutes ces jeunes victimes, Phébée accepta de bonne grâce d'emprunter des rues parallèles pour regagner la ruelle Berri.

— Ces morts, commença la blonde après un très long silence, tu sais pourquoi ils sont si jeunes ?

Jules Abel offrait son bras à sa fiancée. Derrière, Félicité s'approcha un peu pour entendre la réponse.

— D'abord ils sont plus faibles que les adultes.

De cela, tout le monde pouvait convenir. Chaque famille comptait des enfants emportés au cours des trois premières années de vie.

— Pourtant, les germes peuvent tout autant toucher les adultes.

— Tu as raison. Cependant, les plus jeunes jouent ensemble, partagent parfois le même lit ou les mêmes vêtements. Cela les expose un peu plus. Surtout, ils ne profitent d'aucune protection naturelle.

L'information suscita un tel froncement de sourcils chez Phébée qu'il expliqua sans attendre :

— Nous avons connu une épidémie de variole en 1874. Tous ceux qui l'ont eue et ont survécu sont certains de ne pas l'attraper aujourd'hui. Alors quand tu vois quelqu'un avec des cicatrices au visage, celui-là ne risque rien.

— Aucun enfant de moins de onze ans n'est naturellement protégé, conclut Félicité derrière eux, puisqu'il n'était pas né en 1874.

— À moins d'avoir reçu le vaccin, bien sûr, crut-il nécessaire de spécifier.

— Je profite donc aussi de la même protection, avança la couturière avec une pointe d'espoir.

— Ta peau est absolument parfaite, formula son compagnon. Jamais la plus petite pustule n'a gâché ce beau visage.

La réponse se voulait un compliment. Elle attrista pourtant sa fiancée. La perfection de l'épiderme paraissait compter beaucoup aux yeux de Jules.

Les promis et leur chaperon marchaient maintenant dans la rue Sainte-Catherine. Tous les trente pas, quelqu'un leur proposait d'acheter une image de saint Roch. Le malheur des uns devenait l'occasion d'affaires des autres. À en juger par l'accent de certains vendeurs, être catholique, ou même chrétien, ne figurait pas parmi les exigences pour se livrer à ce commerce.

— Non merci, disait invariablement Jules. Nous en avons déjà.

C'était vrai, lui-même avait cédé à la pression ambiante. Pour un sou glissé dans un tronc, il en avait pris une sur une table à l'arrière de l'église. Ils approchaient de l'intersection de la rue Saint-Denis quand un camelot d'un autre genre se manifesta :

— L'antivaccinateur et défenseur de la propreté s'adresse à nous, hurlait-il en agitant un petit pamphlet sous le nez des passants. Prenez-en un monsieur, et deux autres pour les demoiselles.

— Je ne paierai pas pour lire des sottises de ce genre.

— Ça coûte rien. Pis lisez-le pas si ça vous chante. Ça peut aussi servir dans les bécosses.

La répartie laissa le jeune pharmacien suffisamment interdit pour que l'adolescent lui en mette un exemplaire dans la main. Il allait le jeter dans la rue quand Phébée demanda :

— Qu'est-ce que c'est ?

— Encore un tract contre la vaccination. Celui-là est distribué dans les rues depuis hier, selon mon patron. Il nous vient du docteur Ross. Ce sont toujours les mêmes arguments, ça devient une rengaine : le vaccin est un poison, seule la propreté peut permettre d'éviter les maladies. Cette fois, pour changer un peu, le bonhomme a écrit un poème.

Si la couturière ne souhaitait pas en savoir plus long, Félicité demanda d'une petite voix :

— Un poème contre la vaccination ?

— Oui, il en est rendu là pour convaincre les gens. Ce sont de mauvais vers en anglais, traduit en français ça ne rime même pas. Attendez, je vais vous le lire.

Le garçon les entraîna le long d'un mur pour laisser le champ libre aux passants, puis il commença :

— Le titre, c'est *Histoire d'un crime*. Voilà :

Courtiers, banquiers, commerçants et tailleurs,
Manufacturiers, épiciers et autres vendeurs,
Prêtres et médecins se mettent en chœur
Pour dénoncer l'antivaccinateur,
Le seul à Montréal
Qui refuse de vénérer le fétiche
Et de reconnaître que les docteurs
Ont le droit de forcer les gens,
Anglophones et francophones, tous les gens,
À recevoir dans leur corps,
Et dans le corps de leurs enfants,
Le virus immonde de la bête.

— Le virus de la bête, répéta Phébée, devenue craintive.

Pour elle, ces mots ne désignaient plus une vache, mais le diable, la bête immonde qui induisait à la tentation, faisait pécher, puis entraînait ses victimes en enfer après une agonie marquée d'horribles souffrances. La conséquence du jugement de Dieu, ce serait peut-être ça, finalement, et non un mariage avantageux.

— Je vous reconduis chez vous, déclara le pharmacien en se remettant en marche. Après souper, viendrez-vous avec moi à l'assemblée du Champ-de-Mars ?

D'une manière un peu absente, Phébée donna son accord.

— Je ne sais pas…, commença Félicité.

— Venez avec votre ami, ça l'intéressera. Cette affaire Riel finira par porter les libéraux au pouvoir.

Jules croyait de plus en plus que John et elle formaient le couple parfait.

— Dans ce cas, nous viendrons, dit-elle avec un sourire espiègle devant la méprise.

Son amusement passa inaperçu. Le fiancé se préoccupait maintenant de la mine déconfite de sa promise.

Depuis le printemps précédent, les événements du Nord-Ouest avaient suscité des mouvements de colère chez les libéraux de langue française. Ce dimanche, deux mille personnes se massaient dans le Champ-de-Mars. L'opportunisme de John Alexander Macdonald attira les foudres de nombreux orateurs. Laurent-Olivier David monta sur l'estrade parmi les derniers pour clamer la solidarité de tous les Canadiens français avec Louis Riel, le chef métis condamné à une mort odieuse sur l'échafaud.

Jules Abel criait avec les autres, condamnait avec enthousiasme les ministres fédéraux de langue française prêts à sacrifier l'un des leurs pour conserver leur poste.

— Assassins, assassins !

Phébée se pressait contre lui, un peu apeurée au milieu des vociférations de ces hommes.

— Ce sont vraiment des assassins ?

— C'est de la politique, nous jouons un jeu, répondit son compagnon en lui adressant un demi-sourire, puis il recommença : Assassins, assassins ! Chapleau, à la corde !

Une nouvelle fois, John Muir restait en retrait, Félicité pendue à son bras. Toute cette histoire lui paraissait navrante. Les péripéties du procès permettaient de douter de la santé mentale de l'accusé. Malgré cela, la sentence serait maintenue. Quinze ans plus tôt, lors de la rébellion du Manitoba, Riel avait fait exécuter un Irlandais. Plus que la trahison, cet événement lui vaudrait la mort. La châtaine partageait son scepticisme sur cette dramatique affaire.

— Ces jours-ci, disait Laurent-Olivier David, les Anglais nous traitent de crasseux. Ils nous rendent responsables de l'épidémie de variole.

Les articles du *Daily Star* ou du *Herald* blessaient profondément les habitants de l'est de la ville. La rumeur d'une vaccination forcée circulait depuis trois jours. Cette mesure représentait un véritable outrage aux yeux des Canadiens français.

— Ces gens qui nous accusent aujourd'hui d'empoisonner nos enfants, ils sont venus de Londres en haillons il y a quelques décennies, transportant dans leurs guenilles une maladie autrement plus mortelle. Ils répandaient le choléra sur les rives du Saint-Laurent. Tous ces miséreux ont causé des milliers de morts parmi les nôtres.

— Assassins, assassins, reprirent les badauds.

Cette fois, l'accusation touchait moins le premier ministre du Canada que les membres du conseil municipal qui souhaitaient imposer le vaccin. Les deux motifs de colère se confondaient. Le vacarme devenait assourdissant.

— Rentrons, dit l'ébéniste en entourant de son bras les épaules de son amie.

— Les autres vont nous chercher.

— Penses-tu ? Ils vont marcher en se regardant dans les yeux, buter contre tous les lampadaires sur leur chemin. Tu vas voir, Phébée aura une bosse au milieu du front, le jour de ses noces, lâcha-t-il avec un clin d'œil.

Sans plus de résistance, Félicité se laissa entraîner vers l'est. Les amoureux profiteraient certainement de ce moment d'intimité.

— Cette histoire de maladie…, commença-t-elle après quelques pas.

— La variole ou le choléra ?

— Les deux.

L'homme lui adressa un regard oblique, touché par l'importance qu'elle accordait à son opinion.

— Ce petit avocat l'a dit, les journaux anglais rendent vraiment les Canadiens français responsables de la propagation de la maladie, car ils ne font pas vacciner leurs enfants.

— Ils ont raison ou non ?

— Tu sais bien que oui. Il suffit de regarder les visages dans les rues autour de chez nous, puis d'aller faire la même observation à l'ouest de la rue Saint-Laurent.

Ce constat la peinait, mais elle devait en reconnaître l'exactitude.

— Mais que s'est-il passé, exactement, pour le choléra ?

— Les pauvres voyagent avec la maladie. Je t'ai montré le cimetière où sont mes parents. Des milliers de morts gisent à Grosse-Île, presque tous des Irlandais. Parfois, la moitié des passagers d'un navire disparaissait à cause du choléra, du typhus ou de la fièvre. Dans ce temps-là, les Canadiens français et les Anglais nous accusaient de les contaminer avec notre crasse.

Un jour ou l'autre, tout le monde finit par être coupable, dans ces histoires.

Tous les deux se réjouirent ensuite à l'idée que le vaccin devienne obligatoire dès le lendemain, sachant que Phébée n'aurait alors d'autre choix que de s'y soumettre.

Comme tous les matins, Félicité arriva près des portes de la Dominion Cotton un peu avant sept heures, attifée de sa plus mauvaise robe. La vue des nombreuses travailleuses entourant le contremaître l'alerta tout de suite.

— Pas plus de douze, répétait-il. La plupart des moulins vont rester fermés.

Déjà, la moitié de l'effectif manquait, là il en resterait le dixième.

— J'dois gagner ! cria quelqu'un.

— On vend plus, riposta l'homme. Ça vaut plus la peine de produire.

— Mes p'tits continuent de manger, eux autres.

C'étaient les protestations habituelles, et même si Rouillard devait en être affecté, il n'en laissa rien paraître. Comme un Dieu tout-puissant, du doigt il désignait celles qui garderaient leur emploi pour une période indéterminée. Rachel compta parmi les élues. En passant la porte, la mère de famille ne put réprimer un sourire vainqueur.

Félicité, un peu à l'écart, se taisait. Sa discrétion lui valut sans doute l'attention du contremaître. S'approchant d'elle, il s'excusa :

— Désolé, la petite. C'est pas que tu travailles mal…

— Mais ces ouvrières ont des bouches à nourrir.

Tout de même, le ton de la jeune femme manquait de conviction.

— Tu viendras voir lundi prochain.

— Vous allez reprendre du monde?

— Ou fermer tout à fait. Faire fonctionner la machine à vapeur pour quelques moulins coûtera plus cher que les profits qui seront amassés, avoua-t-il avec regret.

Cette fois, la chômeuse ne jugea pas nécessaire d'afficher sa compassion pour ses patrons. Après un salut de la tête, elle s'engagea dans la rue Iberville, marcha jusqu'à Saint-Catherine. Mieux valait saisir l'occasion pour chercher un emploi de vendeuse.

Songeuse, elle s'arrêta sur le trottoir, puis tourna les talons pour s'engager vers l'est. La rue Désirée n'était pas très loin. Après quelques minutes, elle aperçut le commerce d'Octave Duplessis. Un homme en sortait justement, un journal sous le bras. Le libraire se levait tôt afin que ses clients connaissent les dernières nouvelles en se rendant au travail.

— Ça ne voulait rien dire, ces mots, en janvier dernier, marmotta-t-elle.

Procéder elle-même au jeu des questions et des réponses lui laissait bien peu de chance d'être contredite. Ce petit homme l'avait regardée de la même façon que Sasseville ou Grondin… «Non, pas tout à fait», admit-elle après une pause. Avec lui, rien du profond malaise ressenti devant le premier, ou de la répulsion éprouvée pour le second. Tout de même, ces trois-là partageaient quelque chose dans le regard.

Malheureusement, les yeux de Samuel ne lui revinrent pas en mémoire. À la fin, le libraire fut condamné par association.

— Puis de toute façon, habillée comme ça, même un marchand de charbon ne voudrait pas de moi.

Félicité rebroussa chemin. Plus elle avançait vers la ruelle Berri, plus elle se sentait déçue d'elle-même.

Robert Gray paraissait soucieux. Toute la journée, devant sa vitrine, de petits groupes d'hommes étaient venus gueuler contre les autorités municipales. Son identité était connue, il comptait parmi elles.

— Tu es sûr, tu peux passer la soirée ici ? demanda-t-il à Jules.

— Phébée pourra survivre à mon absence ce soir. Cependant, vous croyez que c'est nécessaire ?

— Tu les as entendus ? Ils sont prêts à égorger les dirigeants de la Ville.

L'image donnait froid dans le dos. Le pharmacien ouvrit un tiroir à l'arrière de son comptoir.

— Ils peuvent s'en prendre au commerce, mais j'ai surtout peur pour ma femme et ma fille, à l'étage. Tiens, garde ça à portée de main.

En frappant la surface de la table, le révolver produisit un bruit sec.

— Vous n'êtes pas sérieux, je n'aurai pas besoin de ça.

— J'espère que tu as raison, mais je ne veux prendre aucune chance. Tu sais t'en servir, au moins ?

— À la milice, on utilise surtout des carabines, mais je devrais m'y faire.

La remarque montrait combien il n'avait rien d'un va-t-en-guerre. Visiblement, le jeune homme ne tenait pas à renouer avec un outil de ce genre.

— Tu as des balles dans le tiroir, mais j'ai pris la peine de le charger.

S'attendait-il vraiment à ce que les six cartouches dans le barillet ne suffisent pas ? Jules commençait à regretter d'avoir accepté de jouer au garde du corps. Pour oublier un peu sa nervosité, il demanda :

— Au conseil ce soir, vous croyez que ça passera ?

— Ça passera, mais juste imaginer que des gens vont s'y opposer me fait rager. Bon, fais attention.

La minute suivante, Gray franchit la porte pour se rendre à l'hôtel de ville. Dans la rue, les nombreux badauds parlaient plus fort que nécessaire. Peut-être qu'une fois la nuit venue, ces hommes voudraient aller souper à la maison. « *Don't fool yourself* », grommela-t-il entre ses dents après un instant de réflexion.

— Y a une révolution rue Sainte-Catherine! lâcha Charles Demers en entrant dans la maison de chambres.

Fasciné par toute cette agitation, contrairement à son habitude, le machiniste s'était attardé dehors au point de rater le souper.

— Y passera en dessous de la table, avait décrété Vénérance avec frustration.

L'absence de l'un de ses locataires à l'heure du repas lui paraissait un affront impardonnable. Pourtant la nouvelle chassa tout de suite l'air maussade de son visage pour faire place à une vive frayeur :

— Doux Jésus! s'écria-t-elle. Qu'est-ce qu'on va devenir?

— Bon, que se passe-t-il? demanda John Muir sur un ton plus posé.

— Des gens bloquent la rue devant le bureau des vaccinateurs. Y menacent d'y mettre le feu.

L'ébéniste échangea un regard avec Félicité.

— Y a de la bataille? voulut savoir Guildor Lévesque, comme s'il parlait d'une compétition sportive.

Déjà il se levait pour aller se faire une idée par lui-même. Finalement, la logeuse en serait quitte pour avoir cuisiné pour rien.

— Vous autres, vous venez aussi?

John consulta ses amies du regard. La curiosité le disputait à la frayeur, chez elles.

— Ça peut être dangereux, remarqua Félicité.

— Si ça le devient, je vous protégerai.

La promesse vint avec un gros clin d'œil. Si elles ne furent pas tout à fait rassurées, elles quittèrent néanmoins leur banc.

— Moi, je ne me mêlerai certainement pas à des voyous qui contestent les autorités légitimes.

Personne ne souhaitait entendre l'opinion de Crépin, ce qui ne l'empêchait jamais de l'exprimer. À la fin, il ne restait que lui, Hélidia et Vénérance dans la cuisine.

Si les débats à l'hôtel de ville se révélaient souvent cocasses, il arrivait quelquefois qu'ils tombent dans le mélodrame. Ce serait le cas ce soir-là. Toutes les chaises étaient occupées, des spectateurs s'alignaient le long des murs, et les journaux avaient dépêché leurs meilleurs reporters. Une douzaine de policiers, dans le couloir, étaient prêts à intervenir si les esprits s'échauffaient un peu trop.

— Nous n'avons qu'un seul sujet à l'ordre du jour, annonça Beaugrand d'une voix éraillée. La situation sanitaire.

Le maire présentait des traits émaciés, comme si lui-même souffrait d'une maladie cruelle. Son état délabré ajoutait à la tension.

— Monsieur Gray va d'abord nous dire un mot.

Le pharmacien se leva lentement, pour retarder un peu le moment de prendre la parole.

— Depuis des mois, la maladie progresse dans la ville. Quand un cas s'ajoute, une nouvelle source de contamination s'ajoute aussi. La seule façon de ralentir le mouvement, c'est de vacciner tout le monde.

— Dictateur, cria un spectateur.

— Vous avez pas le droit.

Sans conviction, le premier magistrat tapa sur la surface de la table avec son maillet.

— Nous n'avons pas d'autre choix. Sinon, ce sera une véritable hécatombe.

— Vous ne pouvez pas forcer les gens, dit le conseiller Jeannotte.

L'échevin entendait reprendre devant ces témoins la discussion tenue au comité d'hygiène.

— Déjà dans la ville l'atmosphère est explosive, avertit Beausoleil. Des hommes manifestent dans les quartiers Sainte-Marie et Saint-Jacques. Ils protestent contre les mesures arbitraires de votre administration.

L'élu paraissait trop bien informé de ces événements pour ne pas y avoir mis la main.

— Les esprits sont échauffés à cause de l'histoire de Riel. Il ne reste qu'à jeter une allumette pour mettre le feu aux poudres. Nos concitoyens ne toléreront pas une nouvelle marque de mépris.

Le ton posé du conseiller Rainville rendait la menace plus lourde.

— Laisser la variole emporter vos enfants ne vous semble pas une marque de mépris plus grande encore ? plaida le maire.

Sa voix fut couverte par les protestations de la salle.

— Quand le glas sonne plusieurs fois par jour à l'église Sainte-Marie, tenta de les convaincre l'un de ses collègues de langue anglaise, vous vous mettez les doigts dans les oreilles pour ne pas l'entendre ?

Les deux élus s'affrontèrent du regard. Quelqu'un dans la salle demanda d'une voix agressive :

— Si j'veux pas de votre maudit vaccin, vous allez m'attacher pour me l'donner ?

— Ouais, insista un autre, pis les enfants, vous allez mettre trois polices après pour les tenir, pis une autre pour leur mettre votre saloperie ?

La perspective de vacciner des gens de force déchaînait les imaginations. Robert Gray prit tout le monde par surprise en disant :

— Personne ne sera soumis à un traitement de ce genre.

— Comment ça, demanda Jeannotte, ce sera obligatoire, mais vous ne forcerez pas les gens ?

Il semblait presque déçu. Déjà, il imaginait l'effet de la colère populaire sur les résultats du scrutin de 1886.

— Les noms des personnes qui s'entêteront dans leur refus seront remis aux autorités religieuses. Sa grandeur monseigneur Fabre nous a assuré que ses prêtres feraient tout leur possible pour que les pères de famille accomplissent leur devoir à l'égard de leurs enfants en les faisant vacciner.

L'expédient laissa tous les opposants bouche bée. Le soin de faire appliquer ce nouveau règlement municipal ne reviendrait pas aux fonctionnaires de police, mais aux curés. Aucun Canadien français n'oserait élever la voix si le clergé se montrait solidaire de la mesure.

Le conseiller Archibald profita de la commotion pour faire la lecture de la proposition. Elle prévoyait l'usage de la cœrcition pour vacciner l'ensemble de la population.

— Je propose un amendement, intervint Jeannotte.

Celui-ci devait enlever toute sa force au règlement.

Six conseillers se prononcèrent en faveur, tous francophones. Adrien Martin ne comptait pas parmi eux. Discrètement, il échangea un regard avec le président du comité d'hygiène. Sa conversion en faveur de la mesure tenait toujours, malgré les désordres dans les rues.

Quand la résolution initiale fit l'objet d'un vote, il ne restait que trois opposants à la cœrcition, répartis entre les quartiers

Saint-Jacques et Sainte-Marie, là où survenaient la plupart des décès.

Mauvais perdant, ou prophète, Jeannotte eut le dernier mot:
— Avec ça, ce sera la guerre civile.

Félicité constata combien la situation devenait dramatique. Des centaines d'hommes et de garçons occupaient la chaussée, de même que deux ou trois douzaines de femmes à l'esprit aventureux.

— Les tyrans ne nous imposeront pas leur volonté. Nous allons résister aux décisions arbitraires!

Un petit homme assis sur les épaules de deux camarades haranguait les autres. Il s'exprimait avec un accent français.

— Oui, c'est ça, grinça quelqu'un d'une voix gouailleuse.

— Mort aux bourgeois, proféra encore l'énergumène.

— Vive Riel! lui répondit l'un des badauds.

À Montréal, la révolution sociale attendrait. Cette population chérissait ses traditions, même en ce domaine: elle s'en tiendrait encore longtemps aux luttes entre Anglais et Canadiens français, catholiques et protestants, libéraux et conservateurs.

— Mort aux vaccinateurs, enchaîna un autre.

Ce fut comme un appel à l'action. Des hurlements de colère s'élevèrent vers le ciel. Quand ils s'éteignirent, un bruit de verre brisé se fit entendre. Deux agents de police de faction devant l'antenne du Service de santé sifflèrent de toute leur force. Leurs collègues patrouillant dans les rues environnantes accoururent. Toutefois, une demi-douzaine d'entre eux ne suffirait pas à ramener l'ordre. Même dix fois plus nombreux, ils n'auraient peut-être pas suffi. Des pierres volèrent encore, défoncèrent les carreaux.

— Je n'aime pas ça, dit Félicité.

— Ils n'en veulent pas aux jolies filles, dit John en encerclant ses épaules d'un bras protecteur. Seulement aux fenêtres.

Phébée, sur sa gauche, se mérita la même attention.

— Mort aux vaccinateurs! gronda Charles Demers.

Le machiniste s'avançait dans la foule, cherchait sur les pavés un projectile à lancer vers le petit immeuble. Si la question du vaccin le laissait plutôt indifférent, que les Anglais imposent leur volonté aux Français le révoltait. Pour de nombreux protestataires, le sort de Riel alimentait plus le sentiment de révolte que les initiatives du Service de santé municipal. Cette conjoncture donnait simplement l'occasion d'exprimer une colère séculaire.

Guildor Lévesque, moins rassuré maintenant, suivait les trois autres. Il y eut un mouvement vers l'est, un colosse vêtu d'un uniforme noir s'avança vers le bureau du Service de santé.

— Rentrez chez vous, disait-il, sinon vous aurez à payer pour ces dégâts.

— Qui c'est, ce gars-là? demanda la couturière.

John leva les épaules pour signifier son ignorance, mais une rumeur vint des premiers rangs: «Le chef de police Paradis». L'audace même du fonctionnaire municipal forçait le respect des gens. Il multipliait les appels au calme, mais les cris de colère couvraient sa voix. Les policiers l'entourèrent, leur matraque tenue des deux mains à la hauteur de leur poitrine, dans un geste défensif. Leur supérieur fit signe de dégager le trottoir juste devant l'édifice. Les manifestants regagnaient la chaussée pendant quelques secondes, puis y revenaient sans tarder.

Des pierres continuaient d'atteindre les fenêtres. Des cris fusaient: «Vive Riel!» «Hourrah pour les Canadiens français!» et même de surprenants «Vive la France!» L'atmosphère demeurait assez bon enfant, par contre certaines voix trahissaient un usage immodéré des boissons enivrantes. Le climat changea tout à coup quand des personnes aux abois vinrent annoncer l'adoption de la mesure coercitive par le conseil de ville.

— Tous à l'hôtel de ville ! cria un premier manifestant.

Le mot d'ordre fut répété à de nombreuses reprises. Des protestataires se dirigèrent vers l'ouest en groupes de deux ou trois, puis en flot continu.

— Alors, mesdemoiselles, je vous reconduis vers votre lit douillet, ou vous venez avec moi ? demanda John.

— Toi, tu ne rentres pas ? interrogea la blonde.

— Non, je vais aller voir ce qui se passera là-bas.

Comme aucune menace n'avait vraiment pesé contre elles jusque-là, la curiosité l'emporta.

— Alors j'y vais aussi, décida Phébée. Nous allons passer devant la pharmacie Gray, je pourrai peut-être saluer Jules.

— Le commerce n'est sûrement pas ouvert à cette heure.

— Pourtant, il est resté là-bas. Il me l'a dit hier soir.

Cet échange avait rendu la châtaine perplexe. Elle aussi s'interrogeait sur l'attitude à adopter.

— Tu sais, lui glissa son amie, Guildor acceptera volontiers de te reconduire tout de suite dans la ruelle Berri.

L'apprenti mécanicien discutait alors avec Charles. Il ne semblait pas enclin à suivre les manifestants.

— Ça lui fera plaisir de t'offrir son bras, ajouta Phébée.

À la fin, rejoindre toute seule sa chambre ne lui dit rien.

— Non, j'aime encore mieux vous accompagner… si cela ne vous dérange pas, bien sûr.

John Muir passa son bras dans le sien, lui adressa un sourire.

— Je serai ton chevalier servant. Personne ne touchera à un seul de tes cheveux.

Avec cette assurance, Félicité se joignit à l'immense procession.

Jules Abel avait placé deux chaises l'une en face de l'autre, pour s'asseoir et poser ses jambes sur la seconde. Il avait remis le révolver dans le tiroir, certain que cela ne servirait à rien. Puis des bruits de voix lui parvinrent, de plus en plus forts. Bientôt, des visages se posèrent contre les vitrines.

Heureusement, il avait éteint toutes les lampes à gaz du rez-de-chaussée. Réfugié au fond de la boutique, on ne devait pas le voir de l'extérieur. En longeant les murs, il alla se placer derrière le comptoir.

— Ça c'est le commerce du chef du comité d'hygiène ? voulut savoir quelqu'un.

— Oui, c'est le vaccinateur en chef, ajouta un autre.

Du plat de la main, un manifestant frappa dans la fenêtre, bientôt ils furent quelques-uns à l'imiter.

— Gray, vas-tu venir nous vacciner ?

— On t'attend. Tiens, je vais remonter ma manche.

Jules entrouvrit le tiroir, récupéra l'arme. L'objet de métal, lourd dans sa main, le rassura un peu. Les vociférations prenaient de l'ampleur, une véritable foule se massait devant la pharmacie. Derrière lui, des pas se firent entendre dans un escalier, la porte s'ouvrit et un rectangle de lumière permit de voir dans la pièce.

— Qu'est-ce qui se passe ? demanda une femme.

— Madame Gray, je vous en prie, remontez tout de suite et fermez les lumières.

— Tous ces gens…

Le jeune homme marcha vers elle pour répéter l'injonction. Une petite voix vint de l'escalier :

— Maman, j'ai peur.

Marie, la petite fille de son patron, avait descendu trois marches. À cet instant, des coups violents ébranlèrent la porte, des pierres heurtèrent le mur de brique de la façade.

— Montez vite, fermez les lampes et éloignez-vous des fenêtres.

La femme vit le révolver dans sa main, son sang se retira de son visage. Comme elle retournait vers l'appartement de l'étage, la vitre au milieu de la porte de chêne éclata, puis l'une des vitrines.

— Montre-toi, maudit sorcier.

— Viens nous vacciner.

La seconde vitrine fut réduite en miettes, puis des coups de butoir eurent raison du pêne de la serrure. Une demi-douzaine d'hommes en furie se trouvèrent bientôt dans le commerce, d'autres se penchaient dans les châssis maintenant privés de fenêtres.

— Sortez d'ici, dit Jules en s'approchant assez pour être vu, son arme bien en main à la hauteur de la ceinture, pointée vers les intrus.

— Gray. Nous voulons Gray.

À sa grande surprise, sa main ne tremblait pas. Peut-être son entraînement avait-il du bon, après tout.

— Il n'est pas ici. Sortez.

— On va mettre le feu, menaça quelqu'un dehors. Sa boutique, ses vaccins, tout va brûler, et lui avec.

Le jeune professionnel allongea un peu le bras, tira sur le percuteur du révolver. Le cliquetis fut couvert par les cris et le bruit des pierres traversant les fenêtres, à l'étage.

— Vous êtes dans un commerce privé, pas dans un bâtiment municipal. En haut, dans l'appartement, il y a une mère et sa fille. Vous voulez vraiment les brûler vives ? Je peux vous abattre, n'importe quel juge me donnera raison.

— On veut ce gars, le vaccinateur en chef.

L'inconnu avança d'un pas. Une petite pression de l'index, et une explosion puissante déchira l'air. Jules sentit le recul dans son bras, l'odeur de la poudre envahit la pièce. La balle s'était logée dans le plancher. Dans le logement, en haut, un cri aigu se fit entendre.

— Gray n'est pas ici. Vous avez entendu ? Dans la maison, il y a une femme et une enfant. Foutez le camp.

— On va aller le chercher, vociféra quelqu'un, dehors.

— Il est encore chargé, vous savez.

Si les intrus ne faisaient pas mine d'avancer, ils ne se retiraient pas non plus.

— J'ai appris à me servir de ça dans le Nord-Ouest. Allez-vous-en.

Lentement, les inconnus battirent en retraite, maintenant visiblement nerveux. Lorsque celui qui se comportait comme un chef mit le pied sur le trottoir, il lança à la ronde :

— Y doit être à l'hôtel de ville. Allons-y.

La proposition tombait sous le sens, puisqu'on venait d'adopter le règlement honni. La meute s'éloigna lentement. Parmi les retardataires, parfois un homme se penchait dans une vitrine défoncée, ou se plaçait dans l'embrasure de la porte. Ces curieux s'attendaient peut-être à découvrir tout l'attirail du savant fou, une version montréalaise du docteur Frankenstein. Puis ils continuaient leur chemin.

Le cœur cognait dans la poitrine de Jules. Il tenait toujours le révolver pointé devant lui. Saurait-il tirer, s'ils revenaient ?

Chapitre 15

Au gré de l'avancée des manifestants vers l'ouest, des hommes et des garçons se joignaient à eux. Leur nombre atteignait certainement un millier lorsqu'ils passèrent devant la pharmacie Gray.

— Qu'est-ce qu'ils font là ? questionna Phébée, une pointe de détresse dans la voix.

— C'est le commerce du directeur du comité d'hygiène, non ? lui rappela John.

Les intentions de la multitude devinrent limpides quand les cris fusèrent. À l'instant où des pierres frappèrent la façade de la bâtisse, la couturière s'élança. Après trois pas, un bras la saisit à la taille. L'ébéniste la ramena sur le trottoir.

— Jules est là, dit-elle.

— Aller te mettre entre lui et ces gens ne servirait à rien, et serait bien dangereux.

Pendant de longues minutes, le trio assista au siège de la boutique. La lumière disparut de l'étage, des pierres défoncèrent toutes les fenêtres, la porte même.

— Qu'est-ce qu'ils vont lui faire ?

Dans toutes autres circonstances, le spectacle d'un homme tenant une femme contre lui aurait amené des condamnations sans nuances. Ce soir-là, l'attitude protectrice de John laissait tout le monde indifférent. Un peu inquiet de toute cette violence, Guildor Lévesque demeurait tout près de ses voisines, investi lui aussi de la mission de défendre les deux femmes.

Phébée entre bonnes mains, il tourna son attention vers Félicité.

— Tout va bien, mademoiselle Dubois ?

— Je suis prise au milieu d'une révolution et le fiancé de ma meilleure amie est menacé par ces sauvages. D'après toi, je vais bien ?

La réponse laissa l'apprenti bouche bée. Le danger donnait un air farouche à l'ouvrière, habituellement si réservée.

— Je peux vous ramener à la maison, vous savez.

— Et la laisser seule ?

Le coup de feu fut entendu de la rue. Phébée tenta d'échapper à la poigne de son protecteur.

— Ils vont le tuer.

— Fais-lui un peu confiance. Il sait se défendre. Écoute.

Dans la rue, un silence stupéfait suivit la détonation, les cris reprirent lentement, mais avec moins de conviction. Puis la progression vers la rue Saint-Laurent se poursuivit bientôt au cri de : « À l'hôtel de ville ! » Les quatre voisins s'attachèrent aux pas des manifestants. Bientôt, la blonde se pencha sur l'une des vitrines défoncées.

— Allez-vous-en, ou je tire, fit une voix.

— Jules, c'est moi.

Le jeune homme se tenait toujours au milieu du commerce, son arme pointée devant lui. Il lui fallut quelques secondes avant de baisser le bras. Puis il se précipita vers sa fiancée pour l'embrasser. La peur lui donnait une fougue nouvelle. Il avait craint de ne pas survivre à cette foule en colère.

— Que fais-tu ici ? demanda-t-il en interrompant le baiser. C'est dangereux, tu sais.

— Je voulais voir comment tu allais. Je peux entrer ?

Déjà, elle levait une jambe pour passer par la croisée.

— Non, l'arrêta l'autre en prenant son épaule. Tu vas te blesser sur ces morceaux de verre.

Tout autour du cadre de la vitrine, les vestiges des carreaux s'encombraient de morceaux de verre pointus comme des poignards.

— Mais je veux entrer.

— La porte est ouverte. Viens par là.

La jeune femme ne fut pas la seule à pénétrer dans la boutique, ses amis l'accompagnèrent. John apprécia les dégâts. La lumière des lampadaires, dehors, permettait de tout distinguer.

— Le coup de feu, il venait de qui ? voulut-il savoir.

— De moi. Je voulais les convaincre de rester dehors.

Si de son bras gauche Jules enlaçait maintenant sa fiancée par la taille, il gardait toujours le révolver dans sa main droite. Tout au plus, il rabattit le percuteur pour éviter un accident.

— Rester ici est dangereux, commenta l'ébéniste. Ils peuvent revenir. Les mêmes, ou d'autres groupes. Venez avec nous.

— Il y a une femme et une enfant là-haut. Puis je ne peux pas laisser détruire tout cela.

D'un mouvement circulaire de son arme, il désigna le comptoir, les rayons alourdis par des contenants de verre ou de porcelaine.

— C'est le travail de toute une vie.

Fils de marchand, désireux d'être bientôt à son compte, il se sentait tout à fait solidaire de son employeur face à ces désordres.

— Dans ce cas, il faudrait refermer tout ça. Vous avez des planches, des clous ?

Son interlocuteur acquiesça de la tête.

— Moi, je vais vous quitter. Je veux voir jusqu'où iront ces enragés. Vous venez, les filles ?

— Je reste avec Jules.

Quelque chose dans la voix de Phébée témoignait d'une volonté inébranlable. Pourtant, Félicité jugea bon d'essayer :

— Rentrons à la maison. Ces gens peuvent revenir.

— Je reste.

La blonde tenait alors son promis par le bras. On était à douze jours du mariage, elle ne prendrait pas le risque de le perdre. John Muir demeura songeur un instant. Son sens du devoir lui ordonnait de rester là, pour aider ce garçon. D'un autre côté il lui coûtait de rater ces événements dramatiques. Il proposa un mauvais compromis :

— Nous viendrons vous avertir si les manifestants reviennent par ici. Guildor, tu nous accompagnes ?

— … Je vais les aider.

L'apprenti comptait se faire valoir. Bien sûr, la patine de héros ne pouvait plus attirer l'attention de Phébée : ce petit professionnel occupait tout son univers. Qu'en était-il de l'autre jeune femme ?

— Félicité ? continua l'ébéniste.

Depuis une minute, elle jaugeait les risques, mais aussi sa véritable place. Dans les circonstances, jouer au chaperon deve-nait absurde, puis Jules serait là pour sa promise, pas pour une autre. Mieux valait se coller aux pas de l'ébéniste.

— Je vais avec toi.

Avant de sortir, John Muir se retourna pour répéter encore :

— Essayez de tout fermer derrière moi. Si ça barde encore, sauvez-vous par la ruelle.

Puis après une dernière hésitation, l'homme et la femme disparurent.

— Il y a des planches dans le hangar, dit Jules. Venez avec moi. Toi, reste ici, pour nous avertir s'ils reviennent.

Guildor hocha la tête. Tout le monde paraissait enclin à lui donner des ordres, et lui à y obéir.

Un peu plus loin rue Sainte-Catherine, John et Félicité tombèrent sur les manifestants, agglutinés devant une autre maison pour la soumettre à une pluie de pierres. Déjà, toutes les fenêtres avaient été défoncées.

— Qui habite là ? demanda l'ébéniste à un homme lors d'une pause dans les vociférations.

— Le docteur Louis Laberge, le médecin…

— … du Service de santé de la Ville, je sais.

Comme chez Gray, on avait réclamé le professionnel. Celui-ci ne se présenta pas, il en serait lui aussi quitte pour changer toutes les croisées. Puis le flot humain continua sa route. Sur son trajet, aucune pharmacie, aucun cabinet de médecin ne s'en tira indemne. On aurait dit que ce chaos devait servir les intérêts d'une corporation de vitriers.

Les manifestants ne suivaient pas un trajet bien précis. Rendus dans la ville anglaise, ils revinrent vers la rue Dorchester, toujours en lapidant quelques maisons, de même que les réverbères. Sur leur chemin, des parties de la ville se voyaient plongées dans une totale obscurité. À la fin, les différents groupes convergèrent vers le sud en direction de l'hôtel de ville.

Les protestataires firent d'abord le siège des locaux du Service de santé. La situation sanitaire exigeait que les commis, les poseurs d'affiches, les préposés à la décontamination ou à la vaccination accumulent le temps supplémentaire. Tout le personnel s'y trouverait encore malgré l'heure tardive. Depuis les abords du Champs-de-Mars, une nouvelle grêle de pierres atteignit les fenêtres à l'arrière du grand édifice. Certains ne visaient pas très bien : un caillou cogna une manifestante à la nuque ; elle s'effondra sur le pavé.

Félicité s'approcha un peu plus de son compagnon, éleva la voix pour couvrir le tumulte :

— Des gens vont se faire tuer.

— Ceux-là pourront peut-être calmer les choses.

Quelques dizaines de policiers sortaient du vaste édifice municipal, où se situait leur quartier général, pour former un cordon protecteur. Même si peu nombreux, leur présence suffit à éloigner la plupart des gens en colère. La cohue se déplaça vers la rue Notre-Dame pour détruire les fenêtres en façade et occuper toute la place Jacques-Cartier. Les manifestants pourraient y surveiller à la fois le grand palais de justice et l'édifice municipal, le premier devant à gauche, le second à droite.

Sous leurs yeux, un fiacre réussit à progresser dans la masse humaine et s'arrêta devant le grand escalier. Le passager descendit pour se diriger vers l'entrée.

— Beaugrand, crièrent des badauds.

Le nom honni fut repris. Reconnu plus tôt, le magistrat aurait subi un mauvais sort. Atteindre la porte lui prit un instant. Des coups de feu retentirent ici et là parmi les manifestants. Certains s'étaient armés. Personne ne sut si on visait le maire, ni si les balles touchèrent les murs de pierre, mais personne ne s'écroula.

Un peu d'agitation se produisit au centre de la place, près de la rue, au pied de la colonne Nelson. Quelqu'un monta sur le toit d'un fiacre immobilisé par la foule.

— Les privilèges des puissants sont terminés…

La voix rappela quelque chose à John Muir.

— Nous l'avons entendu tout à l'heure, rue Sainte-Catherine, confirma Félicité devant son regard interrogateur.

— Tu as raison, c'est l'accent de tout à l'heure : il s'agit du même gars.

— Ce règlement sur la vaccination, s'égosillait encore l'énergumène, sera leur dernier abus de pouvoir.

L'immigrant souhaitait probablement rééditer l'aventure de la Commune de Paris en sol américain.

— Non à la vaccination obligatoire ! rugit la foule.

— Mort aux tyrans! Tous vers les portes. Nous allons imposer la volonté du peuple.

— Vive Louis Riel!

De nouveau, la cohue choisissait de s'en tenir à sa revendication séculaire.

— Vive les Canadiens français!

Des loustics commencèrent à secouer la petite voiture. L'orateur improvisé dut s'accroupir pour éviter d'être projeté sur les pavés.

Dans le hall de l'hôtel de ville, Honoré Beaugrand fut reçu par un quatuor de fonctionnaires terrorisés. Robert Gray s'approcha de lui, plissa le nez devant l'odeur de soufre. Pour ramener le maire à la santé, des médecins lui recommandaient des bains dans de l'eau mêlée à ce produit. Sans se porter mieux, il empestait depuis quelques jours.

— Où en sommes-nous? demanda-t-il d'entrée de jeu.

— J'ai téléphoné aux principaux officiers de la milice, dit le pharmacien. Ils ont bien voulu convoquer leurs hommes à leur point de ralliement habituel, mais ça prendra du temps pour les rejoindre. Pas avant demain…

L'invention d'Alexander Bell ne révélerait sa véritable utilité que lorsque tous seraient abonnés. En 1885, les notables pouvaient converser entre eux, mais pour rejoindre leurs subalternes, on en était encore aux messagers.

— Demain, ils auront tout détruit. Il faut sonner le tocsin.

— Allez téléphoner à l'évêché, dit Gray à un fonctionnaire. Les cloches de toutes les églises doivent sonner d'ici dix minutes.

Entendre son nom sans cesse répété par cette horde de protestataires incitait le président du comité d'hygiène à outrepasser ses prérogatives. Dehors, les cris s'amplifiaient, les policiers chargés de protéger l'édifice reculaient sans cesse. À la fin, ils jugèrent plus prudent de revenir à l'intérieur, laissant le champ libre aux émeutiers. Un capitaine effaré vint rendre compte de la situation.

— Des renforts vont arriver bientôt, dit le maire pour le rassurer. Distribuez des carabines à vos hommes, qu'ils se mettent aux fenêtres. La vue des armes refroidira les sangs de ces agités.

Habituellement munie de simples matraques et de paires de menottes, voilà que la force constabulaire s'équipait pour aller à la guerre. Ces mesures prises, les deux hommes cherchèrent une fenêtre pour surveiller les manifestants.

— Chez vous, comment ça va ? demanda Beaugrand.

— Mon employé monte la garde au rez-de-chaussée, un révolver à la main, ma femme et ma fille sont dans l'appartement en haut.

— Vous avez pu leur parler, depuis le début de ces désordres ?

— Nous n'avons pas le téléphone.

Gray savait que son rôle au comité d'hygiène ne lui permettrait pas d'élargir son cercle d'amis. Mourir d'inquiétude pour les siens ne figurait toutefois pas à sa description de tâche. Comme il souhaitait les rejoindre !

— De votre côté ? voulut-il savoir.

— La même chose. Quand je suis parti, mon cocher tenait un fusil de chasse et ma femme, un révolver.

La grosse cloche commença à sonner dans l'une des tours de l'église Notre-Dame, située à quelques centaines de verges. D'autres bourdons çà et là dans la ville lui répondirent. À cette heure du soir, les Montréalais comprendraient qu'une menace pesait sur l'agglomération. Si à l'est personne ne pouvait l'ignorer avec tous ces émeutiers dans les rues, à l'ouest de

Saint-Laurent, aucun désordre ne troublait la quiétude des habitants. Ça ne durerait pas.

Quand le bourdon fit entendre sa plainte lugubre, sur la place Jacques-Cartier les émeutiers se turent un moment.

— C'est le glas ? demanda Félicité, inquiète.

La jeune femme demeurait incertaine quant à la meilleure attitude à adopter. La raison et la prudence lui disaient de rentrer tout de suite. D'un autre côté, elle en venait à partager la fièvre de la foule, au point d'être tenaillée par la curiosité. Puis se retrouver dans la chambre sans son amie, ce serait un avant-goût de son existence après le 10 octobre prochain. Elle ne ressentait aucune hâte d'en faire l'expérience.

— Non, le tocsin. C'est pour avertir la population de l'imminence d'un grand danger. Dans ce cas-ci, je suppose qu'on veut rallier les forces de police. Regarde.

Venus de toutes les directions, des agents se hâtaient vers l'entrée de l'hôtel de ville donnant sur la rue Notre-Dame. La même chose se passait sans doute à l'arrière de l'édifice, du côté du Champs-de-Mars.

Toute la soirée, le chef Paradis s'était rendu d'un point chaud à l'autre. Le tintamarre des cloches le trouva en route vers l'hôtel de ville. Le tocsin alertait aussi les manifestants. Ils partaient des différents quartiers pour converger dans cette direction. Si la violence devait éclater, ce serait dans les parages de la place Jacques-Cartier ou du Champs-de-Mars.

Il gravissait les marches du grand escalier deux à la fois quand des détonations retentirent. En levant les yeux, il aperçut les traits de feu sortant des canons des carabines dans l'embrasure des fenêtres.

— Jésus-Christ! jura-t-il en entrant dans le grand hall, qui a dit à ces gars de faire feu sur la foule?

— Nos hommes ont tiré au-dessus des gens, commença un capitaine de son service.

— Qui vous a dit de faire ça?

L'officier resta silencieux, mais son regard se porta en direction du maire. Le politicien revenait de son poste d'observation pour rencontrer le nouveau venu.

— Enlevez-leur ces armes, dit le chef de police un ton plus bas devant son patron.

— Ces émeutiers se montrent menaçants, précisa l'élu.

— Allez-vous fusiller des gens parce qu'ils ont cassé des vitres et crié assez fort pour réveiller quelques notables?

Honoré Beaugrand se sentit un peu gêné de l'affolement à l'origine de ses ordres précédents.

— Que conseillez-vous de faire, alors?

— D'abord, enlevez ces fusils des mains de mes hommes. Ils ont des baïonnettes au canon, je gage?

Le silence valait un acquiescement.

— Seigneur! Allez leur enlever ça.

Les derniers mots s'adressaient au capitaine. Le chef de police continua à l'intention du maire:

— Des constables rentrent au poste, présentement. Quand ils seront assez nombreux, nous sortirons pour vider la place.

L'affirmation, dans la bouche de ce colosse, ne pouvait qu'être crédible. Vingt minutes plus tard, il regroupait une trentaine de personnes armées de solides gourdins.

— Nous sortons, nous allons tout droit vers eux, et nous cognons. Ne dites rien, n'écoutez rien. Fessez.

La stratégie avait le mérite d'être claire. Paradis faisait le pari que d'énormes bosses sur le crâne, des membres cassés peut-être, valaient mieux que l'usage des armes à feu. Autrement, la prochaine fois ces gens se prépareraient à riposter de la même façon.

Le peloton descendit le grand escalier avec célérité, s'engagea dans la rue Notre-Dame vers l'ouest. Les premiers rangs des manifestants reculèrent, mais les autres leur barraient le chemin. Comme des bûcherons, les agents levaient leur matraque pour les abattre ensuite avec un « Ahan » sonore. Les hommes un peu plus loin de l'action tentaient de s'avancer pour mieux voir, dans leur fuite les autres se heurtaient à eux. Plusieurs roulèrent sur le pavé en faisant tomber des camarades, comme sur une allée de quilles. La pagaille devint totale.

Puis deux autres groupes de policiers aussi nombreux que le premier sortirent d'une porte dérobée de l'hôtel de ville pour fondre sur les protestataires qui s'entassaient sur la place Jacques-Cartier. L'armée des manifestants fut coupée en deux.

— Allons au *Herald*, aboya quelqu'un depuis la section sud du square, près de la rue des Commissaires.

De toute façon, personne ne souhaitait rester là. Les plus chanceux détalaient sans demander leur reste. D'autres, au sol, semblaient trop mal en point pour faire de même. Inattendue, l'attaque leur faisait oublier la force du nombre. Seuls quelques manifestants, parmi ceux qui étaient venus avec de solides bâtons, tentaient de repousser les assaillants. Après cinq minutes, la fuite se généralisa.

— John, cria Félicité en se plantant derrière son compagnon, ils vont nous massacrer !

Les deux amis, dissimulés dans l'ombre des colonnes d'un grand établissement commercial, espéraient que personne ne remarque leur présence. Ce fut peine perdue. Dans leur course, des contestataires venaient vers eux, suivis de policiers.

Sans un mot, l'ébéniste entraîna la jeune femme vers la gauche. Ils se trouvèrent devant un policier avec son gourdin levé. En voyant la châtaine terrorisée, il le baissa en hurlant:

— C'est pas la place d'une fille. Fiche le camp.

Le constable jugea sans doute qu'une jolie personne méritait de garder son escorte, car il épargna aussi son compagnon. John Muir poursuivit sa course pour contourner la banque. Par des ruelles étroites, il savait pouvoir rejoindre la rue Le Royer. Des manifestants faisaient comme eux, soucieux de regagner au plus vite les parages familiers des quartiers Saint-Jacques et Sainte-Marie. Quelques dizaines de policiers se précipitaient à leurs trousses.

Ralliée par une voix tonitruante, l'autre moitié se dirigea vers l'ouest par la rue des Commissaires. Éventuellement, ces gens rejoindraient le square Victoria. Finalement, le projet de punir le *Herald* se réaliserait. Ce journal avait farouchement soutenu le programme de vaccination, tout en se moquant de l'ignorance imbécile des Canadiens français.

Cette nuit-là, les typographes préparèrent l'édition du lendemain au son de pierres fracassant les vitres. Leur description de l'émeute y gagnerait en réalisme. « Qui, de la populace ou des autorités municipales, doit diriger la ville ? » demandaient-ils en première page. Puisque les forces de police chasseraient bien vite les manifestants de cet endroit, ils connaissaient la réponse au moment d'aller sous presse.

L'ébéniste regagna la rue Sainte-Catherine, sa compagne au bras, après avoir parcouru quelques centaines de verges dans des ruelles puantes. Sur la grande artère, le couple se fondit dans la marée de manifestants. Ces gens continuaient de prendre les cabinets de médecins et les pharmacies pour cible.

Quant aux lampadaires, si toutes les flammes ne s'éteignirent pas, aucun ne conserva son enveloppe de verre.

Au grand soulagement de Félicité, un peu après la rue Saint-Laurent, seul un petit groupe de curieux s'était arrêté devant les fenêtres défoncées de l'établissement Gray. La jeune femme fit de même. Quelques planches et de lourdes toiles fermaient maintenant partiellement les ouvertures béantes.

— Phébée, appela-t-elle. Phébée, tu es là ?.

L'attente dura un instant. Le coin d'une couverture fut soulevé, une chevelure blonde apparut.

— Félicité ?

— C'est bien moi. Tout va bien ?

— Ça va.

La couturière releva complètement le tissu entre deux planches distantes pour mieux les voir. Jules se tenait derrière elle, son arme toujours à la main. Le retour des protestataires lui avait inspiré cette prudence.

— Vous pouvez rentrer à la maison maintenant, leur dit John. Ils ne passeront pas la nuit à faire des allers retours.

Au fond de la grande pièce du rez-de-chaussée, une ombre se déplaça.

— Monsieur Abel, de quoi s'agit-il ? fit une voix de femme.

Le jeune homme avait jugé préférable de faire descendre l'épouse de Gray et sa fille, au cas où il leur faudrait fuir par la cour arrière.

— Ce sont des amis à moi, madame.

Puis il continua à l'intention des autres :

— Moi, je dois rester ici, mais Phébée, si tu préfères rentrer, je comprendrai.

Jules paraissait résolu à attendre le retour de son patron avant de quitter les lieux.

— Je ne peux pas les laisser sans protection, vous comprenez, ajouta-t-il à voix basse.

— Et moi, je ne laisserai pas ce grand garçon tout seul.

La blonde avait dit cela en riant, malgré sa vive anxiété. Accrochée au bras de son fiancé, elle n'entendait pas le quitter avant le lever du soleil.

— Guildor est toujours avec vous? demanda encore l'ébéniste.

— Il s'entraîne à devenir un chevalier servant lui aussi, dit Phébée. Il en a les aptitudes. Dans quelques mois, il sera adorable.

Le principal intéressé ne jugea pas utile de donner son opinion sur le sujet.

— Dans ce cas, nous les suivrons encore un peu, puis nous rentrerons à la maison, conclut John.

Les quelques instants passés à discuter avaient permis aux manifestants de distancer les deux amis. La foule se pressait de nouveau devant la succursale du Service de santé dans l'est de la ville. Des hommes étaient entrés dans l'édifice. Par la porte ouverte et les fenêtres défoncées, ils jetaient dans la rue des liasses de grandes affiches jaunes, du matériel de bureau, des meubles et, pour couronner le tout, des seaux de soufre, qui se consumeraient bientôt dans de grandes flammes jaunes et une odeur insupportable. Tout le quartier empesterait pendant vingt-quatre heures, les employés n'auraient plus rien pour faire leur vilain travail.

— Toutes les maisons des alentours brûleront! se désespéra Félicité.

La sonnerie de l'alarme d'incendie retentit juste à ce moment. Non seulement les pompiers viendraient sur les lieux, mais des habitants des environs souhaiteraient profiter du spectacle.

— Malchanceux comme nous sommes, ricana l'ébéniste, tu vas voir, la maison de Vénérance sera la seule à tenir debout, demain matin.

La châtaine réprima un bâillement. Passé minuit, après des heures à courir derrière une foule enragée, la fatigue pesait sur elle. Phébée ne paraissait plus menacée, rien ne la retenait dehors ; rien, sauf la curiosité. Un étrange véhicule tournait au coin de la rue. Il portait une machine à vapeur, une pompe et des verges de tuyaux.

— Ce sont les pompiers ?

— Non, un escadron de zouaves pontificaux.

La moquerie valut à John un coup de poing fraternel contre l'épaule. Les fonctionnaires municipaux branchaient les gros tuyaux à une borne-fontaine, quand quelqu'un leur cria :

— Foutez le camp. On n'a pas besoin de vous autres.

— Tu veux faire flamber tout Saint-Jacques ? demanda le chef d'équipe des pompiers.

— Après, y restera plus de vaccins ou de vaccinateurs.

Les protestataires n'entendaient pas se voir privés de leur feu de joie. Des pierres volèrent en direction des pompiers.

— Arrosez-les, ordonna leur chef. Ça va leur refroidir les esprits.

Félicité espérait surtout les voir éteindre le bûcher érigé au milieu de la rue. Les jets d'eau puissants frappèrent plutôt les manifestants les plus proches. C'était compter sans leur désir de se défendre. Certains se promenaient des haches à la main pour faciliter leur œuvre de destruction. Bravant la douche froide, les plus déterminés tranchèrent les boyaux.

Les policiers vinrent à la rescousse de ces employés municipaux, avec le soutien au moins symbolique du maire Beaugrand. Le politicien arriva dans un fiacre, flanqué du chef Paradis. Des douzaines de constables soutenaient son audace de se présenter là. Une partie de l'effectif repoussait les manifestants vers l'ouest, l'autre entendait faire de même à l'est de Saint-Laurent. Le souvenir du matraquage survenu un peu plus tôt sur la place Jacques-Cartier convainquit la plupart de retrouver très vite la chaleur de leur foyer. Tout de même, plus d'une centaine de manifestants s'entêtèrent dans la poursuite de cette croisade contre la vaccination, ou cette entreprise de destruction.

Le premier souci du chef Paradis fut de former un cordon protecteur devant les locaux du Service de santé. Sous une pluie de pierres et d'insultes, les agents occupèrent leur position, les matraques tenues devant la poitrine. Puis ils avancèrent pour écarter les protestataires. Le tout tourna en échauffourée.

— Rentrez chez vous, tempêtait Paradis pour couvrir le vacarme. Demain, vous aurez honte de tous ces dégâts.

L'exhortation n'eut d'autre résultat que de rendre les émeutiers plus déterminés encore. Certains purent prendre les policiers à revers et entrer dans les locaux du Service de santé. Le chef de police, voyant ses hommes occupés, les suivit. Au rez-de-chaussée, tout avait été saccagé. Les opposants atteignirent le bureau du directeur et tentèrent de décrocher une grande armoire métallique du mur, faute de pouvoir l'ouvrir.

— Certain, c'est là-dedans qu'y cachent leur poison, clamait l'un.

— On va la jeter au fleuve.

Une personne s'éloigna du groupe pour se diriger vers le poêle à charbon placé dans un coin. Les employés devaient être sensibles à la fraîcheur de l'air, car avant de s'enfuir par l'arrière, ils y avaient fait un feu. L'homme frappa sur le tuyau à coups de gourdin, puis tenta de renverser l'appareil de chauffage.

— Laissez faire votre coffre, dit-il. Ça va brûler dans une minute.

S'il parvenait à ses fins, des charbons incandescents répandus sur le parquet de bois lui garantissaient un bel incendie. Déjà, une fumée grasse se répandait dans la pièce par le tuyau abîmé. Paradis saisit l'énergumène par le collet, l'empêchant de mettre son projet à exécution, puis l'entraîna vers la porte.

— Toi, tu vas visiter la cour municipale tôt demain matin.

Tout à leurs efforts, les autres n'avaient pas encore remarqué la présence de l'officier.

— Faut pas qu'y l'amène en prison! cria soudainement l'un d'eux.

En deux pas, il fut sur le policier, le gourdin levé. Le bois heurta la nuque du colosse brutalement, l'obligeant à plier les genoux. D'autres coups l'allongèrent sur le sol. Du sang coula bientôt d'une profonde blessure au cuir chevelu, lui couvrant le visage d'un voile écarlate. Sur le plancher, l'agent encaissa encore de nombreux coups de pieds.

— Tuer une police, c'est la corde, réussit-il à articuler.

L'argument calma les agresseurs, sauf l'un d'entre eux qui s'abandonnait avec plaisir à sa rage. Prêt à lui asséner le coup de grâce, il leva son gourdin.

— Fesse pas, Champagne! l'arrêta quelqu'un. C'est le chef Paradis.

Des renforts arrivèrent sur ces entrefaites. Des coups semés avec entrain forcèrent les insurgés à quitter les lieux. Les constables saisirent leur supérieur sous les bras pour lui faire quitter une pièce de plus en plus enfumée à cause du tuyau sectionné. Les pompiers prendraient le relais.

Dehors, les événements prenaient une curieuse tournure. L'un des forcenés menaçait ses compagnons de son bâton.

— T'as dit mon nom, trou du cul. T'as dit mon nom devant une police.

Ses vociférations attirèrent l'attention de sa victime.

— Celui-là s'appelle Champagne. Vous le ramassez, grommela le chef en essuyant le sang avec la manche de son uniforme, le juge s'en occupera. Après, videz la rue.

Déjà, il retrouvait son énergie. Sa résolution se concrétiserait : le lendemain le charpentier Élie Champagne comparaîtrait en cour. Les constables utilisèrent leur matraque avec enthousiasme. Pour la seconde fois, depuis l'embrasure d'une porte, Félicité assistait à une répression énergique.

— Là, j'en ai assez, je rentre.

John acquiesça d'un signe de tête, passa son bras autour de ses épaules pour la protéger. Ils regagnèrent l'intersection la plus proche en prenant bien garde aux manifestants. Le cœur n'y était plus. Ceux en état de courir ou de marcher regagnaient peu à peu leur maison alors que les autres étaient conduits en geôle.

— Attendez-moi ! cria une voix familière.

Les deux amis se retournèrent pour voir Charles Demers venir vers eux en boitant. Du sang marquait son visage.

— T'as eu une bonne soirée ? demanda l'ébéniste avec ironie.

— Pas mal. Ces cochons vaccineront pas tout le monde de force.

Affronter les représentants des autorités, qu'il assimilait sans nuance à l'élément anglais dans la ville, le mettait visiblement en joie. Les frustrations de toute une vie, celles de ses camarades aussi, s'étaient exprimées.

— Mais toi, pourtant, tu l'as reçu, ce vaccin…

Le mécanicien se sentit mal à l'aise un bref instant. À l'abri de la contagion, il se réjouissait de cette nuit de violence pour accorder aux autres la liberté d'être malade. L'absurdité de la situation ne lui échappait pas, mais cela ne l'ébranlait pas assez pour le priver de la griserie de ces bagarres.

Chapitre 16

Robert Gray contemplait ses vitrines. Au pied du mur, des amas de verre brisé incitaient à la prudence. Les planches clouées contre le cadre demeureraient là pour la journée ; bien plus on en rajouterait d'autres car de mauvais augures annonçaient déjà de nouveaux désordres en soirée.

— Quelle bande de voyous, pestait le professionnel. Pour réparer, faudra compter au moins cinquante piastres.

Il tourna sur lui-même pour contempler les lieux, mieux évaluer l'ampleur des dégâts dans le commerce lui-même et constater qu'ils étaient plutôt limités. Les toiles utilisées pendant la nuit pour masquer les ouvertures s'entassaient, pliées, dans un coin.

— Tu sais, je te dois une fière chandelle. Ma femme m'a tout raconté.

Rentré au matin, le pharmacien était monté tout droit à l'étage pour rassurer les deux femmes de la maison. Le maire Beaugrand avait promis la présence de policiers pour protéger les résidences des professionnels pendant les prochains jours. Pour y arriver, les agents de la paix en seraient quittes pour accumuler les heures supplémentaires.

— Ce n'est rien, affirma Jules. Ils se sont contentés de faire ça.

De la main, il désignait les fenêtres défoncées. Après une nuit passée au fond de la grande pièce en compagnie d'une mère, de sa fille, et surtout de sa promise, il paraissait à la fois fatigué et fier de lui. Phébée l'avait quitté au lever du jour les yeux pleins d'admiration.

— Rien, dis-tu? Il paraît que tu es convaincant, avec un révolver à la main.

Toujours chargée, l'arme reposait dans son tiroir.

— Tu es certain que tu tiendras debout? continua le patron. Si tu préfères aller te coucher, vas-y.

— Ce ne sera pas ma première nuit blanche. Puis comme vous acceptez de me laisser retourner à Sainte-Rose pour le reste de la semaine, je peux bien vous accompagner là-bas aujourd'hui.

Gray dissimula mal son agacement. Ces quelques jours chez ses parents, il le devinait, seraient consacrés au règlement de certaines «affaires». Si tout se déroulait bien pour lui, son employé le quitterait après son mariage. Occupé par la lutte contre l'épidémie, il en serait réduit à fermer son commerce pour plusieurs jours.

— Alors allons-y, conclut-il en se dirigeant vers la porte.

Le commerçant prit la peine de verrouiller derrière lui. Le ridicule de la situation lui tira le commentaire suivant:

— Les fenêtres sont grandes ouvertes, mais je ferme tout de même à clé. Autrement, s'il se passe encore quelque chose, les assurances ne voudront pas payer. Comme ça, il y aura nécessairement effraction.

Tous les deux s'engagèrent vers l'ouest par la rue Sainte-Catherine. Gray se retournait souvent, levait la main chaque fois qu'un fiacre les dépassait. Un cocher s'arrêta enfin. Il dit avant de monter:

— Au terrain de l'exposition provinciale. Vous allez nous attendre là-bas, pour nous ramener en ville ensuite.

L'homme fouetta son cheval avec le sourire. Cette seule course ferait sa journée.

Lorsque la voiture s'engagea sur le terrain de l'exposition, Jules se souvint avec douleur de l'accueil raté à son retour du Nord-Ouest. Ils descendirent en face du pavillon principal, une grande bâtisse peinte en blanc. Des ouvriers allaient et venaient tout autour de celle-ci.

— Que font ces gens ? demanda le jeune homme.

— Tu as sous les yeux le nouvel hôpital pour varioleux. Ils complètent les nouveaux aménagements.

— En plein hiver, ces pauvres gens crèveront de froid ! Les murs ne les protégeront pas.

— Prie avec moi pour que l'épidémie prenne fin avant cela, sinon nous allons à l'hécatombe. Le conseil de ville annoncera la construction d'un établissement permanent l'an prochain. En attendant, ça devra faire l'affaire.

En quittant le Service de santé municipal, le pharmacien avait pris connaissance des statistiques de la veille. Les médecins avaient recensé soixante-quinze décès de la variole pour cette seule journée.

— Comme la morale exige que les hommes et les femmes soient dans des salles séparées, continua-t-il, et que des logis devront accueillir le personnel, tous ces menuisiers montent des cloisons là-dedans.

— La maison de Fletcher's Fields, qu'en feront-ils ?

Jules Abel se souvenait toujours avec un frisson de son passage devant le petit établissement. Un malade avait répété deux fois que sa belle se pourrissait de la vérole. Ça ressemblait tellement à un mauvais sort jeté sur elle !

— Malgré les ailes construites cet été, elle déborde. Mieux aurait valu vendre l'endroit au printemps pour commencer tout de suite à aménager ici. Tu viens voir ça ?

Pendant deux heures, ils arpentèrent le grand pavillon. Des lits encombraient déjà deux grandes salles, et deux autres plus petites. L'espace disponible permettait de les mettre à bonne distance les uns des autres. Quand l'édifice serait rendu à sa vocation première, les cloisons temporaires disparaîtraient en trois jours. Pendant cette longue inspection, Gray revint à la lubie habituelle : l'aménagement de latrines hygiéniques.

Rentrée à temps pour déjeuner avec les autres, une heure avait à peine suffi à Phébée pour entendre le récit des péripéties de la soirée précédente et d'une partie de la nuit. Une pièce de tissu tachée de sang ornait la tête de Charles Demers. À l'entendre, à lui seul il avait cassé tous les carreaux de la ville et assommé la moitié des policiers. Cette aventure lui laisserait un souvenir impérissable, susceptible de meubler ses conversations pour des années à venir.

Une fois à l'étage, Félicité donna à son amie un aperçu plus réaliste des événements. Ces désordres la laissaient perplexe. Les articles des journaux ainsi que les passages des manuels scolaires sur l'histoire prenaient un sens nouveau : les révolutions devaient ressembler à ça.

Quand la châtaine avait annoncé son intention de faire encore ce jour-là le tour de quelques commerces voisins pour chercher un emploi, Phébée s'était étendue pour récupérer un peu de sa nuit blanche.

— Mon doux Seigneur Jésus !

Le cri de Vénérance, venu du rez-de-chaussée, éveilla Phébée en sursaut.

— Sainte misère, geignit la ménagère.

Après un silence, la voix reprit un ton plus bas :

— T'inquiète pas, Fernande, j'vas chercher un docteur dans la rue Saint-Denis. J'reviens tout suite.

Dans son empressement, la logeuse fit claquer la porte extérieure. Inquiète, la blonde ouvrit celle de sa chambre et tendit l'oreille en s'approchant de l'escalier. Une plainte vint bientôt de l'une des pièces donnant sur le couloir. Elle distingua le mot « Maman ». D'abord, la jeune femme retourna chez elle, ferma la porte, poussa le coin de bois pour la bloquer tout à fait, y appuya son dos. Toutes ces précautions ne pouvaient pourtant pas la protéger d'un ennemi implacable.

Après un moment, elle rouvrit .

— Maman, répétait toujours la voix de l'enfant. Maman, j'ai peur, j'veux pas rester seule.

Les oreilles de Phébée bourdonnaient. Avec précaution, elle s'approcha de l'escalier, descendit quelques pas.

— Maman…

En bas, une odeur fétide se répandait dans le couloir. Quand elle mit la tête dans la porte de la chambre laissée ouverte, le spectacle la figea sur place. Fernande tournait vers elle un visage couvert de pustules.

— Phébée, j'ai soif. Donne-moi de l'eau.

Le cri d'horreur de la blonde déchira l'air. Elle grimpa l'escalier à la course, claqua la porte de sa chambre pour s'appuyer contre le bois, se laissa glisser sur le sol, les épaules secouées par les sanglots.

— Je le savais, murmura-t-elle, je le savais.

La maladie se rapprochait de façon sournoise. Heureuse de s'éloigner du fils de la patronne quelques jours plus tôt, depuis deux semaines elle vivait à proximité d'un autre foyer de contagion. Où qu'elle soit, la menace l'assiégeait, lui tournait autour. Pour Phébée, ce mauvais sort prenait une dimension plus effrayante encore. Une femme comme elle pouvait-elle vraiment échapper à sa condition ? Passer pour une bourgeoise ?

Dieu lui donnait une réponse. Sa tête heurta l'huis à trois reprises, comme pour s'abasourdir. Elle se répéta des mots entendus plus tôt dans l'année :

— Le salaire du péché. Le péché de la chair.

Une toux sèche interrompit ses pleurs.

Une nouvelle fois, les démarches de Félicité se révélèrent vaines. Déjà, les mises à pied inopinées entraînaient un ralentissement des affaires. Ce jour-là, les marchands supputaient aussi les risques de nouvelles émeutes. Dans les rues, des hommes, et surtout des adolescents, juraient leurs grands dieux que ce n'était qu'un début. Certains menaçaient même de mort les agents spéciaux du Service de santé. Les fonctionnaires s'affairaient à remettre un peu d'ordre dans le bureau de la rue Sainte-Catherine.

Dans la chambre, Phébée était étendue sur le lit, une couverture posée sur le visage.

— Que fais-tu là ? demanda-t-elle depuis la porte.

— Si je dormais, là c'est raté.

La blonde se redressa à demi. Même la venue du soir ne suffisait pas à cacher tout à fait ses yeux rougis. Puis la voix trahissait une grande lassitude.

— Tu as senti, dans le couloir au rez-de-chaussée ? s'informa la châtaine.

L'autre opina. À voix basse, elle confirma :

— Fernande a attrapé la picote.

— Oh non !

Félicité porta sa main à sa bouche, au bord des larmes tout à coup.

— Pauvre petite fille. Si tu veux, après le souper, nous irons prier pour elle à la chapelle Notre-Dame-de-Lourdes. À moins que toi et Jules…

Cette prière, elle la dédierait aussi à son amie. Son entêtement à refuser le vaccin la rendait si vulnérable. Toutefois, elle s'interdisait de formuler sa crainte à haute voix. Le visage de Phébée était devenu encore plus triste à l'évocation de son fiancé.

— Oui, si tu veux. Après sa nuit à monter la garde, Jules m'a dit ce matin qu'il se coucherait de bonne heure.

— Pour toi aussi, ce sera une bonne occasion de récupérer. Tu parais épuisée, et tu as encore tout ça à terminer.

De la main, elle désignait la robe placée sur la table. Le tissu d'un bleu très pâle jurerait un peu à la mi-octobre, mais dans ses rêves de petite fille, jamais Phébée n'avait imaginé se parer d'une autre couleur le jour de son mariage. Depuis sa mise à pied des *Confections Marly*, la couturière en avait déjà confectionné une grise pour son amie.

— Il me reste encore dix bonnes journées, j'aurai amplement le temps.

Pourtant, la voix exprimait une lassitude infinie. Sa conscience tentait encore de croire à cet heureux dénouement. Au fond de son âme s'installait toutefois la certitude que le bonheur lui échapperait. Le cours d'une vie ne se modifiait pas avec la seule rencontre d'un beau jeune homme, il fallait aussi la protection du ciel.

— Viens te débarbouiller un peu, dit Félicité en tendant la main pour l'aider à se lever. Nous allons souper dans une vingtaine de minutes.

La blonde se laissa entraîner au rez-de-chaussée.

Le lendemain, les rues portaient toujours les traces des émeutes. Jules Abel donnait le bras à sa fiancée, comme d'habitude très fier de se montrer avec elle.

— Tu parais un peu fatiguée, remarqua-t-il.

— Avec toute cette agitation, avant-hier, je ne me suis pas bien remise.

Brièvement, elle eut envie d'évoquer la maladie de Fernande. Ce malheur l'avait tenu éveillée une seconde nuit d'affilée. La conviction que ce serait pour entendre quelque chose comme : «Combien cette femme a été négligente de ne pas la faire vacciner!» la retint. Ce discours, et surtout la condamnation sous-jacente, la rendrait folle, finalement.

Ils se dirigeaient vers l'intersection de la rue Papineau, dans le quartier Sainte-Marie. Aussi loin dans l'est, les commerces perdaient en élégance, les maisons d'habitation semblaient plus sommairement construites.

— Bien sûr, ce serait plus beau dans le coin de la pharmacie Gray, mais le loyer serait plus cher. Trop pour moi, en tout cas. Puis je devrai aussi payer pour les aménagements intérieurs. Je ne pourrais pas...

La blonde lui serra l'avant-bras de sa main gantée pour le faire taire.

— Ce sera magnifique, j'en suis certaine. Ton père va t'aider, non?

— Ses moyens ne sont pas sans limites, tu sais. Tout à l'heure je monterai à Sainte-Rose pour régler tout ça avec lui. Il va me prêter de quoi démarrer.

— Tu seras absent un long moment.

À son ton, on aurait pu croire à une absence de plusieurs semaines.

— Ça me paraîtra long à moi aussi, mais en réalité on parle de deux, tout au plus trois jours. Le paternel tient à regarder tous mes chiffres, tous mes plans. Puis il y aura une longue visite chez le notaire pour avoir des papiers en ordre. Il veut faire de moi un commerçant averti.

En fait, le garçon s'appuierait avec joie sur son père dans cette grande aventure. Seul, le doute aurait miné sa confiance.

— Tu vois, c'est ici, dit Jules en s'arrêtant devant un petit immeuble de brique situé du côté sud de la rue.

La devanture ne faisait pas vingt pieds de largeur, les fenêtres s'avéraient un peu trop étroites pour en faire de belles vitrines. Il faudrait pourtant s'en contenter.

— Avant, c'était une boulangerie. J'ai passé une partie de l'après-midi à tout examiner avec le propriétaire. Il faudra nettoyer en profondeur. Dans ce genre de commerce, la vermine s'incruste.

— En haut, ce sera le logis ?

— Notre chez-nous.

Le jeune homme passa son bras autour de la taille de sa compagne, l'attira contre lui. Elle se laissa faire, même si son visage gardait la même tristesse indéfinissable.

— Ce sera moins bien que chez Gray, mais après quelques années, nous ferons mieux.

— Je sais que tu réussiras. Tu le mérites.

Le garçon ne releva même pas qu'elle n'utilisait pas le « nous » pour évoquer l'avenir.

— Regarde un peu à l'intérieur. Le comptoir sera au bout de la pièce.

Le front collé contre la vitre, ils pouvaient voir tout au fond, malgré la pénombre. Dans cet espace de vingt pieds de profondeur, l'officine pourrait prendre une belle allure.

— D'ici le 12, je vais t'imaginer derrière, en train de servir les clients. Nous serons comme deux doigts de la main.

La paume amorça un mouvement caressant au creux des reins. Il ne se la figurait pas seulement en train de recevoir le paiement des remèdes, mais certains désirs ne se formulaient pas à haute voix. Cette marque d'affection plongea sa compagne dans un désarroi plus grand encore.

Il restait encore une heure avant le souper des pensionnaires. Félicité avait passé l'après-midi à quêter en vain un emploi. En revenant des bécosses, elle trouva Vénérance en larmes au-dessus de son évier.

— Ma pauvre petite, gémissait-elle, ma pauvre petite.

Depuis la veille, ces paroles devenaient une incantation. Le cœur brisé devant tant de souffrance, aucun mot ni aucun geste susceptibles de réconforter la logeuse ne venaient à l'esprit de la châtaine.

— Je suis toute chamboulée, continua cette dernière, pus capable de bien m'occuper des autres.

Sa souffrance s'alourdissait à cause de son impuissance. La veille, partie à la recherche d'un médecin, elle s'était arrêtée tout d'un coup sur le trottoir de la rue Saint-Denis : «Y va la dénoncer, pis ce sera l'hôpital», avait-elle ragé entre ses dents. Revenue seule, la mort dans l'âme, depuis elle se sentait honteuse devant sa fille. Une mère, ça devait protéger ses enfants, pas se révéler finalement désarmée.

Pourtant, la logeuse avait encore la force d'effectuer les corvées quotidiennes. Les assiettes étaient déjà posées sur la table pour le repas des enfants. Monsieur Paquin brillait par son absence, comme d'habitude. Au moins, en ces temps d'agitation, il ne se cachait pas à la taverne. Tous les employés municipaux additionnaient les heures pour nettoyer les traces des manifestations.

— Si vous voulez, je peux m'occuper de faire manger Fernande, proposa l'ancienne maîtresse d'école avec générosité.

Au grand soulagement de tous les habitants des lieux, la fillette ne quittait pas son lit. Personne ne souhaitait poser le regard sur elle tellement l'allure des vérolés était pitoyable. Félicité ne se déroberait pas.

— Tu ferais ça ?

— Si ça peut vous rendre service, avec plaisir. Autrement, elle devra attendre son repas jusqu'au milieu de la soirée.

La jeune femme prit un couvert. Dans le couloir, elle croisa les garçons. La maladie de leur sœur les attristait, ils ne pouvaient ignorer la gravité de son état. Peut-être même ressentaient-ils un vague malaise, proche d'un sentiment de culpabilité, de jouir quant à eux d'une excellente santé.

Fernande couchait juste sous la chambre d'Hélidia, donc elle ne profitait d'aucune fenêtre. Une bougie brûlait sur une petite table. L'odeur, rappelant une pièce de viande pourrissante, souleva immédiatement le cœur de l'ouvrière. Tous ceux qui la respiraient n'arrivaient pas à en décrire l'horreur. Dans leur récit, le mot « inoubliable » revenait sans cesse.

— Tu dois avoir faim, demanda-t-elle depuis l'embrasure de la porte.

— Ça passera pas, se plaignit la petite.

La variole s'accompagnait d'une sévère irritation de la gorge, avec de légers maux de têtes et des frissons, il s'agissait de l'un des premiers symptômes de la maladie. Pendant les deux ou trois premiers jours, on pouvait les confondre avec ceux de la grippe. Cette fillette n'en était plus là. En s'approchant, Félicité distingua mieux les pustules blanchâtres couvrant en grande partie le visage. Une fois assise sur une chaise près du lit, elle prit sa voix la plus douce pour dire :

— Il faut avaler quelque chose, pour garder tes forces. Tu vois, ce sont des légumes bouillis. Rien pour te faire du mal.

Tout de même, le souvenir des soupes de madame Sasseville lui revint en tête. La vieille ménagère s'y entendait mieux que

Vénérance pour le soin des malades. Elle présenta une cuillerée à la bouche de l'enfant. Celle-ci se soumit finalement. Au moment d'avaler, elle éclata en sanglots.

— Ça me déchire, là.

Une main couverte de pustules se porta à son cou. Elle souffrait d'une forme sévère de la maladie. Dans les cas plus bénins, les lésions se limitaient au visage, et les plus chanceux s'en sortaient avec des marques peu nombreuses. Vu son état, la contamination devait dater de deux semaines. Curieuse de tout, grâce aux journaux lui tombant sous la main l'ancienne maîtresse d'école connaissait l'évolution de la maladie.

Fernande tenta de se dissimuler au creux de son lit, terrorisée à l'idée d'une nouvelle bouchée. Désemparée, Félicité ne trouva rien de mieux à faire que de caresser doucement l'épaule de la petite fille pour l'apaiser. Une immense colère envahit son âme : pourquoi la logeuse n'ameutait-elle pas tous les médecins de la rue Saint-Denis. Avec l'addition de tous les loyers, elle en avait les moyens ! À quel entêtement tenait sa passivité ?

Puis les événements survenus au cours de l'été derrière l'hôtel *Roscoe* lui revinrent en mémoire, tout comme la triste scène dont elle avait été témoin peu de temps avant sa mise à pied, sur le chemin du retour à la maison. Recourir à des services professionnels, dans ces circonstances, c'était voir peu après l'horrible petite voiture noire du Service de santé stationnée devant la porte, et la fillette enlevée à ses proches.

Le couple marcha directement de la future pharmacie Jules Abel jusqu'à la gare Dalhousie. Le long du chemin, une toux sèche secoua Phébée à quelques reprises, ce qui alarma un peu son compagnon. Mais le jeune professionnel, trop absorbé par ses rêves d'avenir, n'en détourna pas bien longtemps son attention. Les quelques frissons de sa compagne passèrent donc inaperçus.

Une fois sur le quai, la jeune femme brisa le silence pour dire :

— Je ne savais pas qu'on pouvait aussi aller à Sainte-Rose en soirée.

Les mots ne signifiaient rien, seul demeurait le désir d'entendre sa voix.

— Un train part pour Ottawa deux fois par jour.

— Tu penses régler toutes tes affaires rapidement ? redemanda-t-elle. Tu vas me manquer.

Pareil désarroi devant une si courte absence toucha le jeune homme.

— Ça dépend surtout de mon père. Après tout, il va investir une importante somme dans cette entreprise…

Jules se promettait de tout rembourser un jour afin que son jeune frère puisse jouir à son tour du soutien financier paternel, dans quelques années. Cela bien sûr si ses affaires connaissaient un certain succès. Son inquiétude demeurait vague, une espèce de trac. Pourtant, au plus profond de lui-même, après plus d'un an chez Robert Gray, il se savait capable de mener un commerce.

À ses côtés, Phébée fut prise d'une nouvelle quinte de toux.

— Tu m'inquiètes, tu sais, dit-il en lui caressant le dos du plat de la main.

— Après une nuit sur une chaise, au fond d'une pièce aux fenêtres défoncées, ne te surprend pas si je suis enrhumée. Nous sommes à la fin septembre, le fond de l'air est frais.

— Cherche des pastilles chez un pharmacien, ta gorge est sans doute irritée. Si ça ne va pas mieux lundi, je te conduis moi-même chez le médecin. Il y a un cabinet tout à côté de chez Gray.

Phébée baissa la tête un instant, les joues un peu roses. Aucune réponse ne lui vint à l'esprit. Heureusement, l'arrivée du train fit oublier son état de santé.

— Tu vas bien t'occuper de toi, n'est-ce pas ? insista Jules en se penchant vers elle. Je serai de retour bien vite. J'irai te saluer dès mon arrivée, si Vénérance me laisse passer la porte.

L'évocation de la logeuse troubla encore plus la jeune femme. Avec une enfant varioleuse, jamais celle-ci ne laisserait un visiteur entrer chez elle, surtout pas quelqu'un si près du Service de santé.

Le jeune homme négligea la joue offerte pour lui embrasser les lèvres. Elle serait bientôt sa femme, bousculer certaines règles devenait un péché bien véniel.

— Je me sauve, pour revenir au plus vite.

Un nouveau baiser scella la promesse. Puis il lui glissa à l'oreille :

— Je suis fou de toi, tu sais.

Des mots s'étouffèrent dans la gorge de la jeune femme, des larmes coulèrent sur ses joues. Un hochement de tête fit office de dernière salutation. Plantée sur le quai, Phébée vit son fiancé prendre place près d'une fenêtre. Elle leva la main pour le saluer, arrêta son geste car Jules regardait droit devant lui, comme si déjà il l'effaçait de sa mémoire.

Les roues de fer commencèrent à tourner sur les rails dans un bruit métallique. Les wagons défilèrent sous ses yeux. La jeune femme demeura immobile, les yeux fixés sur la voie ferrée. Le train disparut bientôt, longtemps elle resta là, habitée par une étrange certitude : celle de ne jamais le revoir. Dieu avait rendu son jugement, déjà.

Les conseillers municipaux présentaient des visages graves, en accord avec le caractère dramatique des derniers événements. Le maire se tenait debout devant son fauteuil de fonction, la main sur la table, comme pour s'aider à garder son équilibre.

— Les rapports de police sont très clairs, disait-il. Partout dans l'est de la ville les esprits sont agités. Des fonctionnaires sont menacés de mort, des discours enflammés évoquent la destruction de notre hôtel de ville. Il faut décider si, dans cette ville, le pouvoir appartient à ce conseil, ou à la populace.

Il citait le *Herald* à dessein. «Au conseil», firent quelques voix, alors que d'autres hochaient la tête en signe d'assentiment.

— J'ai discuté avec les autorités militaires, aujourd'hui, pour convenir de déployer les régiments de la milice. Ils protégeront les principaux édifices municipaux, les domiciles des élus et des fonctionnaires les plus importants.

Selon la rumeur, le docteur Louis Laberge, le médecin hygiéniste à la tête du Service de santé municipal, ne sortait plus dans la rue qu'habillé en femme pour éviter d'être reconnu.

— C'est mettre de l'huile sur le feu, commença Beausoleil. Les gens verront ça comme une provocation.

— Déjà, opposa Archibald, l'épidémie faisait une réputation épouvantable à notre ville. Maintenant, on en parle comme d'un foyer de sédition.

Le conseiller exprimait là les frustrations du monde des affaires. La situation de l'emploi se détériorait sans cesse, ce qui augmentait la colère des habitants.

— Puis les propriétés privées sont menacées, approuva Adrien Martin. Tous ces feux allumés dans les rues…

Pour un propriétaire immobilier, ces désordres comportaient des risques bien réels. Les boyaux des pompiers coupés à coups de hache ainsi que les efforts pour renverser le poêle à charbon dans les locaux du Service de santé meublaient les conversations. Toute une rangée d'édifices aurait pu flamber.

— Nous ne pouvons laisser la situation se détériorer, renchérit le maire. Actuellement, le pouvoir appartient à la foule.

Les privilèges des puissants tenaient d'abord de la soumission de la majorité. La révolte effrayait tous ces notables.

— Si au moins ces gens ne confondaient pas tout, déplora le conseiller Grenier. Ce n'est plus juste l'histoire du vaccin, maintenant les gens évoquent l'exécution de Louis Riel pour justifier les désordres.

— Ou alors une guerre de races, nota Stroud. Au square Victoria, des manifestants demandaient si Montréal devait être gouverné par des Français ou des Anglais. Bien sûr, tout le monde répliquait « les Français ».

Pour les membres de sa communauté, c'était une mauvaise réponse : les Anglais n'entendaient pas partager leurs prérogatives. La majorité, elle, se lassait d'être négligée.

— Ils ont blessé le chef Paradis, commenta un autre. Comment va-t-il ?

— Le pauvre homme…, commença Beaugrand. Sa vie n'est pas en danger, mais avec son gros pansement sur la tête, il ressemble à un Turc. Son assaillant, un dénommé Champagne, a été condamné à six mois de prison et cent dollars d'amende.

Ce montant, aucun artisan ne pouvait le verser. Plus vraisemblablement, l'agresseur purgerait une peine d'un an de prison, ce qui priverait sa famille de son revenu de charpentier et la laisserait sans ressource.

— Il y a eu beaucoup de condamnations ? se renseigna un journaliste assis parmi les spectateurs.

Le conseil municipal ne servait pas à répondre aux questions des gratte-papier. Toutefois, le premier magistrat profita de l'occasion pour décourager les émeutiers potentiels en évoquant les sentences dont ils écopaient.

— Je ne connais pas tous les détails. Deux d'entre eux, le cordonnier Marois et le barbier Beaulac, ont reçu quatre mois chacun pour avoir lancé des pierres et avoir incité les autres à les imiter.

— Ces gars étaient en boisson, précisa le conseiller Beausoleil.

— Ça ne fait pas d'eux des innocents. J'ai fait libérer des gars malchanceux, qui s'étaient trouvés là plus ou moins par hasard, mais les vrais coupables connaîtront les rigueurs de la loi. Il y avait un excité qui appelait au meurtre, dans le lot, un jeune de seize ans ou dix-sept ans…

— Joseph Germain, rappela un autre journaliste. Quand la police l'a arrêté, il braillait comme un veau. Devant le juge, sa mère braillait aussi en disant dépendre de son seul salaire. Il a ramassé une peine de quatre mois.

— Il ne faisait pas que brailler, rapporta le maire, ou jouer du tambour pour rallier les gens. Il proférait les menaces les plus folles, il tentait d'inciter les autres à mettre le feu partout. À jouer au chef révolutionnaire, on récolte nécessairement une punition.

Si les juges municipaux montraient une grande clémence envers ceux dont le crime se limitait à repousser par la force les agents du Service de santé, ils entendaient faire un véritable exemple des malfaisants arrêtés sur le fait.

— Nous avons une proposition sur la table, reprit Beaugrand : le recours à la milice pour assurer la paix dans la ville. Je vous écoute à ce sujet.

— Vous provoquez les gens, répéta encore Beausoleil.

— Ça vient avec d'autres propositions tyranniques, constata Jeannotte. A-t-on idée de réquisitionner les immeubles provinciaux dans le but d'hospitaliser les gens contre leur gré ?

Le conseiller du quartier Sainte-Marie évoquait la mainmise sur les bâtiments du terrain de l'exposition agricole et industrielle. C'était du jamais-vu.

— Je ne divulguerai pas les détails de mes échanges avec le premier ministre, mais j'ai obtenu son entière collaboration. Vous connaissez à ce sujet la position du Conseil d'hygiène de la province : il réclame une intervention énergique.

À Québec, on se plaignait de la timidité des mesures adoptées jusque-là dans la métropole. Le maire recevrait probablement des félicitations, pas des reproches, s'il durcissait son attitude.

— Quel régiment entendez-vous mobiliser ? voulut savoir Stroud.

— Tous, si nous organisons une protection vingt-quatre heures sur vingt-quatre. Par exemple, les Fusiliers Mont-Royal pourront protéger les immeubles situés sur le terrain de l'exposition avec le soutien de la cavalerie. Une foule malveillante s'y rassemble en tout temps. Un peu partout dans la ville, on verra patrouiller les hommes du Prince of Wales Rifles, du Fifth Royal Scots, du Sixth Fusiliers… Mille hommes monteront la garde dans les rues.

— Notre ville mise en état de siège par le conseil municipal ! protesta Beausoleil avec indignation. Après ça, on se surprend du vent de désespoir.

Un murmure parcourut l'assistance. On n'avait pas connu un tel déploiement militaire depuis les incursions des *Fenians* au Canada, en 1870.

— Nous ne faisons là que réparer les pots cassés. Quand vous et vos collègues vous êtes opposés à la vaccination, ces pauvres gens se sont sentis autorisés à contester une mesure légitime. Aujourd'hui des protestataires se retrouvent en prison, d'autres soignent des blessures. Ceux qui les ont inspirés siègent encore au conseil de ville, et tentent d'entraver les mesures de protection.

Beaugrand défiait son adversaire, et les autres échevins opposés à la mesure de coercition. Ceux-là soutenaient son regard, goguenards.

— Il est temps de procéder au vote, coupa court Archibald pour mettre fin à l'escalade.

Le décompte des voix permit de constater que les mêmes irréductibles francophones s'opposaient à la mesure. Dans la salle, l'assistance se divisa aussi en deux camps, les partisans de la vaccination et ses opposants. C'était aussi deux groupes linguistiques presque homogènes, une réalité peu susceptible de calmer les esprits.

— Monsieur Gray va maintenant nous donner un portrait de la situation sanitaire, annonça le maire.

Le pharmacien quitta son siège dans l'assistance pour s'approcher des membres du conseil.

— Je vous remercie d'accorder aux employés du Service de santé la protection de la milice. Ceux-ci ne veulent que travailler au bien public dans le calme et la sécurité. Ces conditions sont normales dans tous les pays civilisés.

Sa remarque suscita de nouvelles protestations.

— Toute la journée, des émeutiers ont menacé de mettre le feu au pavillon principal de l'exposition, continua-t-il. L'objectif est maintenant de nous empêcher de terminer l'aménagement de ce lieu de soins pour les varioleux. Ces désordres entravent le mouvement de vaccination, des réserves de lymphe ont été détruites...

Le pharmacien s'arrêta, le temps de dévisager les échevins récalcitrants.

— Pourtant, depuis dimanche dernier, la variole a causé plus de soixante-dix morts chaque jours. Est-ce nécessaire de spécifier dans quels quartiers ils se concentrent?

Les journalistes noircissaient les pages de leur carnet. Gray coucherait à l'hôtel de ville cette nuit-là, l'esprit en paix. Sa femme et sa fille logeaient dans un hôtel de l'ouest de la ville depuis la veille alors que le maire lui avait promis de rembourser les réparations à son commerce, et même le manque à gagner de cette semaine de violences.

Donner le change l'avait épuisée. Sur le chemin du retour, Phébée chancelait. La tête prise dans un étau, la gorge en feu, frissonnante, elle monta à l'étage sans faire de bruit, soucieuse de ne pas attirer l'attention de ses voisins en train de souper.

Quand Félicité entra dans la chambre un peu avant neuf heures, la pénombre de la pièce et le son des pleurs l'alertèrent tout de suite. Assise sur le bord du lit, elle commença, la main sur l'épaule de son amie :

— Voyons, ne te mets pas dans cet état. Il va régler ses affaires, puis il reviendra.

— Je ne le reverrai plus…

— Que dis-tu là ? Jules est parti pour quelques jours.

— Tu ne comprends pas ? Je l'ai ! Dieu me punit pour mes fautes.

Le désespoir, la terreur toute nue dans le ton frappèrent la châtaine. Une allumette craquée sur le bois d'une caisse vide lui permit d'allumer la bougie près du lit.

— Ça ne se peut pas. Tu ne portes aucune trace.

— Regarde comme il faut. J'ai des plaies dans la bouche, dans la gorge. Même sur mon visage…

Le dernier mot se perdit dans une plainte rauque. Félicité posa sa main sur le front de son amie pour constater qu'il était brûlant.

— Ce n'est pas nécessairement ça.

La voix sonnait faux. Fernande avait sans doute ramené cette infection de l'école. Dans ce contexte, à moins d'être vacciné, personne dans la grande demeure ne se trouvait à l'abri. La maisonnée avait profité d'une chance inouïe lors de la maladie de Marie Robichaud. Dans cette grande loterie de la contagion, personne ne gagnait à tous les coups.

— C'est un miracle que Jules n'ait rien vu. Ma figure porte des petites taches rouges. Heureusement, déjà la clarté déclinait, tout à l'heure.

La jeune femme arrivait mal à réprimer son envie de hurler. Tournée sur le côté, recroquevillée sur elle-même, elle était secouée par des frissons. La main amicale esquissa une caresse dans son dos, sans lui apporter le moindre réconfort.

— Le curé avait bien raison, l'hiver dernier, lors du carnaval. Je suis une mauvaise femme, Dieu me punit.

— Ne dis pas ça. Je te connais, tu es la meilleure des filles.

— Toi-même, tu étais scandalisée quand je me faisais payer des repas par des touristes, cet hiver.

Félicité regretta son attitude passée. Avec son âme flétrie à tout jamais, adresser des reproches à une autre lui paraissait d'une présomption insensée.

— Tu sais comment je suis… empotée. Je ne connaissais rien de la vie en ville. Sans toi, je m'attendrais encore à voir une locomotive rouler dans les rails des tramways. Oublie tout ce que j'ai pu dire, s'il te plaît.

Le souvenir de l'arrivée de la petite campagnarde tira l'ombre d'un sourire à Phébée. La peine reprit le dessus très vite.

— Ce n'est pas juste ça, dit-elle. Tu ne connais pas toute ma vie. Je me suis retrouvée tout à fait seule à quatorze ans, sans personne…

La châtaine revoyait les hommes familiers à son amie, dans des milieux si glauques… Pourtant, elle pensa que même la pire déchéance était bénigne en comparaison de sa propre faute. «Ne juge pas!» songea-t-elle.

— Ne dis pas des choses comme ça. Je te connais, je partage ton lit depuis bientôt seize mois, tu n'as rien à te reprocher… enfin, rien de bien grave.

La honte l'empêchait de dire «en comparaison avec moi». Même dans une situation si dramatique, elle ne le pouvait pas.

— Puis le péché d'orgueil… toujours à me pavaner. Bientôt, mon visage ressemblera à mon âme noire et laide. C'est ça, la malédiction divine. Il donne à mon corps la même apparence qu'à mon âme.

«À quoi devrais-je ressembler, moi?» se demanda Félicité.

— Peut-être es-tu un peu fière de ton allure, formula-t-elle à haute voix. Un tout petit péché, propre aux jolies filles.

— Cette beauté, elle est venue du diable pour me faire tomber.

Cette pensée la tenaillait depuis des mois, elle agissait comme l'acide sur le métal: impossible pour une femme de sortir de sa condition. La sentence divine pesait maintenant sur elle de façon inéluctable.

— Là, nous nous en faisons peut-être pour rien. Tu peux avoir la grippe, la rougeole, la rubéole… Tasse-toi un peu, je vais te rejoindre dans le lit.

Surtout, cette conversation rendait Félicité folle. Après avoir soufflé la bougie, elle se dévêtit à la clarté de la lune, puis se plaqua au dos de son amie, un bras passé sur son corps. Sa chaleur la réconforta, les pleurs cessèrent bientôt.

Félicité se muait en sœur hospitalière. Ce matin-là, elle fit manger un peu de gruau à Fernande, puis monta en toute discrétion une assiette pour Phébée. Vénérance paraissait abasourdie par son malheur. Une confidence à l'oreille avait suffi pour la rendre conciliante. Sa pensionnaire d'en haut ne manquerait aucun repas, sans jamais avoir à se montrer le nez. Pour les autres, convinrent-elles, la couturière souffrait d'une vilaine grippe. Devineraient-ils la vérité?

À l'heure du souper, le même scénario se répéta. La petite fille offrait un visage atroce. Crevées, certaines pustules libéraient un liquide blanchâtre. L'essuyer, l'éponger même, aurait blessé encore plus une chair à vif. Mieux valait s'en abstenir. Dans la pièce, l'odeur s'incrustait. La châtaine devait se blinder pour ne pas vomir ses tripes. Après avoir avalé son propre repas, elle s'occuperait encore de la blonde.

Quand elle s'assit à table, tous les yeux se tournèrent dans sa direction.

— Tu as l'air épuisée, remarqua John en se penchant vers elle.

— Ne rien faire me fatigue plus que douze heures à la manufacture, je pense.

— Lundi tu pourras retourner voir le contremaître. Tu reprendras peut-être à ce moment.

— Les choses ne vont pas mieux dans la ville. Avec tout ce grabuge, je suis convaincue que le patron fermera tout à fait, comme au plus fort de l'hiver.

C'était le scénario le plus probable. Le climat d'émeute nuisait autant que la variole à la poursuite des opérations.

— Après le souper je vais aller me promener en ville, afin de voir ce qui se passe, continua l'ébéniste. Si tu veux venir avec moi, avec Phébée, bien sûr…

— Non, protesta-t-elle vivement. Une nuit à me sauver devant des agents avec des matraques, ça me suffit.

— T'as raison, l'approuva Charles de l'autre côté de la table. Même Guildor ferait mieux de se coucher de bonne heure, à soir. Ça se parlait à *shop* : on va tout casser.

— Casser quoi, au juste ? l'interrogea John.

— Leur foutu hôpital ! On va y sacrer le feu.

Le mécanicien portait toujours un pansement sur la tête, il traînait d'une patte et un coup de bâton lui avait laissé une épaule endolorie. Ces blessures suffisaient à lui donner l'impression d'être un chef révolutionnaire.

— Toute cette agitation, c'est le travail du diable, affirma Crépin de sa place au bout de la table.

— Tiens, te v'la en faveur de la vaccination obligatoire. Tu vas les laisser te mettre cette cochonnerie dans le corps ?

La petite cicatrice circulaire, sur son bras droit, rappelait au commis comptable qu'il avait demandé librement cette inoculation. Toutefois, jamais il ne se confierait à ce sujet. Ce serait admettre la faiblesse de sa foi.

— Vous l'avez reçu, ce vaccin, rétorqua le petit homme d'un ton de reproche. Pas moi.

Investi d'une mission de libérateur, Charles ne se troublait pas de cette petite contradiction.

— J'ai été forcé, j'veux pas que les autres endurent la même chose. Pis même les curés sont pas chauds pour ce nouveau règlement, y nous reprocheront pas de le combattre.

— Notre sainte mère l'Église enseigne la soumission aux autorités légitimes, tonna Crépin. Tous ces voyous dans les rues commettent une faute grave.

L'homme assis à sa droite comptait dans ce lot de perturbateurs, et il tentait d'entraîner Guildor dans son péché. Depuis longtemps, il s'était privé de jeter des accusations au visage de ses voisins. Ce carême prenait fin ce soir. Le mécanicien fit mine de se lever de sa chaise, résolu à inviter le détestable avorton à le suivre dehors, pour une explication virile.

— Notre ami recommence à jouer au curé, intervint John. Mieux vaut cesser de l'écouter.

Il espérait empêcher ces deux-là d'en venir aux coups. Charles n'entendait pas laisser ce mangeux de balustre s'en tirer impunément une nouvelle fois. Puis son regard tomba sur le masque de douleur du visage de Vénérance : face à sa misère, mener une croisade contre les vaccinateurs devenait indécent. La pauvre femme vint poser un chaudron au centre de la table. Cela suffit à l'inciter à reprendre sa place.

L'attitude prudente de son adversaire habituel encouragea le petit homme noir à poursuivre son prêche :

— Aujourd'hui dans *L'Étendard*, quelqu'un a publié une lettre. Il signe « Un catholique ». Cet homme est certainement un sage, pour écrire des mots aussi éclairants.

Félicité se servait des pommes de terre. Avec un peu de lard, ce serait sa seule nourriture jusqu'au lendemain. Sa peine était si grande que les mots pleins de hargne échangés autour d'elle devenaient un bruit distant, irréel.

— Ces gens ne se révoltent pas seulement contre le conseil municipal, mais aussi contre la volonté divine. S'opposer à la police, c'est s'opposer à la volonté de notre Créateur qui exige la soumission aux autorités.

Le haut clergé craignait certainement de voir ses ouailles remettre un jour en cause son enseignement. Pour eux, l'obligation de se plier à un mauvais règlement valait mieux que l'expérience de la contestation. Puis, même si le discours des ecclésiastiques demeurait profondément ambigu, en se faisant vacciner à deux reprises monseigneur Fabre avait donné son aval à la mesure. Le pouvoir religieux emboîtait finalement le pas au pouvoir civil, dans cette affaire.

— Cette maladie, il nous la donne pour nous fournir l'occasion de nous repentir.

Crépin secouait son journal catholique devant lui. Dans une version barbue, Moïse devait s'être montré aussi excité quand il était redescendu du mont Sinaï avec les tables de la Loi. En 1885, la science devenait le nouveau veau d'or… D'ailleurs, le vaccin ne provenait-il pas d'une vache ?

Personne ne l'invitait à faire la lecture de l'article évoqué. À la fin, il n'y tint plus :

— Voilà un bout de ce qu'il écrit : « Dieu, dans son infinie bonté, ne nous envoie des épreuves qu'en autant qu'elles nous sont nécessaires. Alors, à nous d'en tirer tout le profit possible.

Nous avons péché. Nous avons sacrifié la morale au dieu de l'argent. Nous avons péché et nous avons donné aux étrangers l'occasion de pécher avec nous. C'en est fait ; à l'avenir, plus de scandales ; plus de ces divertissements que les sages se contentent d'appeler des folies mais qui sont en réalité des folies diaboliques. En effet, qu'est-ce dans le fond que notre carnaval sinon une folie inventée par le diable ? Qui ne se rappelle le nombre de ces malheureux qui sont venus chercher la mort dans les plaisirs du carnaval ? Et que dire de ces autels du diable, élevés à la gloire de leur maître, aux quatre coins de notre ville catholique ? Ces glissoires maudites, rendez-vous des vicieux et vicieuses. Ces hôtels où tant de jeunes filles sont allées se déshonorer pour la vie ! »

— Allez-vous vous taire, à la fin ! hurla Félicité. Vous allez me faire vomir, ajouta-t-elle avec rage et dégoût, en plantant un regard assassin dans celui de son vis-à-vis.

Les épreuves des derniers jours avaient alimenté en elle la sourde colère ressentie d'abord à l'école numéro 3 de Saint-Eugène. Face à un hypocrite se présentant comme un parangon de vertu, elle ne savait plus la contenir. Vénérance joignit sa voix à la protestation, révoltée. Elle leva spontanément le bras, menaçante, prête à le frapper.

— Tu vas pas me dire que ma fille de huit ans est malade à cause de ses péchés au carnaval, toujours ? Tu penses qu'a connaît ça, les autels du diable ? Là, tu ramasses tes cochonneries et tu décrisses. Si t'es là dans une heure, je prends ça pour t'éventrer.

De la main, elle désignait le grand couteau de cuisine pendu à un crochet.

— Madame, j'ai payé jusqu'à samedi. C'est demain.

— Dans une heure, pas une seconde de plus. Si t'es encore là, je te vide comme un verrat. Jamais j'aurais dû laisser entrer un vicieux comme toi dans ma maison.

Jouer à l'inquisiteur des taudis ne conférait à Crépin aucun courage physique. L'homme battit en retraite devant ces furies. Prête à lui donner tout son appui, pour le meilleur et pour le pire, Hélidia intervint à son tour, les yeux braqués sur Félicité :

— Si elle est comme ça, c'est parce que la blonde a la vérole.

La jeune femme lança un cri de rage. Les mains levées, elle entendait la faire taire.

— Je couchais en face de Marie, continua l'autre à toute vitesse, je sais reconnaître la puanteur. Ça vient pas juste d'en bas, ça vient aussi de la chambre du fond. C'est au tour de l'autre putain de pourrir. A sera moins fière avec de la peau de crapaud dans la face.

John réussit à retenir son amie. Même grand et fort, en la prenant d'un bras autour de la taille, il s'étonna de sa vigueur.

— Avec un visage détruit, avec un corps détruit, Phébée sera toujours plus belle que toi, siffla la châtaine entre ses dents. T'as une âme corrompue.

Tout le monde s'était levé, les yeux chargés de haine ou d'inquiétude, le banc et toutes les chaises renversées sur le sol. Crépin fut le premier à se retirer. L'instant d'après, il montait l'escalier, effrayé de voir sa logeuse mettre sa menace à exécution s'il ne prenait pas la fuite. Hélidia lui emboîta le pas, soucieuse de lui exprimer sa sympathie en privé pour ce traitement si injuste.

Les autres mirent un peu plus longtemps à se disperser. Chacun chercherait sa pitance ailleurs, s'il lui restait le moindre appétit.

Charles et Guildor avaient décidé d'aller manger à la taverne avant de se joindre aux émeutiers plus tard en soirée. John Muir et Félicité étaient montés ensemble à l'étage. Dans le couloir, l'ébéniste demandait des nouvelles.

— C'est vrai, ce qu'elle a dit ?

— Mercredi soir, elle a commencé à aller mal. Aujourd'hui, sur tout son visage…

Inutile de se montrer plus précise, l'autre comprenait.

— Pourquoi tu ne m'en as pas parlé ?

— Elle me l'a défendu. Tu la connais, si fière. Elle ne veut pas se montrer comme ça, ni que les gens le sachent.

L'ébéniste se dirigea vers la porte de la chambre. Félicité l'arrêta en posant sa main sur sa poitrine.

— Ne fais pas ça. Tu la blesserais tellement.

— Je veux la voir. C'est mon amie aussi.

La châtaine hocha la tête. Les pleurs de Vénérance, au rez-de-chaussée, venaient jusqu'à l'étage. Il lui tardait de s'enfermer dans la chambre, même avec son amie malade. Depuis la porte ouverte, elle demanda doucement :

— Phébée, Phébée, tu m'entends ?

Un mouvement fit bouger la couverture.

— John est avec moi. Il aimerait te voir.

— Non, non. Personne.

La voix de la pauvre fille ressemblait à un croassement à cause de sa gorge en feu.

— Ma belle, commença l'ébéniste, laisse-moi venir.

Le mot, si fréquemment utilisé, fit l'effet d'un coup de poignard à la vérolée :

— Va-t'en ! cria-t-elle. Pour l'amour de moi, va-t'en.

Un si grand désespoir chassa John. Dehors, la fraîcheur du soir l'aiderait à reprendre ses esprits.

Chapitre 17

Phébée alternait entre des périodes de pleurs et d'abattement. Même animée de la meilleure volonté du monde, son amie trouvait difficile de passer tout son temps en sa présence. La même question lui tournait sans cesse dans la tête : « Pourquoi elle ? » Assise sur leur unique chaise, la jeune femme contemplait la couturière. Les joues, le front, le menton étaient marqués par ces petites cloques blanchâtres. Juste sur le côté droit de son nez, elle en comptait deux. Sur le cou, les mains, les jambes, elle n'en apercevait aucune. Seules les parties de son corps offertes aux regards seraient abîmées par les cicatrices. Ce détail ajoutait à la cruauté de son état.

La blonde bougea un peu. La fatigue seule venait à bout de ses pleurs.

— Tu ne voudrais pas manger ? demanda Félicité. Je peux descendre. Vénérance me laissera bien fouiller dans ses réserves.

Elle dut insister.

— Qu'en dis-tu ? Il ne faut pas te laisser aller. À manger si peu…

Les mots « tu vas te rendre malade » ne franchirent pas ses lèvres. Son amie attendit encore une demi-minute avant d'énoncer d'une voix rauque :

— Ça ne passerait pas.

— Un peu de thé ? Des morceaux de pain mêlés à du lait ?

Fernande, recluse dans sa petite chambre, ne pouvait plus avaler autre chose.

— Non, peut-être un peu d'eau.

La logeuse avait accepté de leur prêter une grande chope de bière un peu ébréchée. Cela leur permettait de se désaltérer sans avoir à descendre. Autrement, Phébée se serait laissée mourir de soif plutôt que de se montrer dans cet état. Félicité la fit boire, remit le contenant sur la petite table.

— Tu aurais dû accepter de le voir, murmura-t-elle après un silence embarrassé.

— Je ne veux voir personne… Surtout, il ne faut pas qu'on me voie.

— Les autres je comprendrais, mais il s'agit de ton ami.

La blonde serra les mâchoires, détourna un peu la tête, comme pour dissimuler les larmes lui venant à la commissure des yeux.

— Je ne peux pas me montrer comme ça, tu ne comprends pas?

— Même pas à ceux qui t'aiment, qui s'inquiètent pour toi?

Cette fois, la pauvre fille se tourna complètement sur le côté, le visage en direction du mur, les épaules secouées par des sanglots muets.

C'est profondément malheureux que l'artisan marcha vers la rue Notre-Dame. Non seulement le sort de sa pauvre voisine lui crevait le cœur, mais aussi, la culpabilité le tenaillait. Pourquoi ne l'avait-il pas saisi à bras-le-corps pour la conduire chez un vaccinateur? Pire, pour ne pas trop heurter sa sensibilité, lui et Félicité avaient abandonné leurs recommandations.

Depuis deux jours, la pauvre fille se terrait dans sa chambre, incapable de supporter le moindre regard sur elle, excepté celui de son amie.

— Elle est si fière, grommela-t-il. Comme elle doit souffrir.

Tout à ces tristes réflexions, l'homme suivait le flot humain. Ce vendredi aussi, la populace entendait faire valoir sa loi dans les rues. Comme les autres, il bifurqua à droite sur Notre-Dame. De nouveau, l'hôtel de ville faisait l'objet d'un véritable siège.

— Vive Riel! martelaient les uns.

— Mort aux vaccinateurs, répondaient les autres.

Ces deux motifs de colère se confondaient, s'alimentaient. La vaccination devenait une autre des attaques vicieuses des Anglais. Cette chimère ajoutait à leur malheur: à cause de leur attitude, les enfants des Canadiens français prenaient par centaines le chemin du cimetière de la Côte-des-Neiges.

Tout le long du trajet, John Muir croisa des agents de police marchant en petits groupes, une matraque à la main, les traits marqués par l'anxiété. Au nombre de deux cent soixante-trois dans la ville de Montréal, ils affronteraient dix, peut-être vingt fois plus de manifestants.

Déjà, deux ou trois mille d'entre eux occupaient le Champ-de-Mars derrière l'hôtel de ville et la place Jacques-Cartier devant. L'ébéniste put se frayer un chemin jusque devant les grandes portes de chêne.

— Macdonald à la corde! scandait-on autour de lui.

— Libérez Riel, pendez les juges!

— Pis Robert Gray avec, entendit-il aussi.

La présidence du comité d'hygiène valait au pharmacien une haine croissante. Ce soir-là aussi, des protestataires portaient des gourdins, d'autres cherchaient des pierres sur le sol. Lapider les maisons des vaccinateurs semblait toujours à l'ordre du jour.

— Allons chez le docteur McNeece, proposa un meneur.

Celui-là s'était rendu coupable de publier des articles favorables à l'usage de la coercition pour le plus grand bien des Canadiens français. Ces manifestants souhaitaient le remercier à leur façon de se soucier ainsi de leur santé.

Avant le moindre mouvement de foule dans la direction du cabinet de ce professionnel, les grandes portes de chêne s'ouvrirent. Les cris redoublèrent d'intensité, puis lentement le silence se fit. Honoré Beaugrand s'avança, seul, une petite silhouette étroite, sanglée dans un habit de soirée. Le politicien semblait si fragile, malade même : son allure ajoutait à la tension dramatique.

— Messieurs, commença-t-il, rentrez chez vous. Vous ne gagnerez rien par ces désordres. Ces derniers jours, des personnes innocentes ont été blessées, des biens détruits.

— On ne veut pas de vaccination ! protesta quelqu'un.

— Vous ne voulez pas protéger vos enfants ?

Une rumeur parcourut les premiers rangs. Au-delà de ceux-ci, personne n'entendait. Le ton monta bien vite dans la foule. De l'endroit où il se tenait, John apercevait Beaugrand sans entendre le moindre de ses mots. Puis le premier magistrat recula. Quand la porte se referma, les hurlements reprirent :

— Mort à Beaugrand, commença quelqu'un.

— Mort à Macdonald.

Au moins, cette fois, libéraux et conservateurs faisaient l'unanimité. Près de la colonne Nelson, un hurluberlu sonnait du clairon et donnait de la voix pour rallier les protestataires. À l'entendre, les journaux de langue anglaise recevraient une nouvelle visite.

Honoré Beaugrand, brûlant de fièvre, revint dans le hall d'un pas incertain.

— Ça ne servira à rien, conclut le chef Paradis.

Le policier portait toujours un lourd bandage à la tête, mais il semblait jouir de tous ses moyens. Les circonstances se prêtaient mal à une longue convalescence.

— Il y en a peut-être trente qui ont entendu mes paroles. Comment voulez-vous que ça suffise pour calmer ces excités?

Son interlocuteur se priva de dire que si un orateur pouvait convaincre des gens d'envahir les rues, un autre pouvait aussi les convaincre de rentrer chez eux. Son attention se porta plutôt sur le vieux monsieur aux favoris envahissants qui s'approchait d'eux.

«Trop de cuisiniers vont gâcher la soupe», glissa le maire entre ses dents. Rodolphe Laflamme, l'ancien ministre de la Justice du gouvernement canadien, se sentait investi de la mission de ramener la paix dans la ville. Sa gloire passée empêchait de le traiter comme un gêneur, ce qu'il était pourtant. Un lieutenant-colonel de la milice l'accompagnait.

— Vous voulez vraiment utiliser l'armée contre ces gens? commença-t-il.

— Nous ne pouvons pas les laisser incendier la ville.

— Les esprits sont tellement agités, avec cette affaire Riel. Nous allons vers la catastrophe.

Le vieil homme tenait absolument à expliquer ce que tous les autres comprenaient mieux que lui.

— Voir des uniformes dans les rues, ce sera comme une bonne averse sur un feu de broussailles, avança le colonel.

— Ce sera plutôt perçu comme une provocation, insista le vieil homme. Si la bataille éclate entre ces protestataires et les miliciens, on aura une vraie rébellion sur les bras. Qui sait où ça nous conduira.

— Si nous nous montrons en force, personne ne bougera. Tous ces gens prendront conscience qu'ils ne peuvent l'emporter.

L'ancien ministre et le militaire poursuivaient une conversation commencée plus tôt en journée dans les locaux de la police. Paradis se résolut à prendre les choses en main:

— Avec mes constables, je n'ai pas les forces nécessaires pour contenir tous ces gens. Ils ne suffisent même pas à protéger les maisons de notre personnel.

La stature du chef de police lui permettait de faire écran, de façon à ce que ces deux-là ne puissent reprendre leur dialogue de sourds. Il demanda à l'officier de milice :

— Combien d'hommes peuvent se mobiliser tout de suite ?

Planté bien droit, son calot coincé sous son bras, le colonel se réjouit d'en venir enfin à l'action.

— Les Prince of Wales Rifles et les Royal Scots sont regroupés au marché Bonsecours. Malgré des effectifs incomplets, nous parlons de plus de quatre cents hommes. Ils peuvent parader devant notre porte dans dix minutes, et se rendre ensuite à l'est de la rue Saint-Laurent.

— Donnez un coup de fil au commandant tout de suite, dit le maire, lassé de rester debout dans le hall. Recommandez-leur la plus grande retenue. Je pense que la seule vue de la force calmera les esprits.

— Envoyer des régiments anglais dans les quartiers canadiens-français, vous ne pouvez envisager ça sérieusement…

Laflamme ne percevait pas tout le potentiel conflictuel que cette décision comportait. Pendant que l'on érigeait un échafaud pour Riel dans le Nord-Ouest, des soldats paraderaient l'arme à l'épaule dans le quartier Sainte-Marie.

Le sonneur de clairon se tenait toujours au pied de la colonne Nelson.

— Ramassez des roches, des grosses, pour les grandes fenêtres du *Herald*, clamait-il entre les couinements de son instrument.

Sur la place, les manifestants se montraient plutôt placides. Les beuglements de l'énergumène soulevaient peu de passion. Après quelques minutes, un mouvement se fit sentir du côté gauche de la place. En écoutant mieux, John Muir entendit le bruit de centaines de bottes s'abattant ensemble sur le pavé. Marchant à quatre de front, les miliciens firent irruption sur la place Jacques-Cartier. Les manifestants s'écartèrent devant eux, tout en laissant entendre leur colère. «Maudits *blokes!*» les conspuaient les plus polis, «Christ de cochons!» crachaient les plus excités.

— Il faut les chasser! cria l'homme à l'instrument de musique depuis son poste d'observation.

Son clairon résonna, non comme un signe de ralliement, mais comme une longue plainte. Quelques audacieux lancèrent des pierres en direction des militaires. Les moins impassibles parmi ceux-ci crispèrent la main sur la crosse de leur carabine portée sur l'épaule.

— *Order, order*, leur intima le capitaine.

L'officier marchait sur le flanc de son détachement, son grand sabre à la main. Si un seul perdait son sang-froid, l'échauffourée prendrait des dimensions dramatiques. Toujours quatre par quatre, les soldats tournèrent vers l'est, rue Notre-Dame.

— Y s'en vont chez nous, gronda le clairon toujours perché sur le socle du monument. Y vont saccager nos maisons.

Les plaintes de son instrument commençaient à heurter les oreilles sensibles. À la fin, un colosse se dirigea vers le musicien pour le prendre à bras-le-corps sans que personne ne vienne à son secours.

Les cris, la tension, la peur même, tout cela avait permis à John d'oublier un peu son chagrin. Chacun de ses pas vers la ruelle Berri le ramenait à la cruelle réalité de Phébée. Perdu dans ses pensées, une voix le fit sursauter.

— Me semblait que c'était toi, aussi.

Charles Demers se hâta de le rejoindre en titubant quelque peu. Tous ces manifestants ne s'enivraient pas que de colère. Des opportunistes se promenaient dans la foule avec de gros sacs à dos, ou de grands paniers, remplis de ces petites flasques plates si pratiques car elles se glissent dans une poche, ou même dans une botte. Avec les vitriers, ces curieux marchands seraient les seuls à sortir de ces désordres un peu plus riches.

— T'étais là aussi ? demanda le mécanicien en arrivant à sa hauteur.

— J'étais quelque part, mais je ne sais pas si c'était « là ».

— Dans l'émeute, j'veux dire.

Dans la bouche de Charles, ce mot semblait désigner une activité festive.

— Je suis allé me planter devant l'hôtel de ville.

— Ça chauffait-tu ?

— Des cris, des menaces, des pierres lancées à l'aveuglette.

Le mécanicien ne perçut pas l'immense lassitude dans le ton. Il enchaîna pour rendre compte des événements survenus dans un autre coin de la ville.

— Je suis allé au terrain de l'exposition avec des gars de la *shop*. Ça brassait.

— Comment ça ? Il ne se passe rien de ce côté-là.

— Y a pas d'exposition, mais tu le sais, maintenant y vont enfermer des malades dans le grand pavillon.

Les journaux annonçaient l'ouverture très prochaine de ce nouvel hôpital temporaire pour les varioleux. La grande demeure de Fletcher's Field débordait.

— Ce n'est pas une prison, on y soigne les gens.

— T'as déjà entendu parler d'un seul malade entré là volontairement ? Pas moi.

Contrairement à la rumeur largement répandue, tous n'y mouraient pas. Ceux qui en sortaient vivants livraient aux journalistes d'ignobles récits. S'ils étaient véridiques, il s'agissait d'un véritable enfer.

— On voulait y sacrer le feu, continua Charles. Comme ça on y placera pu personne de force. Y prennent les enfants dans leur lit, ils les arrachent des bras de leur mère pour les embarrer là.

— Pour les soigner…

— Pour les faire crever. J'te le dis, je préférerais me trancher la gorge avec mon rasoir à la place de me laisser traîner dans cette prison.

— Mais… vous avez réussi ? questionna John.

— À mettre le feu ? Non. Les maudits soldats entouraient la bâtisse. Y en avait même à cheval, un sabre à la main. Y ont commencé en tuant les Français du Nord-Ouest, pis là c'est notre tour… Mais les cochons, on va les avoir. On y retourne demain.

« Les miliciens y seront eux aussi », songea John. Tous ces gens se révoltaient contre la vaccination, contre les mesures de quarantaine, et pourtant tous connaissaient des personnes en train de mourir. Les pensées du mécanicien allaient dans la même direction que les siennes.

— La petite Paquin, tu penses qu'elle va s'en tirer ?

— Je ne suis pas médecin. Bien des gens survivent.

— Y en a qui s'en tirent, la majorité, reprit Charles après un silence. Mais t'as vu à quoi ils ressemblent ?

Depuis qu'il connaissait l'état de la couturière, John Muir ne pensait qu'à ça. Pareil destin lui semblait bien cruel.

— Chaque fois que je passe devant la chambre de la petite, continua le mécanicien, le cœur me lève. On peut pas survivre après ça. On dirait la senteur d'une charogne vieille de plusieurs jours. C'est moins pire devant la chambre de Phébée. Tu penses que c'est parce qu'est moins malade ?

— Je ne suis pas médecin, je ne sais pas, réitéra son interlocuteur, le désespoir traversant sa voix.

— Pauvre fille. Elle doit espérer mourir, plutôt que de ressembler aux autres.

L'ébéniste arrivait mal à dominer sa peine.

Le lendemain matin, lors du déjeuner, les locataires se rassemblèrent de nouveau dans la cuisine. Après l'esclandre de la veille, Félicité se sentit un peu mal à l'aise en entrant dans la pièce. Dans les visages du mécanicien, de son apprenti et de John, elle lut une grande connivence, et beaucoup de compassion. Hélidia tentait de présenter un masque impassible, sans grand succès. La colère lui faisait grincer des dents tellement elle serrait les mâchoires. Les yeux rougis de Vénérance n'avaient rien pour alléger l'atmosphère.

À l'extrémité de la table, une chaise vide : personne n'avait osé occuper la place de Crépin Dallet.

— Comment ça va en haut ? demanda la logeuse.

— Comme Fernande…

Impossible de donner plus de précisions à cette mère éplorée. En vérité la petite fille présentait un corps infiniment plus ravagé que celui de la jeune femme : dans l'horreur aussi s'installait une hiérarchie. Le repas se poursuivit dans un silence complet. Quand Félicité fit mine de regagner sa chambre, John la suivit pour lui prendre le coude, la forcer à se retourner.

— Tout à l'heure, tu disais vrai ?

— Pour Phébée ? Son visage est moins marqué… mais elle m'inquiète.

— Je veux aller la voir.

— … Pas tout de suite. Elle ne veut voir personne.

Cela, l'ébéniste le savait déjà.

— Elle ne peut pas s'enfermer pour le restant de ses jours.

L'allusion à la mort les attrista tous les deux.

— Je veux dire… Je veux la serrer dans mes bras.

L'admission toucha Félicité, elle posa sa main sur la sienne.

— Je sais. Là, elle voit toute sa vie s'effondrer devant ses yeux, il faut la comprendre.

— Jules n'est pas revenu ?

— Sans doute aujourd'hui. Elle ne veut pas le voir, ou plutôt elle ne veut pas qu'il la voie, jamais plus.

— Elle ne peut pas vraiment penser ça.

En disant ces mots, John comprit qu'au contraire son amie s'accrocherait à cette décision. Si fière de sa beauté, montrer ses traits ruinés lui semblait impossible ; enfin, pas avant longtemps.

— Ce garçon l'aime. Ce ne sont pas quelques marques… Elle n'est pas défigurée, toujours ?

Le visage effaré de son interlocutrice le convainquit du contraire.

— Même là, ça ne changera rien à mon affection pour elle.

— Sauve-toi, maintenant. Que tu arrives en retard au travail n'aidera personne.

L'homme acquiesça d'un mouvement de la tête, lui serra les mains, puis partit.

En soirée, Jules Abel regagnait enfin Montréal. Ses quelques jours à Sainte-Rose le laissaient satisfait. Il comptait sur son père pour obtenir quelques centaines de dollars. Un notaire du village avait avancé la somme, et Absalon s'était porté garant de cet engagement.

Cet appui s'accompagnait d'une avalanche de bons conseils, que le garçon avait écoutés avec soin. À la veille de se lancer en affaires, les paroles d'un homme sage méritaient toute son attention. Le train entra dans la gare Dalhousie un peu après huit heures. Au lieu de se rendre directement à sa pension, le jeune entrepreneur fit un détour jusque devant la façade de son futur commerce. Il appuya son front contre la vitrine afin de contempler les lieux. L'obscurité lui cachait tout, cela favorisait sa rêverie. Il s'imagina à l'été de 1886, lui et sa femme déjà un peu prospères. Phébée attendrait-elle un enfant?

« Avec Phébée derrière le comptoir, les hommes de douze à quatre-vingts ans parcourront bien des pâtés de maisons pour acheter ici leurs pastilles à la menthe ou leur ceinture herniaire. » L'idée lui tira un sourire. Le temps de poser chez lui son sac de voyage, il pourrait passer chez sa fiancée. La rue Berri n'était pas très loin. Quinze minutes plus tard il ouvrait la porte de la grande demeure. Un vieil homme quitta le salon pour le rejoindre dans le couloir.

— Monsieur Abel, vous voilà enfin.

L'air un peu affolé de son propriétaire alerta tout de suite Jules.

— Il s'est passé quelque chose?

Il pensait à sa promise. Voilà que s'éloigner d'elle pendant quelques jours le laissait tout anxieux.

— Ah! Qu'allons-nous devenir? questionna l'autre au lieu de répondre. Tous les soirs, des gens ont parcouru les rues en cassant tout sur leur passage.

Le vieil homme ne ménageait pas ses exagérations. La rue Berri paraissait intacte, mais le simple fait d'entendre les cris des manifestants dans les rues Sainte-Catherine ou Dorchester suffisait à troubler son sommeil.

— Les environs de la maison semblaient dans le même état qu'à mon départ.

L'autre secoua la tête de droite à gauche pour signifier son désaccord. Le nouveau maire promettait des soldats pour protéger les honnêtes gens. Pourtant, jamais un seul uniforme n'était passé devant la maison, sauf le messager venu quelques fois.

— Du côté de l'hôtel de ville, puis près du nouvel hôpital pour les vérolés, ça barde toutes les nuits. Un gars de votre régiment est passé trois fois pour vous dire de vous présenter au manège militaire.

— Vous ne lui avez pas dit que j'étais absent?

— Bien sûr, je lui ai dit. Vous devez vous présenter là-bas au plus tôt, ce sont les ordres.

Décidément, Jules aurait dû donner sa démission dès son retour du Nord-Ouest, comme tous ses proches le lui conseillaient. Un commerçant respectable n'avait pas à se livrer aux longues marches sur quatre rangs et au tir à la cible.

— Je viens juste d'arriver…

— Moi, je vous ai répété les mots de votre collègue.

Son devoir accompli, l'homme retourna vers son fauteuil et sa pipe sans prononcer un mot de plus.

« Bon, pour cette fois ça va », grommela le milicien en montant à sa chambre. Il se promettait toutefois de prendre congé de son colonel dès que ces désordres prendraient fin, quitte à s'inventer une maladie crédible.

Le temps devenait maussade, la pluie menaçait. Le col de sa veste relevé pour se protéger un peu, il commença par se rendre dans la ruelle Berri. Aucune lumière ne venait des fenêtres en façade de la maison de chambres. Cela ne pouvait surprendre, passé dix heures du soir. Son poing heurta le bois de la porte doucement d'abord, puis de plus en plus fort.

Vénérance veillait Fernande, assise dans la chambre de l'enfant sur une chaise placée tout près du lit. Ses yeux ne quittaient pas le petit visage affreusement mutilé. Sans cesse, elle revivait la journée fatidique : la gamine résistant à l'idée de se faire vacciner, puis sa propre faiblesse quand elle avait cédé devant ses protestations. La laisser à la maison ce jour-là valait une condamnation. Même si ses deux fils avaient enduré des effets secondaires plutôt sévères, aujourd'hui leur visage ne présentait pas la moindre petite lésion.

— Ça devrait être moi, se désespéra-t-elle. À mon âge, avoir le visage marqué, ça serait rien…

De toute façon, depuis la naissance de la fillette, Oscar ne l'approchait plus guère, réservant toute sa passion pour la taverne du coin. Ces attentions-là ne manquaient pas à la matrone. Trois enfants lui suffisaient amplement.

— Mais là, j'l'ai tuée. Pauvre petite.

Fernande était couchée sur le dos, la respiration haletante. Au moins, elle dormait. Un opiacé permettait de la plonger dans une profonde stupeur qui engourdissait la souffrance physique et la peur.

La logeuse ne perçut d'abord pas les coups contre la porte. Ensuite, ils lui semblèrent devenir assourdissants.

« Ça peut pas être Oscar, se dit-elle. Y a sa clé. » Le poing contre le bois se fit plus insistant encore.

— Christ, glissa la femme entre ses dents, craignant maintenant les employés du Service de santé, vous viendrez pas me voler ma fille… J'vas vous tuer avant.

Sa pensée se porta sur le grand couteau à dépecer accroché à un clou dans la cuisine, puis sur le révolver caché au fond d'une malle. Quand tout redeviendrait silencieux, elle irait chercher l'un et l'autre. Pour l'heure, mieux valait ne pas faire le moindre bruit. Ces maudits fonctionnaires ne lui enlèveraient pas sa fille. Si Vénérance ne doutait plus de l'issue fatale

– comment un petit corps si ravagé survivrait-il ? –, au moins elle demeurerait à ses côtés.

Pour ajouter au tragique de la situation, il lui était impossible de faire venir le prêtre pour une dernière confession, une dernière bénédiction. Oscar avait été très clair la veille : les curés travaillaient avec la municipalité pour le vaccin. Ils devaient donc participer aussi à l'enlèvement des malades.

— Demain matin, je vais dire un *Acte de contrition* avec elle, murmura-t-elle.

Les coups s'amplifièrent encore contre la porte, puis une voix se fit entendre :

— Phébée, c'est moi. Ouvre !

Vénérance se sentit soulagée, mais pas au point de se faire entremetteuse. De toute façon, les états d'âme de ces amoureux transis lui auraient brisé le cœur. Elle ne bougea pas, ses yeux posés sur Fernande. Celle-là ne connaîtrait jamais les grands élans passionnés.

Dehors, alors que la pluie commençait à tomber, Jules grelottait de froid.

John Muir, lui, ne manquait rien des événements sous sa fenêtre. Après les premiers coups contre la porte, il avait levé un pan de son rideau pour voir le jeune homme. Vivement, il sortit dans le couloir. Du bout des doigts, il frappa chez ses amies. Après une longue hésitation, Félicité vint entrouvrir.

— Oui ?

— Jules est en bas. Écoute.

Le nom de son fiancé parvint à Phébée.

— Non, qu'il s'en aille, se plaignit-elle.

La châtaine adressa un sourire navré au visiteur. Leurs regards disaient toute la douleur que leur causait cet entêtement. Puis l'ébéniste rentra chez lui, profondément attristé.

— Il est dans la rue, dit Félicité en prenant place sur le lit. Il est venu expressément pour te voir.

— Je t'ai dit que je ne le reverrais plus, insista l'autre dans un sanglot.

— Mais vous devez vous marier dans une semaine.

De la main la jeune femme désigna sa robe de mariée à moitié terminée qu'elle avait disposée sur la table.

— Me marier ? Tu m'as vue ?

Curieusement, la blonde ignorait totalement l'ampleur des marques sur son visage. Elle avait soigneusement caché son petit miroir au fond de son grand coffre. L'idée de voir ses traits la terrorisait.

— Tu dis ça maintenant, mais dans quelques jours…

— Fais-la disparaître. Je ne peux plus la voir.

Son interlocutrice ne comprit pas tout de suite. Puis son regard suivit celui de son amie. La robe, faire disparaître la robe. Félicité préféra ne rien répondre, maintenant tout à fait accablée par le désespoir de son amie, et se pencha pour souffler la chandelle.

John, perplexe, était retourné dans sa chambre. Dehors, Jules insistait, continuait d'appeler sa fiancée.

— Je vais le lui dire, se décida-t-il bientôt.

Sinon, comment le pauvre garçon interpréterait-il ce silence ? Normalement, Phébée serait restée près de la porte toute la journée et toute la nuit pour ne pas rater son retour. Qu'irait-il penser ? L'ébéniste mit sa veste, descendit l'escalier. Quand il ouvrit enfin la porte, il ne vit personne. Lassé de la pluie froide dans son cou, Jules était parti vers le manège militaire.

— Tu l'as jetée, comme je te l'ai demandé ?

Félicité feignit d'abord de ne pas comprendre. Puis elle admit :

— La robe ? Je l'ai mise de côté… Tu es certaine de pouvoir rester seule ? enchaîna-t-elle pour éviter de devoir avouer qu'elle l'avait confiée à John.

— Tu sais, dans ce lit, je ne risque pas grand-chose… sauf de disparaître comme Marie.

L'allusion sidéra sa compagne. La blonde se reprit :

— Ne fais pas cette tête, je me sens mieux. Ces pustules vont crever, je vais puer comme jamais, mais dans une, au pire deux semaines je pourrai montrer mon masque de Mardi gras à tout le monde.

La voix venait comme un grincement. Elle disait vrai, la fièvre tombait, la nourriture passait mieux dans sa gorge… mais son visage resterait cruellement marqué. Dieu la privait de son mariage, mais lui octroyait nombre de décennies pour pleurer sur sa vie gâchée.

— Va à la messe, conclut Phébée.

— Je vais prier pour toi.

— Tu vois ! Grâce à toi, et au ciel, je vais me remettre.

Les mots rendirent Félicité mal à l'aise. Si le corps allait mieux, l'âme paraissait sombrer. Plutôt que de compatir à son propre sort, de pleurer un bon coup et d'émerger ensuite, la blonde s'en tenait à ce ton sarcastique. Des flots de larmes auraient tellement mieux valu. Pourtant, Félicité réprima son désir de la prendre dans ses bras. Ces deux heures hors de la maison, loin de la pestilence, lui permettraient de se reposer un peu, sinon elle finirait par ne plus pouvoir dominer ses émotions. En mettant son manteau, elle déclara :

— Je reviens tout de suite avec de quoi manger un peu. Que veux-tu ?

La malade eut un geste de la main pour signifier son indifférence, puis se tourna vers le mur. La châtaine sortit en lui disant «À bientôt». Pour la première fois depuis son arrivée dans la pension, au moins elle n'eut pas à écarter Crépin, toujours disposé à marcher avec elle. Quant à Hélidia, un regard chargé de haine résuma très bien la nouvelle tournure de leur relation.

Félicité entendait bien demander à Dieu qu'Il manifeste un élan de pitié pour son amie. Surtout, Jules serait là. Pendant tout le trajet, elle se demanda comment le mettre au courant de la situation. Que dire pour que le prétendant ne se détourne pas de la jeune femme malgré un visage ravagé? Phébée avait-elle raison: un homme ne pouvait-il pas l'aimer sans sa peau de porcelaine?

Debout à l'arrière de l'église, elle garda les yeux rivés sur les portes. Les minutes s'égrenaient si vite, et le jeune pharmacien n'arrivait pas. Pouvait-il déjà savoir? La cérémonie commença sans qu'il n'y soit. Le curé monta en chaire pour son prône d'un pas lent et le visage solennel. Toujours pas de Jules.

— Ces derniers jours, commença-t-il, nos compatriotes ont livré un spectacle bien navrant. Tous ces désordres, aucun bon catholique ne peut y participer sans commettre un péché grave, suffisant pour l'empêcher d'approcher la sainte table.

Dans les bancs et là où s'entassaient la vingtaine de personnes debout à l'arrière du temple, un murmure se fit entendre. Plusieurs de ces paroissiens, chez les plus jeunes, avaient participé aux manifestations.

— Nul ne peut se révolter contre les autorités légitimes de son pays. La ville demande que tout le monde se fasse vacciner. Vous devez vous empresser d'obéir pour votre bien, pour le bien de vos enfants. Ne faites pas honte à notre race en vous opposant à ces mesures.

Peu de temps auparavant, ce prêtre fustigeait les fidèles prêts à se laisser convaincre qu'une invention humaine puisse faire échec à la volonté de Dieu. Son évêque devait avoir acheminé des directives aux prêtres de son diocèse. Avec un enthousiasme mitigé, il se faisait maintenant l'instrument du Service de santé de Montréal.

— D'ailleurs, demain, monseigneur Fabre recevra le vaccin, et moi aussi.

La perspective lui inspirait un dégoût bien visible. Félicité ne se formalisa pas de cette volte-face. Tout son esprit était occupé par l'absence de Jules. Quelques jours à Sainte-Rose ne pouvaient pas entraîner un changement de ses sentiments. Avait-on évoqué la maladie de sa promise devant lui ? Mais qui ? Crépin ? Le doute de Phébée s'insinuait dans son âme.

Chapitre 18

Le dimanche s'avérait maussade, le ciel, gris, la pluie, glaciale. Les Fusiliers Mont-Royal avaient été envoyés au terrain de l'exposition provinciale, tout près du promontoire. Jules avait visité les lieux avec Robert Gray quelques jours plus tôt. Maintenant, des dizaines de miliciens, une carabine à la main, devaient empêcher les manifestants de mettre le feu au nouvel hôpital.

Dès son arrivée au manège militaire la veille, le jeune pharmacien s'était fait ordonner de rejoindre son bataillon à cet endroit.

— Tu te souviens de l'accueil qu'on nous a réservé ici, l'été dernier ? demanda Georges Ouellet à ses côtés.

— Comment l'oublier ? Toute cette marche pour se faire voler notre repas sous notre nez.

— Je suppose que ce sont les mêmes, là, devant.

Les rangs des protestataires se gonflaient sans cesse. Malgré l'averse, certains arrivaient à tenir des torches allumées.

— Je commence à m'ennuyer du Nord-Ouest, continua le milicien. Rester debout sous la pluie à me faire crier des noms par tous ces excités, j'aime pas ça.

— Pas moi, protesta Jules, et jamais je ne voudrais retourner là-bas. Je me souviens de ces deux semaines à l'horizontal. Si tu n'avais pas été là…

Ouellet s'était montré un ami indéfectible pendant ces mauvais jours. De tous les membres des Fusiliers Mont-Royal, il serait le seul à venir au mariage à Sainte-Rose, une semaine plus tard.

— Bah ! Ne fais pas toute une histoire avec ça.

Cette façon de réduire l'importance de son rôle le rendait d'autant plus attachant. Le pharmacien se doutait bien que cet homme ne s'éloignerait jamais de lui. Au moins, cette campagne avait eu ça de bon : une amitié pour toute une vie.

La tension déchaînait les imaginations. La rumeur commença à circuler parmi les soldats les plus proches des manifestants : une centaine d'hommes avaient quitté la ville de Saint-Henri armés de carabines ou de révolvers. Cela ne pouvait surprendre : même si personne n'en avait besoin, le commerce des armes demeurait florissant dans la ville.

La fébrilité monta d'un cran chez les miliciens. Faire un travail de police devant des citoyens armés de gourdins était une chose, mais là tout prenait une nouvelle tournure. Des échanges de coups de feu laisseraient des morts sur le terrain.

— Déballez les munitions, commanda un lieutenant en passant devant la ligne des uniformes.

Les cartouches venaient dans un emballage résistant, destiné à les protéger de l'humidité. Si les choses se corsaient vraiment, mieux valait ne pas avoir à le défaire dans le feu de l'action. Jules déchira un paquet, plaça la demi-douzaine de balles dans le sac de cuir à sa ceinture.

— Pas dans la carabine, imbécile, jura quelqu'un.

Les plus jeunes devenaient nerveux. Leur mettre une arme entre les mains, dans de pareilles circonstances, pourrait se révéler dangereux. Un soldat de deuxième classe, terrorisé par une menace encore invisible, avait mis les cartouches dans le magasin de son arme.

— Il a dit de charger…

— Il a dit de mettre des balles dans la cartouchière.

Le lieutenant revenait. Le plus simple aurait été de mettre l'arme à l'épaule. L'officier n'aurait pas fait la différence, chargée ou pas. Sous la pluie glacée, les mains engourdies par le froid, effrayé que l'on voit son erreur, le jeune homme se mit en frais de décharger son arme. Ses doigts glissèrent sur la crosse mouillée, la carabine tomba sur le sol. Le bruit d'une détonation couvrit un juron.

Une conjugaison de hasards des plus improbables se produisit, comme un alignement néfaste des planètes. Sous le choc, l'aiguille frappa la douille de cuivre, la balle sortit du canon à la vitesse de milles verges à la seconde. Une pierre sur la trajectoire du cône de plomb la fit dévier. Le projectile poursuivit sa course vers le haut, à un angle de quarante-cinq degrés.

Jules Abel se retournait vers son ami. La balle le frappa dans le dos, à la hauteur des reins. Il ressentit comme un grand coup de poing, ses genoux se dérobèrent sous lui. Son corps s'abattit sur le sol comme une masse, dans un cri étouffé. Étendu sur la terre mouillée, le milicien passa sa main à l'endroit de l'impact, pour la ramener poisseuse de sang.

— Qu'est-ce que j'ai fait? gémissait le soldat de deuxième classe. Mon Dieu, qu'est-ce que j'ai fait?

Personne ne lui prêtait plus la moindre attention. Un cercle se forma autour du malheureux. Georges Ouellet se pencha sur lui.

— Jules, Jules?

Son bras entoura les épaules du jeune homme, pour tenter de le relever.

— C'est rien, c'est rien, insista-t-il. Viens, toi et moi on va botter le cul à cet idiot.

— Qu'est-ce que j'ai fait?

Ces mots prenaient la forme d'une mélopée. Tous les pharmaciens faisaient deux ans de médecine dans un premier temps, puis une autre année d'études pour apprendre à préparer les médicaments. Le blessé pouvait donc se faire une bonne idée de sa situation. Sa main se reposa au bas de son dos. La tunique, le sous-vêtement ruisselaient à cause de la pluie, emportant un peu de sang sur le sol. Plus grave encore, le jeune homme sentait ses forces s'échapper de son corps.

— Jésus-Christ, je suis fini, glissa-t-il dans un souffle.

Il affichait un calme étrange devant cette fatalité, comme un détachement.

— Dis pas ça! insista Georges. On va t'amener voir un docteur.

La tête de Jules s'inclina vers l'arrière, son ami sentit le corps s'alourdir sur son bras.

— Aidez-moi, vous autres, on va le transporter.

Trois compagnons joignirent ses efforts aux siens pour le soulever.

— On va où? Là-dedans?

De la tête, l'un des bons Samaritains désignait l'hôpital des varioleux.

— Non, pas là, dit un autre. Avec tout ce qu'on raconte dans les journaux, j'pense pas qu'y a un vrai docteur. Les gens sont pas soignés là-dedans.

— Il y a un cabinet pas loin, leur apprit un troisième milicien, dans la rue Saint-Hubert.

Jules ne protesta pas contre la longue distance à parcourir. Chacun de ses camarades tenait l'un de ses membres. Il sentit son corps quitter le sol alors que son regard était tourné vers le ciel. Cela lui procura la nette impression de flotter dans l'espace, comme un ange, ou un fantôme.

— Mon Dieu! Qu'est-ce que j'ai fait? Pardon, pardon.

Au moins, il s'éloignait de cette voix geignarde. Trois cavaliers se joignirent aux miliciens pour les protéger. Les manifestants s'écartèrent devant le cortège, étonnés que ces soirées d'agitation puissent entraîner de tels drames. Dans une officine pas très loin, Jules fut posé sur une table, un peu sur le flanc, plus ou moins conscient. Le praticien se pencha sur lui, demanda à la ronde :

— La balle n'est pas ressortie ?

Les compagnons du blessé levèrent les épaules pour signifier leur ignorance. Puis trois d'entre eux s'esquivèrent, heureux de ne plus avoir ce triste spectacle sous les yeux. Seul Georges Ouellet ne bougea pas d'un pouce.

— Elle est toujours là, conclut le médecin.

Ses palpations sommaires ne lui avaient permis de découvrir aucun autre orifice. Dans ce cas, le morceau de plomb devait avoir suivi une trajectoire erratique, multipliant les ravages dans ses viscères.

— Je suis fini, répéta Jules dans un souffle.

Le ton trahissait une profonde lassitude. L'espoir s'écoulait avec le sang. Surtout, le médecin ne se donna pas la peine de le contredire.

— Georges, Georges, souffla-t-il.

Un petit mouvement de la main l'incita à s'approcher pour se pencher vers la bouche de son ami.

— Dans la ruelle Berri… Va chercher Phébée. Je veux lui dire une dernière fois que je l'aime. Je vais m'accrocher…

L'autre voulut protester. Toutefois, à la lueur d'une lampe à pétrole, la pâleur de son ami l'amena à se taire.

— Vite…

Une dernière pression sur la main sanglante fit office d'adieu. Vu la distance jusqu'au taudis de la belle, mieux valait ne pas tarder. Quant aux hommes armés venant de Saint-Henri, personne n'en vit jamais un seul. Des rumeurs alarmistes de ce genre naissaient puis mouraient sans cesse, expression de la tension dans la ville.

Jules ne lui avait pas donné le numéro de la maison. Georges Ouellet frappa donc à une porte. Il serait bientôt minuit, personne ne vint ouvrir. Recommençant à la maison voisine, un gros homme se présenta cette fois, bien déterminé à enseigner les bonnes manières à l'importun. La vue de l'uniforme calma un peu son humeur belliqueuse.

— Phébée Drolet…, commença le visiteur. Une belle blonde.

— Là-bas.

Le milicien alla abattre son poing à plusieurs reprises contre l'huis qu'on lui avait désigné. Puisque aucun occupant ne se manifesta, il recommença. Dans la maison, Vénérance veillait encore dans la chambre de sa fille. Comme la nuit précédente, elle ne regagnerait pas son lit.

La logeuse se rendit dans le couloir à pas lents. Le bruit de tambour contre la porte la plongeait dans une profonde terreur. Oscar Paquin se manifesta aussi, sortant de sa chambre. Le dimanche, il n'avait pas eu à se présenter au travail, et un prétexte quelconque lui permettrait de faire durer le congé vingt-quatre heures de plus. Avec une barbe de deux jours sur les joues, vêtu de son seul sous-vêtement pas très propre, il ne payait pas de mine.

— C'est qui, en pleine nuit ? demanda-t-il.

— Tu le demandes ? Tes collègues qui enlèvent les malades.

Son mari ramassait du crottin de cheval, et parfois d'autres saletés. Pourtant, personne ne faisait la distinction, son statut d'employé municipal lui valait des insultes fréquentes depuis quelques semaines.

— Alors, on fait quoi ?

D'emblée, il concédait à sa femme le gouvernement de la maison.

— Tu retournes te coucher, et moi près d'elle.

De la lumière émanant des chambres situées de part et d'autre du couloir permit de voir une grimace sur le visage du père.

— Elle va comment ?

L'immense tristesse dans la question rendit Vénérance plus aimable. Elle ne pouvait douter de l'affection de son mari pour Fernande. Elle en était touchée.

— Pas mieux…

Puis la voix de la logeuse se brisa, elle rentra dans la chambre, s'enferma avec la gamine. Les coups contre la porte reprirent de plus belle. Oscar songea un moment à aller mettre son poing dans le visage du casse-pieds. Retourner dans son lit lui parut plus prudent. Ses appréhensions le portèrent tout de même à poser son vieux révolver bien en vue sur la table de chevet.

— C'est encore lui, commenta Félicité. Tu ne vas pas le laisser dehors sous la pluie sans lui dire un mot.

Dès les premiers coups, la jeune femme avait allumé la bougie près du lit. Debout, elle contemplait son amie.

— Je ne veux pas le voir. Je ne veux plus le voir.

— Il a le droit de savoir.

La blonde tournait vers elle un visage marqué de pustules blanches. La formule du mariage disait « pour le meilleur et pour le pire ». Si le pire survenait avant la cérémonie, comment Jules réagirait-il ? Mal, sans doute. Se présenter à lui aurait au moins le mérite de clarifier la situation de façon définitive. La pauvre n'en avait pas le courage.

— Va le lui dire, toi…, concéda-t-elle.

Les deux compagnes se dévisageaient. Les coups retentissaient toujours en bas. Au plus profond d'elle-même, sans se l'avouer ou y croire, Phébée espérait que l'amour de son fiancé se montre si grand qu'il lui permettrait de surmonter une peau rugueuse, crevassée. L'espoir vivait malheureusement plus longtemps que le corps.

— D'accord, conclut la châtaine.

Le hasard voulut qu'elle quitte la chambre comme tous ses voisins sortaient de la leur. Le vacarme à l'entrée commençait à les inquiéter.

— C'est quoi, ce raffut ? demanda Charles Demers.

Il avait pris le temps d'enfiler son pantalon. Au son de la voix du mécanicien, de son lit Phébée tendit le bras pour pincer la flamme de la bougie entre son pouce et son index. On ne la verrait pas, mais elle entendrait tout.

— Je vais aller voir.

Félicité espérait que ce soit Jules. Elle tenait le col de sa robe de nuit d'une main, tout en faisant en sorte que son bras couvre en partie sa poitrine. Dans le couloir, Hélidia demeurait debout dans l'embrasure de sa porte, sa lourde silhouette soulignée par la lumière derrière elle. Guildor tendait l'oreille pour ne rien perdre de la conversation.

— Les agents du Service de santé ? suggéra-t-il.

— Ou Jules. Il est passé hier, mais elle n'a pas voulu descendre.

— Ces agents, tempêta le mécanicien, tous des salauds !

Pourtant, ce jour-là l'ouvrier négligeait de poursuivre sa grande croisade contre les autorités médicales. Il devrait rentrer au travail le lendemain, puis la pluie glaciale ne lui disait rien. L'évocation des agents plongea la châtaine dans l'indécision. Comment réagir en face d'eux ?

— Je vais voir, se décida-t-elle finalement.

John sortit de sa chambre. Devant le regard interrogateur de son amie, il précisa :

— Le gars en bas porte un uniforme, mais je ne le reconnais pas.

— Jules…

— Non, ce n'est pas lui, ça je suis certain.

Dans la chambre des jeunes femmes, un sanglot se fit entendre. Phébée exprimait sa cruelle déception. Au gré des seconde écoulées, l'espoir avait crû en elle : ce garçon pouvait-il voir plus loin que l'épiderme ? Là, elle ne le saurait pas.

— Tu es certain ? insista Félicité.

— Je l'ai vu assez souvent au cours des derniers mois pour le reconnaître.

L'ébéniste avait aussi croisé Georges Ouellet pendant l'été, mais trop brièvement pour se souvenir de ses traits. Puis l'obscurité dans la ruelle ne permettait même pas de percevoir les détails de l'uniforme. Celui des agents du Service de santé était noir, lui aussi.

— Ah ! C'est eux autres, clama Charles. Ils viennent dans les maisons pour ramasser les malades et les traîner là-bas.

Sur ces mots, il ferma sa porte pour regagner son lit, comme si la menace pesait directement sur lui. Hélidia ouvrait de grands yeux, enregistrant toutes les paroles prononcées, sans ajouter son grain de sel.

— D'après toi, demanda la châtaine à l'ébéniste, c'est qui ?

— Pour venir comme ça, en pleine nuit... Charles doit avoir raison.

Une nouvelle volée de coups retentit, chargée de colère semblait-il, ou de désespoir. Félicité secoua la tête, déçue, formula un « Bonne nuit » à peine audible, puis se retira chez elle.

— Je le savais, commenta Phébée entre ses pleurs. Il m'a déjà oubliée.

— Tu sais bien que ce n'est pas ça. Hier il criait dans la rue. Quelque chose doit le retenir...

Dehors, Georges Ouellet se lassa finalement. Des citadins rageurs, penchés aux fenêtres des maisons voisines, l'invectivaient. Un exalté dérangeait leur sommeil pour la seconde nuit d'affilée, cela suffisait à les rendre intolérants. Bientôt, dans

397

toute la ruelle, les habitants lui reprocheraient de venir troubler leur sommeil. Leurs insultes l'aidèrent à abandonner la partie pour retourner vers le terrain de l'exposition. Seuls les Paquin paraissaient insensibles à tout ce bruit.

Le lendemain, pour être certaine de ne pas attirer l'attention des autres, Hélidia se leva très tôt. Elle ferait le sacrifice de son déjeuner pour savourer plutôt sa vengeance. Dehors les réverbères brûlaient encore, la lumière jaune se reflétait sur les pavés mouillés.

La fraîcheur du petit matin l'amena à fermer son col de la main. Son détour ne la retarderait pas beaucoup ; à sept heures, elle se tiendrait devant sa *mule jenny*, à la filature. Déjà de nouveaux carreaux fermaient les fenêtres du local du Service de santé, aucune trace du passage des manifestants ne subsistait. On craignait par contre que ceux-ci ne viennent commémorer leur première visite, une semaine plus tôt. Voilà qui expliquait la présence de policiers nerveux, en faction devant la porte du petit immeuble.

Hélidia échangea quelques mots avec les agents. À la fin, ceux-ci lui firent signe d'entrer.

Les locataires s'assirent à la table de la cuisine un peu avant six heures.

— Où est-elle ? demanda Guildor en regardant la place libre en face de lui.

En l'absence de la fileuse, il ne restait que trois hommes dans la pièce, et une Vénérance épuisée qui reniflait bruyamment en servant le gruau dans les bols.

— Je sais pas, rétorqua Charles. J'ai même cogné à sa porte en passant tout à l'heure. Pas de réponse, comme si elle n'allait pas à la *job* à matin.

— Faut dire que nos nuits sont courtes.

Avec ce grabuge à la porte deux soir d'affilée, l'inquiétude les avait empêchés de se rendormir rapidement. Chacun prononça un «Merci» bien discret quand la logeuse les servit. Sa souffrance les rendait mal à l'aise: que pouvait-on dire, que pouvait-on faire dans de pareilles circonstances? Quand elle se fut éloignée, Charles se pencha un peu pour dire à John:

— En tout cas, elle fait une bonne amie et ce sera une bonne mère.

Le mécanicien parlait de Félicité, de nouveau enfermée avec Fernande. L'ancienne maîtresse d'école ne tentait plus vraiment de la faire manger, pas tant à cause de la douleur dans la gorge, mais parce que la torpeur empêchait la malade de mastiquer. Tout au plus déglutissait-elle si on lui présentait une boisson à toutes petites gorgées. Du lait ou du thé abondamment sucré soutenait encore le petit corps.

— Tu as raison, c'est une bonne fille.

— Puis nous voilà débarrassés du faux curé.

La remarque de Guildor tira un mince sourire aux deux autres. Malgré les circonstances dramatiques, le départ de Crépin réduisait un peu la tension dans la maison. Son absence soudaine permettait de mesurer combien il avait pesé sur tous les autres.

— Tu sais comment elle va? demanda encore tout bas le mécanicien.

— Le pire semble passé. Elle devrait remonter la pente.

Le commentaire concernait Phébée. En le formulant, John songea: «Ou alors c'est le contraire.» Affronter la vie avec un visage couvert de cicatrices se révélerait peut-être pire que la gorge en feu, la fièvre et la douleur provoquée par toutes ces blessures sur l'épiderme.

— Je suis content pour elle, dit Charles. S'il fallait que toutes les deux...

Vénérance revenait dans la pièce, aussi il se tut. C'était dans l'ordre des choses, la maladie frappait plus durement les enfants, aussi s'en tiraient-ils moins souvent que les adultes lors des épidémies.

Dans la chambre, Félicité se disait exactement la même chose en regardant le visage ravagé de Fernande. Surtout, elle songeait que le faible éclairage de la bougie ne lui permettait sans doute pas de mesurer toute la gravité de la situation. Pourtant, l'horreur, elle l'avait sous les yeux.

Au moins, la petite bouteille sur la table remplissait son office. Quelques gouttes sur un carré de sucre suffisaient à produire un état d'hébétude susceptible d'endormir la peur. Parfois, la jeune femme imaginait en placer un sur sa langue pour réduire sa propre peine. Comme la vie lui paraissait injuste. Ou Dieu? Sa confiance en Lui s'érodait depuis quinze mois. Comment pouvait-Il se montrer si cruel? Son amie touchait enfin à la sécurité lui ayant si cruellement manqué, et voilà que cette terrible maladie venait tout gâcher. Si près de son but, Phébée voyait son avenir voler en éclats.

— Ou peut-être pas..., souffla-t-elle entre ses dents.

Les feuilletons larmoyants des journaux l'amenaient à croire aux miracles: les jolis minois ne devaient tout de même pas prendre toute la place, dans les histoires d'amour.

Pour la troisième fois en autant de jours, des coups violents ébranlèrent la porte. Plus forts que les autres, assénés à un rythme plus rapide, frénétiques même, laissant présager l'irruption d'un destin funeste. Vénérance ne s'y trompa pas :

— Là c'est eux autres. Les maudits cochons.

Tout de suite, une voix vint confirmer ses soupçons.

— Le Service de santé. Ouvrez.

La logeuse récupéra le long couteau placé près de sa chaise.

— Inquiète-toi pas, y t'apporteront pas avec eux autres.

Fernande ouvrait de grands yeux remplis de terreur.

— Ouvrez !

La logeuse arriva face à face avec son mari, dans le couloir.

— Y sont là.

Après des heures interminables à travailler pour le compte de la Ville, le bonhomme s'accordait un congé. Pourtant la journée ne serait pas de tout repos. L'homme se présentait vêtu de son seul sous-vêtement gris.

— Ouvrez ! ordonna l'inconnu en redoublant les coups. On sait qu'il y a des malades dans la maison.

— Allez-vous-en ! Y a pas de vérole icitte.

Un grand coup d'épaule vint ébranler la porte. Paquin tourna les talons. Mal boutonné à l'arrière, son vêtement montrait ses fesses. Même s'il paraissait grotesque, ses mots lui donnèrent une certaine noblesse.

— Y toucheront pas à Nande.

Un autre coup d'épaule fit trembler la porte dans ses gonds.

— Si vous ouvrez pas, on va défoncer.

L'inconnu semblait résolu à parvenir à ses fins.

Le docteur Laberge ne voulait courir aucun risque, car la grosse fille le lui avait dit : « Dans la maison, y voudront pas ouvrir, pis la bonne femme s'promène avec son couteau à dépecer. » Ce ne serait pas ses premiers patients récalcitrants, ni ses derniers. Certains le recevaient avec une hache dans les mains, d'autres avec une arme à feu. En comptant le conducteur de l'ambulance, trois personnes de son service l'accompagnaient et pour en imposer encore plus, il avait réclamé le soutien de trois agents de police.

— La porte est solide, commenta l'un de ces derniers.

— Vous allez y arriver, celle-là ne diffère pas des autres.

— En tout cas, c'est pas l'avis de mon collègue.

Le plus robuste du trio de constables frottait son épaule gauche.

— Pis y sont armés en plus.

— Derrière, ça ressemble à quoi ?

Si la porte avant résistait aux assauts, pensait le médecin, l'entrée arrière céderait peut-être plus facilement.

— Une enfilade de cours boueuses, isolées par des murs hauts comme ça.

De la main, le policier indiquait au-dessus de sa tête six pieds environ. Comme les maisons se touchaient l'une l'autre, il faudrait commencer à la hauteur de la rue Dorchester et effectuer une véritable course à obstacles pour arriver jusque-là. La progression manquerait de discrétion. Déjà, des voisins ouvraient leur fenêtre pour s'accouder et assister au spectacle.

— Pas moyen de passer par l'une des maisons de la rue Berri ?

— Traverser une demeure privée ? Les bourgeois aimeront pas ça.

Chaque homme se considérait comme le roi de sa maison. Aucune intrusion, même la plus utile, ne serait acceptée de bonne grâce.

— Cherchez une porte cochère pour entrer dans une cour. Nous allons les occuper de ce côté-ci, ils oublieront l'existence de l'entrée arrière.

Quelques mois à la tête du Service de santé de la Ville avaient transformé le docteur Laberge en spécialiste des opérations policières.

— Allez-y avec vos hommes. Surtout, ne vous trompez pas de maison.

Le médecin marcha ensuite vers ses propres employés. Excepté le couvre-chef, leur uniforme ne les distinguait pas vraiment des véritables agents.

— Vous avez apporté le bélier avec vous ? demanda-t-il à l'un d'eux.

— Maintenant, on le garde toujours dans la voiture.

— On va insister un peu plus.

L'autre hocha la tête, puis récupéra un billot long de six pieds dans l'ambulance. De grosses cordes permettaient de le manipuler. À deux, ils pouvaient se mettre près de la porte pour en balancer une extrémité contre le bois. Dans le couloir, le vacarme deviendrait bien vite insupportable.

À l'étage, la situation mettait les nerfs des occupantes à vif. Phébée s'assit dans son lit, effarée, puis elle dit :

— Passe-moi ma robe, la noire.

— Tu n'es pas assez forte pour te lever.

— Tu sais comment ça se passe, nous les avons vus faire déjà. Quand ils vont monter ici, je ne veux pas me montrer à moitié nue.

Félicité ne résista plus. Bien sûr, une fois dans la maison, les agents du Service de santé passeraient dans toutes les pièces pour chercher des malades. Le vêtement réclamé, tout à fait convenable pour des funérailles, venait d'un lot acheté chez un regrattier. Fait de toile solide, la travailleuse devinait qu'elle en aurait hérité pour aller à la manufacture. Maintenant en deuil de sa beauté, la blonde voudrait en faire son habit de tous les jours.

Les coups se poursuivaient. Vénérance défendait l'entrée, à distance suffisante de la porte pour ne pas la recevoir en plein visage si elle sortait de ses gonds. Cela ne tarderait plus.

— Si on poussait la table pour la renforcer, suggéra-t-elle à son époux.

— Tu te souviens pas ? On l'a rentrée sans les pattes, sinon ça passait pas dans le couloir. Là, j'ai pas le temps de sortir mes tournevis.

Avoir pris la peine de passer son pantalon lui donnait une nouvelle dignité. Dans sa chambre, la gamine gémissait faible-ment, comme si l'épuisement l'empêchait de pleurer vraiment.

— Aie pas peur, Nande. J'suis là.

« Nande ! » Petite, la malade n'arrivait pas à bien prononcer son prénom, elle l'amputait toujours de la première syllabe. Ce souvenir revenait à l'esprit du père, à cet instant précis. Le rappel de sa présence ne rassura toutefois pas vraiment l'enfant. À la fin, la serrure céda, la porte se brisa tout à fait et avec grand fracas. Les agents paraissaient un peu surpris d'avoir réussi. Ébouriffée, un bras tendu en avant, la main crispée sur un épais couteau de cuisine, la logeuse se montrait suffisamment redoutable pour les paralyser.

Le docteur Laberge prit le relais. Il se présenta dans sa redin-gote noire, un chapeau noir sur la tête, un sac de cuir noir à la main, comme s'il hésitait entre l'allure du médecin et celle du fossoyeur.

— Écartez-vous, madame. Nous venons pour soigner votre fille, et l'autre, en haut.

— T'y toucheras pas, cochon.

Pourtant, cette figure d'autorité lui en imposait plus que des agents armés d'une matraque. Son bras tremblait, la pointe de la lame dansait un peu à la hauteur de ses yeux.

— Là, elle ne reçoit pas de soins. Nous allons nous en occuper.

— Tu vas la tuer, comme tous les autres que t'amènes là-bas.

— J'te connais, ajouta Oscar Paquin. T'auras pas ma fille.

Le médecin, lui, ne reconnaissait pas l'employé de voirie, même s'il avait dû croiser cet homme cinquante fois dans les parages de l'hôtel de ville. Il remarqua toutefois le révolver, une vieille arme à capsule longue à charger. Toutefois, les six balles dans le barillet lui permettraient d'étendre tous ses adversaires en quelques secondes.

— Lâchez ça. Menacer un fonctionnaire avec une arme, ça vaut une vie au cachot.

— Sors de ma maison.

— Jetez votre arme. Elle souffre, et là, je ne peux pas la soigner.

Le père conserva son visage fermé, obtus. Vénérance devenait un peu plus incertaine à chaque seconde qui passait. Dans sa petite valise, ce docteur avait-il vraiment de quoi aider sa fille ?

Le pire, pour les occupantes de la chambre du fond, était de ne pas savoir ce qui se passait en bas. Aucune n'osait aller voir. Après les coups de bélier, les quelques éclats de voix semblaient plus menaçants encore.

— Phébée, il y a des gens dehors…

Félicité s'était postée près de la fenêtre, les yeux fixés sur la cour misérable. Près de la bécosse, une tête était apparue au-dessus de la clôture vermoulue, puis une deuxième. La blonde vint la rejoindre d'un pas incertain.

— Ce sont des policiers, nota-t-elle.

Les uniformes et la coiffure ne laissaient pas de doute sur leur identité.

— Tu crois qu'on devrait le leur dire?

— Avertir les Paquin? Pourquoi? Si ceux-là ne suffisent pas pour les convaincre, il en viendra d'autres. Fernande ne mourra pas dans son lit.

On était en octobre, au milieu de l'avant-midi. Près de la fenêtre, en pleine lumière, le visage de Phébée faisait peine à voir. Sur la peau très pâle, les pustules blanches accrochaient le regard. Les joues, le front, le nez, le cou en portaient combien? Vingt? Un peu plus, ou un peu moins? Suffisamment pour ruiner sa beauté. Il ne resterait pas deux pouces carrés de peau sans un petit cratère, quand tout serait cicatrisé.

Cela, si elle se remettait. Cette issue semblait la plus probable. Même si elle chancelait un peu, la jeune femme paraissait en bien meilleure condition que Fernande.

— Mais que feront-ils avec toi? dit la châtaine.

La main de Félicité se posa, légère, sur la joue de son amie. L'autre voulut se dégager, à la fin elle accepta le contact.

— Je n'ai plus d'avenir, puisque Jules n'est plus dans ma vie. J'irai dans ce foutu hôpital, puis j'en sortirai.

Pour la couturière, le temps des pleurs se terminait, commençait celui du deuil de ses espoirs. La résignation s'installait, avec une bonne dose d'indifférence à son propre sort.

— Voyons, ça va aller mieux. Dans deux, trois semaines, on ne verra presque rien…

La blonde la gratifia de son regard le plus désespéré. Dans trois semaines ou dans trente ans, les cicatrices marqueraient toujours sa peau.

— Je vais aller le voir à la pharmacie, se dépêcha d'ajouter Félicité, peu désireuse de s'engager plus loin sur ce sujet. Je suis certaine que c'est un homme bien.

La blonde eut un sourire attristé. Justement, c'était un homme, pas un être désincarné. Il avait aimé la beauté, la fraîcheur de la jeunesse, ce qu'elle avait perdu.

Une détonation leur tira un cri aigu.

Le médecin avait eu raison : quelques maisons de la rue Berri étaient flanquées d'une porte cochère, par où les attelages accédaient à une écurie à l'arrière du bâtiment. L'une d'entre elles ouvrait en diagonale sur le mur arrière de la cour des Paquin.

Par la fenêtre de la cuisine, les policiers aperçurent le couple confrontant le directeur du Service de santé et ses employés. Ironiquement, ils risquaient la mort pour défendre la porte avant et laissaient celle de l'arrière déverrouillée. Le trio entra sans bruit, un agent saisit Oscar à bras-le-corps, de façon à l'empêcher de lever son arme.

De surprise, le bonhomme pressa la détente. L'explosion assourdit tout le monde, la balle se logea dans un mur du couloir. Un autre policier eut tôt fait de lui enlever le révolver.

Le bruit de la bagarre ajoutait au désespoir de Fernande. Le père fut rapidement entraîné dans la cuisine, des bracelets de fer immobilisèrent ses mains. Des pleurs de rage lui secouaient les épaules. Pour ne pas être prise elle aussi par l'arrière, Vénérance colla son dos au mur. Le couteau allait de droite à gauche, pour se protéger des assaillants qui l'entouraient maintenant.

— Ne touchez pas à la petite.

La voix devenait plaintive, déjà la logeuse se savait battue. Elle ajouta même d'une voix fluette :

— S'il vous plaît.

— Laissez-nous la soigner.

— Soignez-la ici, pas nécessaire de la mettre là-bas.

Déjà, la voir mourir sous ses yeux la torturait. Imaginer que ce soit au milieu d'étrangers devenait insupportable. Son cœur semblait sur le point d'éclater sous la douleur.

— Mais ici, elle risque de contaminer les autres. Vous avez d'autres enfants, je le sais.

— Y sont vaccinés.

— Vous avez aussi des locataires. L'une d'elles est malade, n'est-ce pas? Il ne faudrait pas en contaminer d'autres, et même vous.

Vénérance voulut protester, expliquer que la pauvre Fernande n'avait donné sa maladie à personne. Puis elle comprit l'inutilité de se débattre. Cinq hommes la surveillaient, une matraque à la main. Elle pouvait certainement en piquer un, peut-être l'estropier ou le tuer. Et puis après, qu'y gagnerait-elle? Ses garçons ne la chercheraient-ils pas à leur retour de l'école?

— Donnez-moi ce couteau.

Tout de même, le docteur Laberge avait du cran. Il tendait la main, avançait d'un pas. Dire que des gens avaient répandu la rumeur qu'il ne sortait plus de chez lui qu'habillé en femme. La logeuse n'avait plus de crocs. Après une dernière hésitation, elle tendit le couteau, la pointe en avant. Le médecin prit la lame dans sa main gantée.

— Ne l'amenez pas, gémit-elle encore.

— C'est pour son plus grand bien. Elle se trouve là?

La question était de pure forme, l'odeur putride ne laissait aucun doute sur l'endroit où était gardée la malade. Vénérance opina légèrement.

— Allez dans la cuisine, rejoindre votre mari. Nous allons nous occuper de tout.

Elle hésita un peu, puis se dirigea vers la pièce du fond pour rejoindre Oscar, étendu sur le sol, face contre le plancher, et dont les grognements exprimaient tout à la fois le chagrin et la rage impuissante.

Quand Louis Laberge entra dans la chambre, les agents du Service de santé sur les talons, la pestilence le frappa comme un coup de poing. Les pustules avaient crevé, le pus couvrait le visage, formait déjà des croûtes.

— Portez-la dans la voiture.

Ceux-là devaient avoir le cœur à la fois blindé et bien accroché. L'enfant, plus ou moins enveloppée dans un drap, pesait une plume.

— Maman, maman, gémit-elle.

Dans son filet de voix perçaient son épuisement et son désespoir. Personne ne viendrait l'aider, inutile d'appeler. À partir de cet instant, elle se tiendrait coite. L'agent sortit rapidement, pressé de respirer de l'air frais.

— Non, ne me la volez pas.

Vénérance élevait la voix dans un sanglot pour la dernière fois. Pour un temps, sa volonté de se battre pour améliorer sa vie, celle de sa famille, serait annihilée. Il lui faudrait quelques heures avant de pouvoir relever la tête. Quand le médecin lui demanda « Où est l'autre ? », elle désigna l'étage de la main.

Enfermées dans leur chambre, les deux jeunes femmes devinaient la tragédie qui se jouait au rez-de-chaussée. Les éclats de voix, les bruits de lutte leur parvenaient. Ensuite, le silence. Bientôt, ces hommes viendraient à l'étage. Aussi les coups contre leur porte ne les surprirent guère. D'abord, aucune ne bougea.

— Ils ne peuvent pas, murmura Félicité, désemparée.

Son amie haussa les épaules, puis alla ouvrir d'un pas hésitant. Laberge contempla son vêtement noir, son visage ravagé.

— Vous allez me suivre, mademoiselle.

— Ce n'est pas nécessaire, intercéda la châtaine en s'approchant d'un pas vif. Elle va mieux maintenant. Vous voyez, elle peut marcher.

Tout de même, l'effort laissait Phébée tremblante, elle ne tiendrait pas bien longtemps encore.

— Nous allons nous occuper de votre amie, ne vous tracassez pas.

— Mais je prends bien soin d'elle.

— Au risque d'attraper la maladie.

— Non, je suis vaccinée.

La jeune femme faisait mine de détacher le devant de sa robe pour lui montrer la petite cicatrice circulaire sur son bras.

— Mademoiselle, vous devez vous soumettre : les malades vont à l'hôpital. C'est la même règle pour tous.

— Non, protesta Félicité.

— Ça ne sert à rien, dit Phébée en posant légèrement la main sur le bras de son amie.

— Je ne veux pas te quitter. Je vais aller avec toi là-bas.

La couturière l'attira un peu à l'écart, sous le regard sévère du fonctionnaire. Il tardait à ce dernier de clore cette visite pour aller revivre le même scénario dans une autre maison. Pourtant, il ne se sentait pas la force de bousculer ces femmes.

— J'ai la variole, je ne l'aurai pas plus en partant avec lui.

Tétanisée par son malheur, la triste réputation de l'hôpital lui sortait de l'esprit.

— Je ne peux pas rester seule. Je ne saurai pas… tu m'as tout appris de cette ville.

Comme ces mots étaient vrais ! À cinq jours du mariage, elle se demandait encore où elle habiterait ensuite.

— Tu sais, commenta l'autre, la petite fille de la gare Dalhousie n'existe plus. Aujourd'hui, tu sais te débrouiller mieux que moi.

— Je ne veux pas…

Phébée esquissa un sourire, le temps d'un éclair elle parut aussi belle que dix jours auparavant. Des yeux, elle plaida auprès du fonctionnaire pour avoir une minute encore.

— Cela ne dépend ni de toi ni de moi, dit-elle, puisant dans ce qui lui restait d'énergie et de courage. Si je ne l'accompagne pas, cet homme va m'emmener de force.

Laberge baissa la tête, un peu honteux de son rôle. Félicité prit son amie par les épaules pour la tirer vers elle, posa les lèvres sur la joue ravagée, esquissa encore deux baisers avant de glisser à son oreille :

— Je t'aime tellement, je vais toujours t'aimer.

— Bien sûr, nous sommes des sœurs. Sois courageuse. Si tu pleures, ce sera encore plus difficile pour moi, dit-elle faiblement, sur le point de s'effondrer.

Puis elle s'arracha des bras de son amie, marcha vers le médecin. Elle semblait alors à Félicité à la fois si forte et si fragile. La châtaine refoula un cri, se jeta sur le lit, le visage dans les mains. Laberge savait devoir profiter de ce répit, car dans un instant la scène se transformerait en véritable mélodrame. Il s'effaça de l'embrasure de la porte pour laisser passer la malade, ferma bien vite derrière eux.

Dans le couloir, la blonde laissa échapper :

— J'ai tenu aussi longtemps que possible, mais là, si vous ne me donnez pas le bras, vous devrez me faire porter par ces gros costauds qui vous suivent partout.

Les lèvres découvrirent les dents parfaites, les cils battirent sur des yeux magnifiques.

— Ce ne sera pas nécessaire, mademoiselle, je vous assure.

Phébée glissa sa main sous le bras offert, la posa au pli du coude. En descendant, elle passa d'une marche à l'autre avec précaution, transférant une partie de son poids sur son compagnon. En bas, les pleurs rauques de Vénérance parvinrent à ses oreilles, et aussi les jurons de l'homme de la maison. Les trois policiers tiendraient compagnie au couple une petite demi-heure, afin d'empêcher tout nouveau débordement. Puis ils quitteraient les lieux avec leurs menottes dans les poches. Les juges faisaient preuve de clémence avec ceux qui résistaient à l'enlèvement d'un malade, procéder à une arrestation ne servirait pas à grand-chose.

Dehors, la blonde reconnut le petit fourgon noir, une espèce de voiture de boucher. Elle aperçut quantité de personnes familières penchées aux cadres des fenêtres. À cause du chômage, presque tous les voisins pouvaient assister à son départ. Dans les yeux des hommes, elle ne percevait plus le désir, mais plutôt le dégoût, ou pire, la pitié.

Le conducteur de l'ambulance lui ouvrit la portière, elle dut se pencher pour y pénétrer et s'étendre sur une civière de bois. Louis Laberge accompagna le cocher vers l'avant de la voiture, pour lui dire à voix basse :

— Là-bas, tu leur diras de prendre bien soin de cette fille.

— Vous la connaissez ?

— C'est une parente.

Malgré ses cicatrices, l'odeur insupportable de la maladie, Phébée savait toujours toucher le cœur d'un homme. Le mensonge serait peut-être utile à la malade, peut-être pas.

Dans la boîte montée sur roues, une mince ouverture permettait à la lumière du jour d'entrer. Étendue sur le dos, Phébée dut d'abord se faire à l'odeur de l'autre passagère. Malgré son propre état, la pestilence la submergea. Puis la plainte continue sortant de la bouche de l'enfant prit un sens :

— Papa, viens me chercher. Maman…

Fernande n'arrivait pas à accepter qu'aucun de ses parents ne vienne la tirer de là.

— Je suis là. Ne t'inquiète pas.

La blonde posa son bras en travers du corps de la gamine. Celle-ci voulait bien croire à la présence d'un bon ange, mais sur les images pieuses reçues des sœurs de la Congrégation Notre-Dame, les séraphins ressemblaient à l'ancienne Phébée, pas à la nouvelle. Sachant qu'il n'en viendrait pas d'autre, elle inclina un peu la tête pour lui toucher l'épaule.

Chapitre 19

Félicité n'aspirait plus qu'à enfoncer sa tête dans la paillasse pour exprimer sa douleur par des cris silencieux, jusqu'à épuisement complet. On la priverait même de ce luxe. Une heure plus tard des employés du Service de santé se présentèrent à la porte avec une provision de soufre. La rage sortit un peu Vénérance de sa torpeur. D'une voix rendue rauque par ses pleurs récents, elle tonna :

— Vous en avez pas assez de maganer le pauv' monde ?

La locataire ouvrit la porte afin de connaître la nouvelle menace pesant sur la maison. La répartie du fonctionnaire atteignit ses oreilles :

— Y avait des malades dans la place, là, on doit désinfecter.

— Les malades, vous les avez enlevés. Disparaissez.

— Si on décontamine pas, nous on plante des clous de six pouces dans la porte, et la maison sera condamnée pendant quarante jours.

— Laisse faire ces bâtards et va chez ta sœur, cria Oscar depuis la cuisine.

La logeuse n'avait pas encore repris tous ses esprits, car elle n'abreuva ni son mari ni les fonctionnaires d'injures. À la place, elle appela :

— Félicité ? T'es là ?

Cette fois, le ton contenait une véritable tendresse. La générosité de la châtaine pour sa fille lui vaudrait une reconnaissance éternelle. Elle descendit pour découvrir les deux inconnus debout dans l'entrée. Le chef de famille venait de regagner sa chambre pour récupérer sa veste. Il choisit ce moment pour quitter les lieux d'un pas rapide, heurtant brutalement les visiteurs.

— Hé là! C'est pas des façons de se conduire.

— Mange d'la marde.

Le maître de la maison disparut dans la ruelle. Sa peine, il la noierait dans une demi-douzaine de chopes de bière. Pour lui aussi, le bref mouvement de révolte était passé. Sa douleur, il la ravalerait comme toutes les autres.

— Je suis tellement désolée, madame Paquin, commenta Félicité. Demain, je me rendrai à l'hôpital pour prendre de leurs nouvelles à toutes les deux.

La ménagère lui présentait des yeux rougis, sa peine brisait le cœur.

— Y te diront rien, les bâtards. A va mourir, pis personne nous le dira.

Haïr les employés municipaux l'aidait sans doute à accepter sa perte. Des yeux, la mégère englobait les deux visiteurs dans la race honnie des fonctionnaires sans cœur. Celui qui portait le seau rempli de soufre ne s'y trompa pas.

— Nous autres on a un ouvrage à faire. Là vous allez jaser dehors, ou on dit à la police de venir cadenasser toutes les ouvertures de ce taudis.

Vénérance avait abdiqué plus tôt dans la matinée, résister maintenant ne servait plus à rien.

— Écoute, là j'm'en vas chez ma sœur rue Mignonne, expliqua-t-elle pour la jeune femme. Peux-tu mettre un mot sur la porte pour dire aux garçons de me rejoindre là?

— Ils sont à l'école?

— Ben oui. Où veux-tu qu'y soient? Tout le monde doit continuer de vivre.

Cette nécessité de «faire l'ordinaire» sauvait les malheureux. Après une nuit blanche au chevet de Fernande, la matrone préparait le déjeuner de ses pensionnaires, les deux écoliers passaient leurs journées dans des classes des frères des Écoles chrétiennes en ne sachant pas si leur sœur serait toujours en vie à leur retour à la maison. La châtaine réalisa combien douze heures d'un travail répétitif devant les métiers à tisser l'aideraient aussi à anesthésier sa peine.

— Je mets mon manteau, et je m'en occupe.

La main de Vénérance effleura la sienne, les yeux dirent merci. Une minute plus tard, une vieille vareuse d'homme sur les épaules, la logeuse disparaissait à son tour. Félicité épingla le petit carton au milieu de la porte avant de sortir pour laisser les employés faire leur travail. Elle releva son col pour l'attacher, puis elle descendit la ruelle Berri, l'âme en peine. Sans son amie près d'elle, les alentours lui paraissaient cent fois plus misérables que d'habitude. L'univers entier devenait gris, humide et glacial. À nouveau, elle se sentait profondément seule. Elle se reprocha cette réflexion. Phébée n'était pas disparue pour toujours. Puis John rentrerait vers sept heures. Assise sur un banc du carré Viger, grelottante, elle saurait bien attendre jusque-là.

L'établissement avait curieuse allure. Au centre, on voyait une très grande maison de ferme avec un toit à mansarde. De chaque côté, une aile augmentait la capacité d'accueil. Cet agrandissement récent permettait de porter jusqu'à cent le nombre des patients reçus. Cela se révélait pourtant insuffisant.

En sortant de l'ambulance, Phébée se souvint de son trouble l'été précédent, quand un varioleux l'avait interpellée depuis le jardin de l'hôpital et avait ensuite affirmé que déjà la maladie la rongeait. Au plus profond d'elle-même, n'avait-elle pas eu cette certitude depuis le printemps ? Le bonheur s'était enfin présenté à elle, et depuis le doute l'avait rongée. Quelque chose au plus profond de son être lui disait que ce n'était pas possible. Pire encore, qu'elle ne le méritait pas. Après s'être battue seule pendant plus de la moitié de sa courte vie pour s'arracher à la misère, alors que son existence prenait la meilleure tournure, son refus du vaccin, dans un milieu où la variole menaçait, lui permettait de se punir de la plus cruelle façon.

— Mademoiselle, vous devez nous laisser travailler, dit un homme en s'approchant du véhicule.

La couturière sortit de sa rêverie déprimante. Le poids de Fernande ne nécessitait pas l'usage d'une civière. L'employé la prit dans ses bras. Effrayée, elle préférait garder les yeux fermés, comme pour se couper du monde. Touchée par sa misère, sa compagne d'infortune posa une main sur son épaule tout le long du trajet vers la bâtisse. Une fois passée la porte, le souvenir de la mauvaise réputation de l'endroit lui revint tout de suite. Des couchettes s'entassaient jusqu'à se toucher. Sur chacune était alité un malade. Les uns gémissaient de douleur, les autres étaient plus ou moins conscients. Des seaux de bois débordaient d'excréments, mêlaient leur odeur à celle des patients.

Phébée ouvrait des yeux effarés sur cet environnement dantesque.

— Toi, t'es capable de marcher, l'apostropha une femme grande et grosse. Tu fais quoi ici ?

— Faudrait demander au docteur du Service de santé.

— Tu la connais, cette petite ?

— C'est ma voisine.

L'autre jeta sur elle un regard soupçonneux, puis grogna :

— Ben tu vas rester sa voisine. Suis-la.

L'homme porta son léger fardeau dans l'aile gauche. Dans une salle de quatre verges par six, les huit couchettes s'allongeaient sur deux rangées, placées presque les unes contre les autres. Toutes, sauf deux au centre, avaient une occupante.

Fernande se retrouva dans la première, la jeune femme comprit qu'elle héritait de la seconde. Tout de suite, elle remarqua les draps grisâtres, crasseux. Ils étaient souillés de longues traînées de pus, un souvenir de la précédente occupante. Malgré son dégoût, elle y posa les fesses.

— Hé! Tu couches tout habillée, chez toi?

La grosse femme l'avait suivie jusque-là, maintenant elle prétendait faire son éducation. Pourtant, la fonction de garde-chiourme lui aurait mieux convenu que celle d'infirmière.

— T'enlèves ta robe. De toute façon, t'as l'air en deuil avec ça. Tu penses que ça va remonter le moral des autres?

Si elle avait pu présenter un visage stoïque en quittant la ruelle Berri, maintenant une terreur implacable envahissait la blonde. Elle se demanda si elle aurait la force de prendre ses jambes à son cou pour s'enfuir vers les champs environnants. On la rattraperait sans doute. À la faveur de la nuit, ses chances seraient meilleures.

— T'es sourde ou quoi? Enlève cette robe.

Machinalement, sa main se porta à son col, commença à défaire les boutons.

L'après-midi s'égrena lentement. Assise sur un banc de parc, le froid saisit Félicité et elle entreprit bientôt l'une de ces interminables balades qui ne la conduisaient nulle part. Les lanternes de certains réverbères avaient été changées, surtout dans les quartiers résidentiels. Rue Sainte-Catherine, comme les risques de nouvelles manifestations restaient élevés, on ne s'était pas encore donné cette peine. Toutefois, les amoncellements de verre brisé avaient disparu.

Le spectacle de l'artère commerciale se révéla plus décevant que d'habitude. Des marchands, préférant perdre le profit de quelques jours plutôt que de s'exposer au pillage, avaient cloué des planches à leur vitrine. Ailleurs, on s'était contenté de vider les présentoirs pour moins exciter les convoitises, vu la présence de nombreux chômeurs qui erraient dans la ville. Bien peu d'entre eux habitaient des logis assez confortables pour qu'ils s'y complaisent pendant des heures. Les masures, les appartements ou les chambres ne gagnaient pas en charme à la lumière du jour.

Dans son vagabondage, la jeune femme se retournait parfois sur sa gauche, des mots sur le bout de la langue, pour constater trop tard l'absence de son amie. Elle ressentait alors une immense solitude, un peu comme lors de son départ de Saint-Jacques. La ville lui semblait redevenir hostile, les yeux des passants insistants, menaçants même.

Malgré ces circonstances, Félicité cherchait toujours un petit carton dans une vitrine annonçant une « position ». Le cœur lui manquait toutefois pour entrer et offrir ses services. Son visage si triste découragerait tous les employeurs potentiels. Normalement, elle aurait dû se présenter ce matin-là à la porte de la Dominion Cotton un peu avant sept heures pour réclamer du travail au contremaître. Le courage lui avait fait défaut. La maladie, puis le départ de son amie la laissaient sans ressort.

Après avoir atteint la rue Saint-Laurent, la châtaine passa du côté nord de la rue Sainte-Catherine pour revenir vers l'est. Ses pas la conduisirent devant la pharmacie Gray. L'établissement était fermé ce jour-là. De nouveaux carreaux redonnaient son lustre à l'endroit. Le front appuyé contre la vitre, elle chercha une présence dans le commerce, sans succès.

Un moment, Félicité avait espéré apercevoir la silhouette de Jules. Le président du comité d'hygiène de la Ville avait trop à faire avec l'ouverture prochaine du nouvel hôpital pour reprendre le cours normal de ses affaires, cela elle le comprenait. Cependant, son employé aurait pu s'en occuper pendant quelques jours. Son projet était de se mettre à son compte deux ou trois semaines après le mariage, pas tout de suite.

— Où se trouve-t-il? murmura-t-elle.

Un passant se retourna pour demander:

— Vous m'avez parlé, mademoiselle?

Félicité secoua la tête, un sourire timide sur les lèvres. Ses pas la conduisirent ensuite devant la boutique de Janvière Marly. Là aussi, sur la porte soigneusement verrouillée, une affiche annonçait « Fermé jusqu'au 12 octobre ». Inutile d'en préciser le motif: la proximité du bureau du Service de santé municipal exposait l'endroit aux déprédations. Ajouter « pour cause de variole » n'aurait servi à rien.

Se reculant jusqu'à la bordure du trottoir, la châtaine contempla les fenêtres de l'étage. La mercière habitait là. Devait-elle frapper pour l'inciter à descendre, afin de l'informer du sort de Phébée? Après tout, le Janvier de Janvière pouvait très bien avoir transmis la maladie à la couturière… Elle décida plutôt de poursuivre sa route.

Des passants offraient parfois un visage couvert de croûtes, d'autres une peau grêlée de cicatrices nouvelles. Ses pas la conduisirent jusqu'au coin de la rue Colborne, dans le quartier Sainte-Marie. Elle hésita longtemps. « Et si je me rendais là-bas? »

Plus loin, en continuant vers Hochelaga, elle croiserait la librairie d'Octave Duplessis. Dans un moment de grand désarroi, cet homme s'était montré sensible et attentionné. Régulièrement, elle avait sorti *La Porteuse de pain* du coffre, juste pour regarder son prénom écrit en petites lettres fines sur la première page. Incapable de l'embaucher alors, n'avait-il pas évoqué un an, même six mois avant d'être bien en selle. « On dit ça comme ça, pour se débarrasser de quelqu'un en douceur. » Pourtant, elle-même n'aurait jamais utilisé une fausse promesse de cette façon…

Son refus de tenter une démarche de ce genre tenait à sa profonde méfiance. Deux ans plus tôt, Sasseville s'intéressait à sa personne, se présentait comme étant son seul allié à Saint-Eugène. En réalité, seule la satisfaction de son désir l'animait, sans aucune considération pour la sensibilité de la pauvre maîtresse d'école. Peu après son arrivée en ville, Onil Grondin lui accordait à son tour toute son attention.

Celle d'Octave Duplessis tenait aux mêmes motifs, ses yeux en témoignaient. Devenir vendeuse, demeurer isolée dans le commerce avec cet homme la mettrait dans une position trop vulnérable. Mieux valait ne pas se jeter dans la gueule du loup, ni même s'en approcher.

À la fin, la jeune femme ne continua pas son chemin vers l'est, mais elle rentra chez elle en suivant la rue Dorchester. À l'intersection de la rue Berri, l'hésitation l'envahit de nouveau : et si elle se rendait chez Jules, pour le mettre au courant de tout ? Cependant, si le jeune homme se trouvait dans sa maison de chambres, pourquoi ne se manifestait-il pas ?

Quelques minutes plus tard, Félicité arrivait devant sa demeure. Les voisins se claquemuraient chez eux, la masure paraissait plus triste encore que d'habitude. Son petit morceau de carton avait disparu, les fils Paquin avaient rejoint leur mère. La surface de bois s'encombrait maintenant d'une affreuse affiche jaune portant en grandes lettres : QUARANTAINE. Pourtant personne n'empêchait les locataires d'entrer et de sortir. On tenait surtout à décourager tous les autres visiteurs.

Dans le couloir, l'odeur de soufre la prit à la gorge. La main sur la bouche, elle monta à toute vitesse se réfugier dans sa chambre où rien n'avait bougé. En ouvrant la fenêtre, elle réprima un frisson : il lui fallait choisir entre mourir asphyxiée ou risquer une nouvelle pneumonie. Son manteau toujours sur le dos, la jeune femme s'étendit sur son lit. Presque aussitôt, du bruit en bas l'incita à se relever pour passer la tête dans l'embrasure de la porte.

— Les salauds, y z'ont encore tout cochonné. Ça empeste.

Vénérance revenait, escortée de ses fils. Le trio s'affaira à tout ouvrir pour renouveler l'air. L'odeur du soufre chassait celle de la maladie. Autant se recoucher, se dit Félicité, chercher un peu de sommeil. Quelques minutes plus tard, ou quelques heures, elle ne le sut pas d'abord, un bruit la tira de sa torpeur. John se dressait devant elle.

— Enfin, dit-elle en se jetant dans ses bras, je me sentais si seule. Ils l'ont emmenée, tu sais ?

Comme cette présence la rassurait.

— Je sais, la logeuse m'en a touché un mot tout à l'heure.

— Comment va-t-elle ?

— Comme une mère qui a perdu sa fille.

L'ébéniste l'avait trouvée abattue, mais elle reprenait déjà le cours de sa vie, ou plutôt de ce qu'il en restait.

— Fernande vit toujours. On l'a amenée à l'hôpital.

— Tu sais bien comment elle était ces derniers jours… Elle n'en réchappera pas.

Après une pause, l'homme secoua la tête, enchaîna à voix basse :

— Viens chez moi. On gèle ici.

Il se donna la peine de fermer la fenêtre avant de sortir. Félicité nota qu'il faisait à peine moins froid dans la chambre de l'avant, mais au moins deux personnes pouvaient s'y sentir à l'aise. John lui désigna la chaise, puis s'installa sur le lit. Un journal traînait, grand ouvert.

La jeune femme contemplait la vingtaine de petites sculptures posées çà et là dans la pièce.

— C'est vraiment beau, tout ça.

— Tu as parcouru les journaux, aujourd'hui ?

Le changement de sujet la prit au dépourvu. Elle fit non de la tête.

— Hier, il y a encore eu du grabuge du côté du terrain de l'exposition.

— On n'en aura jamais fini avec cette folie ? Pendant ce temps…

— Les Fusiliers Mont-Royal montaient la garde tout autour du pavillon principal.

Pour la première fois, la châtaine remarqua l'air catastrophé de son interlocuteur. Tout de suite, elle comprit que la liste des mauvaises nouvelles allait encore s'allonger.

— Un milicien a été tué. Un accident si bête…

— Pas Jules !

Le sort de quel autre membre du régiment pouvait expliquer la mine sombre de l'ébéniste ? Il agita la tête de bas en haut. Félicité porta son poing à sa bouche, se mordit les jointures pour s'empêcher de crier alors que des larmes coulaient sur ses joues.

— Une pareille malchance, continua l'homme, c'est si absurde.

— Un si bon garçon, gémit-elle. Il aurait gardé son affection pour Phébée, j'en suis certaine. Là, ça va la tuer…

Pendant de longues minutes, elle s'abandonna à sa douleur. Elle pleurait sur le sort de sa bonne amie, bien sûr, mais aussi sur celui du jeune homme. Pendant des mois, elle avait marché trois pas derrière le couple. Toute sa connaissance des rapports normaux entre un homme et une femme venait de cette expérience. La mort ne lui collait-elle pas aux talons, pour terrasser ainsi ses amis ? Floris d'abord, et là tous ces coups contre sa compagne, puis son fiancé. Comme si l'aimer portait malheur.

John Muir eut l'excellente idée de la laisser pleurer tout son saoul, le visage enfoui au creux de son coude pendant qu'il lui frottait le dos. Puis, la jeune femme releva la tête, étouffa ses derniers hoquets, présenta ses traits chiffonnés.

— Je ne veux pas rester ici. Ça sent la mort.

Comme si changer de décor pouvait réduire sa peine.

— Ça sent surtout le soufre, mais je te comprends très bien. Je partage ton avis : avec tous ces événements, ces lieux paraissent hostiles.

L'homme avait jeté le journal sur le plancher pour étendre ses jambes. Avec un couteau, il donnait forme à un petit morceau de bois. Des copeaux encombraient déjà son lit. Félicité avoua :

— Je ne sais pas où aller. Toutes les chambres que j'ai vues sont pires que celle-ci.

— Parce que dans aucune tu ne profiteras de la présence de Phébée.

Ses hésitations tenaient bien à ce motif. « À nouveau seule, peut-être Phébée… » Tout de suite, elle réprima cette pensée égoïste. Ce serait comme essayer de profiter de son malheur.

— Tu as sans doute raison. Cependant, pour tout de suite, je n'ai pas de chambre.

— Tu veux partir à l'instant ?

Bien que tout à fait irrationnelle, elle s'accrochait à cette décision. Fuir, comme lors de son départ de Saint-Eugène.

— Si je reste dans cette maison, je vais finir par tuer quelqu'un, confessa-t-elle. L'absence d'Hélidia ce matin, l'arrivée soudaine de ces agents… elle les a dénoncées.

— Je le pense aussi, mais elle ne visait sans doute pas Fernande.

Félicité arrondit les yeux, la vérité lui devint évidente.

— Comment peut-elle la détester à ce point ?

— Elle ne visait pas notre amie, ou plutôt, pas seulement elle. Qui s'en est pris à Crépin, dans cette maison ? Ce pauvre laideron le voit comme son meilleur parti. Grâce à toi, l'air est plus pur. De son côté, elle imagine sans doute que tu lui as fait perdre toute chance de le conduire devant l'autel.

— Ils se méritent l'un l'autre, conclut Félicité dans un souffle. Mais encore une fois, rien de cela ne me dit où aller.

Une fois son désir de partir exprimé, il lui tardait de prendre la fuite. Comme elle n'y arriverait pas seule, l'ébéniste se voyait recruté d'emblée.

— Si tu peux ramasser ton bagage en quelques minutes, je connais une personne susceptible de t'accueillir, plutôt de nous accueillir pour la nuit. Toutefois je t'avertis, ce ne sera pas mieux qu'ici. Pire sans doute, à certains égards.

La jeune femme n'écoutait pas vraiment, toute à son désir de quitter les lieux.

— Je ne possède presque rien, ce sera vite fait. D'un autre côté, je ne voudrais pas laisser les affaires de Phébée derrière moi. Il faut qu'elle puisse les récupérer, quand elle sortira…

Il lui fallait s'accrocher à cet espoir : Dieu, ou le mauvais sort, ne pouvait s'acharner à ce point.

— Tu le sais bien, elle n'aura nulle part ou aller, excepté ici. Laissons toutes ses choses, sauf l'argent. Inutile de tenter encore plus le mauvais sort. Tu sais certainement où elle le cache, prends-le avec toi.

— … Vénérance ne voudra pas garder une chambre vide.

— Phébée a payé la semaine, et toi aussi. Cela donne jusqu'à samedi prochain. Après, nous verrons.

— Dans ce cas, je ferais mieux de l'attendre ici.

Voilà qu'elle hésitait, maintenant, même si les lieux lui paraissaient maudits. Toutefois, Hélidia rentrerait. Comment ferait-elle pour s'asseoir à la même table ? La colère la transformerait en furie.

— Mais qui la prendra dans ses bras, à son retour ?

— Ce ne sera pas demain, tu sais. Notre logeuse saura nous avertir, je la tiendrai au courant de nos déplacements. Allez, je vais mettre tous ces chefs-d'œuvre dans un coffre, et mes vêtements dans un sac.

De la main, l'ébéniste désigna ses petites sculptures placées un peu partout dans la pièce.

— Pendant ce temps, va préparer tes choses. Dans vingt minutes, nous serons prêts à partir.

La jeune femme approuva de la tête. Dans le couloir, elle remarqua la porte de la chambre de Crépin restée grande ouverte depuis la visite des employés du Service de santé. La curiosité la poussa à y passer la tête. Sans le grand crucifix noir et le prie-Dieu, l'endroit semblait infiniment moins austère. Comment diable cette grenouille de bénitier avait-elle pu apporter ces objets de culte avec lui?

Dans la chambre donnant à l'arrière de la maison, le plus difficile fut de refouler ses sanglots. Même si sa pauvreté ne lui permettait pas d'accumuler des biens, son vieux sac de marin ne suffisait plus. Les chauds vêtements d'hiver attendraient derrière, le temps de dénicher un nouveau logis. Au pire, elle en serait quitte pour verser à Vénérance le prix d'une autre semaine, même si cela signifiait grever encore plus ses économies.

À l'heure prévue, Félicité rejoignit John devant sa porte, le coffre et le sac de ce dernier déjà dans le couloir.

— Je veux bien t'aider, mais je ne suis pas certaine de pouvoir prendre un bout de ton bagage.

— Guildor acceptera bien de s'en charger jusqu'à la rue Dorchester. Là-bas, nous prendrons une voiture.

La maison s'avérait fort silencieuse. Au retour du travail, Charles Demers et son apprenti avaient trouvé la cuisine déserte. Terrée dans ses appartements, Vénérance ne se sentait pas la force de remplir ses obligations de logeuse. De toute façon, ou l'odeur de soufre leur ferait perdre tout à fait l'appétit, ou alors elle les chasserait vers les tavernes environnantes. Le mécanicien était sorti, alors que Guildor s'était enfermé chez lui.

De bonne grâce, il vint tenir l'une des extrémités du coffre, l'ébéniste se chargea de l'autre, tout en portant dans son autre main un gros sac de matelot. Au pied de l'escalier trop raide, Félicité se montra hésitante.

— Je devrais aller lui dire au revoir.

— Si tu y tiens, tu pourras revenir demain, ou dans quelques jours. Autant ne pas la déranger maintenant.

Ce soir, l'une et l'autre souffraient trop de leur perte récente pour se faire sereinement leurs adieux. En sortant, elle tomba face à face avec Hélidia. Toutes les deux se tinrent immobiles, les yeux dans les yeux. La grosse fille montrait un visage impavide, bovin. Pour éviter un esclandre, l'ébéniste posa la main sur l'épaule de son amie pour la pousser vers la porte.

Dehors, l'air frais calma un peu la jeune femme.

— Attendez-moi ici, dit l'ébéniste, je reviens.

La logeuse devrait finalement souffrir de se voir ramener à son devoir. Quand l'homme rentra dans la maison, Hélidia s'était déjà esquivée prudemment. Il frappa à la porte du salon des Paquin. Après un long moment, la ménagère vint ouvrir. Vénérance présentait des yeux rougis, son haleine portait une odeur de gin. Par-dessus son épaule, il aperçut les deux garçons sur un canapé, le visage sombre.

— Nous partons, commença-t-il. Les affaires des filles sont encore en haut. Comme nous avons payé pour cette semaine, cela nous donne le temps de revenir tout récupérer.

Son interlocutrice opina, sans dire un mot. Chercher de nouveaux pensionnaires s'ajouterait à son fardeau.

— Cette visite des agents du Service de santé, ce matin, c'est une gentillesse d'Hélidia.

La mégère serra les mâchoires, mais réussit à se maîtriser. La fileuse se chercherait bien vite un nouveau logis. Vénérance en serait quitte pour refaire à peu près toute sa clientèle.

— Nous nous reverrons au cours de la semaine.

Son mouvement de la tête pouvait passer pour un salut.

Les paupières closes, le visage tourné vers le ciel, Félicité respirait à pleins poumons. Guildor gardait les yeux fixés sur elle, cherchant les mots pour la consoler.

— Elle guérira, finit-il par dire, hésitant.

La châtaine fit oui de la tête. Malgré les terribles récits sur les conditions à l'hôpital de *Fletcher's Field* qui lui tournaient dans la tête, elle tentait de s'en convaincre. Le retour de son ami la tira un peu de sa morosité. Les deux hommes portèrent le coffre jusqu'à la rue Dorchester. Après l'échange de poignées de mains, ils se séparèrent.

À quelques reprises, l'ébéniste tenta d'attirer l'attention des cochers. Finalement, un fiacre s'arrêta. Le gros bagage prit le chemin du toit, les passagers s'assirent à l'intérieur, déposant chacun un sac sur leurs genoux.

— Où allons-nous, comme ça ? voulut savoir la jeune femme.

— Dans un endroit discret, près du port.

— Une maison de chambres ?

Ces parages lui paraissaient encore moins recommandables que la ruelle Berri.

— Pas tout à fait, rétorqua-t-il, un peu ironique. Un refuge où il sera possible de passer une ou deux nuits, le temps de nous chercher un autre logis.

Vague à souhait, l'information ne la rassura pas tout à fait. Par la fenêtre du véhicule, elle contempla les passants sur les trottoirs. Éclairés par les réverbères, ils prenaient une allure un peu fantomatique. À plus de dix heures du soir, la fatigue d'une journée riche en émotions pesait sur les épaules de la châtaine. Elle aperçut bientôt l'alignement des navires amarrés au quai. Ce devait être la rue des Commissaires. Le cocher s'engagea dans la ruelle Saint-Dizier, étroite et sombre, s'arrêta devant un vaste entrepôt de brique. En posant le pied sur le pavé, la jeune femme contempla un mur noirci par la fumée de charbon au fil des ans. De petites fenêtres le perçaient à une hauteur d'une quinzaine de pieds.

— Ce n'est pas une maison, ça, commenta-t-elle.

Son ami avait récupéré le coffre pour le poser par terre. Après avoir payé le conducteur pour sa course, il précisa :

— C'est un endroit où il sera possible de s'abriter dans un confort relatif. Aide-moi un peu.

L'homme se penchait pour prendre son bout du lourd bagage. Félicité eut du mal à faire sa part. Heureusement, une grande porte cochère se trouvait tout près. Des grands coups de poings signalèrent leur présence. L'huis s'ouvrit sur un homme robuste, vêtu d'un habit de travail déchiré par endroits, couvert de poussière. Pourtant, il fut le premier à se méfier des visiteurs.

— Vous puez le soufre.

— Ça arrive quand il y a la variole dans une maison, répondit John en anglais.

L'étranger écarquilla suffisamment les yeux pour que l'ébéniste précise :

— Nous sommes en bonne santé. Tu as un petit coin pour nous ?

Après une pause, il se tourna vers son amie pour ajouter :

— Deux petits coins, ne t'inquiète pas. Puis ce gars, c'est Joe.

Félicité eut le réflexe de tendre la main, l'autre essuya sa paume sur le devant de sa veste avant de la prendre. Puis il récupéra un fanal accroché à un clou, s'engagea dans un passage étroit entre des caisses de bois entassées à une hauteur d'une dizaine de pieds. Au fond de la bâtisse, un escalier permettait de monter aux étages supérieurs. Les hommes arrivaient sans trop de mal à porter le coffre entre eux. Sous les combles, encombrés de boîtes, de sacs de jute, de grands rouleaux de cordage, des cloisons avaient été dressées près du mur donnant sur la rue.

— Ce n'est pas le palais de Victoria, commença l'inconnu, mais sauf les rats, personne ne viendra vous déranger cette nuit.

Des yeux, le veilleur de nuit surveillait la réaction de la jeune femme. Sa grimace dégoûtée ne le déçut pas. Les apprentissages de la dernière année lui permettaient de suivre une conversation en anglais, et même d'y participer un peu.

— Ne te laisse pas impressionner, glissa John. La vermine lui fait plus peur qu'à toi.

Il se tourna vers le gardien pour ajouter :

— Là, tu nous laisses, ou tu veux faire la conversation ?

Le sourire de Joe trahissait un certain amusement.

— C'était pour elle ?

— Oui, pour elle. Allez, dégage.

— Je garde mon luminaire. Il y a des bougies là-dedans.

Il s'éloigna sans plus attendre, laissant l'ébéniste découvrir à tâtons les bouts de chandelle dans un petit réduit. Heureusement, la lune jetait une clarté blafarde dans une petite fenêtre. Félicité se collait à ses pas pour ne pas s'isoler dans un endroit aussi étrange. Quand la flamme vacilla enfin, elle demanda :

— Elle, c'est moi ?

— Tu m'as entendu.

— C'est-à-dire ?

— La fille qui se faisait embêter par son contremaître l'an dernier.

Son soulagement, lors de la disparition de cet individu répugnant, lui revint en mémoire. Jamais l'ébéniste n'y avait fait clairement référence, mais elle en était venue à soupçonner son intervention.

— Je devrais le remercier, lui aussi ?

La tête levée, elle appliqua une bise sur la joue de son compagnon.

— Il sera tout rouge, mais ça lui fera plaisir.

— Et là, où sommes-nous ?

— Dans l'entrepôt d'une société de navigation. Joe surveille les lieux. Parfois, il laisse quelqu'un s'installer ici. Moi, je serai un peu plus loin de ce côté, et toi, dans ce cagibi.

— On a le droit d'être là ?

La question était si naïve qu'il ne répondit pas.

— Ça arrive souvent, que des gens se réfugient ici ?

— Tu ne peux imaginer le nombre de personnes qui dorment dehors, à Montréal. Alors une fois de temps en temps, Joe a un visiteur. Je compte parmi les quelques élus.

De la main, il désigna un amoncellement de toiles à voile pouvant passer pour une couchette. Une robe de carriole un peu râpée par endroits permettrait de se protéger du froid.

— Si quelqu'un me voit ici…, glissa la jeune femme. Je ne veux pas penser à ce qu'on racontera.

— Personne ne doit te voir, pour cette raison, mais surtout parce que ton hôte perdra sa place.

La jeune femme hocha la tête. Visiblement, elle n'en avait pas fini avec les aspects les plus étranges de la grande ville.

— Et pour…

— Je vais te montrer. Tu verras, comparé à chez Vénérance, c'est une amélioration. Pour le reste, c'est moins bien. Par exemple, il faudra manger ailleurs. Demain soir, je rapporterai quelque chose pour nous deux.

Quoique effectivement mieux que les bécosses de la ruelle Berri, les lieux d'aisance n'auraient pas reçu l'approbation du pharmacien Gray. Un tuyau de bois formé de quatre planches allait directement dans une fosse creusée dans le sol trente ou quarante pieds plus bas. En revenant vers le cagibi qui lui servirait de chambre, elle s'arrêta devant un assemblage de ballots de coton. Ce serait le lit de son ami, il s'y prélassait déjà.

— Je te suis reconnaissante pour cette petite cachette, mais ça ne prendra pas longtemps avant que quelqu'un ne remarque ma présence. Une fille dans un entrepôt…

— Donc tu devras te faire discrète, et vite te loger ailleurs.

— Comme je ne sais pas quand je recommencerai à travailler, j'ai peur de manquer d'argent.

— Voilà une raison de te montrer convaincante avec ton contremaître, ou alors de chercher autre chose avec acharnement. Comme tu ne pourras pas rester ici demain dans la journée, ça te donnera une douzaine d'heures.

Au souvenir de toutes ses démarches vaines, encore la semaine précédente, un certain découragement s'empara d'elle. Surtout qu'elle avait d'autres projets pour cette journée.

— À moins qu'elles aient été célébrées ce matin, j'aimerais aller aux funérailles de Jules.

— Elles auront lieu mercredi.

Trois jours après le décès, cela heurtait les usages.

— Il est mort au service de son pays, ironisa John en suivant le cours de ses pensées. Des membres du gouvernement municipal et des gens de son régiment veulent se montrer, je suppose. Tout ce beau monde se rendra à l'île Jésus après-demain, à l'église de Sainte-Rose. Si tu veux, je tenterai de prendre congé, et nous irons ensemble.

La proposition lui valut une autre bise. Plus tard, sa vieille robe de travail sur le dos en guise de vêtement de nuit – pour protéger sa pudeur mais aussi afin de pouvoir s'esquiver très vite au besoin –, elle occupait la couche improvisée. Sa pauvre compagne hanta son esprit, puis vint le sommeil.

Le pire, dans cette grande salle d'hôpital, demeurait l'odeur. Bien sûr, les cris, les râles, les interventions brutales du personnel, tout cela confinait à l'horreur. Toutefois, la combinaison de toutes les pustules rompues, des lits jamais changés, des excréments s'amassant dans les seaux, ou alors sous les malades trop faibles pour quitter leur couche, tout cela maintenait une grande envie de vomir à laquelle beaucoup cédaient. L'enfer, ce n'était pas les flammes éternelles, mais cet endroit.

La blonde avait passé des heures à surveiller les va-et-vient des trois matrones responsables des soins dans son aile. Quoique désigner de ce nom leurs interventions s'avérât trop généreux. L'une de ses mains pendait vers le plancher, ses doigts effleuraient le tissu de la robe soigneusement pliée et posée sous le lit. La revêtir avant de s'élancer vers la porte prendrait trop de temps, mieux valait se glisser dehors en vêtements de nuit, dépasser le muret de pierre entourant la propriété et aller le plus loin possible dans les champs avant de l'enfiler. Prendre froid serait infiniment moins pire que passer la nuit sur place.

— Phébée ?

La voie ressemblait à un croassement, très faible, presque à un souffle.

— Oui, Fernande.

— Je vais mourir, tu sais.

— Voyons, ils vont bien te soigner.

Comment ne pas mentir, dans de telles circonstances ? Non seulement elles ne recevaient pas le moindre traitement médical, mais la faim et la soif les rendaient plus faibles, plus vulnérables à toutes les infections. Cela ne tenait pas qu'au personnel surchargé, à la difficulté d'embaucher des personnes juste un peu compétentes. Aucun employé sain d'esprit n'aurait pu tolérer de passer plus de douze heures par jour dans un foyer de pestilence. Ceux qui acceptaient devaient prendre plaisir à contempler l'horreur au point d'y mettre un peu la main.

— Je vais mourir, mais ça fait rien. Au moins, je serai plus ici.

Le cœur de la blonde chavira. Sa main se tendit à l'horizontal. Les lits se trouvaient si près les uns des autres qu'elle put lui toucher l'épaule.

— Tu sais, toi, comment c'est, après?

Un sanglot monta dans la gorge de la couturière. Elle le réprima avec peine. Sans pouvoir articuler un mot, elle amorça une caresse sur le bras de l'enfant. Celle-ci ne répéta pas sa question, au grand soulagement de la jeune femme.

— J'ai soif! gémit la petite. J'ai du feu dans la gorge.

Phébée se redressa à demi sur sa couchette. Appeler une employée ne donnerait absolument rien. Toute la journée, des malades s'étaient traînées elles-mêmes avec peine vers un coin où l'on avait placé un seau de grès contenant de l'eau.

— Attends-moi un instant, je vais te chercher à boire.

Jamais elle ne pourrait abandonner cette enfant.

Chapitre 20

Peu après cinq heures, Félicité quitta sa couche de fortune. Après avoir vérifié si quelqu'un se trouvait dans son champ de vision, elle enleva sa vilaine robe de travail pour en revêtir une meilleure. Parmi les défauts évidents de son abri de fortune, il y avait l'impossibilité de faire une toilette, même sommaire. Combien les hommes avaient de la chance : des bains publics leur permettaient de se décrasser pour quelques sous.

En sortant de son réduit, la jeune femme s'arrêta dans le grand espace sous les combles réservés à l'entreposage de diverses marchandises. John, un peu plus loin, dormait sur ses ballots de coton. Mieux valait ne pas le priver du luxe des quelques minutes de sommeil encore à sa disposition : douze heures de travail l'attendaient. Après avoir regagné le niveau de la chaussée, elle vit le gardien près de la porte.

— Bonjour, commença-t-elle en anglais.

— Vous êtes une lève-tôt.

Joe quitta la vieille chaise défoncée sur laquelle il avait passé la nuit. Félicité avait mis les dernières minutes à préparer son petit laïus afin de le débiter convenablement en anglais.

— John m'a expliqué que je devais me faire discrète, afin de ne pas vous attirer des ennuis.

— Il a raison, si le *boss* savait que des étrangers ont contemplé sa précieuse marchandise, il voudrait me faire pendre. D'ailleurs, je ne vous laisserai pas sortir par là.

De la main, l'homme montra la porte cochère.

— Trop dangereux, même avant le lever du soleil. Quelqu'un pourrait vous voir. À l'arrière, c'est mieux.

Le veilleur de nuit l'entraîna au fond de la grande bâtisse vers une ouverture dans un coin, que de lourds madriers de chêne camouflaient.

— Ça ne donne pas sur une rue, même pas sur une ruelle. Disons une allée large comme ça.

Ses mains indiquaient trois pieds, tout au plus.

— Quand pensez-vous rentrer ?

— Le soleil se couche tôt en cette période de l'année, remarqua la jeune femme.

— À sept heures vous ne verrez plus grand-chose.

— Si je rentre vers six heures, cela vous conviendra ?

Déjà que franchir, dans la pénombre du début de soirée, les cent verges dépourvues de réverbères de la ruelle Berri ne la rassurait pas, circuler dans l'obscurité lui paraissait carrément dangereux.

— Je quitte cet endroit vers sept heures d'habitude puis je reviens la nuit tombée, sauf si je compte veiller au coin du feu.

La dérision marquait sa voix. Cet endroit encombré lui servait de logis, mais il s'épargnait l'ennui d'y passer toutes ses soirées.

— À six heures, continua-t-il, je déverrouillerai, puis je refermerai dès que vous serez rentrée.

— Vous êtes très gentil… pour ça, et pour l'an dernier.

L'autre ne se troubla pas à cette allusion à la raclée d'Onil Grondin.

— Avec une bonne action de temps en temps, je dors comme un bébé toutes les nuits.

Sa désinvolture ne lui épargna pas un baiser sur la joue.

— Il y a autre chose, continua-t-elle. Où pourrais-je faire un brin de toilette ?

Le hasard l'avait placée à la merci de cet homme, autant lui accorder sa confiance. Puis John ne l'aurait pas amenée là, si elle avait risqué quoi que ce soit.

— Le YWCA fournit ce genre de services, et même des chambres, si vous désirez un peu plus de confort qu'ici.

Malgré sa gentillesse, Joe souhaitait la voir partir bien vite, comprit-elle. Dans de nombreuses villes d'Amérique du Nord, la Young Women Christian Association s'engageait à fournir des logis moralement sûrs à de jeunes travailleuses privées du soutien de leur famille.

— Mais je suis catholique.

— Moi aussi. Je ne suis pas certain que ce soit un empêchement absolu.

Le sujet vaudrait la peine d'être exploré. Son interlocuteur ajouta après une pause :

— Je pourrai vous monter un seau d'eau au cours de la journée. Un livreur passe tous les jours, j'en prendrai un peu plus.

— Je vais vous payer ce service.

Joe haussa les épaules, comme si cet aspect de la question ne le préoccupait pas.

— Je vous paierai, répéta-t-elle fermement.

À l'intérieur de sa cuisse, bien cousu dans son pantalon, elle sentait le petit rouleau de ses économies, et celles de Phébée. En s'habillant durant la visite des agents du Service de santé, son amie les lui avait confiées, de peur de s'en voir dépouillée à l'hôpital.

Son hôte sortit une grosse clé de sa poche, ouvrit la lourde porte. Il disait vrai, un passage de quelques pieds permettait d'atteindre la rue Saint-Paul, si étroit qu'elle avançait un peu de biais pour que ses épaules ne frôlent pas les briques crasseuses de chaque côté.

Sur la grande artère, malgré l'heure matinale, Félicité croisa de très nombreux passants. Des hommes commençaient leur journée avant le lever du soleil dans des maisons de commerce ou dans des ateliers situés près du port. Même des femmes se dépêchaient afin d'entreprendre au plus vite leur douzaine d'heures d'entretien ménager. Après tout, sortir discrètement de l'entrepôt ne serait peut-être pas si difficile.

Félicité voulut d'abord visiter l'hôpital des varioleux. En suivant la rue Bleury vers le nord, la jeune femme passa près des murs sombres de l'Hôtel-Dieu. Le souvenir de Pélagie et Marie Robichaud l'attrista. La variole hémorragique ne leur avait laissé aucune chance. Les journaux les avaient présentées comme les premières victimes de l'épidémie. Qui figurerait encore dans le lot, parmi ses connaissances?

Au nord de l'établissement, la vieille maison de ferme des Fletcher se dressa sous ses yeux. Encore peu de temps auparavant, la bâtisse était sise en pleine campagne. Maintenant les municipalités de Montréal et de Saint-Jean-Baptiste menaçaient de l'encercler bientôt.

Le chemin plutôt boueux menant à l'hôpital obligea la châtaine à soulever un peu sa robe pour la préserver. Un muret de pierres empêchait les va-et-vient des curieux sur le terrain, comme si des gens sains d'esprit pouvaient désirer s'approcher de cet endroit. Seuls les parents ou les amis des malades se risquaient dans ces parages.

Si, l'été, des arbres fruitiers donnaient un air plutôt guilleret à l'endroit, l'automne en révélait toute l'horreur. Dans la cour, Félicité remarqua d'abord des draps jonchant le sol, dont certains semblaient avoir été jetés là depuis quelques semaines tellement ils se mêlaient à la terre. D'autres l'avaient été depuis un jour ou deux, car la pluie n'en avait pas encore lavé toutes les traces de pus ou d'excréments. Des barriques s'entassaient çà et là, on les utilisait sans doute pour apporter tous les vivres nécessaires pour nourrir une centaine de personnes.

La porte de l'établissement demeurait entrouverte. Félicité fit quelques pas dans le hall, tout de suite assaillie par une odeur devenue familière, celle de corps pourrissants.

— Qu'est-ce que tu fais là ?

Une grosse femme se dirigeait dans sa direction. Sa robe, semblable à celles de toutes les travailleuses, rendait tout à fait incongru le port d'un voile de religieuse. La visiteuse connaissait le costume de toutes les congrégations, assez pour ne pas se laisser berner par un déguisement aussi grossier.

— Je veux voir une amie, Phébée Drolet, de même qu'une petite fille…

— Icitte les visites sont défendues depuis des semaines. Ça ressemblait à un perron d'église, on a sacré tout le monde dehors.

— Vous ne pouvez pas… Ces gens ont besoin d'être entourés de leurs proches.

Ce garde-chiourme tolérait mal de se faire dire ce qu'elle pouvait ou ne pouvait pas faire. Sa voix se fit cassante.

— Les Montréalais ont surtout besoin d'être protégés contre les germes.

Bien sûr, il n'existait pas de pire foyer d'infection que celui-ci. Mettre fin aux visites s'imposait, pour limiter les dégâts. Ce mauvais accueil des proches confinait toutefois à la cruauté.

— Madame, je suis vaccinée.

— Ma sœur ! Adresse-toi à moi comme l'exige la bienséance.

Quelle étrange lubie habitait cette femme ? La châtaine se refusait à encourager une mascarade de ce genre.

— Madame, recommença-t-elle, je veux juste voir mon amie et une fillette. Je prenais soin d'elles à la maison. Je ne ferai courir de risques à personne. Je vais vous le prouver.

La visiteuse fit mine d'enlever son manteau, résolue à montrer le haut de son bras.

— Fous le camp d'icitte. Aucun visiteur, c'est ça la règle.

L'agressivité croissait bien vite. De toute évidence, celle-là jouissait totalement de son petit pouvoir. La colère et l'inquiétude rendaient la voix de Félicité un peu chevrotante :

— Je connais personnellement le président du comité d'hygiène de la Ville de Montréal, le pharmacien Robert Gray.

— Ah ! Tu connais du beau monde. Que veux-tu que ça me fasse ?

Difficile d'imposer sa volonté à une brute pareille. La suite manqua de conviction :

— Il peut vous faire perdre votre emploi.

— Napoléon, tu sacres cette idiote dehors.

Sans un mot de plus, elle tourna les talons. Le « Madame, s'il vous plaît… » plaintif s'éteignit dans la gorge de la jeune femme. Plaider ne donnerait rien, toutes ses lamentations alimenteraient le plaisir pervers de cette ogresse. Puis un colosse s'approchait. Tout de suite, son allure lui fit songer à Onil Grondin, l'horrible contremaître de la Dominion Cotton.

— T'as entendu ? Va-t'en.

— Je veux voir mon amie… monsieur.

— Allez, sors.

Une grosse main velue se posa sur son épaule pour lui faire faire un demi-tour, puis la poussa à la hauteur de la nuque, pour ne la lâcher qu'une fois dehors.

— Au moins, pouvez-vous lui dire un mot pour moi ? C'est une jolie blonde…

L'autre éclata de rire avant de lui lancer :

— Une belle fille icitte ? T'as jamais vu les véroleuses, toi.

— Pouvez-vous lui dire un mot pour moi ? Elle s'appelle Phébée.

— Si tu veux vraiment lui rendre service, tu peux toujours me laisser de l'argent. L'ordinaire laisse à désirer, dans la place. Je vais lui donner, a se paiera des p'tites gâteries.

En dépit de sa naïveté de couventine encore intacte, Félicité n'était plus dupe. Durant les derniers mois, elle avait appris à se blinder contre ce genre de bassesses.

— Tu comprends, insistait l'autre, je pourrai lui acheter des choses en ville. Des fruits, des sucreries…

De la tête, Félicité fit signe que non, puis elle tourna les talons, profondément indignée.

— Ou des remèdes. Y en ont jamais, des remèdes.

En marchant vers le chemin public, ses yeux se portèrent vers un amas de boîtes près du muret : des cercueils. Depuis l'hôpital, les malades pouvaient aussi les apercevoir. Comme si l'objectif était d'entretenir leur accablement. Pendant une bonne heure, elle erra autour de l'établissement, les yeux fixés sur les fenêtres. Impossible de voir à l'intérieur, mais son amie l'apercevrait peut-être. Seul cet espoir l'empêchait d'éclater en sanglots. Le chemin du retour lui sembla interminable.

Toute la nuit suivante, les plaintes ne cessèrent pas dans la salle. Les mots «J'ai soif» dominaient, mais toute la gamme des besoins de base inassouvis ou des craintes les plus profondes y passait. Des cris pitoyables venaient de l'étage. Incapable de fermer l'œil, Phébée s'était levée à plusieurs reprises afin d'apporter une écuelle d'eau à des compagnes d'infortune.

— Où est tout le personnel? demanda-t-elle à une adolescente dont tout le visage prenait l'allure d'une seule grande plaie purulente.

— La nuit, y a seulement un gardien. Quand on est chanceuses, on le voit pas.

La voix ressemblait à un grincement. Après une confidence semblable, la blonde, aux aguets, craignait maintenant de voir apparaître cet employé. Elle gardait sa main en contact avec l'épaule de Fernande, autant pour se rassurer que pour réconforter la fillette.

Les premières lueurs du jour ne la rassérénèrent pas vraiment. Voir ce spectacle désolant ne valait pas mieux que le deviner. Une heure passa, puis une deuxième, et une troisième. Phébée avait mangé la veille peu après son arrivée, un bol de soupe graisseuse au point de lever un peu le cœur. Personne ne s'était soucié de les faire souper, et ce matin, rien.

Quand un infirmier pénétra dans la pièce, elle demanda :

— Pourrons-nous manger bientôt ?

— Quoi, t'es pressée ? T'as un rendez-vous galant ? Ça me surprendrait, amanchée comme ça.

Le ton railleur, le choix des mots, tout visait à blesser. Pire, cette méchanceté venait d'une femme – habillée en homme, de surcroît – envers une autre. Quels motifs, ou quelle perversion, justifiaient un semblable déguisement ? Une autre travestie rejoignit la première, elles se livrèrent ensemble à un simulacre de séduction.

— Le cuisinier doit pas être remis de sa dernière brosse, affirma une grosse femme depuis son coin de la salle, en guise d'explication.

Les yeux de Phébée se portèrent sur Fernande. Elle paraissait dormir, une véritable bénédiction. Ses périodes d'éveil s'accompagnaient d'une terreur croissante. Il se passa encore une heure avant qu'un homme, pas un travesti cette fois, ne se pointe dans la salle. Son costume de ville, son air suffisant, imbu de lui-même, trahissait son rôle de médecin. Il se pencha sur un premier lit, échangea quelques mots avec la malade, passa au second.

Quand le praticien s'approcha de la petite fille, l'expression de son visage valut le pire des pronostics.

— Monsieur le docteur…, commença Phébée.

— Nolin, Pierre Nolin, répondit l'autre machinalement.

— Comment va-t-elle?

— Vous la connaissez?

Répondre «C'est une voisine» ne l'inciterait guère aux confidences.

— C'est une parente, mentit-elle.

— On ne sait jamais. La prière demeure la première médecine.

Si la blonde avait mis en doute les certitudes des médecins pendant des mois, celui-là justifiait toute sa méfiance.

— La nourriture aussi, je pense. Il sera midi bientôt, et personne ne nous a donné à manger. Notre dernier repas date d'environ vingt-quatre heures.

Son interlocuteur eut un mouvement de recul devant le reproche, puis il rétorqua:

— Vous n'êtes pas à l'hôtel *Windsor*, ici. Ces gens sont surchargés de travail.

Nolin abrégea son passage dans cette salle. Peut-être à cause de la remarque de Phébée, un homme dépenaillé vint bientôt poser un large chaudron sur une table placée près d'un mur. Le service se limiterait à ça. Tout de suite, les malades encore capables de se déplacer quittèrent leur lit avec plus ou moins de peine pour s'approcher. Certaines s'empressèrent de remplir un bol de pommes de terre mal cuites pour les enfourner au plus vite avec une cuillère. Chez elles, la faim gommait toute trace de savoir-vivre, et peut-être d'humanité. D'autres se souciaient plutôt de regagner leur place pour nourrir des compagnes plus mal prises qu'elles. Le meilleur et le pire de l'espèce humaine se côtoyaient là.

— Si tu viens pas, déclara la même grosse femme qui avait évoqué l'ivresse du cuisinier un peu plus tôt, t'auras rien.

La blonde s'avança tout en plaçant ses bras devant sa poitrine. Si ces vérolées risquaient peu de prêter attention à son corps, le personnel lui avait fait une impression nettement mauvaise. Quand elle arriva près de la table, l'autre lui tendit le bol qu'elle venait de remplir. Le dos de ses mains, et même l'intérieur de ses paumes, se couvraient de petits cratères purulents. Pourtant, elle commenta encore :

— Le sagouin se donne même pas la peine de peler ses patates. J'te gage qu'y les lave même pas.

Phébée lui répondit d'un sourire, chercha une cuillère. Quelques jours plus tôt, la cuisine de Vénérance lui paraissait bien sommaire. Là elle découvrait que l'on pouvait faire pire.

— La petite, là, elle peut manger ? voulut savoir son interlocutrice.

— Je vais voir…

La priver de nourriture minerait ses dernières forces. D'un autre côté, la jeune femme se sentait un peu mal à l'idée de la réveiller. L'autre comprit :

— Tout de même, a l'a de la chance. J'pense pas avoir dormi une minute depuis que j'suis icitte.

La grosse femme regagna son lit en se dandinant, sa pitance dans les mains. Pendant ce temps, Phébée secouait un peu l'épaule de l'enfant, jusqu'à lui faire ouvrir les yeux.

— Tu dois avaler quelque chose.

Fernande secoua doucement la tête de droite à gauche. À la fin, après s'être fait longuement prier, elle consentit à ingérer de peine et de misère trois bouchées.

Décidément, octobre se révélait maussade. Un crachin recouvrait tout d'une mince pellicule liquide. Sur le manteau de laine de Félicité, il formait une multitude de petites perles à son arrivée à la gare. Le tissu était humide, inconfortable : la recette parfaite pour attraper un vilain rhume.

— Tout de même, des funérailles à midi, c'est curieux, remarqua la jeune femme.

— Je te l'ai dit déjà, tous les notables en profiteront pour se faire voir. Il faut leur laisser le temps d'arriver à l'église. Tu verras, dans le train.

Son contremaître s'était montré bien sceptique quand John Muir lui avait demandé de prendre un mercredi de congé pour assister à un service funèbre. Prétendre que la seule victime des émeutes était un vieux camarade de régiment n'aurait servi à rien. Mieux valait s'en tenir à une demi-vérité : « Sa fiancée est une amie, ils devaient se marier samedi prochain. Je ne peux pas la laisser seule un jour comme ça. Elle n'a personne d'autre. »

Il s'avéra que le vieux chef de service du Canadien Pacifique possédait un cœur de jouvenceau. Les journaux avaient évoqué les projets matrimoniaux de la victime, le nom de Phébée avait même été écrit en toutes lettres. Chez les Fusiliers Mont-Royal, la moitié des membres était au courant de son existence, ils en avaient parlé aux journalistes.

À titre d'employé de la société ferroviaire, l'ébéniste voyagerait gratuitement. Il tint à offrir un billet à sa compagne. « Tu ne sais pas quand tu retravailleras », plaida-t-il devant son hésitation à accepter. La veille, lors d'une visite rapide en après-midi, le contremaître Rouillard ne s'était pas montré franchement rassurant à cet égard. La Dominion Cotton reprendrait peut-être son personnel le lundi suivant, ou peut-être pas. D'ici là, la compagnie n'embaucherait qu'un effectif des plus modestes.

Une fois sur le quai, Félicité constata l'exactitude de la prédiction de son compagnon : le maire Honoré Beaugrand et la moitié du conseil municipal occupaient une extrémité de la plateforme de madriers, d'autres notables avec eux.

— Ces gars vont voyager en première classe, remarqua John. La compagnie a peut-être mis un wagon spécial à leur disposition. Une chose est certaine, on ne leur imposera pas la présence de gens comme nous.

La jeune femme haussa les épaules. La proximité des riches et des puissants ne lui disait rien. Au contraire, le voisinage de ces hommes aux manteaux ornés de fourrure la mettait mal à l'aise. Pour elle, ils appartenaient à une autre race.

Le couple s'assit plutôt au milieu d'une vingtaine de miliciens. Si tout le régiment avait été relevé de son travail de police pour cette journée, seule une petite minorité de ses membres jugeait de son devoir de se déplacer, sans doute ceux que Jules connaissait bien pour les avoir côtoyés à l'université. Cette seule présence créait un achalandage exceptionnel dans le train à destination d'Ottawa, certains passagers voyageraient debout.

Un militaire s'approcha du couple, Félicité lui trouva un air un peu familier.

— C'est bien vous? demanda-t-il.

Le souvenir d'une chaude journée d'été lui revint et elle le reconnut.

— Vous êtes celui qui est venu en aide à Jules, dans le Nord-Ouest!

— C'est moi, Georges Ouellet.

Le soldat présentait des yeux rougis, un peu enflés. Il avait eu l'impression de perdre un frère. Après l'échange de poignées de mains, il laissa tomber d'une voix déçue:

— Elle n'est pas là?

— Phébée? prononça doucement son interlocutrice. On l'a amenée à l'hôpital des varioleux au début de la semaine. Je ne pense pas qu'elle sache encore ce qui est arrivé.

— L'incident dont on a parlé dans les journaux, dans la ruelle Berri...

— C'était chez nous.

Ses remarques sur la cruauté du destin ne passèrent pas ses lèvres, comme si plus rien ne le surprenait à ce sujet. À la place, il formula sur le ton du reproche :

— Ce soir-là, dimanche, j'ai frappé à votre porte. Jules tenait à la voir une dernière fois…

Sa voix se brisa. La châtaine posa la main sur son avant-bras, serra doucement.

— La logeuse craignait la venue des agents du Service de santé à cause de sa fille malade. Elle se cachait derrière sa porte bien verrouillée.

La pudeur l'empêchait de dire toute la vérité : de toute façon Phébée ne se serait pas montrée, pas dans son état.

— Quand je suis revenu là-bas, c'était trop tard.

Dans le cabinet du médecin, le milicien avait revu son ami exsangue. Le praticien lui parla d'une hémorragie massive, de la trajectoire capricieuse de la balle. Georges se demandait encore s'il devait regretter de ne pas avoir entendu son dernier souffle, ou non. Cette pensée ramena des larmes à ses yeux, il préféra s'éloigner après un léger hochement de tête.

Félicité ne valait guère mieux, elle se réfugia dans les bras de John. L'arrivée du train en gare et l'obligation de rassembler ses forces pour monter à bord lui permirent de reprendre une certaine contenance. Dans le wagon, elle put s'asseoir à côté d'un vieil homme tout surpris de voir sa voiture se remplir de miliciens en uniforme. Son compagnon demeura debout, la main posée sur le dossier de son siège.

— Je ne comprends toujours pas pourquoi ils m'ont empêchée de la voir, hier.

Cette récrimination, elle la formulait pour la centième fois peut-être.

— Le risque de propager l'épidémie…, lui rappela l'ébéniste.

Son camarade n'exprimait pas le fond de sa pensée. Des personnes sorties vivantes de l'hôpital répandaient de véritables histoires d'horreur. Les journaux anglais précisaient qu'une pareille incurie complétait bien la résistance des Canadiens français à faire vacciner les leurs : le personnel appartenait à ce groupe. Si ces récits s'approchaient juste un peu de la vérité, ces gens ne tenaient certes pas à montrer leur négligence coupable aux regards.

— Mais je dois la voir. Elle ne sait pas où sont ses affaires… puis j'ai tout son argent sur moi.

Obligée de réprimer ses pleurs, les derniers mots vinrent dans un souffle, John les devina plus qu'il ne les entendit.

— Tu peux me le confier.

La jeune femme se troubla un peu. Phébée lui avait mis toutes ses économies dans le creux de la main dès que les gens du Service de santé s'étaient pointés à la maison. Les donner à un autre, même s'il méritait sa confiance, était-ce la trahir ? D'un autre côté, un homme robuste serait mieux en mesure qu'elle de les défendre, au besoin.

Tous les deux se refusaient à imaginer que la blonde ne sorte pas de cet hôpital.

Phébée passait très légèrement un doigt sur ses pustules. Au cours de la nuit, certaines avaient crevé. La démangeaison lui donnait une furieuse envie de s'arracher la peau avec ses ongles. À la maison, elle aurait pu utiliser de la crème de tartre. Dans cet enfer, personne ne songeait à soulager les souffrances. Même amener de l'eau pour se laver paraissait au-delà de la compassion de ces gens recrutés sans discernement, dans l'urgence.

Au petit matin, elle se pencha sur Fernande. La gamine respirait péniblement. Ses périodes de demi-conscience se raréfiaient, ce qui valait certainement mieux. Elle venait tout juste de s'étendre quand quelqu'un s'écria, de l'autre côté de la salle :

— Georgette, a bouge pu !

La couturière se redressa vivement, fixa le coin de la salle. Il s'agissait de la personne lui ayant tendu une assiette la veille, une femme grande et grosse. Une douzaine d'heures plus tard, voilà qu'une couverture de laine lui couvrait la moitié du visage. La pauvre s'était donnée un peu d'intimité au dernier moment.

— Voyons, pas possible, protesta quelqu'un.

— A bouge pu, j'vous dis.

Toutes celles qui se portaient assez bien pour comprendre ce dénouement se reculèrent sur leur lit, tirèrent leur couverture sur leur corps, dans un geste illusoire pour se protéger.

— Ça s'peut pas, hier a s'promenait dans salle.

— Pis avec des joues comme ça.

La malade indiquait la rondeur du visage dans un geste des deux mains. Si celle-là mourait, que pouvait-il arriver à toutes les autres ? Pendant une heure, chacune rumina les pensées les plus sombres. Le docteur Nolin les trouva dans cet état de prostration. Il suivit tous les regards, s'approcha pour poser son pouce et son index sur le poignet de la grosse femme, la mine un peu dégoûtée.

— C'est quoi, son nom ?

Après quelques semaines à cet endroit, le praticien avait cessé ses efforts pour retenir leur identité. Elles arrivaient si nombreuses, partaient si souvent ainsi, après quelques jours.

— Georgette, son p'tit nom. L'autre, j'sais pas.

Il tira la couverture pour couvrir complètement le visage, ne laissant à découvert que la tignasse emmêlée et sale.

— Comment ça se fait ?

L'homme haussa les épaules pour indiquer son ignorance.

— Dire qu'hier, a parlait de s'en aller…, dit une autre.

Le médecin préféra écourter son passage dans cette salle. Quelques minutes plus tard, deux hommes vinrent sortir le corps.

Derrière la famille immédiate de Jules, les notables et les miliciens occupaient les bancs de part et d'autre de l'allée centrale. De façon un peu ironique, ce jour-là Félicité put s'asseoir, alors que pendant la majeure partie de sa vie, elle avait entendu la messe debout près des portes. Tant d'inconnus envahissaient la paroisse, la distinction entre ceux qui achetaient un banc et les autres ne tenait plus.

Tous les yeux se portaient en direction du cercueil, une boîte de pin recouverte de l'Union Jack, le drapeau de la Grande-Bretagne. Dessus, quelqu'un avait posé le calot des membres des Fusiliers Mont-Royal. C'était, dans une certaine mesure, voler à la famille l'occasion de faire ses adieux à l'un de ses membres dans l'intimité. Tout l'exercice devenait une mascarade politique.

Ça ne réduisait en rien la douleur de ses proches. Le corps de Léonie paraissait secoué de sanglots irrépressibles. La robe, le chapeau et la voilette noire ne pouvaient faire oublier sa vraie nature : une femme capable d'aimer, et en conséquence de souffrir profondément. Âgée de quatorze ans maintenant, Fidélia entourait sa taille de ses deux bras, appuyait sa tête en partie sur son épaule, en partie sur son sein. De la main, un peu distraitement, la mère caressait le dos de l'adolescente.

Dans l'autre moitié du banc, les hommes ne faisaient pas meilleure figure. Absalon présentait toute la douleur d'un père ayant perdu son aîné. De la main, il tenait l'épaule du cadet Didace, maintenant investi de tous les espoirs du clan. Ce fardeau semblait le courber un peu vers l'avant.

Prononcer l'eulogie aurait dû revenir à un ami ; Georges Ouellet, même sanglotant, aurait parfaitement convenu. Pourtant, le lieutenant-colonel Joseph-Albéric Ouimet se dirigea vers le chœur, vêtu d'un uniforme d'apparat, un chapeau souligné de plumes d'autruche sous le bras.

— Si Phébée était là, murmura John, elle dirait qu'il est plus joliment accoutré que toutes les bourgeoises de Saint-Jacques.

Le soldat si lourdement décoré s'engagea dans un long discours à la signification un peu absconse et inappropriée. Il évoqua la grandeur de l'Empire britannique, la magnifique mission d'amener la civilisation aux Sauvages, les dangers de l'agitation populaire et l'importance de rétablir l'ordre. L'homme se montrait d'autant plus enclin à offrir une jolie pièce oratoire qu'il était à la fois l'un des artisans de la création des Fusiliers Mont-Royal et le député de l'île Jésus. Réélu l'année précédente, déjà il se souciait du prochain rendez-vous électoral.

Toute cette pompe faisait oublier l'absurdité de la situation : un jeune professionnel, exposé aux intempéries pour protéger un hôpital de la colère de la foule même qui en recevrait les services, était mort à cause de la maladresse d'un garçon à qui aucune personne sensée n'aurait dû confier une arme. Qu'il aurait eu mieux à faire ce soir-là ! Que ces gens tentent de donner une patine d'héroïsme à un accident trivial devenait ridicule.

Heureusement, la cérémonie s'acheva bientôt. Les miliciens formèrent une haie d'honneur tout le long de l'allée centrale. Quatre d'entre eux, choisis parmi les amis de Jules, portèrent le cercueil à l'extérieur. Les parents, le frère et la sœur marchaient derrière, suivis d'un petit groupe d'oncles et de tantes. Au moins, les notables n'eurent pas l'indécence de les précéder dans la procession. En utilisant les portes latérales, John et Félicité sortirent assez rapidement pour voir la dépouille arriver sur le parvis.

— Tu souhaites te rendre jusqu'au cimetière? demanda l'ébéniste.

— Ce n'est pas ma place.

— Pas plus que celle de la plupart de ces gens.

Précédés d'un détachement de soldats portant leur arme sur l'épaule, les proches du défunt et un nuage de curieux se dirigèrent vers l'arrière de l'église où était situé le cimetière, clôturé de fonte et planté de grands arbres.

— Ils devraient les laisser faire leurs derniers adieux dans l'intimité…, observa Félicité.

Ses yeux se portèrent sur l'allée couverte de gravier conduisant à la rue.

— Tu vois cet homme? Je dois lui parler, c'est son patron.

À pas vifs, la châtaine emboîta le pas au pharmacien. «Monsieur Gray», dit-elle pour attirer son attention.

— Mademoiselle? fit-il en se retournant vers elle, les sourcils froncés.

Ses traits montraient toute sa peine. Ce jeune apprenti lui était devenu cher, et voilà que le souci du comité d'hygiène de protéger la population contre son gré lui coûtait la vie.

— Monsieur Gray, répéta Félicité en arrivant à sa hauteur, vous vous souvenez peut-être de moi. Nous nous sommes croisés à l'hôtel de ville.

— … Vous êtes le gentil chaperon.

Elle opina, puis continua après une pause:

— Si Phébée n'est pas ici aujourd'hui, c'est qu'on l'a transportée à l'hôpital des varioleux lundi.

Le professionnel ferma les yeux avant de murmurer:

— Pauvre petite. Elle m'avait dit avoir reçu le vaccin.

— Elle vous a menti. Toutes ces histoires l'effrayaient.

— … Pauvre fille. Combien sont-ils dans la ville à souffrir aujourd'hui à cause de cette campagne criminelle?

L'homme s'interrompit. Ses discours, il les réserverait pour la séance du conseil, cela même si personne dans l'auguste enceinte n'en tirerait vraiment profit.

— Je voulais que vous le sachiez. Autrement, vous n'auriez pas compris la cause de son absence, aujourd'hui.

Que l'on puisse penser du mal de son amie l'aurait blessée. Au moins celui-là se ferait une meilleure idée de la situation.

— Je vous remercie. Jules avait une haute opinion de ses qualités. Je suis heureux de savoir qu'il ne se trompait pas.

D'un mouvement de la tête, elle approuva ce constat.

— Puis-je vous demander quelque chose, en souvenir de lui ? demanda-t-elle. On m'a empêchée de visiter Phébée. Pourtant, je sais que me voir l'aiderait à se remettre.

Comme il ne répondait rien, la jeune femme plaida encore :

— Je ne ferai courir de risque à personne. Moi, je l'ai reçu, le vaccin.

— Je tenterai d'intervenir.

Le ton ne témoignait pas d'une bien grande assurance. La présidence d'un comité municipal ne lui conférait aucun pouvoir réel. Même le docteur Laberge se plaignait de voir les employés de Fletcher's Field n'en faire qu'à leur tête.

— Maintenant, mademoiselle, je dois vous quitter. J'ai à faire.

Gray leva son chapeau en guise de salut, Félicité répondit d'une inclinaison de la tête. Puis il continua son chemin. Son souci de s'éloigner si vite tenait de son malaise à confesser sa quasi-impuissance, et aux larmes susceptibles de couler bientôt. Il en aurait pour une heure encore à errer près de la rivière, car tous ces gens venus de Montréal retourneraient ensemble en ville par le train de l'après-midi.

John Muir avait proposé une promenade dans la campagne environnante, mais sa compagne désirait rencontrer quelques personnes encore. Aussi marchèrent-ils le long des murs de l'église. La salve des miliciens déchira l'air, le bruit fit s'envoler les corneilles perchées dans les arbres du cimetière. Peu après, les notables revinrent les premiers, puis les militaires. Au passage, Georges Ouellet les salua d'un geste de la tête.

Puis ce fut le défilé des habitants de la paroisse, des parents ensuite. La famille Abel vint la dernière, après un dernier adieu au fils, ou au frère. Un curé marchait près d'eux, distribuant des paroles de consolation que personne n'écoutait. Entendre «Les meilleurs partent les premiers» ne consolait jamais.

La jeune femme avança vers eux. Didace la vit le premier à travers ses larmes, il tira le bas de la veste de son père. Absalon s'arrêta, tous les autres avec lui. Le petit signe de la main de cette inconnue signifiait «J'ai quelque chose à vous dire», mais lui ne voulait plus entendre personne. À la fin, Léonie céda à cette supplication muette. Elle s'approcha. Derrière la voilette noire, le masque de douleur demeurait bien visible.

— Madame, je n'ai pas les mots pour vous dire combien je suis désolée. J'ai eu l'occasion de rencontrer votre fils à plusieurs reprises. Avec son départ, ce monde s'est appauvri de beaucoup de gentillesse.

Un bref instant, la mère éplorée songea peut-être à une idylle secrète. Puis elle comprit :

— Vous êtes Félicité, c'est ça ?

— C'est moi. Il y a quelques jours, Phébée a été transportée à l'hôpital des varioleux. Vous le savez sans doute, personne n'y entre de son plein gré, personne n'en sort à sa guise, quel que soit le motif.

Son interlocutrice demeura un moment impassible, puis elle fit mine de poursuivre son chemin. Toutefois, après une brève hésitation, elle tendit les mains pour prendre celles de Félicité.

— Merci. Nous avions appris à l'aimer ; là, nous apprenions à la détester à cause de son silence. Grâce à vous, elle gardera la place qui lui revient dans notre cœur.

Les autres membres de la famille les regardaient, à quelques pas.

— Quand elle sortira, dites-lui de venir, un dimanche. Nous nous rendrons sur sa tombe tous ensemble.

Cette fois, des larmes coulèrent librement sur les joues de la châtaine.

— Si jamais elle ne revient pas de là, écrivez-nous. Nous prierons pour elle aussi.

Cette fois, la mère s'éloigna pour ne plus se retourner, les épaules agitées de sanglots. John s'avança rapidement pour offrir son épaule à son amie.

— Là, nous pouvons rentrer ?

Un long reniflement et un hochement de la tête servirent de réponse.

Chapitre 21

La Faucheuse ne respectait aucune logique. Bien portante, en comparaison de la plupart des autres à tout le moins, Georgette partait la première. Aucun lit ne restait vide bien longtemps. Judith Collins – son nom, Phébée le saurait plus tard –, une Irlandaise âgée de vingt ans tout au plus, vint prendre sa place. Personne ne se montrait trop regardant quant aux questions d'hygiène : les curieuses préposées vêtues comme des hommes jugèrent le drap et la couverture suffisamment propres pour servir à la nouvelle.

Si la blonde prêta attention à cette dernière venue, c'est qu'elle se reconnaissait en elle : jeune, belle – à tout le moins elle l'avait été avant l'apparition de pustules sur le visage –, mince. La pudeur la rendait gauche, une fois vêtue de sa seule chemise de nuit.

Dès sept heures le soleil basculait au-delà de l'horizon, l'obscurité se répandait dans la pièce, au point de ne laisser voir que des ombres. La nuit, on ne distinguait plus rien, la lampe à pétrole dans le hall n'éclairait pas jusque-là. Les ténèbres favorisaient un va-et-vient vers la chaise percée. Si cela épargnait la vue, il n'en allait pas de même de l'odorat ou de l'ouïe. L'une des utilisatrices s'écria en revenant à sa place :

— La petite, est morte !

— Quoi ? demanda une autre.

— Est morte, j'te dis. J'ai touché son pied, y est frette.

Inquiète, Phébée tendit la main au-dessus de l'espace séparant sa couchette de celle de Fernande. Elle trouva l'épaule tiède. S'il ne s'agissait pas d'elle, c'était l'adolescente, celle dont tout le visage se couvrait d'une croûte d'un vilain rouge noirâtre.

— Hé! Viens la chercher, cria la même bonne femme, désireuse de se faire entendre du veilleur de nuit.

— Cesse de gueuler comme ça, intervint une autre! Tu vas réveiller tout le monde dans la bâtisse.

— Moi, j'veux pas coucher avec une morte.

— Dans ce cas, va coucher dehors. Des morts, y en a partout, icitte.

Celle-là exagérait à peine. Avec sa centaine de locataires, l'établissement en voyait au moins quatre se retrouver dans des boîtes de sapin tous les jours.

— Y est où, le fainéant?

À cette heure de la journée, seul un surveillant restait en poste. La directrice avec son voile de bonne sœur, les étranges infirmières travesties et le cuisinier rarement à jeun s'envolaient vers un environnement moins morbide avant la brunante. La mégère quitta la salle, une ombre blanche avançant d'un pas incertain.

— Même dans les chiottes, j'vas te trouver.

À tout le moins, elle paraissait résolue à lui mettre la main au collet. La malade arrivée l'après-midi se leva aussi, comme pour la suivre. «Elle a décidé de prendre la fuite», pensa Phébée.

L'envie de quitter cet enfer allait de soi. Elle-même ne renonçait pas à l'idée de s'éclipser en douce, quand la fille de Vénérance n'aurait plus besoin de sa présence. Curieuse de voir ce que cette compagne d'infortune souhaitait faire, la blonde se glissa à son tour hors de son lit.

— T'es où, sacrament?

L'employé paraissait disparu de la surface de la terre, son absence rendrait la fuite plus facile. La mégère se décida à tenter de le débusquer dans l'aile opposée à la sienne, réservée aux hommes. Elle attirerait toute l'attention sur sa personne, laissant les fugueuses libres d'agir à leur guise.

Accélérant le pas, la blonde saisit la jeune patiente par le coude, provoquant un sursaut.

— Désolée de te faire peur, commença-t-elle. Où vas-tu ?

L'autre porta une main sur son cœur, comme pour calmer ses battements affolés. La lampe posée dans le hall rendait maintenant ses traits à peu près discernables. Plus précisément, la faible lumière en montrait l'harmonie, sans dévoiler les pustules. Dans ce halo chacune retrouvait un peu de sa beauté d'avant.

— Je ne te dénoncerai pas, tu sais, continua Phébée dans un souffle. Moi aussi je veux me sauver dès que ce sera possible. Quand elle disparaîtra…

— La petite fille ?

Elle acquiesça d'une inclinaison de la tête. Son attention pour Fernande n'échappait à personne.

— Andrew… mon fiancé est là.

De la main, la jeune femme désignait le second étage de l'ancienne maison de ferme. La blonde réprima difficilement son émotion. Personne n'ignorait qui occupait cette section : les victimes de la picote rouge. Sa main prit celle de son interlocutrice, pour exprimer sa compassion.

— Je veux aller le voir.

Projet insensé, car pour ceux-là, seule la mort figurait encore au programme.

Elles sortirent par la porte entrouverte. Sous leurs pieds, les planches glacées les firent frissonner. Elles montèrent un escalier dissimulé au fond du hall et arrivèrent bientôt dans un lieu de pestilence, où un gémissement ininterrompu se faisait entendre. L'odorat et l'ouïe les guidèrent dans une pièce reculée. Une douzaine de couches accueillaient autant de corps. Pliée en deux, l'Irlandaise entreprit de se pencher sur chacun.

— Je me nomme Phébée, dit la couturière dans un souffle.

La confidence visait surtout à oublier pendant une fraction de seconde le mélange de peur et de dégoût étreignant son cœur. Elle tenait encore la main de l'autre patiente, pour se rassurer un peu.

— Judith, murmura l'autre sans se détourner de sa recherche.

Comment reconnaître une personne parmi ces formes humaines sans yeux, sans nez, sans bouche même, le tout étant gommé par des boursoufflures sanguinolentes ? Pourtant, elle s'arrêta près de l'une de ces victimes de la variole rouge, posa les genoux sur le plancher glacé, lui glissa quelque chose à l'oreille. L'homme ne répondit rien, n'esquissa aucun geste de reconnaissance. La brune continua de lui parler, la main posée sur sa poitrine.

Phébée se sentit de trop. L'amour pouvait donc survivre à cette déchéance du corps. Mieux valait s'éloigner un peu. Dans un concert de plaintes étouffées, un malade réussit à se faire entendre par-dessus les gémissements. Cette intervention permit à la couturière de tromper son malaise.

— De l'eau…

C'était le ton d'un homme jeune encore, lui aussi une plaie vive. La blonde chercha autour d'elle, aperçut un seau, une tasse d'étain à côté. Même dans cette salle où personne ne pouvait se lever pour aider un compagnon d'infortune, aucun employé n'était présent. La soif, la faim, il fallait les endurer. Impossible aussi de se rendre à la chaise percée. Chacun reposait dans ses excréments.

La couturière revint avec le contenant, se pencha. Le mourant ne pouvait bouger la tête, elle dut la lui soulever un peu. Une main hideuse se posa sur son flanc, esquissa une caresse. Elle n'eut pas l'ombre d'un désir de le rabrouer.

— Sors-la d'ici ! rugit une voix au rez-de-chaussée.

La mégère avait enfin retrouvé le gardien de nuit.

— A vous dérangera pas, est morte. Ça attendra à demain.

À l'étage, les deux jeunes femmes échangèrent un regard anxieux, comme si elles craignaient d'être surprises. Elles descendraient quand le silence serait revenu en bas.

Depuis la veille au soir, Fernande ne disait plus rien d'intelligible, mais la plainte sortant de sa bouche déchirait encore plus le cœur. Qu'un corps si frêle puisse résister si longtemps tenait du mystère. Toute la matinée, Phébée lui soutint la tête pour laisser glisser un peu d'eau dans sa bouche. Vers midi, elle n'en avalait plus une goutte. Chaque inspiration se révélait si faible, qu'elle pouvait être la dernière.

Depuis les trois derniers jours, l'état de son visage et son mariage raté ne préoccupaient plus autant Phébée. Presque plus du tout, en fait. Peut-être en viendrait-elle à trouver son sort enviable, devant l'horrible misère de certaines de ses voisines.

Aux marches du palais,

Aux marches du palais…

La voix gracile, un peu hésitante et pas très juste rassurait-elle vraiment cette enfant plongée dans l'inconscience ? La blonde songea un instant combien Félicité aurait mieux su quoi faire. Puis elle secoua la tête. Non, au fond il ne s'agissait que d'être là. Au milieu de l'après-midi, les petits doigts dans les siens étaient devenus froids. L'une des infirmières formula à voix basse :

— C'est fini maintenant. Il faut la laisser aller.

Une main se posa sur son épaule, une autre enleva la main de l'enfant de la sienne. La seconde employée se tenait au pied du lit, prête à la transporter.

— Il faut y aller doucement, dit Phébée dans un murmure. Je vais la porter.

Elle fit mine de se lever, l'autre la força à rester assise, sa collègue souleva l'enfant dans ses bras.

— On manque de boîtes, lui apprit l'une.

— Est pas grosse… On va la mettre avec le gars de ce matin.

Phébée enfonça son visage dans son matelas puant pour pleurer. Les autres lancèrent des phrases comme «A d'la chance, a souffre pu», ou le terrible «Est avec le ti-Jésus, asteure». Judith Collins quitta sa couche pour venir vers celle occupée jusque-là par Fernande, allongea la main pour la poser dans le dos de la blonde.

John se faisait bien à son logement spartiate. La vie lui avait donné l'habitude de ce genre d'expédient. Pour Félicité, il en allait autrement. Passer trois nuits dans un entrepôt, en compagnie de deux hommes, bousculait beaucoup ses principes. Jamais elle n'avait pensé devoir y passer tant de temps. Toutefois, sa recherche d'un nouveau logement ne progressait pas, à cause de sa procrastination. Avec un peu de culpabilité au cœur, la jeune femme se prenait à espérer habiter encore avec son amie. L'idée de profiter de son malheur lui répugnait; d'un autre côté, rêver d'un développement de ce genre la rassurait.

Avant d'en arriver là, il lui fallait se réfugier quelque part temporairement. En après-midi, elle se rendit rue Metcalfe. Depuis sa fondation plus de dix ans plus tôt, le YWCA avait logé à différentes adresses. Il était maintenant situé dans une grande bâtisse de brique un peu négligée. La peinture du porche et des cadres des fenêtres s'écaillait, des herbes folles déparaient le devant de l'immeuble. Vivre surtout de la charité publique se mariait mal à un entretien soigné de l'immeuble.

Son grand sac rempli de ses vêtements à la main, la jeune femme entra dans l'établissement. Sur sa gauche, derrière un guichet, une dame l'interpella :

— Mademoiselle, où allez-vous comme ça ?

Le ton ne paraissait pas particulièrement amical, le visage s'avérait plus rébarbatif encore.

— Je cherche un endroit où habiter.

Félicité maîtrisait maintenant assez l'anglais pour se faire comprendre, mais sa prononciation laborieuse ne laissait aucun doute sur son origine.

— D'où arrivez-vous ?

Les personnes à la recherche d'un logis venaient le plus souvent des campagnes du Québec, mais aussi parfois d'une autre ville canadienne, quand ce n'était pas du Royaume-Uni.

— De Montréal. J'habite Montréal depuis plus d'un an.

— Alors que faites-vous ici ?

La froideur de l'accueil la décontenançait. Déjà, elle s'imaginait devoir retourner dans l'entrepôt de l'allée Saint-Dizier.

— Ma maison de chambres a été mise en quarantaine. La variole.

L'autre plaça sa main devant sa bouche, comme pour empêcher les germes de pénétrer son corps, tout en s'éloignant de la grille de bois de son guichet. Voilà que les Canadiennes françaises venaient les empoisonner dans leur quartier, maintenant.

— Sortez d'ici, malheureuse.

— Madame, je suis vaccinée. Je peux vous montrer… Puis si vous me refusez le gîte, insista-t-elle, je devrai coucher dans la rue, ou pire, dans un endroit comme la taverne de Joe Beef.

L'endroit se méritait une réputation sulfureuse dans les milieux respectables. Si des travailleurs sans le sou pouvaient passer la nuit sur le sol de la grande salle, une femme faisant de même verrait sa réputation irrémédiablement ruinée.

Le YWCA était justement voué à sauvegarder l'âme et l'honneur de jeunes innocentes susceptibles de devenir les victimes des mauvais garçons.

L'éventualité fit frémir le cerbère en jupon.

— Attendez ici, je reviens.

Pendant son absence, la nouvelle venue contempla le papier peint déchiré du hall, les chaises dépareillées rangées contre le mur. Malgré tout, l'endroit lui paraissait infiniment plus confortable que la maison de Vénérance.

— Mademoiselle, vous avez bien été vaccinée ?

La nouvelle venue dominait Félicité d'au moins cinq pouces. Le contexte ne se prêtait pas au port d'une tournure, mais la robe laissait deviner une grande bourgeoise. Des femmes comme elle finançaient cet établissement et voyaient à son administration.

— Je peux vous montrer.

— Ce ne sera pas nécessaire, je veux bien vous croire. Dans notre nom, il y a le mot *christian*. Les catholiques n'apprécient pas le concept.

Les chrétiens, c'étaient les protestants en général, pas les membres d'une confession en particulier. La cohabitation des diverses croyances répugnait aux membres de l'Église de Rome.

— Tous les dimanches, les résidentes de cette maison reçoivent un enseignement sur les Saintes Écritures, insista la bourgeoise.

— Je ne pense pas que vous m'obligerez à y assister, car ce jour-là je vais à la messe. Toutefois si vous insistez sur ma présence, entendre une leçon de ce genre me fera moins de mal qu'une nuit passée dans les rues de cette ville.

Cette réplique lui valut un sourire amusé.

— Nos invitées doivent payer leur dû.

— Je donnais un dollar toutes les semaines à ma logeuse, pour la chambre et deux repas.

— Ça ira. Venez avec moi.

Comme il s'agissait d'une ancienne maison de la grande bourgeoisie, l'édifice était doté de couloirs larges et d'escaliers majestueux. Certaines pièces abritaient plusieurs pensionnaires à la façon des dortoirs de couvent, ailleurs on avait érigé des cloisons pour donner à chacune un peu plus d'intimité. Félicité n'aurait droit ni à l'un ni à l'autre de ces aménagements. Une chambre de bonne sous les combles où elle dormirait seule… et à une distance prudente de ses voisines. Craignait-on la contagion de la variole, ou du catholicisme ?

— Voilà, dit l'hôtesse. Vous aurez au moins la chance d'échapper à la promiscuité, mais le confort laisse à désirer.

Le long du mur était disposé un lit métallique étroit, avec dessus un matelas épais de deux pouces. Un pot et une grande cuvette de porcelaine, ainsi qu'une commode et une chaise, composaient le reste de l'ameublement.

— Cela me convient très bien, je vous assure.

— Vous occupez un emploi ?

— La manufacture a fermé ses portes à cause de l'épidémie. J'espère qu'elle sera ouverte lundi matin. J'entends toutefois chercher encore dans les magasins demain et samedi.

La bourgeoise donna son assentiment d'un geste de la tête.

— Je ne peux vous aider à ce sujet, je ne connais personne dans l'est de la ville. Vous trouverez de l'eau, et tout le reste, à l'étage en dessous. Un repas est servi à sept heures. Vous ferez la connaissance de vos voisines.

Elle se retira après un salut de la tête.

— Je vous remercie, madame, dit Félicité à la femme qui s'éloignait.

Elle se laissa tomber sur le lit, les yeux fixés au plafond. En la reléguant à une chambre de domestique, on lui signifiait de ne pas trop s'attarder en ces lieux. Elle-même n'en avait pas l'intention. De toute façon, sa situation se clarifierait bientôt.

Sa main se porta à l'intérieur de sa cuisse, sur le rouleau de ses économies, la part de Phébée maintenant entre les mains de John Muir, à l'abri dans son nouveau logis. Son ami entendait lui aussi se réfugier dans une institution de bienfaisance : le YWCA. Tous les deux s'étaient entendus pour faire le siège de l'hôpital de Fletcher's Field le prochain dimanche.

Fernande morte, plus rien ne retenait Phébée en ces lieux. Toute la journée du vendredi, réprimer son envie de prendre ses jambes à son cou fut difficile. Avec la présence de tout le personnel, les chances de réussir s'amenuisaient. Pire encore, de nouveaux visages circulaient dans les salles. Ces nouveaux employés des deux sexes se montraient bien plus attentifs aux besoins des malades que les autres. Leur présence pleine de sollicitude rendait une évasion encore plus difficile. Mieux valait attendre la nuit ; avec un peu de chance, seul le gardien assurerait le service, comme d'habitude.

À l'heure du souper, les malades mesurèrent de nouveau l'ampleur de l'amélioration soudaine du service. Le repas arriva non seulement à l'heure, mais la nourriture se révéla plus abondante et mieux préparée. Plus encore, au lieu de laisser les mieux portants servir les autres, les employés apportèrent des bols à chacun. Pour faire oublier son incurie des dernières semaines, le Service de santé municipal avait donné des ordres stricts.

— On dirait qu'ils veulent nous faire grossir, dit la blonde à l'intention de sa nouvelle voisine de lit.

Judith Collins esquissa à peine un sourire. L'état pitoyable de son fiancé à l'étage la laissait comme frappée de stupeur.

— Cette nuit, tu viendras avec moi ? l'interrogea Phébée dans un souffle.

L'autre secoua la tête de droite à gauche, ses yeux se portèrent machinalement vers le plafond. Bien sûr, jamais elle ne s'éloignerait avant le départ de son amoureux.

En fin de journée, Phébée n'eut pas le cœur de laisser seule sa nouvelle compagne. De toute façon, le jeune homme ne survivrait pas bien longtemps encore. La variole rouge tuait rapidement. Puis l'amélioration de l'ordinaire rendait moins impérieuse une fuite rapide.

Le soir allongea les ombres dans la pièce, puis ce fut l'obscurité, et le personnel déserta les lieux comme prévu. Le gardien de nuit profitait toutefois de la présence d'un collègue. Judith Collins demeura longtemps sur le qui-vive, dans l'attente du moment propice. Passé minuit, elle laissa sa couche, et se déplaça comme une ombre blanche et légère. Phébée hésita seulement quelques secondes, puis se résolut à l'accompagner. Son histoire la touchait. Si le sort s'était révélé moins cruel, son propre mariage aurait été célébré dans moins de dix heures.

« Qu'est-ce que Jules doit penser, en ce moment ? » se demandait-elle. Il ne pouvait plus ignorer sa situation, Félicité devait s'être fait un devoir d'aller le mettre au courant. L'arrivée du docteur Louis Laberge dans la ruelle Berri avait évité à la blonde la brûlure de ses yeux sur elle. Comment aurait-il réagi ? Dans son regard, qu'aurait-elle lu ? Le dégoût ? La pitié ? Le mépris ? Il lui avait répété si souvent l'importance de se faire vacciner ! Dix fois peut-être ? Ou cent ?

Bien sûr, le pharmacien avait eu raison. Aucune femme vaccinée ne ressemblait à un bovin. Félicité présentait toujours les mêmes traits doux et réguliers. Ce soir, Jules se sentait-il soulagé de ne pas avoir à respecter un engagement de mariage avec une variolée, ou avec une idiote ? Elle était les deux, impossible de le nier.

En gravissant l'escalier sur les talons de sa compagne, Phébée passait l'extrémité de ses doigts sur ses joues, sur son front. Les pustules crevées, des croûtes se formaient. D'ici quelques jours, elles tomberaient. Il ne resterait que les cicatrices, de petits cratères, comme l'effet de la grêle sur un sol vaseux.

Dans la salle dévolue aux victimes de la variole rouge, Judith se jeta près de la couche de son fiancé, posa sa paume sur sa poitrine.

— Andrew ? Tu m'entends ?

La respiration du malade paraissait faible, laborieuse. Pendant une demi-heure, la jeune femme murmura à l'oreille de son fiancé. Jusqu'à ce qu'il exhale son dernier souffle. Longtemps après, la blonde lui prit les épaules pour l'aider à se relever.

— Viens, tu ne peux plus rien.

À la fin, elle se laissa convaincre. De retour dans son lit, couchée sur le ventre, Judith s'abandonna à sa douleur. Dans un hôpital, chacun faisait d'abord le deuil de toute dignité.

— Y en a un autre ! cria une voix dans le hall.

Après un silence, l'homme enchaîna :

— Tu viens m'aider ? J'peux pas le descendre tout seul.

Phébée regarda la jeune femme éplorée près d'elle, distinguant à peine sa silhouette dans l'obscurité. Comprenait-elle le français ?

Le samedi matin, l'hôpital de Fletcher's Field bourdonnait de l'activité du personnel encore plus nombreux que la veille. Plus de six mois après le début de l'épidémie, le conseil municipal paraissait soudainement résolu à accorder à ces malades les soins que leur état nécessitait. Plus curieux encore, dès huit heures du matin des voitures s'alignaient sur le chemin public, juste en face de l'établissement.

Quand le docteur Nolin vint faire la tournée habituelle, il se tenait plus droit, s'efforçait d'appeler les malades par leur nom. Cet effort tenait à la présence de son patron immédiat, le directeur du Service de santé de la Ville. Debout au milieu de la salle, Louis Laberge regarda les visages ravagés, puis expliqua la raison de ce branlebas de combat :

— Mesdames, vous allez quitter cet endroit trop… rudimentaire.

Ce qualificatif ne lui était pas venu à l'esprit le premier. Formulés à haute voix, les autres termes auraient exprimé une critique implacable du travail d'un collègue. Cela ne se faisait pas, entre médecins

— La Ville a aménagé un hôpital temporaire sur le terrain de l'exposition, dans le grand pavillon. Ce sera bien mieux qu'ici, je vous assure. Les sœurs grises vont s'occuper de la partie catholique de l'hôpital…

— Temporaire ? questionna quelqu'un.

— On a déjà commencé la construction d'un nouvel établissement, Saint-Roch. Il sera prêt l'été prochain.

Tout en parlant, l'homme contemplait Phébée, les yeux interrogateurs. Après une multitude de visites dans divers domiciles, il tentait de se souvenir où il l'avait vue. Quand cela lui revint, il esquissa un sourire.

— Si vous pensez être en mesure de marcher vers l'une de ces voitures, mettez une robe. Vous vous sentirez plus à l'aise, il y aura des journalistes là-bas. Pour les autres, ne vous tracassez pas : on vous portera, bien enveloppées dans des couvertures. Les premières d'entre vous partiront dans une heure.

Les malades s'entreregardèrent. Leur première inquiétude fit place au soulagement : cela ne pouvait être pire ailleurs.

— Mademoiselle, dit encore le médecin en s'approchant de la blonde, dans un instant j'aimerais vous dire un mot… Si vous le voulez, bien sûr.

Surprise, elle acquiesça d'un mouvement de la tête. Laberge quitta les lieux pour aller annoncer la bonne nouvelle dans les autres salles. Phébée allongea la main sous sa couchette, récupéra la robe noire pliée soigneusement et posée sur le sol. Curieusement, la revêtir au milieu de tout ce monde se révéla aussi gênant que l'enlever, cinq jours plus tôt. À peu près à cette heure précise, si les événements avaient suivi leur cours, elle aurait répondu «oui». Dans une fenêtre, elle contempla son reflet avec son vêtement de deuil.

Plutôt que de laisser son désespoir l'envahir, elle se pencha sur sa voisine.

— Ça va aller?

L'autre paraissait s'emmêler dans les boutons de sa robe. Elle hocha la tête sans conviction.

— Laisse, je vais te donner un coup de main.

Ensuite, la couturière l'aida à attacher le vêtement jusque sous le menton. Toutes les deux se trouvaient sur le chemin de la guérison, aucune n'avait jamais vu sa vie vraiment menacée. Leur convalescence aurait dû se dérouler dans leur domicile, seule l'incurie du système les avait amenées là.

Dans le hall, la jeune femme se trouva face à la directrice. Celle-ci ne portait plus l'étrange voile de religieuse. Les infirmières s'affichaient maintenant dans une robe de coutil: disparus les vêtements masculins.

— Ah! Mademoiselle, je suis heureux de vous voir dans cet état. Vous vous rétablissez bien.

Le docteur Laberge lui tendait la main, elle accepta de la serrer. Il la regardait dans les yeux, comme si les croûtes d'un brun rougeâtre sur ses joues n'existaient pas.

— Vous ne paraissez plus avoir besoin de séjourner dans un hôpital. Si vous le souhaitez, vous pouvez partir.

La jeune femme écarquilla les yeux, surprise.

— Savez-vous où aller, au moins ? continua-t-il.

La question lui tournait dans la tête depuis trois jours. Elle aurait préféré s'éloigner de la rue Sainte-Catherine et de toutes les officines de pharmaciens, les nouvelles comme les anciennes. Pourtant, un seul endroit s'imposait à son esprit comme un « chez-soi ».

— Je vais retourner où vous m'avez trouvée.

Son interlocuteur fronça les sourcils.

— Vous ne vous souvenez pas ? Vous ne m'avez pas laissée le temps de faire ma valise. Toutes mes possessions sont encore là.

Le visage masculin se troubla un peu. Faire ce trajet à pied en octobre, si légèrement vêtue, risquait de lui infliger un mauvais rhume.

— Si vous voulez, je peux vous payer un fiacre… Vous me rembourserez quand vous pourrez.

La blonde secoua la tête pour dire non. La charité, après avoir été littéralement enlevée de sa demeure, lui semblait une insulte après l'injure. Le docteur Laberge allait partir quand elle dit :

— La personne près de ma couche se porte aussi bien que moi. Nous partirons ensemble.

L'autre donna son assentiment de la tête, puis quitta les lieux d'un pas rapide. Phébée revint dans la salle, tendit la main à Judith Collins pour l'aider à se lever.

— Nous partons.

— On ne nous a pas dit encore de monter dans ces voitures.

— Nous retournons à la maison. Nous n'avons rien à faire là-bas.

L'autre se laissa entraîner. Le médecin avait dû donner des ordres, car si les membres du personnel les regardèrent avec des yeux sévères, personne ne leur bloqua le chemin. Dans la cour, Judith étouffa un sanglot en voyant les cercueils entassés près du muret de pierre. Ces vilaines boîtes aussi seraient transportées dans le nouvel hôpital. L'épidémie poursuivrait ses ravages pendant de longues semaines encore. Un frisson de froid, ou était-ce de peur, agita leur corps.

En matinée, une longue procession s'était formée sur la place Jacques-Cartier, à peu près en face de l'hôtel de ville. Cette fois, l'endroit n'appartenait pas aux émeutiers, mais à tout ce que la municipalité comptait de notables. Tous les échevins, les principaux employés du Service de santé et les membres du comité d'hygiène, et des personnages au rôle indéfini mais sans doute important à en juger par la qualité de leurs vêtements, s'étaient rassemblés.

Bien moins élégants mais nécessaires dans un contexte où il fallait gagner une population toujours récalcitrante aux mesures de protection, le contingent de journalistes représentait toutes les gazettes montréalaises.

Pour transporter tout ce monde, on avait recruté de nombreux cochers. De grandes calèches ouvriraient la procession, des fiacres viendraient ensuite. Robert Gray se devait de tenir compagnie au maire. Comme dans toutes les occasions de ce genre, Honoré Beaugrand se sentait obligé de porter son grand collier de fonction sur un habit de soirée. En matinée, pareil accoutrement jurait un peu.

En attendant l'illustre personnage, le pharmacien s'appuya contre la voiture. En allant rejoindre la sienne, le conseiller Martin s'arrêta en passant :

— L'histoire de votre apprenti, quelle horreur, commença-t-il.

— Pauvre petit gars… à une semaine de son mariage. De votre côté, pas de victime chez vos neveux et nièces ?

— Malheureusement oui, une gamine de cinq ans.

Le politicien n'avait pas commenté l'événement à l'hôtel de ville. Son opposition initiale à la vaccination lui aurait valu son lot de remarques cinglantes.

— Je suis désolé d'apprendre cela, monsieur Martin.

— Dans cette épidémie, les enfants ont été les victimes les plus nombreuses.

— C'est toujours le cas. Pourtant, ils n'ont pas voix au chapitre quand il s'agit de prendre des décisions d'ordre sanitaire.

Le maire s'approchait, le conseiller s'éloigna la tête basse, peu désireux d'engager la conversation avec lui. L'arrivée du premier magistrat amena tous les cochers à regagner leur siège. Après plus d'une demi-heure de trajet, la caravane s'arrêta sur le terrain de l'exposition, devant le grand pavillon. Si le bétail et les machines agricoles s'entassaient là en septembre dernier, maintenant la grande bâtisse prenait une tout autre allure. Un cordon de miliciens du Fifth Royal Scots protégeait les lieux de toutes nouvelles incursions des manifestants.

Dans l'immeuble, les visiteurs se réunirent autour du maire. Debout sur une chaise, celui-ci commença :

— L'hôpital des varioleux ne suffit plus à la demande depuis des semaines. Jusqu'à ce que la construction de l'hôpital Saint-Roch soit terminée, l'an prochain, tous les malades recevront ici les meilleurs soins.

L'homme tourna sur lui-même pour désigner les lieux d'un grand geste de la main.

— En réalité, vous voyez ici deux établissements. Dans Saint-Camille, une trentaine de sœurs grises aidées de nombreux domestiques s'occuperont de trois cent cinquante lits, répartis entre les hommes et les femmes. Cette grande cloison préservera l'intimité des uns et des autres.

Les religieuses se tenaient dans un coin, discrètes comme il convenait à leur statut. La modestie de l'effectif permettait de conclure que bientôt elles seraient écrasées de travail.

— De l'autre côté, vous avez St. Saviour, avec ses cinquante lits. Cinq sœurs épiscopaliennes s'y dévoueront pour les malades protestants.

Ces chiffres témoignaient bien de la répartition des varioleux entre les deux communautés linguistiques.

— Monsieur Gray pourra vous décrire les équipements mieux que moi.

Les journalistes prenaient des notes sans discontinuer. Après avoir multiplié les articles décrivant les horreurs de l'établissement de Fletcher's Field en s'alimentant aux récits des survivants, pendant quelque temps ils se montreraient disposés à vanter la modernité de ces nouvelles installations.

Le pharmacien les mena dans la section des hommes de Saint-Camille. De petits lits de fer s'alignaient sur trois rangées. Sur chacun, un matelas, un drap bien propre, une couverture dans le même état : au moins ce jour-là, les lieux s'avéraient exemplaires.

— Chacune de ces salles modernes sera dotée des meilleurs équipements et les exigences de l'hygiène seront rigoureusement respectées.

— Comme dans la maison du chemin du Mont-Royal ? demanda le gratte-papier du *Daily Star*.

L'homme parlait du vieil hôpital pour les varioleux. Ses descriptions semaient la rage chez ses lecteurs.

— Moi, je me suis occupé de cet endroit-ci, et c'est de lui dont je vous entretiendrai. Pour ces quatre cents malades, et tous les membres du personnel, nous avons installé des *Heap's*

Patent Earth Closets. Si loin vers le nord, impossible de nous relier au système d'égouts municipaux.

Le président du comité d'hygiène attira encore l'attention sur les lampes à arc électriques, les bains où les malades profiteraient de l'eau chaude. En toute honnêteté, ces représentants de la presse devraient souligner la qualité des installations, au lieu d'ameuter les foules pour vendre de la copie.

Dans une bâtisse plus modeste, ils virent encore la buanderie où les draps et les couvertures seraient lavés à la vapeur, et l'incinérateur où l'on réduirait en cendres les déchets liquides et solides. Le contenu des *Earth Closets* « patentés » finirait là. Puis Gray abandonna les visiteurs pour se réfugier dans un coin : l'évêque catholique et l'évêque anglican devaient bénir l'hôpital, chacun selon leur confession. Réunir ainsi les représentants des deux communautés religieuses concurrentes se révélait en soi un véritable tour de force.

Phébée n'avait pas confié toutes ses économies à Félicité, en quittant la ruelle Berri. Elle avait cousu trois dollars dans l'ourlet de sa robe, une somme destinée à préserver sa dignité. Pendant qu'elle descendait la rue Bleury pour rejoindre la paroisse Saint-Patrick, les regards dégoûtés parfois, chargés de pitié la plupart du temps, agissaient sur elle comme une brûlure. Ces croûtes hideuses, il lui fallait les dissimuler.

Cependant, bonne fille, elle commença par accompagner Judith Collins jusque chez ses parents. En serrant contre elle la jeune femme transie de froid et toujours sous le choc après la mort de son fiancé, des larmes lui montèrent aux yeux. Puis l'Irlandaise pénétra dans la maison familiale sans se retourner. Un bref instant, la jalousie épingla le cœur de la blonde.

Au moins, sa compagne des derniers jours savait auprès de qui se réfugier.

La tête basse, la couturière regagna la rue Saint-Laurent pour remonter vers le nord. Les passants vaquaient à leurs affaires. Toutefois, les regards exprimaient la crainte de la contagion. Elle entra dans la boutique d'un regrattier. Les circonstances incitaient les marchands de vêtements d'occasion à placer bien en vue les tenues funèbres. Pour offrir ses pustules moins longtemps à l'examen du vendeur, elle paya trop cher un chapeau et une veste noirs. Son choix négligea l'élégance, au profit de l'opacité de la voilette.

Phébée revint dans la rue en portant le deuil de sa propre vie. Personne ne voyait ses traits, pas même son cou. Tout de suite, elle se sentit plus légère. Après avoir tant apprécié le regard des hommes, pouvoir s'y dérober lui procurait le plus grand soulagement.

— Je vais passer devant chez elle, fit-elle à mi-voix. La boutique finira bien par rouvrir, si ce n'est déjà fait.

Pour subvenir à ses besoins, le mariage ne représentait plus une option. Il lui restait seulement les travaux d'aiguille. En s'engageant vers l'est, elle devait bien admettre que la boutique de Janvière n'était pas son principal objectif. Renoncer à l'espoir lui était bien difficile.

Elle regarda la vitrine de Robert Gray, remarqua les nouveaux carreaux aux fenêtres. Le carton portant le mot *Closed* la déçut un peu. Au moins, elle pouvait s'arrêter sans crainte d'être aperçue.

Se pourrait-il que…

Debout devant les grandes fenêtres, la blonde contempla son reflet, une mince silhouette noire, pas très grande. En baissant les yeux, quelque chose attira son attention, un cadre placé entre un mortier et un pilon de porcelaine. Une photographie, celle de Jules, et, placé adroitement en travers de celle-ci, un ruban noir.

— Non !

Le cri amena des passants à se retourner. En ce samedi après-midi, ils étaient nombreux dans la rue marchande. La jeune femme se laissa choir sur ses genoux, si lourdement que la douleur irradia ses jambes. Les épaules secouées de sanglots, elle tendit la main, la posa sur la vitre, juste à la hauteur du portrait, comme pour le toucher.

— Tu n'es pas mort, c'est impossible.

La plainte déchira le cœur de certains badauds. Ceux-ci faisaient un crochet pour ne pas la heurter. Personne ne l'aida à se relever. Comment savoir quelle attitude adopter devant une pareille souffrance.

Après de longues minutes, en s'appuyant sur le cadre de la fenêtre, Phébée parvint à se remettre sur ses pieds. Titubant comme si elle était ivre, laissant entendre une plainte continue, elle poursuivit son chemin vers l'est.

Chapitre 22

Non seulement Félicité échappa à l'enseignement religieux offert par le YWCA, mais elle se retrouva au milieu d'une foule de plusieurs milliers de fidèles devant l'église Notre-Dame. Les contestataires prenaient congé en ce dimanche pour céder la place aux bons chrétiens.

— Te voilà toi aussi parmi des protestants, dit-elle à John Muir, venu la rejoindre devant le temple.

— Le YWCA se révèle aussi accueillant que son équivalent féminin. Puis je n'ai aucune raison de leur dire que j'appartiens à l'Église de Rome, cela simplifie les choses.

— Quant à moi, ma façon de parler anglais ne laisse aucun doute à ce sujet.

L'ébéniste avait envoyé un petit mot pour dire à sa compagne de venir le rencontrer là. Il devinait que celle-ci ne voudrait négliger aucune occasion de demander au Seigneur de libérer la ville de l'épidémie. Malgré les doutes tenaces dans son âme, ces comportements séculaires la rassuraient.

— Bon, je rejoins ces joyeux lurons, dit l'artisan avec dérision, nous nous mettrons en route dans une minute. C'est entendu, le premier qui arrive près de l'église Saint-Jacques attendra l'autre.

Hommes et femmes devaient marcher en groupes séparés. La châtaine acquiesça d'un signe de la tête, puis rejoignit un fort contingent de personnes de son sexe. La fête du Rosaire avait eu lieu le mercredi précédent, mais comme à l'accoutumée, puisque les catholiques travaillaient le plus souvent pour des patrons peu susceptibles de leur donner congé en milieu de semaine, la procession avait été remise au dimanche.

Une petite agitation se produisit sur le parvis de l'église. Un homme vêtu d'écarlate sortit par les grandes portes. Dans la main, il tenait une hampe sur laquelle on avait accroché une grande pièce de tissu portant le visage de la Vierge finement brodé, entouré par un grand chapelet. Notre-Dame-du-Rosaire ouvrirait la longue procession.

— Je me demande qui est cet homme ? dit la châtaine à mi-voix.

Au milieu de la foule, la question ne passa pas inaperçue.

— C'est le bedeau de la cathédrale qui fait son frais, répondit la bonne femme à ses côtés.

— Pourquoi cette grande robe rouge ? Ce n'est ni un prêtre ni un religieux.

— Y fait son frais, j'te dis.

Peut-être cet individu péchait-il par orgueil, mais son costume datait de la nuit des temps. Ce sacristain devait voir à l'entretien de l'église et à la préservation de la paix et du bon ordre dans l'immense bâtisse. Cela lui valait de se faire si voyant. Bientôt, la rumeur en ferait l'auteur de nombreux textes présentant la variole comme le salaire des péchés du carnaval, même s'il signait d'un pseudonyme.

— Pis là, derrière, c'est Notre-Dame-du-Bonsecours.

De la main, l'inconnue pointait une statue de la Vierge de métal portée sur leurs épaules par des marguilliers. La mère de Dieu se voyait désignée de diverses façons, selon le genre d'intercession que l'on attendait d'elle.

— D'habitude, c'est les marins qui vont la prier avant de partir pour pas couler. Y sont allés la chercher dans sa chapelle pour la promener dans la ville. A pourra peut-être chasser cette maudite maladie.

Le gros mot s'accompagna d'un signe de croix. La matrone devait vivre seule, pour ressentir autant le besoin de parler. Avec une jeune fille trop réservée et trop polie pour lui tourner le dos, autant en profiter. Le regard de Félicité se portait sur cette Marie de laiton. Elle se tenait debout sur un globe impressionnant. Six hommes joignaient leurs efforts pour la déplacer.

Ouvrant la procession, le bedeau s'engagea vers l'est, rue Saint-Paul, suivi de la madone. Un contingent de religieux, de séminaristes et de prêtres venait ensuite, comme une avant-garde.

— Le pauvre vieux, qui c'est qu'a eu l'idée de le faire marcher de même ?

Monseigneur Édouard-Charles Fabre venait ensuite, sa mitre sur la tête, sa crosse à la main. Âgé de cinquante-huit ans, il pouvait encore se livrer à une longue promenade dans les rues de la ville, mais la rumeur lui prêtait une santé précaire.

— Pis en plus, paraît qui l'ont vacciné deux fois.

— Tant mieux, il ne sera pas malade.

La paroissienne regarda la jeune femme les yeux chargés de soupçons.

— Y sera pas malade parce que c'est un saint !

Le prélat s'engagea à son tour dans la procession, encadré d'une douzaine d'hommes vêtus de soutanes noires. Puis ce fut le tour des religieuses, et ensuite des femmes laïques de se joindre au cortège. Toutes, Félicité y compris, avaient enroulé un chapelet dans leurs mains. Les plus jeunes marmonnaient déjà des *Je vous salue Marie*. Parmi les religieuses, une voix haut perchée entonna un cantique religieux, bientôt, tout le monde chanta à l'unisson avec une belle ferveur.

Les hommes suivaient, fermant la marche. Le trajet dans la rue Saint-Paul dura peu. L'armée de chrétiens s'engagea vers le nord et la ménagère glissa :

— R'garde de l'aut' côté, c'est la maison de not' Sainte Vierge.

La châtaine suivit la direction indiquée pour reconnaître la chapelle Notre-Dame-du-Bonsecours.

La distance à parcourir rue Saint-Denis serait assez longue. Au coin de Dorchester, elle pensa à la ruelle Berri, toute proche. Le souvenir de Phébée quittant la chambre sous l'ordre du docteur Laberge la mit au bord des larmes. C'était six jours plus tôt, et depuis, aucune nouvelle. S'empêcher de penser à son décès éventuel devenait de plus en plus difficile.

Bientôt, la procession dépassa la rue Sainte-Catherine. Quand l'église Saint-Jacques se dressa sur sa droite, la jeune femme faussa compagnie à la mégère pour regagner le parvis. Un millier d'hommes peut-être passa sous ses yeux. John vint bientôt la rejoindre pour lui offrir son bras.

— Nous aurions pu les suivre encore, commença Félicité. Un rosaire, ce n'est pas si long.

— À voir l'itinéraire prévu, ils en diront deux ou trois. Le terrain de l'exposition, c'est pas à la porte, tu sais.

— Tu es certain qu'elle est là ?

— Si tu as feuilleté les journaux hier, tu as vu aussi. L'hôpital de Fletcher's Field a été complètement vidé.

Les quotidiens ne répétaient alors que les promesses de l'hôtel de ville. Les détails sur cette migration ne viendraient que dans les numéros du lendemain.

— Mais peut-être se trouve-t-elle encore là-bas ! On ne sait jamais.

— Dans le grand pavillon, ils ont quatre cents lits. Les patients de Fletcher's Field y logeront sans mal.

— Quatre cents ! Ils vont forcer encore plus de monde à quitter leurs proches…

Cela aussi, les journaux l'affirmaient sans retenue. Toute l'insistance sur le confort des nouveaux locaux visait justement à calmer les esprits. Le problème du manque d'espace réglé, on ne lésinerait pas sur les moyens à prendre pour emmener les malades.

La présence de tout un régiment de miliciens, dispersés en divers endroits du terrain de l'exposition, prit Félicité au dépourvu.

— Jules s'est fait tuer en faisant ce travail.

John serra les doigts posés au creux de son coude avant de dire :

— C'est un horrible accident, mais si son heure était venue…

— Tu crois vraiment que nous avons tous une date déterminée à l'avance ?

— L'Église nous enseigne que tout est écrit dans le grand livre de Dieu, de toute éternité.

« Voilà que je parle comme un calviniste maintenant, songea-t-il. Je ferais mieux de quitter le YWCA au plus vite. » Sa dérobade ne donna pas satisfaction à sa compagne.

— Mais toi, le crois-tu ?

— Je pense que nous avons tous notre rôle à jouer dans la grande représentation de la vie, mais personne ne nous a donné le texte de la saynète. Peut-être n'y en a-t-il pas, tout simplement. Alors nous nous démenons de notre mieux, nous improvisons.

Félicité serra son bras pour signifier son insatisfaction. Il éludait encore la question.

— Non, je ne crois pas que quelqu'un, quelque part, a prévu tout ce qui nous arrive. Nous faisons pour le mieux, mais nous sommes seuls.

Ces paroles, le vieux Romulus Sasseville les avait prononcées aussi. Cette fois-là, c'était à la suite de la mort de Floris ;

maintenant un autre les reprenait pour celle de Jules. L'idée d'être une brindille charriée ici et là par un torrent agité ne la satisfaisait pas.

La présence de l'ambulance noire du Service de santé de la Ville lui procura un autre sujet de préoccupation.

— Ils continuent de prendre les gens dans les maisons, murmura-t-elle. Demeurer avec ceux qui les aiment serait mieux.

De cela, elle ne démordrait jamais. Les ambulanciers sortaient avec un brancard vide après avoir livré leur fardeau. Le couple s'écarta pour les laisser passer, puis pénétra dans le grand immeuble. Félicité promena un regard surpris sur l'immense espace, haut de plafond. Les cloisons rapidement montées ruinaient tout de même un peu la première impression favorable.

Tout de suite, une religieuse quitta les employés occupés à accueillir le nouveau malade pour venir vers eux.

— Vous devez quitter les lieux. Vous comprenez, la contagion.

La châtaine se montra un peu surprise de la douceur du ton. Celle-là ne la traitait pas rudement comme le cerbère rencontré à Fletcher's Field presque une semaine plus tôt.

— Ma mère, nous sommes vaccinés tous les deux.

— Les gens ne comprendraient pas que je fasse exception pour vous.

— Ma sœur est ici. Hier, on l'a transférée de l'autre hôpital.

Si le lien de parenté évoqué n'était pas rigoureusement réel, il prédisposerait mieux la religieuse que les mots « mon amie ».

— Au moins, vous pourriez me dire comment elle va. Elle s'appelle Phébée Drolet. Son nom figure certainement dans vos registres.

La religieuse laissa échapper un soupir. Dans le vieil hôpital, on avait pris en note les noms des malades, la date de leur arrivée et celle de leur sortie – très souvent dans une boîte – en juin et en juillet, après, plus aucune trace des admissions dans le registre.

— Elle est arrivée avec une petite fille de huit ans, Fernande.

— Je vais aller voir si une jeune femme portant ce nom est arrivée hier. Attendez-moi ici.

La religieuse s'éloigna à pas mesurés. Une centaine de personnes, pour la moitié des femmes, avaient été reçues la veille. On avait regroupé les catholiques dans la même salle. À voix basse, elle présenta sa requête à la collègue chargée de les accueillir à leur arrivée.

— Phébée ? Ça ne me dit rien. Un prénom pareil, je m'en souviendrais.

— Et une petite fille, Fernande. Elles sont arrivées ensemble.

L'autre haussa les épaules, puis ajouta :

— Toutefois, je ne les connais pas encore toutes. Je vais voir.

La sœur grise passa devant les trois rangées de lit en se renseignant : « Phébée, vous connaissez une Phébée ? » Elle achevait sa tournée quand une malade dit :

— Une blonde avec des yeux bleus ?

Désormais, le mot « belle » ne figurerait plus dans la description.

— Peut-être. Vous savez où elle est ?

— Si c'est la bonne, j'l'ai vue parler avec l'autre docteur hier, pis elle a mis sa robe pour sacrer son camp, la chanceuse.

— Elle est partie avec une petite fille ?

— Ça non, la gamine est morte. La grande est disparue en compagnie d'une jeunesse de son âge.

L'information fut répétée à la sœur directrice, qui revint dans le hall. À la vue de son visage peiné, Félicité sentit les larmes monter en elle.

— Ma mère, elle n'est pas morte ?

— Votre sœur a quitté Fletcher's Field hier. Par contre, l'enfant est décédée.

Cette fois, la châtaine laissa éclater ses sanglots, de soulagement pour le sort de son amie, de douleur pour celui de Fernande.

— Je vous remercie, ma mère, du fond du cœur, dit John Muir, lui franchement heureux.

Son bras autour des épaules de sa compagne, il l'entraîna vers la sortie. Dehors, il put la serrer contre lui. Elle n'essaya même pas de maîtriser ses pleurs, répétant comme une mélopée :

— J'ai eu tellement peur ! Tellement !

Après quelques minutes, calmée, elle se redressa tout à fait.

— Allons à la ruelle Berri ; elle s'est certainement rendue là.

Pendant tout le trajet vers la paroisse Saint-Jacques, Félicité alterna entre la joie la plus pure et une grande anxiété. Après une journée dehors, son amie ne pouvait plus ignorer le sort de Jules.

Partie seulement six jours plus tôt, revenir dans la ruelle se révéla pourtant une expérience étrange. Ces lieux, elle ne pouvait plus les voir comme un habitat familier à cause, peut-être, du caractère dramatique des derniers jours : l'esclandre avec Crépin, la trahison d'Hélidia, l'enlèvement par la force de Fernande et de la couturière. Bien qu'y habiter de nouveau lui paraissait au-dessus de ses forces, un mot de Phébée aurait pu suffire à la convaincre.

Fruit de l'habitude, Félicité poussa la porte sans frapper, réalisant son sans-gêne une fois rendue dans le corridor. On était en toute fin d'après-midi, tout naturellement Vénérance sortit de sa cuisine en s'essuyant les mains sur son torchon.

— Ah ! C'est vous autres.

Le ton n'exprimait ni plaisir, ni déplaisir. Des yeux enflés témoignaient de pleurs récents. Elle savait sans doute.

— Je suis tellement désolée, madame Paquin, commença la jeune fille en lui tendant la main. Vous avez toute ma sympathie.

Si l'autre la prit dans la sienne, elle ne dit rien. Sa vie ne l'avait pas rendue familière avec la sollicitude. Une seule larme se détacha de son œil droit pour couler sur sa joue. Félicité se considéra comme remerciée.

— Comment vous portez-vous?

— J'laisse aller. J'travaille, ça me permet de moins brailler.

— C'est Phébée qui vous l'a dit? intervint John.

— Oui. Pauv' p'tite. Son gars qui s'fait tirer dessus, c'était pas assez. La v'la tout abîmée.

Toute rugueuse qu'elle fût, elle-même en deuil, la matrone trahissait sa compassion.

— Nous pouvons aller la voir? demanda Félicité.

— A descend pu. Va falloir qu'a se raisonne, moi, j'peux pas lui monter son repas deux fois par jour…

Vénérance marqua une pause, puis reprit:

— J'suppose que vous pouvez aller la voir. C'est pas comme si vous étiez des étrangers.

Même dans ces circonstances, changer ses règles la troublait. Quand le couple s'engagea dans l'escalier, elle leur apprit:

— Est dans la chambre de la salope. En arrière, c'est loué à un vendeur.

— Hélidia n'est plus ici? questionna la châtaine.

— Si a l'approche à moins de mille pieds de la porte, j'lui enlève le goût du pain. Pis si j'avais pas les garçons, ce s'rait déjà faite.

— Et moi, je vous aiderais, je pense.

Voilà qui cadrait mal avec son passé de couventine. L'idée d'offrir l'autre joue lui répugnait de plus en plus. Ses trois petits coups contre l'huis restèrent sans réponse, elle recommença.

— C'est qui? fit une voix.

— C'est moi. Ouvre.

Il se passa pourtant encore un moment avant que la porte ne tourne sur ses gonds. Félicité remarqua la robe de deuil, le chapeau sur la tête et surtout la voilette épaisse. Ces barrières ne l'empêchèrent pas de se précipiter dans ses bras. Elle releva bien vite la résille pour prendre le visage ravagé dans ses mains, embrasser son amie.

— Je ne te dégoûte pas, comme ça ?

— Ne pense pas des choses si méchantes sur moi.

La châtaine n'affichait pas la moindre trace de répulsion. Plutôt, ce fut Phébée qui se raidit en voyant John Muir dans l'embrasure de la porte.

— Là, tu vas arrêter ça, dit-il en entrant avant qu'elle n'ait le temps de prononcer un mot.

Il referma derrière lui, la prit aux épaules pour la presser contre sa poitrine. La petite bougie posée près du lit laissait la pièce dans la pénombre. Le trio demeura immobile, emprunté. Les visiteurs devaient-ils évoquer Jules ? La blonde balaya leur incertitude.

— Finalement, il n'aura pas à voir ça.

De la main, elle désigna vaguement son visage.

— Dire que ses parents n'arrêtaient pas de lui conseiller de lâcher la milice.

Incapable d'émettre un son, Félicité la pressa longuement contre elle. À la fin, les deux jeunes femmes utilisèrent le bord du lit comme un siège, l'homme occupa la chaise. La conversation sembla normale quand ils évoquèrent les nouveaux logis des visiteurs. Puis, Félicité osa dire :

— Je peux venir te rejoindre ici ce soir, si tu veux. Le temps de passer rue Metcalfe…

— Tu as repris le travail ?

Heureusement, la couturière posa son bras autour de sa taille, sinon cette question aurait été ressentie comme une cruelle rebuffade.

— Non, pas encore…

— De mon côté, je ne sais même pas si quelqu'un voudra embaucher une cousette… comme moi. En prenant leurs mesures, les clientes trouveraient bien étrange que je porte une voilette.

Elle marqua une pause avant de murmurer :

— Attendons de voir où la vie nous conduira toutes les deux. Je préfère vivre seule un certain temps.

Le visage de la châtaine se décomposa sous la douleur.

— Tu es ma sœur, rappela son amie tout de suite. Mais là, je braille en me couchant, puis en me levant, je braille encore en mangeant le gruau de Vénérance le matin, puis en mangeant sa soupe le soir. Faire la grimace en permanence, ça n'améliore pas mon visage. Je te jure sur mon amour pour Jules que nous nous reverrons quand j'aurai les yeux secs.

Comme pour sceller leur engagement, elles pleurèrent ensemble. Un peu mal à l'aise, John Muir fouilla dans sa poche en disant :

— Je te rends ta fortune tout de suite. Nous avons laissé tes vêtements ici, en partant, et une partie de ceux de Félicité.

— Je sais. Quand je suis revenue, elle avait déjà loué au fond du couloir. Penses-y, un commis de magasin, ça paie plus cher que des pauvres filles !

Un silence trop lourd, inconfortable, s'installa dans la pièce. Après un soupir, la convalescente ajouta :

— Là, j'ai une grosse provision de larmes à faire sortir. Je vous remercie d'être venus me voir.

La châtaine ressentit ces mots comme une piqûre à l'âme.

— À propos du travail, que comptes-tu faire ? interrogea l'ébéniste.

Personne, dans leur univers, ne pouvait s'abandonner très longtemps à sa peine. Au fond, peut-être était-ce mieux ainsi.

— Dès que j'aurai la force de sortir de ce trou, je me présenterai chez Janvière. Comme il est possible que j'aie attrapé cette maudite maladie de son rejeton, peut-être se sentira-t-elle assez coupable pour me reprendre.

John se leva sur les derniers mots.

— Viens ici, que je te fasse la bise.

La blonde hésita avant d'accepter de prendre sa main pour se lever. Elle se raidit un peu quand il posa ses lèvres sur ses joues, puis s'abandonna. Félicité l'embrassa à son tour en lui confiant :

— J'étais tellement inquiète, je pensais devenir folle.

— Nous nous retrouverons bientôt, n'aie crainte.

L'instant d'après, les visiteurs descendaient l'escalier sans faire de bruit, peu désireux d'engager la conversation avec Vénérance. Dans la rue, la jeune femme se pendit au bras masculin, ne sachant trop que penser.

— J'aurais aimé venir la rejoindre, avoua-t-elle enfin.

— Elle désire un peu de temps. Avec les événements des dernières semaines, je la comprends de vouloir s'isoler un peu.

Sa compagne hocha la tête.

Le YWCA n'accueillait pas les jeunes bourgeoises. Celles-là se logeaient dans un environnement moralement sûr. Les résidantes venaient de milieux modestes, misérables parfois. Parmi les voisines de Félicité, certaines travaillaient dans des bureaux ou des commerces, et d'autres comme domestiques.

Pourtant, le lendemain matin, l'idée de mettre son vieux « costume de travail » pour se rendre à la Dominion Cotton lui répugna. Elle se refusait à se présenter à ces femmes sous un jour aussi misérable. Pour le déjeuner, elle revêtit sa robe grise, un peu trop fatiguée d'avoir été si souvent portée, mais encore convenable.

En sortant de table pour se rendre à la manufacture, l'ouvrière portait son vieil accoutrement dans son sac de toile. Les latrines lui fourniraient un lieu discret où se changer, si le contremaître Rouillard lui rendait son emploi. Dans cette éventualité, son malaise monterait toutefois d'un cran quand elle reviendrait à la maison, couverte de sueur et de poussière de coton.

Puisque la Dominion Cotton était loin de la rue Metcalfe, il lui fallut accélérer le pas afin d'arriver un peu avant sept heures. De loin, elle aperçut un petit attroupement. Cela n'annonçait rien de bon. Des collègues traînaient sur le trottoir au lieu d'entrer, donc les portes demeuraient fermées pour elles.

— Félicité, l'interpella une vieille dame, c'est quoi ça?

Le carton épinglé près de l'entrée portait les mots *Closed until next week*. Évoquer le lundi à venir devait maintenir l'espoir de toutes ces femmes aux abois. Son travail de traduction effectué au profit de ses collègues, la jeune ouvrière chercha Rachel des yeux, sans succès. Sans doute était-elle venue très tôt, ou alors tentait-elle sa chance chez un autre employeur.

— Cet hiver, je n'arriverai plus! gémit la châtaine entre ses dents.

L'obligation de prendre plusieurs repas au restaurant la semaine précédente avait pesé sur ses ressources, les choses ne semblaient pas devoir revenir à la normale très bientôt. Les manifestations s'étaient raréfiées, mais les journaux alignaient de trop longues listes de victimes. La méfiance pour les produits venus de Montréal allait toujours en augmentant.

— Je dois trouver autre chose, mais je suis allée partout.

Combien de marchands lui avaient dit déjà n'avoir besoin de personne? Certainement plusieurs dizaines, et certains au moins trois fois depuis le mois de juin de l'année précédente.

Elle pensa au libraire établi au coin des rues Désiré et Sainte-Catherine, mais ce serait renouer avec ses ennuis habituels : offrir un présent, faire miroiter un emploi, cela traduisait un intérêt malhonnête pour sa personne. Après l'abbé Sasseville et Onil Grondin, difficile de croire qu'une offre pareille tenait à ses seules qualités professionnelles.

La tête basse, elle reprit le chemin du YWCA quand une évidence s'imposa : il lui fallait se résoudre à limiter sa recherche aux emplois dans les manufactures : elle ne savait rien faire d'autre. La grande bâtisse de la Hochelaga Cotton lui revint en mémoire. Rendue aussi loin dans l'est, autant y faire un saut tout de suite.

En tournant les talons, ce fut pourtant le souvenir du petit libraire affable qui lui revint à l'esprit. Comme elle aurait aimé y croire.

Après avoir réduit le sien en miettes, Phébée ne possédait plus aucun miroir, et jamais elle n'en voudrait un autre. De toute façon, son chapeau et sa voilette la masquaient suffisamment pour lui enlever tout souci à cet égard. À huit heures, elle quittait la maison de la ruelle Berri sans faire le moindre bruit. Dehors, la fraîcheur d'octobre chassa son léger mal de tête. Dans la rue Saint-Denis, les gens posaient sur elle des regards chargés de sympathie, à cause de son allure de veuve éplorée. Cela lui épargnait les attitudes surprises, ou dégoûtées.

Dans la fenêtre située au milieu de la porte des *Confections Marly*, une petite affiche annonçait « Ouvert de nouveau ». Le visage dans la vitre, elle ne distingua aucune cliente. La discrétion valait mieux, pour sa démarche. À son entrée, la clochette tinta joyeusement.

— Bonjour, madame. Que puis-je faire pour vous ?

Janvière n'avait rien perdu de sa silhouette un peu ronde et de son visage satisfait.

— Avec les malheurs des derniers mois, enchaîna-t-elle, nous avons un assortiment complet de vêtements de circonstance. Dites-moi ce dont vous avez besoin.

Des femmes en deuil d'un époux, beaucoup plus souvent d'un enfant, risquaient de se faire de plus en plus nombreuses dans les commerces. La marchande avait pris la peine de refaire ses approvisionnements avant de rouvrir ses portes ce matin-là. Avec des gestes calculés, Phébée souleva sa voilette.

— Oh mon Dieu! laissa échapper Janvière en portant la main à sa bouche.

La nouvelle de la mort de Jules lui était parvenue par les journaux. Personne n'avait pu l'avertir de la maladie de son ancienne employée.

— Viens t'asseoir avec moi, je vais fermer pendant un moment.

— Les clientes…

L'autre fit un geste de la main pour balayer cette préoccupation. La petite affiche du matin disparut, pour être remplacée par «Fermé pour une heure». Elle en avait tout un jeu, pour répondre à toutes les éventualités.

— Viens derrière, nous serons mieux, et personne ne nous verra.

Le petit local de couture comportait deux sièges. Elles s'installèrent l'une en face de l'autre. Deux heures plus tard, le second petit carton était toujours affiché à la même place.

La Hochelaga Cotton fonctionnait elle aussi avec un effectif réduit, le gérant n'embauchait pas et ne le ferait «que lorsque tout reviendra à la normale». Ce ne serait pas avant quelques semaines, puis le chômage d'hiver viendrait ensuite très vite.

Félicité remonta la rue Désiré d'un pas lent, renouant avec la vive inquiétude du mois de janvier précédent. Puis elle s'arrêta devant la porte de la librairie d'Octave Duplessis. Se pouvait-il que?… Un effort de volonté lui permit de chasser Sasseville et Grondin de son esprit.

S'interdisant de penser à l'absurdité de la démarche, elle tendit la main, poussa la porte. Une clochette tinta. Debout dans l'entrée, la longue pièce étroite s'offrit à ses yeux. Sur les côtés, de longs rayonnages ployaient sous le poids des livres. On en voyait toujours autant entassés sur des tables. Cette abondance lui tournait la tête: comme elle aurait aimé un environnement pareil.

«Non, il ne se souviendra pas de moi.» Alors qu'elle regrettait presque déjà de s'être laissé gagner par l'espoir, une voix enjouée venue de l'arrière du commerce la salua:

— Mademoiselle Félicité! Vraiment, je n'espérais plus vous revoir.

Non seulement se souvenait-il, mais son visage trahissait son plaisir de la rencontrer à nouveau.

— Vous allez bien, j'espère, continua-t-il en tendant la main.

Elle offrit la sienne, un peu gênée de ne pas avoir mis de gants. Cette négligence rompait avec les usages.

— Je ne vais pas très bien, j'en ai peur. Encore cette fois, je suis sans travail.

Son interlocuteur s'attrista tout de suite.

— À cause de cette épidémie, sans doute. Quelle misère. Dans les environs, de plus en plus de gens sont réduits au chômage.

Dans ce quartier, ateliers ou manufactures employaient beaucoup de personnes. Et avec toutes ces mises à pied, qui pouvait encore enrichir sa bibliothèque?

— L'hiver dernier, vous aviez évoqué…

Continuer serait littéralement demander la charité, impossible de s'y résoudre.

— L'état de mes affaires pour vous expliquer que je ne pouvais vous prendre avec moi.

Le souvenir précis qu'il avait gardé de cette première conversation flatta la visiteuse. Le rose lui monta aux joues. Les mots « Et puis ? » ne franchirent pourtant pas ses lèvres. L'autre la laissa se languir un peu. À la fin il confia :

— Personne ne s'arrache mes livres, mais au moins je ne perds pas d'argent. Puis heureusement, avec mon second métier, je peux m'en tirer assez bien.

Duplessis leva les mains, montrant de nombreuses taches d'encre. Félicité le regardait sans comprendre, avec ses grands yeux gris.

— J'imprime. Ces temps-ci, il s'agit trop souvent de cartes rappelant le décès d'un être cher. Les gens envoient ça aux personnes venues aux funérailles. J'aime mieux les faire-part de mariage, de naissance, de baptême. Puis tout le monde semble vouloir faire reproduire des textes ou des feuilles de musique. Alors je me salis les mains et je gagne ma vie. Les affaires vont assez bien pour que je ne puisse tout faire seul. J'ai un pressier déjà, j'aimerais compléter mon personnel.

Sa tête trop grosse s'inclinait un peu à gauche, la tignasse de ses cheveux semblait avoir rompu toute relation avec un peigne. Il devait porter ses doigts à son visage parfois, car un peu d'encre lui tachait l'aile du nez. Sa seule présence donnait à son interlocutrice l'envie de sourire.

— Vous sauriez lire à l'envers ?

Les sourcils froncés, sans comprendre le changement de sujet, elle préféra se taire.

— Mettez ce sac derrière le comptoir et venez voir.

Félicité hésita à peine à faire ce qu'il demandait. Ils se dirigèrent vers l'arrière de la salle. Une porte permettait d'accéder à un appentis de dix pieds sur vingt tout au plus. Dans un coin, un petit poêle à bois maintenait une température un peu trop élevée pour être confortable. La jeune femme défit les boutons de sa veste.

— Ça, c'est la casse, expliqua le libraire.

Il désignait une table dont une partie s'inclinait de plusieurs degrés, la seconde se dressant à un angle aigu. Un assemblage de languettes de bois en divisait la surface en des dizaines de rectangles, dont chacun contenait une multitude de petits morceaux de plomb.

— Ça, c'est le composteur. Je vais vous montrer.

Il prit une curieuse règle métallique longue de sept pouces peut-être, avec un bord relevé. Dessous, une poignée permettait de la tenir dans la main gauche.

— Là on doit piocher les caractères un à un, pour les aligner comme il faut.

Avec des gestes vifs, il recueillit huit lettres pour les aligner les unes contre les autres, maintenant toujours la dernière avec le pouce. Puis il s'approcha au point de mettre son épaule contre celle de la visiteuse pour lui présenter le résultat.

— Vous voyez, c'est un miroir.

F-é-l-i-c-i-t-é. Son prénom s'alignait de gauche à droite, toutes les lettres la tête en bas.

— On peut mettre trois lignes là-dessus. Puis on les pose sur la galée, là, et on continue avec les trois lignes suivantes. Quand une page est composée, on la met dans sa forme pour que rien ne bouge.

Pour lui montrer, il en prit une déjà prête sur une table. Les caractères de plomb s'alignaient en des lignes bien droites, une quinzaine au total.

— On met l'encre, puis on imprime avec la presse, là.

L'engin était installé dans l'autre section de la pièce. La petite leçon de moins de trois minutes présentait assez bien en quoi consistait la typographie. L'homme la regarda dans les yeux, puis demanda :

— Ça vous intéresse de faire ça ? Je vous paierai la même chose que la manufacture, au début. Après, ce sera selon votre performance.

— Mais je ne saurais pas…

Ses yeux se portaient sur la presse, une grosse machine mystérieuse.

— Pour l'impression, j'ai un vieux bonhomme acariâtre. Aujourd'hui, il n'est pas rentré. S'il en prend l'habitude, je serai obligé de le remplacer. Pas par vous, c'est trop dur pour une femme. Vous sauriez vous occuper de la composition toutefois, et pour relire la première épreuve afin de repérer les fautes, vous serez sans doute meilleure que moi.

Félicité le contemplait, interdite. Après avoir rêvé de se tenir derrière un comptoir de magasin, voilà que cet homme lui proposait d'accomplir un travail dont elle ignorait l'existence une demi-heure plus tôt. Elle se sentait même un peu ridicule : bien sûr, les livres et les journaux, quelqu'un les fabriquait.

Devant son silence, Duplessis dit encore :

— Là, vous gaspillez vos journées à ne rien faire. Essayez pendant quelque temps. Tenez, disons une semaine. Si ça ne vous plaît pas, vous retournerez à votre métier à tisser à la réouverture de votre manufacture.

— Mes six métiers, précisa-t-elle machinalement.

Il lui tendait une main tachée d'encre, un peu petite pour un homme. Elle y plaça ses doigts.

— Je ferai de mon mieux, je vous assure.

— Ce mieux sera suffisant, mademoiselle Drousson.

D'abord, elle ne réagit pas à l'usage de son véritable patronyme, tout en ressentant un étrange malaise. Puis la vérité se fraya un chemin dans sa conscience : il connaissait son identité !

La surprise passée, elle tourna les talons pour quitter l'appentis, courir vers la sortie donnant accès à la rue Sainte-Catherine. Le bruit des pas du libraire derrière elle résonnait comme celui du maillet de Gédéon Ouimet dans la petite école de Saint-Eugène, en ce jour fatidique. Elle touchait la porte quand une main la saisit juste en haut du coude gauche. Son mouvement brusque ne lui permit pas de se dégager.

— Attendez, plaida-t-il.

— Vous savez mon nom !

La voix contenait toute la honte, tout le désespoir de juin 1884. Comme si son malheur datait de la veille.

— Laissez-moi vous expliquer.

Félicité levait le bras, le rabaissait pour échapper à la main qui la retenait.

— Lâchez-moi, vous me faites mal.

— À la condition que vous m'accordiez deux minutes de votre temps.

Sous un voile de larmes, elle le distinguait à peine.

— Vous me promettez de ne pas vous sauver ?

Une partie d'elle-même souhaitait rester là, l'autre lui disait de courir sans jamais se retourner. Ce serait pour aller où ?

— Deux minutes, pas plus, insista-t-il.

Le mouvement de la tête valait un acquiescement, aussi la main abandonna son bras.

— Je sais reconnaître une maîtresse d'école quand j'en vois une. Votre langage, votre réserve… On sait tout de suite qui vous êtes.

Tous ces mois à la Dominion Cotton ne l'avaient pas transformée en une autre personne. Ses collègues, tout comme les habitants de la pension de la ruelle Berri, doutaient de son histoire. Oui, elle demeurait une institutrice.

— Votre prénom est rare, vous n'aviez pas une grande expérience de la manufacture en janvier dernier. À vous voir, je me suis bien douté que vous ne pouviez plus enseigner. J'ai regardé le numéro du *Journal de l'Instruction publique* de juin 1884, puis tous les autres ensuite. Je les vends ici. Dans celui de septembre, j'ai appris que vous n'aviez plus de brevet. Félicité Drousson et Félicité Dubois sont une seule et même personne.

Les deux minutes écoulées, elle ne s'enfuit pas. Même dans la grande ville, impossible de se cacher vraiment. Pourquoi ne pas être allée aux États-Unis ?

— Moi, je m'en fous de votre brevet, insista-t-il. Pour aligner des caractères, il ne vous sert à rien.

— Si vous saviez pourquoi je l'ai perdu, vous me chasseriez tout de suite, prononça-t-elle d'une voix blanche.

— Je ne veux pas le savoir.

De toute façon, il s'en doutait bien. Cette sanction visait des enseignants incompétents ou dont le comportement heurtait la dignité de la fonction. Celle-là connaissait les *Devoirs du chrétien* par cœur, c'était un brevet des écoles supérieures qu'on lui avait enlevé. Comme elle ne devait pas boire ni se montrer brutale avec les enfants, il ne restait plus qu'à avoir été blâmée par une conduite morale litigieuse.

— Je vous assure, ça ne m'intéresse pas, insista-t-il.

Comme Félicité voulait le croire, sans le pouvoir toutefois.

— Pourquoi avoir cherché qui j'étais.

— Vous ne devinez pas ? Vraiment ?

Devant les grands yeux gris effarés, les joues marquées de larmes, il sut que c'était bien le cas.

— Vous m'avez plu, tout simplement. J'avais hâte que vous repassiez. Je me suis privé de chercher un apprenti, cet été, juste dans l'espoir de vous offrir une place.

— Si vous saviez…

— Pourquoi est-ce si difficile de croire que ça m'indiffère. Tout ce que j'ai besoin de savoir, je l'ai sous les yeux. Vous êtes limpide.

Cela se pouvait-il ? Phébée s'était montrée certaine qu'aucun homme ne voudrait plus d'elle dès l'apparition de la première lésion sur son visage. Pourtant ce n'était rien, aux yeux de Félicité, en comparaison d'une âme noircie.

— Vous ne pouvez pas sortir dans la rue bouleversée comme vous l'êtes. Comme l'autre fois, je vais vous préparer du thé. Prenez place, l'invita-t-il doucement. Demain, mademoiselle, vous commencerez à apprendre le métier de typographe.

Félicité le fixait avec des yeux angoissés, partagée entre l'espoir et la honte.

Encore quelques mots

Octobre 1885 fut le mois le plus meurtrier de l'épidémie. Dans son ouvrage, Michael Bliss (*Montréal au temps du grand fléau. L'histoire de l'épidémie de 1885*, Libre Expression, 1993) évoque 1 284 victimes connues de la variole dans Montréal, 85 dans Saint-Jean-Baptiste, 81 dans Sainte-Cunégonde, 55 dans Saint-Henri, 115 dans Coteau-Saint-Louis, au moins 12 dans Saint-Gabriel et à Côte-Saint-Paul. En un mois, on dénombra au moins 1 632 décès dans la ville et ses banlieues. La maladie s'éteignit lentement dans la métropole, elle s'attarda encore un peu dans les environs, jusqu'à la nouvelle année en fait.

Un total de 3 234 décès dus à la variole fut recensé à Montréal, dont 3 085 Canadiens français : 95 % des cas, alors qu'ils étaient un peu plus de la moitié de la population. En périphérie, on compta 2 605 morts. Ces chiffres, comme ceux du seul mois d'octobre, devaient en réalité être plus terribles encore dans un contexte où l'on tentait de cacher les malades. La très grande majorité des disparus étaient des enfants.

Ma description horrible des malades et de leur odeur si particulière est conforme aux documents historiques. Des médecins, pourtant habitués à des situations difficiles, y font souvent référence. Quant à l'allure des variolés, mettez simplement le mot *variole* ou *smallpox* dans un moteur de recherche et regardez le résultat. Attention toutefois, car il faut avoir le cœur bien accroché. Certains de mes personnages utilisent parfois le mot *vérole*. Il s'agissait d'un choix extrêmement méprisant, car le terme était synonyme de *syphilis*. On trouve aussi le vocable *picotte* (ou *picote*), synonyme de *varicelle*. Là, l'intention est contraire : il transforme une maladie très grave en une affection bénigne.

Quant aux péripéties de ce roman, elles collent aux événements. Le sujet de la vaccination divisa le corps médical. Le clergé catholique de langue française appuya le programme d'intervention. Monseigneur Fabre se fit inoculer à deux reprises. L'attitude de nombreux clercs demeurait toutefois ambiguë. Du haut de la chaire dans les églises, dans les journaux catholiques, dans des pamphlets, le lien entre les péchés du carnaval et la punition divine revenait sans cesse. Les grandes processions et les prières collectives clamaient bien haut la conviction que le salut du corps comme celui de l'âme tenait plus à la piété qu'à la lymphe de vache.

Je paraphrase ou je cite les documents d'époque pour évoquer le contenu des tracts, des prêches et des articles des journaux contre la vaccination. Les histoires d'horreur quant aux conditions sanitaires à l'hôpital de Fletcher's Field, reprises abondamment dans les journaux, ajoutaient à la méfiance des francophones à l'égard des autorités municipales. Judith Collins, par exemple, joue dans ce roman le rôle que la presse lui a attribué. Soupçonnant des exagérations – les journalistes s'exposent toujours à ce péché –, j'ai omis d'évoquer les récits les plus grotesques. Tout cela survenait au moment où l'on pendait Riel, ce qui augmentait la colère populaire et brouillait les esprits.

Si les soirées d'émeute successives valurent aux vaccinateurs des vitres brisées ; aux policiers, des coups et des bosses ; et à tous les habitants, beaucoup de peur ; une seule personne perdit la vie dans ces désordres : un milicien. Il ne s'appelait pas Jules Abel, n'appartenait pas aux Fusiliers Mont-Royal et n'était pas un jeune pharmacien. J'ai pris quelques petites libertés avec les faits.

Voilà maintenant la véritable histoire. Les Victoria Rifles, assistés de la cavalerie, devaient maintenir l'ordre devant le pavillon principal du terrain de l'exposition. La rumeur évoqua la venue d'une centaine de manifestants armés de Saint-Henri. On donna l'ordre de préparer les munitions. Nerveux, un milicien, Rodden, comprit plutôt qu'il devait charger sa carabine. Ses camarades l'informèrent de son erreur. Alors qu'il la déchargeait, elle lui échappa des mains, le coup partit, la balle ricocha sur une pierre pour atteindre à la hauteur des reins le milicien John H. Samuel, âgé de 25 ans. Il s'agissait d'un dentiste en début de carrière. Il mourut dans la soirée. Pareille malchance m'a fait imaginer le destin tragique de Jules.

Suivez-nous

Achevé d'imprimer en octobre 2012
sur les presses de Marquis-Gagné
Louiseville, Québec